Sebastian Brant

Das Narrenschiff

Studienausgabe

Mit allen 114 Holzschnitten
des Drucks Basel 1494

Herausgegeben von
Joachim Knape

Philipp Reclam jun. Stuttgart

RECLAMS UNIVERSAL-BIBLIOTHEK Nr. 18333
Alle Rechte vorbehalten
© 2005 Philipp Reclam jun. GmbH & Co., Stuttgart
Gesamtherstellung: Reclam Ditzingen. Printed in Germany 2005
RECLAM, UNIVERSAL-BIBLIOTHEK und
RECLAMS UNIVERSAL-BIBLIOTHEK
sind eingetragene Marken
der Philipp Reclam jun. GmbH & Co., Stuttgart
ISBN 3-15-018333-2

www.reclam.de

Inhalt

Einleitung

Text

Anhang

Lesehilfen

Einleitung

1
Sebastian Brant

Zur Biographie

Sebastian Brant wurde 1457 als Sohn des Straßburger Gastwirts der großen Herberge »Zum goldenen Löwen«, Diebolt Brant d. J., geboren. Ab dem Winterhalbjahr 1475/76 studierte er an der Universität Basel die Artes und Jura. Im Studienhalbjahr 1477/78 erwarb er dort die juristische Bakkalaureat, 1484 das juristische Lizentiat. Nach dem Studium heiratete er 1485 die Basler Bürgerin Elisabeth Burgis, mit der er im Lauf der Jahre sieben Kinder hatte. 1489 erfolgte die Promotion zum Doctor iuris. Seitdem war er an der Basler juristischen Fakultät ordentliches Mitglied des Professorenkollegiums. Er lehrte kanonisches (kirchliches) und römisches Recht. 1492 wählte man ihn für ein Jahr zum Dekan der Fakultät. Daneben war er auch als Rechtsgutachter, Advokat und Richter tätig. Mit dem Winterhalbjahr 1500 schied er aus der Universität aus. Dies wurde zur wichtigsten beruflichen Zäsur in seinem ansonsten offenbar in regelmäßigen Bahnen verlaufenen und auf die beiden Standorte Basel und Straßburg beschränkten Leben. Er siedelte nach rund 25 Jahren Aufenthalt in Basel zum Frühjahr 1501 in seine Heimatstadt Straßburg über, um dort als praktischer Jurist, als Syndikus und oberster Verwaltungsbeamter (»Stadtschreiber«, »Kanzler«) der Freien Reichsstadt Straßburg zu wirken. Immer wieder bat ihn auch Kaiser Maximilian I.

Sebastian Brant
Zeichnung von Albrecht Dürer

Staatliche Museen Berlin, Kupferstichkabinett

(gest. 1519) um seine Dienste als Ratgeber. Beide sind sich einige Male begegnet. Auf seiner letzten »Dienstreise« in die Niederlande, nach Gent, entbot Brant 1520 noch dem neuen deutschen König Karl V. die Reverenz Straßburgs. Brant bekleidete sein hohes Amt bis zum Tode am 10. Mai 1521.[1]

Der Kommunikator

Dies sind die äußeren Stationen eines über den Weg akademischer Bildung vollzogenen bürgerlichen Aufstiegs. Sie wären vielleicht vergessen, wenn es sich nicht um die Biographie des in Europa berühmtesten deutschen Autors der Zeit um 1500 handeln würde. Dieser Ruhm gründet sich auf die rastlose und vielfältige publizistische Tätigkeit, die Brant insbesondere zwischen 1490 und 1500 neben seinem Beruf entfaltete und die ihn zum ersten Vertreter des neuzeitlichen Autortyps in Deutschland werden ließ. In seiner späteren Straßburger Periode allerdings schränkte Brant seine schriftstellerischen Arbeiten ab 1502 drastisch ein. Man kann seine eigenen gedruckten Werke in drei große Gruppen unterteilen: 1. Fachliteratur, 2. Dichtung, 3. Journalistisches. Hinzu kommt die Betreuung zahlreicher gelehrter Editionen lateinischer Werke anderer Autoren verschiedensten Inhalts.

Als juristischer Fachschriftsteller wurde Brant in Europa bekannt mit seinen erstmals 1490 gedruckten *Expositiones*. Es handelt sich bei diesen »Erklärungen« um seine erste große Einführungsvorlesung über die Hauptparagraphen (*tituli*) beider Rechtscorpora, also des Kirchen- und des (römischen) Zivilrechts. Mit über 50 Ausgaben bis zum Jahre 1622 wurde das Buch europaweit eines der meistgedruckten juristischen Lehrwerke der Epoche. Darüber hinaus initiierte Brant auch Druckausgaben der

1 Schmidt (1879); Zeydel (1967); Knape (1993).

wichtigsten juristischen Textsammlungen älterer und neuerer Zeit.[2]

Als Dichter wurde Brant in Europa durch die lateinische Version seines *Narrenschiffs* berühmt. Sein Schüler Jakob Locher brachte die Bearbeitung dieses literarischen Hauptwerks in enger Zusammenarbeit mit ihm 1497 in Basel heraus.[3] Später unternahm Jodocus Badius Ascensius zwei weitere lateinische Bearbeitungen. Insgesamt erschienen zwischen 1497 und 1572 in rascher Folge mindestens 21 Druckausgaben in Basel, Nürnberg, Augsburg, Straßburg, Paris, Lyon, Burgos, London und Caen. Bis zum Ende des 16. Jahrhunderts schlossen sich, für damalige Verhältnisse ebenfalls ungewöhnlich, zahlreiche Drucke in modernen europäischen Sprachen an: vier niederländische Druckausgaben, mindestens elf französische und vier englische (ohne die beiden zweisprachigen).[4]

Als Exponent des »astropolitischen Journalismus« einer Zeit,[5] die das moderne Medienwesen zwar noch nicht kannte, aber schon erste einschlägige Infrastrukturen ausprägte, spielte Brant in Deutschland im letzten Jahrzehnt des 15. Jahrhunderts eine ganz besondere Rolle.[6] Es war eine Handlungsrolle, die er unter den neuen Bedingungen der Gutenberg-Galaxis zu entwickeln, auszufüllen und zu definieren suchte. Brant hatte sich bereits früh mit Medienfragen beschäftigt,[7] sah die vom Buchdruck eröffneten Möglichkeiten und nutzte sie im Unterschied zu vielen seiner Zeitgenossen bereits konsequent, er fand aber noch keine entsprechenden Kommunikatormodelle vor. Der humanistische Ansatz, der die Antike zur Diskursnorm erhob, empfahl nicht nur für diesen Fall, die antiken Verhältnisse zu prüfen und daraus bei Bedarf adäquate Mo-

---

2 Knape (1992a), S. 93–136.
3 Hartl (2001); Hartl (Hrsg., 2001).
4 Überblick bei Manger (1983), S. 70–74.
5 Warburg (1920).
6 Knape (2003).
7 Knape (1992a), S. 70–72, 138–145.

delle für die Gegenwart abzuleiten.[8] Die Theorieangebote kamen auf dem Kommunikationssektor aus den Überlieferungen der Poetik und der Rhetorik. Brant hat sie in Basel nicht nur studiert, sondern später auch selbst als Inhaber der Poetiklektur unterrichtet.[9]

Man nannte die Lehrer dieses an den Universitäten des 15. und 16. Jahrhunderts neu etablierten Fachgebiets *poeta* oder *orator*. Jakob Locher berichtet 1497, wie sein Basler Lehrer Brant auf diesem Feld in Theorie und Praxis brillierte.[10] In einem theoretischen Standardwerk solchen Unterrichts, in der Brant seit seiner Studienzeit bestens bekannten *Ars poetica* des römischen Dichters Horaz, fand er den Hinweis, dass sich die Dichtung bei den Griechen auf einer bestimmten Stufe ihrer kulturellen Entwicklung zu besonderer Höhe emporschwang: »und ihre Aussage, kundig in nützlichen Dingen und sich auf die Zukunft verstehend, unterschied sich nun nicht vom Orakel verkündenden Delphi« (*Ars poetica*, V. 218 f.).[11] Dabei preist Horaz auch Orpheus, das Vorbild aller antiken Sänger, als Lehrer der Weisheit (*sapientia*), ja als Seher (*vates*) und stellt ihn in eine Reihe mit Homer und anderen Dichtern, die dem Gemeinwesen Orientierung geben konnten (V. 391–401). Dies war ein Kommunikatormodell, das semiotische, sprich literarische Kompetenz mit sozial relevanter Künderkompetenz verband.

Der Gelehrte, Lehrer und ambitionierte Schriftliterat Brant griff dieses Modell auf, begann um 1490 seine Umwelt genau zu beobachten, ungewöhnliche Ereignisse als Herausforderung an seine Deutungs- und Kündungskompetenz zu sehen, um dann oratorisch-publizistisch mit Stellungnahmen hervorzutreten. Im *Memorialbuch* des humanistischen Archegeten Petrarca fand er dazu reich-

8 Knape (1997a; 1997b).

9 Knape (1992a), S. 27, 161–180.

10 Hartl (Hrsg., 2001), S. 12–17, Nr. III.

11 Hier und im Folgenden zit. nach der zweisprachigen Ausgabe von Schäfer (1972).

lich Anschauungsmaterial. Er äußerte sich im folgenden Jahrzehnt öffentlich zu 20 verschiedenen Ereignissen, für die sich »32 Beschreibungen und Deutungen« ausfindig machen lassen.[12] Die gewöhnlich per Einblattdruck bzw. in Flugschriftform medialisierten und regelmäßig deutschlateinisch abgefassten Texte bewegen sich zwischen Journalismus, politisch-religiöser Stellungnahme und Dichtung (verstanden als Verskunst). Sie verbinden unter politischer Fragestellung Natur- und Sozialereignisse.

Insbesondere mit seinen Wunderdeutungstexten kommt Brant an die Grenze zwischen den Handlungsrollen des bloßen Gelehrten, der die Natur zu interpretieren versteht und daraus Prognosen für das politisch-soziale Leben ableiten kann, und des unter den Zeitgenossen herausgehobenen, inspirierten Dichters. Brant diskutiert verschiedentlich die an dieser Grenze liegenden Kommunikatorkategorien, die die Antike bereitstellt: Magier (*magus*), Weissager (*ariolus*), Seher (*vates*), Opferschauer (*aruspex*), Traumdeuter (*somnorum interpraes*) und Wahrsager (*fatidicus*).[13] Er spielt mit diesen Begriffen, setzt ihnen aber explizit auf seine Person bezogen fast immer den Titel des Doktors beider Rechte (*doctor utriusque iuris*) entgegen und betont damit seine eher bodenständige Gelehrtenrolle. Es kann bei alledem kein Zweifel bestehen, dass für ihn das politische Ratgeberwesen der Antike ganz wesentlich Pate stand bei der Modellierung seiner Kommunikatorrolle in der reichspolitischen Publizistik. »Es drängte ihn offensichtlich, das antike Augurenwesen und besonders den römischen Staatsprodigienkult zum Wohle der eigenen Zeit zu erneuern und sich selbst darin das Amt einer Art Erzaugurs des Hl. Römischen Reiches zuzusprechen.«[14] Brant hat auf diesem publizistischen Feld also bewusst das Kommunikatormodell *vates-augur* kultiviert. »Auf den humanistischen Gelehrten sind Funktionen übergegangen,

---

12 Wuttke (1974), S. 204, 207.
13 Knape (2003), S. 89.
14 Wuttke (1976), S. 246.

die zuvor der Priester/Prophet zu erfüllen hatte: Poet, Orator, Historiker, Philosoph.«[15]

Brant wächst mit alldem bereits in ein Kommunikatorprofil hinein, wie es für die Gutenberg-Galaxis typisch ist. Man kann dies einerseits mit der Tätigkeitsbezeichnung »Schriftsteller, Publizist«, andererseits mit der Formel vom »reflektierten Umgang mit dem Medienkomplex« ausdrücken. Hinzu kommen Gesichtspunkte wie journalistisches Aktualitätsbewusstsein und Nutzung überregionaler kommunikativer Infrastrukturnetze (wie etwa das des humanistischen Briefverkehrs, des Buchführerwesens usw.). In Brants gelehrtem Freundeskreis, der sich in den 1480er Jahren um die Basler Kartause und Heynlin von Stein gebildet hatte, nahm man die neue Entwicklung früh wahr und nahm engagiert an ihr teil. Die neu aufgeworfenen Fragen des Schriftkodes und der im 15. Jahrhundert beobachtbare qualitative Sprung in allen Arten der Bildkodierung faszinierten die Basler.[16] Ebenso verhielt es sich mit dem Buchdruck. Die kommunikativen Chancen der durch ihn ermöglichten neuen Medien des Einblattdrucks, der Flugschrift und des Buchs neuen Typs (des eigentlichen, von Anfang an als »Buch«-Einheit gedachten, seriellen Buchs) erkannte Brant sofort. Im *Narrenschiff* werden die kommunikativen und medialen Bedingungen der Zeit verschiedentlich angesprochen. Brant setzt sich in mehreren Kapiteln mit den Entgleisungen in mündlichen Kommunikationssituationen auseinander (Kap. 19, 41, 42 und 51). Der Bote als Vertreter des alten, vor der Gutenberg-Galaxis anzusiedelnden Mediensystems wird als Gauner und Trunkenbold präsentiert (Kap. 80), die durch den Buchdruck ebenfalls langsam ins Hintertreffen geratenden Schreiber werden gar mit Wegelagerern auf eine Stufe gestellt (Kap. 79). Die Verfahren der Drucktechnik werden in Kapitel 48.59–71 beschrieben, die oft fragwürdige Rolle der Dru-

15 Müller (1980), S. 115.
16 Knape (1992a), S. 70f.

cker und die neue Lage auf dem Buchmarkt in Kapitel 103.77–90 und 98–104 kritisch beleuchtet.

Sebastian Brant muss als Prototyp des neuen »Schriftstellers« und »Publizisten« in Deutschland bezeichnet werden, weil er von Anfang an seine Hauptwerke für den Druck bestimmte. Handschriftliche Verbreitung oder gar Rezitation waren für ihn bereits Sekundärphänomene. In den 1480/90er Jahren ging er bei den Basler Druckern als Korrektor und Editor ein und aus. In den 1490er Jahren kam es dann auch zu einer bemerkenswerten, für damalige Verhältnisse noch ganz ungewöhnlichen arbeitsteiligen und zugleich symbiotischen Dreierkonstellation zwischen Autor, Verleger und Drucker. Der Autor Sebastian Brant verband sich eng und freundschaftlich mit dem engagierten Buchdruckpromotor Johann Bergmann von Olpe (um 1460–1532). Bergmann war ein sehr wohlhabender Geistlicher am Basler Domstift, der auch an der Wallfahrtskirche Sewen (in den Vogesen) und andernorts Pfründe hatte.[17] Er engagierte sich als Mäzen für Autoren seiner Zeit und investierte einen beträchtlichen Teil seines Vermögens in deren aufwendige Buchprojekte. Allen voran standen die literarischen Hauptwerke seines »Hausautors« Sebastian Brant. Als Drucker half ihm Michael Furter, der 1489 in Kleinbasel eine eigene Druckerei eingerichtet hatte. Ob Bergmann sich selbst mit der neuen Technik des Buchdrucks beschäftigte wie andere gebildete Zeitgenossen auch und ob er mit dem Buchdruck geschäftliche Interessen verfolgte, wissen wir nicht. Das kunstvolle Typenmaterial jedenfalls hatte Bergmann speziell für seine Buchprojekte angeschafft, und Furter konnte darauf für Bergmanns Projekte zurückgreifen.[18] Der kunsthandwerkliche und ästhetische Ehrgeiz, der bei den Druckunternehmungen erkennbar wird, hatte in Basel noch auf das Handschriftenwesen zurückgehende Tradition.

17 Wilhelmi (1993).
18 Koegler (1920).

Im Jahre 1494 führte Bergmann von Olpe diese Tradition mit zwei aufwendigen Werkausgaben erster Hand fort. Es sind die beiden ersten Sammlungen lateinischer und deutscher Gedichte Sebastian Brants, die lateinischen *Marienlobgedichte* (*Carmina in laudem Mariae*) und das deutsche *Narrenschiff*. Beide Ausgaben sind als in sich geschlossene und nach einheitlichen ästhetischen Prinzipien angelegte Buch- bzw. Werkeinheiten konzipiert.[19] Man kann sie nicht dem schon erörterten Bereich des alltagspublizistischen Wirkens Brants zuordnen, weil sie für ihn eine ganz andere Qualität haben. Für ihn geht es hier um »Dichtung« im emphatischen Sinn, um literarisches Schaffen, das der Handlungsrolle eines *poeta philosophus* zuzuordnen ist.

Die Fertigstellung des *Narrenschiffs* muss zwischen 1492 und dem Frühjahr 1494 erfolgt sein. Der Abt Johannes Trithemius verzeichnet 1492 den Schriftsteller Brant in der ersten Version seines Katalogs berühmter Schriftsteller der Christenheit, ohne bereits das *Narrenschiff* zu erwähnen. Erst in der zweiten Fassung vom Herbst 1494 wird es genannt.[20] In den Jahren 1492 und 1493 hielt sich Albrecht Dürer in Basel auf. Brant und Bergmann engagierten ihn sofort für ihre Druckvorhaben, insbesondere auch für viele der *Narrenschiff*-Holzschnitte. Dürer ging noch 1493 nach Straßburg und reichte später offensichtlich weitere Holzschnitte nach, die Brant und Bergmann dann auch in die zweite Originalausgabe des *Narrenschiffs* (Basel 1495) integrierten.[21] Im Jahre 1499 veranstalteten Brant und Bergmann noch einmal eine (dritte) gemeinsame Ausgabe. Zu diesem Zeitpunkt stand der sensationelle Erfolg des *Narrenschiffs* bereits fest. Schon im Erscheinungsjahr 1494 hatte es außerhalb Basels in Nürnberg, Reutlingen und Augsburg, wohl auch in Straßburg nicht-autorisierte

19 Knape (1993), S. 159 f.
20 Knape (1992a), S. 173 f.
21 Lemmer (1994), S. 115–120.

Nachdrucke gegeben. In den Folgejahren setzte sich dies unvermindert fort.[22]

Ein Merkmal des literarischen Schaffens Sebastian Brants ist die bewusste Zweisprachigkeit. Er plante daher auch eine lateinische Version seines *Narrenschiffs*. Diese Arbeit nahm ihm aber sein Schüler, der Humanist Jakob Locher (Philomusus), ab. Brant schrieb zu Lochers Vorhaben eine *Ermunterung* mit folgendem Wortlaut:

Kürzlich schrieb ich von Narren in einer volkssprachlichen Dichtung;
dieses unser Werk ist allerorten hinlänglich bekannt.
Damals verfertigten wir den Nachen für die Narragonier,
den wir in deutscher Sprache errichteten.
Als ich diesen darauf in schlagkräftigem lateinischen
Spott
für die Gelehrten (*pro doctis*) verfassen wollte und
schon den Anfang gemacht hatte,
kamen mir in einem fort zahlreiche Geschäfte
dazwischen,
die den Fuß, der mit dem Vers schon begonnen hatte,
aufhielten.
So geschah's, daß ich selbst das so löbliche Werk
angefangen liegen ließ
und den Griffel zerbrach, den ich einmal aufgenommen
hatte [...].
In unserer Sache übertrugen wir daher dir allein vor
allen anderen,
geschätzter Jakob, die unumschränkte Stellvertretung.
[...][23]

Diese *Ermunterung* ist als eine von mehreren Beigaben Brants in der 1497 (also drei Jahre nach der Drucklegung des deutschen *Narrenschiffs*) erfolgten Ausgabe von Lo-

---

22 Manger (1983), S. 67–69.
23 Die *Stultifera navis*-Texte im Folgenden zit. nach der zweisprachigen Ausgabe von Hartl (Hrsg., 2001), hier S. 32/33.

chers lateinischer Version, der *Stultifera navis*, abgedruckt. Brant autorisiert damit die lateinische Bearbeitung, lobt sie und integriert sie letztlich in sein eigenes literarisches Wirken. So wird auch verständlich, warum Brant an anderer Stelle seinen Beitrag am *Stultifera navis*-Druck eigens erwähnt. Er habe Lochers Version durchgesehen, schreibt er, und Locher selbst bestätigt auf dem Titelblatt Brants Korrektorentätigkeit. Brant betont, dass er natürlich der beste Kenner seiner eigenen ursprünglichen *Narrenschiff*-Erfindung (*inventio nostra*) sei, und darum habe er dem Druck gleich noch eigenhändig gelehrte Quellenhinweise (in Form von Marginalien) beigesteuert:

> Gern trete ich zurück, es wird dein Verdienst sein,
>   gelehrter Jakob,
> der du meine volkssprachlichen Schiffswagen über-
>   setztest, ich sah
> jene durch, las sie gründlich, und das Werk gefällt
>   [mir] gut.
> Uns war unsere Erfindung (*inventio nostra*) besser
>   bekannt, [vor allem]
> woher ich welche schmückenden Sentenzen entnom-
>   men habe.
> Deshalb füge ich die Konkordanzstellen hinzu, damit
>   der Leser
> schnell die einzelnen [Stellen] erkennen kann.[24]

Der *Stultifera navis*-Druck enthält nach der Zählung Nina Hartls insgesamt 19 solcher Paratexte, mit denen Brant und Locher, untereinander gewissermaßen im dichterischen Wettstreit, den lateinischen Kerntext flankieren.[25] In ihnen würdigt Locher die Produktionsgemeinschaft von Brant und Bergmann, ja, er richtet einige Beigaben sogar direkt an den verehrten Gönner und Förderer Bergmann. In einer von ihnen charakterisiert er

24 Ebd., S. 358/359.
25 Ebd.

Bergmann als Anreger und Spiritus rector von Autoren, als Mäzen und Sponsor von Druckwerken zum Ruhm der deutschen Gelehrsamkeit. Vor allem aber sei Bergmann, betont Locher, ein Schrittmacher und Förderer einer neuen deutschen Literaturszene, indem er die Gebildeten zum Schreiben (*ad scribendum* XVI,38) anhalte.[26]

Bergmann von Olpe gab ein Jahr später, 1498, mit den *Varia carmina* eine neue Werkausgabe der mehr als hundert bis dahin entstandenen lateinischen vermischten Gedichte Sebastian Brants heraus. Die Sammlung enthält auch ein *Preislied von S. Brant an Herrn Johannes Bergmann von Olpe über den Vorzug der kürzlich von Deutschen erfundenen Druckerkunst*.[27] Zunächst hebt Brant darin die Begeisterung der gelehrten Welt über den Nutzen der neu erfundenen Buchdruckerkunst hervor. Dann spricht er von den konkreten Auswirkungen auf das Bildungswesen:

> Was zuvor kaum einer in tausend Tagen geschrieben,
> schafft mit Hilfe der Kunst heute ein einziger Tag.
> Spärlich waren vordem der Gelehrten Bücherbestände,
> selten traf man nur an Bibliotheken im Land.
> Viele Städte besaßen vormals kaum einzelne Bücher,
> heute aber findet man sie auch im bescheidensten
> Haus.

Was früher Besitz von Reichen und Königen war, sei heute allen zugänglich. Im humanistisch motivierten Wettbewerb mit der bildungsarroganten Romania hat Deutschland aufgeholt:

> Was den weisen Griechen, den kundigen Welschen
> verborgen
> blieb, das erfand das Genie Deutschlands: die neueste
> Kunst.

---

26 Ebd., S. 364/365.
27 Zarncke (Hrsg., 1854), S. 192, Nr. 81; Übers. zit. nach Schnur (Hrsg., 1966), S. 17.

Sage mir, der du Italiens Boden bebaust: was hast du,
das mit gleichem Wert solcher Erfindung sich mißt?
Frankreich, das du so stolz erhebest Nacken und
                                        Stirne,
zeige vor doch ein Werk, das sich mit diesem
                                        vergleicht!
Sagt, ob weiterhin noch Barbaren ihr nennet die
                                        Deutschen,
da doch allein ihrer Kunst ist zu verdanken dies
                                        Werk?

Brant prognostiziert, dass ab jetzt die Musen Sitz am
Ufer des Rheins nehmen und Deutschland infolgedessen
auch politisch zu neuer Weltgeltung kommt. Für ihn ist
klar, dass nunmehr auf dem Feld der gelehrten und literarischen Produktion und Kommunikation ein neuer Stan-
dard erreichbar ist. Deutschland kann nun auch der Welt
bedeutende Geistesgrößen beisteuern:

Deutschland begann schon früh, Gelehrte wie Platon
                                        zu zeugen,
bald aber findest du auch Dichter, so groß wie Homer.
Bald geben auch einen Celsus wir dir oder einen
                                        Messalla,
kundig des Rechts, wie sie Roma dereinsten erzeugt.

Brant, nebenbei Herausgeber der Werke von Augustinus und Petrarca (zu Brants Zeit unbestritten erstrangige
Philosophen), erwähnt hier Archegeten der Philosophie
und Dichtkunst sowie zwei bedeutende Juristen der rö-
mischrechtlichen Tradition. Sie geben Modelle ab für
die neu zu konzeptualisierenden Handlungsrollen im
zeitgenössischen Bildungs- und Kommunikationswesen
Deutschlands, über die Brant, wie alle Humanisten seiner
Zeit, nachdenkt. Sie bieten aber natürlich auch die Modelle für sein eigenes Selbstkonzept, liefern Maßstäbe für sein
Schaffen und für die Beurteilung seiner inzwischen so

zahlreich herausgegebenen Druckwerke. Natürlich scheut sich Brant vor übertriebenem Eigenlob. Das Loben überlässt er seinem Schüler Locher, der auch keinen Moment zögert, Brant in einer seiner Beigaben zur *Stultifera navis* als zeitgenössische deutsche Einlösung der antiken Idealmodelle zu preisen. Im Widmungsbrief an Brant berichtet Locher, wie er einem Italiener auf die Frage geantwortet habe, ob auch in Deutschland jemand »die Lehren der Redekunst und feinsinnigen Dichtkunst« kultiviere. Er habe geantwortet, Brant sei es, »der dem Stil nach der Ovid unter unseren Landsleuten ist« (III,52 f.). Später schreibt Locher, Brant sei in der Verskunst einfach der Beste (*optimus arte* IV,8). In der Prosa bewege er sich auf Ciceros Spuren. Griechen und Römern lag die göttliche Dichtkunst nahe, sagt Locher, während wir Deutschen »sarmatisch sprechen, wir rülpsen die Worte aus dem Mund« (IV,25). Dann fährt er fort:

Doch nachdem Brant begonnen hatte, die heiligen
Musenwerke
zu studieren und elegante Verse zu lehren,
nahm die Schar der Gelehrten zu, die auf süß
klingender
Laute spielt und ungebundene Worte zu Versen
verbindet.
Denn vielen frommt's, vor diesem gelehrigen Spiel zu
erblassen;
auf der ganzen Welt gibt es nichts Vortrefflicheres.
[...]
Aber es tut nicht not, einen berühmten Dichter zu
loben,
längst bestätigt die verfaßte Schrift wohlverdient
[deine Größe].
(IV,27–32; 51–52)[28]

28 Hartl (Hrsg., 2001), S. 19–21.

Entscheidend im internationalen Dichter-Wettstreit ist aber, dass die deutschen Schriftsteller mit dem Buchdruck eine Medialisierungsform gefunden haben, die sie international berühmt machen kann. Locher ruft daher gegenüber Bergmann von Olpe aus:

> Unsere Landsleute machst allein du zu berühmten
> Dichtern,
> und du reichst unser Werk dem palatinischen Jupiter
> dar.
> Unter deiner Hand erstrahlt der vieltönende Brant in
> seiner Berühmtheit
> und gab ein der Nachwelt noch lange bekanntes Werk
> [das *Narrenschiff*] heraus.
> (VIII,3–6)[29]

Auch Brant hegt ein Jahr später in dem genannten Preislied auf Bergmann keinen Zweifel daran, dass der Buchdruck und die an ihm hängenden Medieninnovationen, personifiziert im verlegerischen Mentor Bergmann von Olpe, die Voraussetzung der neuen Qualität und Reputation deutscher Intellektueller abgeben. Gegen Ende heißt es da:

> Unserer Drucker Kunst und Arbeit bewirkte dies
> alles,
> und von ihrem Bemühn wird uns der Nutzen zuteil;
> denn sie lieferten uns so viele Bände und Bücher,
> daß verschuldeter Dank stets diesen Männern ge-
> bührt.
> Dir [Bergmann] vor allem bin Dank ich schuldig, der
> meine Stücke
> druckt, daß vielen vielleicht möge gefallen mein
> Werk.[30]

29 Ebd., S. 30/31.
30 Schnur (Hrsg., 1966), S. 20/21.

Aus Brants Basler Studienzeit ist eine grammatische Sammelhandschrift mit Brants Abschrift der lateinischen *Ars poetica* des römischen Dichters Horaz (65–8 v. Chr.) erhalten, die er eigenhändig auf das Jahr 1476 datierte.[31] Auch später bezieht er sich regelmäßig auf Horaz. Etliche Jahre vor Entstehung des *Narrenschiffs* sandte der Basler Bernhard Petri einige Gedichte an Sebastian Brant mit der Bitte um Begutachtung.[32] In seiner Antwort bezieht sich Brant auf Horaz als antiken Fachmann für Fragen der Dichtungslehre. Man solle gelehrten Ohren nur Gedichte zumuten, heißt es da, die nichts an Gespür für die rechte Wortwahl bzw. künstlerisch-dichterischen Mittel (*elegantia*), nichts an dichtungstheoretischer Schulung in Bezug auf die handwerklichen Regeln der Dichtkunst (*ars*) und noch weniger an Phantasie und poetischer Begabung bei der Findung (*ingenium*) vermissen lassen. Aus der *Ars poetica* fügt er dann den autoritativen Satz hinzu: »Es genügt nicht, daß Dichtungen schön sind; sie seien gewinnend, sollen den Sinn des Hörers lenken, wohin sie nur wollen« (V. 99 f.). Die unter den zeitgenössischen Humanisten als maßgebliche Dichtungslehre erachtete *Ars poetica* ist eine kurze, versifizierte literarische Produktionstheorie, die Brant verschiedentlich analytisch wendet, um zu einem durch Autorität abgesicherten Urteil in Fragen der Dichtung zu finden. Horaz taucht auch dutzendmal auf, als Brant 1497 mit Hilfe seines poetischen ›Zettelkastens‹[33] systematisch die Druckfassung der lateinischen *Narrenschiff*-Bearbeitung Jakob Lochers mit Quellenhinweisen versieht. Mehrfach annotiert er die *Ars*, wie die horazische Poetik bei ihm kurz heißt. Brant erkannte Horaz-Zitate

---

31 Eder (1977).
32 Wilhelmi (Hrsg., 1998), Nr. 13.
33 Knape (1995).

offensichtlich nach dem Gedächtnis und vermerkte dann auch einfach *Horatius* ohne die sonst übliche Werk- oder Stellenangabe. Bisweilen verließ ihn dabei sein Gedächtnis, und er machte Falschzuweisungen, etwa in Kapitel 85 der *Stultifera navis*.[34] Jakob Locher berief sich für sein Übersetzungsverfahren ebenfalls auf die Autorität des Horaz (*Stultifera navis* XIII,11 f.).[35] All dies sind Indikatoren für die zunehmend erkennbare Modellverbindlichkeit des römischen Dichters Horaz, die man auch unter anderen avancierten deutschen Autoren der Zeit feststellen kann.[36]

Wenn wir im Folgenden die *Ars poetica* des Horaz ebenfalls als analytischen Leitfaden heranziehen, um die wichtigsten literarischen Aspekte des *Narrenschiffs* vorzustellen, dann mag dies zunächst vielleicht überraschen, weil es um ein deutschsprachiges Werk geht. Wir aktivieren damit aber lediglich eine poetologische Hintergrundtheorie, mit der sich Brant sehr früh vertraut gemacht hatte, die ihm später immer gegenwärtig war und für ihn paradigmatischen Charakter hatte. Es versteht sich, dass dabei im Einzelnen jene Aspekte herausgehoben werden, die für Brants Arbeit besonders relevant sind. Insgesamt betrifft dies aber alle vier großen Komplexe, von denen Horaz handelt: 1. Die dichterisch-simulative Konstruktion virtueller Realitäten (Fiktionen), wie sie etwa in Vers 8 angesprochen sind; bei Brant sind hier die Narrenfiguren und die Schiffs-Bildlichkeit von Belang. 2. Die Sprachkunst mit all ihren Aspekten; bei Brant bezieht sich das auf die Verskunst und auf sein Sprachspiel. 3. Die Erkenntnisleistung der Dichtung; für Brant liegt sie im philosophischen Ansatz seines Werkes. 4. Die in der literarischen Interaktion verbundenen Kommunikationsteilnehmer; für Brant ist hier auf Produktionsseite insbesondere die Frage einer zeitgemäßen, humanistisch inspirierten Interpretation der Dichterrolle wichtig.

34 Hartl (2001), S. 228.
35 Hartl (Hrsg., 2001), S. 48/49.
36 Schäfer (1976).

Horaz gesteht Malern und Dichtern gleich zu Beginn seiner *Ars poetica* das Fiktionsrecht zu, legt dabei allerdings fest, dass keine völlig nichtigen Gebilde (*vanae species*) erdichtet werden dürfen. Vom Publikum werden nämlich nur solche virtuellen Konstruktionen als Wahrnehmungsangebote akzeptiert und nicht für lächerlich gehalten, die mit der irdischen Wirklichkeit korrespondieren (V. 1–10). Die hier aufgeworfene Mimesisfrage, also die Frage nach der Erzeugung von Fiktionen als Möglichkeitskonstruktionen auf rein semiotischer Ebene, die Aristoteles zum Proprium der Dichtung erklärt (*Poetik* 9), steht für Horaz allerdings nicht im Zentrum seiner weiteren Überlegungen. In Deutschland nähert sich der Humanist Konrad Celtis in seiner Poetik (*Ars versificandi*) von 1486 dieser Problematik wenigstens im Ansatz an, wenn er von der Aufgabe des Dichters (*officium poetae*) spricht. »Er umreißt zunächst den Gegenstandsbereich, der dem Dichter gehört: das Ganze der Menschenwelt, alle Erscheinungen der Natur, das innere Wesen der Dinge, Geist und Seele des Menschen. Die Aufgabe aber, die er dem Dichter als die seine zuweist: abbildende Darstellung, Schaffung von *rerum simulacra*, erhält, bezogen auf die universale *res*, die dem Dichter gegeben ist, den Rang des Allgemeinen und Wesentlichen. Das poetische Vermögen, in der Darstellung die Lebendigkeit der Dinge selbst zu simulieren, so daß diese im Akt des Schreibens erneut lebendig zu werden (*reviviscere*) scheinen, bedeutet für den Celtis der *Ars* die höchste Stufe und zugleich die Grenze des Dichterischen, ein Vermögen, das bei vollkommener Beherrschung für ihn die Illusion der poetischen Urschöpfung zu erwecken vermag. Der Dichter erreicht seine *summa laus* darin, daß er schreibend einen gleichsam noch ungeschaffenen Gegenstand selbst hervorzubringen und ihm erst deutlich Gestalt zu geben scheint (... *ut quasi non factam rem ipse scribendo efficere clarioremque reddere videatur).«*[37]

Seit der griechischen Antike haben sich in Europa zwei literarästhetische Auffassungen herausgebildet, die man als die mimetische (Aristoteles) und die spracharistische (Horaz) Auffassung von Dichtung, mit Gustav Gerber als »Dichtkunst« und »Sprachkunst« sowie mit Gérard Genette kurz als »Fiktion« und »Diktion« bezeichnen kann.[38] Beide Auffassungen werden selten in reiner Form verwirklicht und sind eher als theoretische Konstrukte im Rahmen der Suche nach einem einheitlichen Dichtungskriterium zu verstehen. Die rein mimetische aristotelische Sicht ist seit der Antike besonders umstritten. Dabei geht es um die Frage, welche Realitätskonstruktion (Schaffung virtueller Welten) im Text erlaubt ist, ob reine Fiktion bzw. Simulation gestattet ist und wie das Verhältnis von (eventuell abstrakter) Wahrheit und dargestellter Wirklichkeit zu beurteilen ist. Mit dieser Problematik ist ein weiterer, von den kommunikativen Zusammenhängen her gedachter Aspekt verknüpft. Er betrifft den im Text erkennbaren Redemodus. Platon findet dazu bereits deutliche Worte in der *Politeia*, wenn er ausführlich die Kommunikatorrolle des Dichters im idealen Staatswesen erörtert. Dabei macht er unter anderem am Beispiel Homers deutlich, wie die beiden an das jeweilige Dichtungsverständnis geknüpften Auffassungen der Handlungsrolle »Dichter« auch textuell in jenen zwei grundlegenden Redemodi hervortreten, die er »Diegesis« (auktorial markiertes Sprechen) und »Mimesis« (Simulation, fingierende Darstellung) nennt (*Politeia* 392d). Es ist ein Gegensatz, der sich bis heute in den unterschiedlichen Literarästhetiken der europäischen Tradition niederschlägt und auch in gebräuchlichen Begriffsoppositionen folgender Art steckt:

37 Worstbrock (1983), S. 475; vgl. Entner (1972), S. 354, und Asmuth (1994), S. 107.
38 Gerber (1885); Genette (1992).

Telling / Showing (Henry James), auktoriales Erzählen / personales (nichtauktoriales) Erzählen (Stanzel), literarische Heteronomie / literarische Autonomie, Pragmatisierung der Literatur / Entpragmatisierung der Literatur.

Wie ist Brant hier einzuordnen? Für ihn sind alle seine Texte pragmatisch-kommunikativ gebunden. Die Vorstellung eines entpragmatisierten, von den sozialen Handlungsverflechtungen des Autors völlig losgelösten Texts (für den der Autor dann auch nicht mehr zur Rechenschaft gezogen werden darf) ist ihm fremd. Liebesgedichte, Epen, Romane, die virtuelle Welten (*possible worlds*) entwerfen und in denen selbst die Erzählerinstanzen fiktionsverdächtig werden, schreibt er nicht. Nur ganz selten, etwa in den Dramen, Fabeln oder seiner *Traum*-Schrift, spielt er mit dem »als ob« der Fiktion.[39] Dementsprechend ist auch das *Narrenschiff* deutlich auktorial markiert, indem Brant sich in den Paratexten nennt, Autorpräsenz zu evozieren sucht und darum stets den autodiegetischen Redemodus beibehält. Wie bei der antiken Lehrdichtung etwa eines Vergil oder bei der mittelalterlichen Spruchdichtung bleibt hier die kommunikative Implikatur eines Fiktionalitätskontrakts mit den Rezipienten im Unbestimmten, zumal fiktionale Elemente nur eine begrenzte Rolle spielen.

Brants Dichtungskonzept scheint alles in allem eindeutig auf die Seite der Sprachkunst oder der Diktions-Ästhetik zu gehören, nach der sich Dichtung vor allem durch konventionelle ästhetische Overcodes (insbesondere Versifikation) definiert oder zu erkennen gibt. Das ist gewiss Brants Grundauffassung. Spielt die poetische Simulation (Mimesis) bei ihm also gar keine Rolle? Das *Narrenschiff* macht in dieser Hinsicht nachdenklich. Es arbeitet eben doch auch auf raffinierte Weise mit Epoche machenden fiktionalen Bildvorstellungen: jener der Narrenfiguren sowie dem Bild des Schiffs der Narren. Brant mischt also im Sinne von Horaz' *Poetik*, V. 151 f., Wahres (Brants Lehre)

---

39 Knape (2003).

mit Falschem (Brants bildhafte Schiff-mit-Narren-Erfindung), wobei man nach Brants Verständnis gewiss eher von etwas Wahrähnlichem (*verisimile*) statt von »Falschem« reden muss. Die Forschung ist sich darin einig, dass erst durch Brant der »Narr« zu einer literarischen und gedanklichen Kristallisationsgröße ersten Ranges im Europa der frühen Neuzeit wurde.[40] Brants Narr ist eine literarische Figur, in der sich alle kritischen Überlegungen zum törichten und fragwürdigen Verhalten imaginativ bündeln lassen. Und das zusammenfassende Bild des »Schiffs der Narren« (mit Narrenschifffahrt und Narrenschiffflotte), das im Ansatz ein allegorisches Verstehen des gesamten Werkes evoziert, ist etwas, das Brant als seine ureigenste *inventio* erkennt und verteidigt (*Stultifera navis* XV,119).[41] Im Jahre 1499 fasst er in der *Verwahrung* seinen dichterischen Originalitätsanspruch in der lapidaren Formel: *Es kan nit yeder narren machen* (V. 38). Im Verständnis Brants handelt es sich dabei gewiss nicht um jene Art zweifelhafter dichterischer Erfindungen, die seine Zeitgenossen oft auch als Lüge abtun. Dieser Verdacht kommt bei Brant nicht auf. Warum? Weil die Narren deutlich als Exponenten einer literarischen Methode zu erkennen sind, mit deren Hilfe Brant über philosophisch-anthropologische Fragen kommunizieren will. Die Weisheitslehre des biblischen Alten Testaments verfuhr schon ähnlich. Doch Brant hatte nicht nur dieses Modell und die dort auftauchenden Weisheits- und Narrenbegriffe vor Augen. Auch die Rhetoriktheorie gab entsprechende theoretische und produktionstechnische Hinweise. Cicero formuliert die lange Zeit gültige Grundposition eines rhetorischen Dichterverständnisses in *De oratore* (1,70) wie folgt: »Der Poeta nämlich steht dem Orator nahe, etwas gebundener im Rhythmus, aber freier in der Ungebundenheit der Sprache; in vielen Formen schmückender Gestaltung ist er gar sein Gefährte und ihm fast gleich; in dem Punkt jedenfalls

40 Könneker (1991), S. 57.
41 Hartl (Hrsg., 2001), S. 358/359.

stimmt er gewiss beinahe mit ihm überein, daß er durch keine Grenzen sein Recht beschneidet und begrenzt, sich mit demselben Spielraum und Reichtum des Ausdrucks zu bewegen, wo er will.«[42] Brant versteht den Dichter in diesem Sinn als Sprachkünstler mit einer Botschaft. Er denkt nicht an das Schaffen von radikal Möglichem gemäß aristotelischem Dichtungsverständnis, nicht an das Kontrafaktische einer *possible world*, sondern nur an etwas Wahrähnliches in dieser vom christlichen Gott geschaffenen Welt.[43] Er ruft das intertextuelle Universum seiner Zeit auf und versammelt hunderte von historischen und literarisch gegebenen Personen und Personengruppen in seinem *Narrenschiff*. Davon tauchen ausweislich des im Anhang zu dieser Ausgabe befindlichen Personenverzeichnisses 355 mit Namen auf. Sie und die Zeitgenossen geben für Brant die Realitätsfolie für seine 109 Narren-Kondensate, aber auch für die positiven Kontrastfiguren ab.

Das *Narrenschiff* soll ein Opus deutscher Dichtung sein. In dem anspruchsvollen und auf Wirkung eingestellten literarischen Text, der Brant vorschwebt, muss man immer wieder von der Abstraktion zum konkreten Bild schreiten. »Großen Eindruck macht es nämlich«, konnte Brant bei dem antiken Rhetoriker Quintilian lesen, »wenn man zu den wirklichen Vorgängen noch ein glaubhaftes Bild hinzufügt (*credibilis rerum imago*), das den Zuhörer gleichsam gegenwärtig in den Vorgang zu versetzen scheint, wie es die bekannte Beschreibung des M. Caelius darstellt« (*Institutio oratoria* 4,2,123).[44] Cicero hat in seinen Reden nicht nur »Stellung, Rang und Taten« der betroffenen Personen dargestellt, sondern im Text »auch noch ein Bild entworfen (*etiam imaginem expressit*)«, das sie für das Publikum verlebendigte (*Institutio oratoria* 3,8,50). Jeder »Fall« von törichtem Handeln ließ sich für Brant in sol-

---

42 Merklin (Hrsg., 1976), S. 81f.
43 Vgl. Entner (1972), S. 345.
44 Hier und im Folgenden zit. nach der zweisprachigen Ausgabe von Rahn (1988).

cher Weise an einen Narrentypus binden. Er integrierte damit ein ausdrucksstarkes simulatives Element in seinen Argumentationszusammenhang. Dabei bekommt die aus der Abstraktion heraustretende Narrenmimesis konkretisierenden Gleichnischarakter, weil das Gleichnis einen Gedankengang verdeutlichend vor Augen stellen kann. In der Rhetoriktheorie sind dafür insbesondere rhetorische Figuren wie die Fictio personae und die Personifikation zuständig, auf die Quintilian ebenfalls eingeht: »Aber auch Gestalten erfinden wir oft (*formas fingimus saepe*), wie Vergil die Fama (das Gerede), wie Prodicus [...] Voluptas und Virtus (Lust und Tugend), wie Mors und Vita (Tod und Leben), von deren Wettstreit Ennius in einer Satire berichtet« (9,2,36). Und eben auch, so fügen wir mit Brant hinzu, die Stultitia bzw. den Stultus (den Narren).

Brants Narrentypisierung rekurriert zwar auf das Fastnachtsbrauchtum, bildet aber in der gewählten seriellen Ausformung eine ganz eigenartige Versinnbildlichung des Torheitsgedankens. Zugleich erlaubt sie ein genussvolles Eintauchen ins pralle Leben. Verstärkt wird dies durch Brants Ausdrucksweisen. Die Merkmale und Attribute des Narren sind die Eselsohrenkappe, besetzt entweder mit Schellen (Erkennungszeichen der Dürer-Narren) oder einem Hahnenkamm, das Narrenkleid, der Narrenkolben oder die Marotte (Kolben mit einer kleinen Kopfplastik), der Spiegel sowie die Pfeife bzw. Sackpfeife. Als Symboltiere sind ihm Affe (Symbol der Vergänglichkeit, Genusssucht und Distanz zu guten Werken), Esel (Trägheit und Genusssucht) und Gouch/Kuckuck zugeordnet, die alle schon in den mittelalterlichen Bestiarien negativ besetzt waren.

Kohärenz

In den Versen 15–37 seiner *Ars poetica* macht Horaz ein weiteres Mal produktionstheoretisch gedachte Anleihen bei der bildenden Kunst: »Eine Amphora beginnt man zu formen, es dreht sich die Scheibe – warum wird nur ein Krug daraus?« Für Horaz liegt die Antwort auf der Hand: Die Produktion des Artefakts scheint bloß ein mechanischer Ablauf mit technischen Mitteln (Töpferscheibe) zu sein, doch die Hand des Schaffenden wird von seiner Einheit stiftenden Werkidee gelenkt, für die bei Horaz Prädikate wie *unum, totum, simplex* stehen. Dem Einheitsgedanken stellt sich allerdings das rezeptionsästhetische Erfordernis nach Variation entgegen. »Wer ein einzelnes Thema verschwenderisch zu variieren begehrt (*qui variare cupit rem prodigialiter unam*)«, muss sich daher vorsehen, dass er bei seinem Wunsch nach Abwechslung nicht auf allzu unsinnige Einfälle kommt (V. 29–31).

Davon kann bei Sebastian Brant nicht die Rede sein. Brant arbeitet seinen Gegenstand »Narrheit« sehr kontrolliert als Oberthema mit 109 Variationen aus. Dabei stiftet die Serie der Narren als solche bereits eine auf Wiedererkennung basierende Einheit. Allerdings ist es eine Serie, die auf gedankliche Erweiterung angelegt ist. Insofern handelt es sich um »narragonische Fragmente« (Brant 1504 an Peutinger).[45] In ihrer ungeordneten Ordnung fordert die Narrenreihe den Rezipienten dazu auf, sie bei jeder Gelegenheit zu erweitern. Jede allzu strenge innere Logik der Reihe könnte zu einer Abgeschlossenheitsvorstellung führen, die gerade nicht beabsichtigt ist. Die Offenheit der Reihe wird in der Schiffsallegorie um eine konzentrierende Bildvorstellung ergänzt. Das »Schiff« stellt also einen wichtigen Kohärenzfaktor dar. Einmal eingeführt, bleibt das Schiffsbild als Einheit stiftende Vorstellung beim Leser präsent und wird durch das mehrfache Aufrufen von Schifffahrt, ja, der ganzen närrischen Flotte immer wieder einmal variierend ins Spiel gebracht. Brant hat dies beabsichtigt, auch wenn ihm philologische Kritiker heute vorwerfen, dass die Schiffsmetapher nicht konsequent genug im *Narrenschiff* ausgearbeitet, sondern nur »umgehängt«

45 Wuttke (1994), S. j–k.

sei.[46] Mit dieser Einschätzung wird die imaginative Kraft der Schiffsmetapher aber unterschätzt; und zu Unrecht sucht man dabei nach einer weiter gehenden epischen Verknüpfung, die von der Gattung her nie beabsichtigt war.

Brant geht wohl zu Recht davon aus, dass sein Bild des Narrenschiffs, einmal in der Imagination verankert, haften bleibt und beim Durchgang durch sein Buch enorme produktive bzw. hermeneutische Kraft entfaltet. Er erläutert dies in der *Stultifera navis* in beiderlei Hinsicht, d. h. sowohl produktions- als auch rezeptionstheoretisch. Die Schiffsallegorie gibt dem Autor Wegweisung beim Abfassen des Buchs, dem Rezipienten beim Verständnis des Zusammenhangs. Die Textproduktion wird hier als Schifffahrt gedacht, bei der man alle nötigen Entscheidungen, Handgriffe, Verrichtungen und Schwierigkeiten bedenken muss. So schreibt Brant seinem Schüler Locher als Kapitän und Lenker des literarischen Schiffs der Bearbeitung ins Stammbuch:

> Richte schnell die Masten auf, laß die Flotte in See stechen,
> und der Wind treibe mit seiner Brise die Rahen voran!
> Übernimm das Steuer und sieh beim Umschlagen des Ruders zu,
> daß du einen jeden Narren auf die passende Ruderbank setzt!
> Schlag den Kurs ein mit den Segeln, treib die Ruder voran, entrolle
> die Taue, auf welcher Route das in Fahrt gebrachte Schiff auch segelt!
> Doch meide die heiklen und überall lauernden Klippen!
> Nimm dich in acht vor Scylla und ihren gefährlichen Seeungeheuern!

46 Zarncke (Hrsg., 1854), S. XLVI.

Wirf, wenn es not tut, hoch vom Vorschiff den
                              Anker!
Wind und Wellen mögen dir nicht den Kahn
                              zerschlagen!
Hüte dich bitte vor der Untiefe in einem Strudel!
                              Daß dich kein
                              Windstoß
oder ein alles verschlingender Sturm zerschmettere!
                              Fahr hin mit Glück!
                              (IX,15–26)[47]

Im *Aufruf an die Seefahrer*, also an die Leser, wird die
Allegorie nun ganz anders gewendet. Jeder soll sich der
Mühe dieser »Schifffahrt« aussetzen, um zu sehen und zu
erleben, wie es um ihn steht:

Nur zu! Kommt her, ihr Männer, die jetzt der Ost-
                              wind ruft! Auf geht's
in die Heimat der Narren; die vollbesetzten Segel-
                              schiffe fliegen dahin.
Macht euch geschwind auf nach Narragonien, löst die
                              Leinen vom Ufer,
und zwar sogleich! Frisch geteert schwimmt das
                              Schiff im Wasser.
Im Nu werden wir überrannt, eine [schier] endlose
                              Menge seht ihr
in unserem Gefolge; ein einzelnes Schiff kann sie
                              nicht fassen.
Denkt nicht daran, daß sich der Weg nur auf das
                              Meer hin öffnet!
Unter den Männern findet sich sogar eine stattliche
                              Zahl Frauen.
                              (X,1–8)[48]

47 Hartl (Hrsg., 2001), S. 32/33.
48 Ebd., S. 34/35.

Im Einheitsgedanken liegt auch die Antwort auf jene Frage, die Horaz zu Beginn der *Ars poetica* an Künstler richtet, die Auftragsarbeiten annehmen: »Was soll das, wenn du für Geld jemand darstellst, der aus einem Schiffbruch, beraubt aller Hoffnung, schwimmend entkommt?« (V. 20 f.) Die Antwort lautet: Der Sinn ist der konkreten Darstellung vorgängig. Er liegt im kommunikativen Anliegen, im verbindenden Konzept des Autors (oder Auftraggebers) und in dem die künstlerische Konkretion regierenden oratorischen Grundgedanken. Für Brant ist dies selbstverständlich.[49] Durch alle Kapitel des *Narrenschiffs* ziehen sich die Einheit stiftenden Grundgedanken der Brantschen Weisheitslehre. Dieser übergreifende Sinn scheint auch in Kapitel 109 auf, zu dem Brant vermutlich durch den genannten Beginn der *Ars poetica* angeregt wurde. Er stellt das Kapitel jedoch nicht (wie es die Position der Schiffbruchanspielung bei Horaz nahe legen würde) an den Anfang, sondern ganz ans Ende. In Kapitel 109 setzt Brant an den Schluss seine literarische Autorsignatur: »So spricht Sebastian Brant« (109.35). In der lateinischen Version von 1497 fügt er bei den Versen 7–8 den Quellenhinweis *Horatius in arte* hinzu.

Der Holzschnitt von Kapitel 109 zeigt den Unglücksnarren in einem in der Mitte zerborstenen Schiff. Das Motto charakterisiert das Typusmerkmal dieses Narren mit der Sentenz: »Der ist ein Narr, der nicht versteht (wenn ihm Unheil widerfährt), einsichtig damit umzugehen.« Im Spruch wird diese inhaltliche Charakterisierung zunächst noch einmal erläutert und mit Sprichwörtern verdeutlicht und erweitert. Ab Vers 10 wird das Bild der Schifffahrt aufgerufen. Der Kluge und Einsichtige versteht mit den Widrigkeiten des Meeres umzugehen. Dagegen wird ein in Seefahrtsangelegenheiten unkundiger Tor das Schiff leicht versenken. Als historische Fälle von Männern, die mit der Seefahrt klug umgehen konnten, nennt

49 Gaier (1967), S. 249.

Brant dann Alexander und Pompejus. Beider Fähigkeiten waren am Ende jedoch auch nichtig. Schlussfolgerung: Wer den Sinn kennt, versteht den Zusammenhang der Einzelteile. Und: Der wahrhaft Weise begnügt sich mit seinem Wissen um die Dinge und kommt auch nackt schwimmend, ohne jeglichen irdischen Ballast, ans rettende Ufer (vgl. auch den für die Schiffsallegorie Vorbild gebenden Odysseus in Kap. 108).

Poetischer Ordo

Die semantische Leistung (*virtus*) und den Eindruck von Schönheit (*venus*) der poetischen Ordnung im Text führt Horaz in der *Ars poetica* produktionstheoretisch auf überlegte Operationen des Dichters zurück. Dabei handelt es sich um Operationen des Vorwegnehmens gemäß Relevanz, des Zurückstellens und der qualitativen Vorzugswahl (V. 42–45). Die Humanisten des 15. Jahrhunderts haben die in diesem Zusammenhang aufgerufene *ordo*-Kategorie insbesondere auch auf semantisch-syntaktische Verhältnisse bezogen.[50] Generell ist hier aber die dichterische Textkomposition zu verhandeln. Auf Brant bezogen soll im Folgenden zunächst nur von einigen makro- und mesostrukturalen Ordnungsaspekten des Buchs gesprochen werden. Mikrotextuelle Phänomene, insbesondere der Vers, folgen später.

Wie man bei Brants Narrenreihe vom Kompositionsprinzip »Thema mit Variationen« sprechen kann, so bei Fragen der Tektonik und logischen Struktur des Gesamtwerks oder der Einzelkapitel vom Prinzip »Struktur mit Variationen«. Brant vermeidet auf allen Betrachtungsebenen Mechanik und formale Eintönigkeit. Immer gibt es Ausnahmen und spielerische Varianz. Immer wieder unterbricht er eine sich gerade verfestigende Ordnungsvor-

50 Knape (1994), Sp. 1048.

38

stellung nach dem bei Cicero und anderen antiken Gewährsmännern überlieferten Motto *varietas delectat*. Moderne Philologen hat das dabei aufscheinende rhetorische Devianzprinzip regelmäßig irritiert, obwohl man doch zu dieser Zeit sogar auf der Orthographieebene die für uns ungewohnte Norm beobachten kann, gerade keine starre Norm einzuhalten, was gewiss ästhetisch motiviert ist.

In der Forschung gibt es anhaltende Diskussionen über die Kompositionsprinzipien des *Narrenschiffs* auf der Makro- und Mesoebene. Erklärungsbedürftig ist auf Makroebene die nach modernen Sinn- und Ordnungsvorstellungen nicht unbedingt einleuchtende Abfolge der Kapitel. Für die letztlich in den Druck gegangene Kapitelfolge hat man die sukzessive Entstehung des Werkes verantwortlich gemacht. Danach gab es zunächst eine »Urfassung«, die die Kapitel 1–47 sowie 109, 110 und 111 (mit Autorsignatur-Formel) umfasste; es folgten weitere Lieferungen und Anreicherungen, sodass das endgültig auf den Markt gebrachte Buch möglicherweise als »fünfte Fassung« anzusehen ist.[51] War der hyper-reflektiert arbeitende Dichter Brant also ausgerechnet bei seinem Hauptwerk ein Opfer produktionstechnischer Umstände? Gewiss nicht. Es ist nicht vorstellbar, dass er das Buch kontingenten Verhältnissen unterwarf, die den Anspruch hätten vereiteln können, endlich eine zeitgenössische, in deutscher Sprache abgefasste Dichtung vorzulegen, die sich an einer Poetik wie der des so hoch verehrten Horaz messen lassen konnte, und zugleich den modernsten Stand der Medientechnik repräsentierte. Wenn der Produktionsprozess Einfluss auf die Ordnung des Werkes nahm, dann hat Brant dies wohl nicht als Beschränkung empfunden. Er konnte damit gut leben, so ein ästhetisches Argument, weil er das Reihungsprinzip der mittelalterlichen Ständesatire sowie die scheinbar unsystematische Mannigfaltigkeit der römischen Verssatiresammlungen als Vorbilder akzeptierte.[52] Verzicht auf strengen

51 Mischler (1981), S. 217–219.
52 Gaier (1966), S. 92; Hartl (2001), S. 144.

Schematismus und Lizenznehmen hat er hier wie sonst bewusst oder intuitiv zum wichtigen Regulativ seines ästhetischen Spiels gemacht. Man hat die Organisation der Kapitel auch von Bedeutungskonzeptionen her zu interpretieren versucht, gibt es doch eine ganze Reihe von inhaltlich zusammenhängenden Kapitelgruppen.[53] Vielleicht hat Brant auch eine Art Tänzerreihung vornehmen wollen.[54] Vielleicht auch wollte er den überall in der sozialen Welt erkennbar mangelnden *ordo* in der fehlenden Ordnung seines Buches widerspiegeln; denn wenn das *Narrenschiff* als Struktur der Wirklichkeit die Unordnung auch gestalthaft abbildet, dann müsste seine Textordnung entsprechend in bewusstem Kontrast zur Ordnung der theologischen Summen- und Traktatliteratur stehen.[55] Vielleicht spiegelt sich in der auf überraschende Leseangebote setzenden Abfolge der Kapitel auch nur die bunte Mischung der Narren auf ihrem imaginären Schiff, so wie es die Holzschnitte zeigen. Diese und andere Vorschläge kann man in Erwägung ziehen. Bei aller verbleibenden Unsicherheit hinsichtlich der Tektonik des *Narrenschiffs* lassen sich doch die folgenden Arten bedeutungstragender Bausteine unterscheiden:

1. Fünf Paratexte, die als Konnektoren zwischen Kerntextur und kommunikativer Außenwelt fungieren: das zweiseitige Titelblatt, die Vorrede, die Entschuldigung des Dichters (Kap. 111), Kolophon und Register. Im Druck von 1499 kommt noch die *Verwahrung* als sechstes Element hinzu.
2. Die 109 Kapitel umfassende Narrenserie.
3. Die Weisheitskapitel 22 und 112.

Nun zur Mesoebene der Einzelkapitel. Hier ist zunächst für jedes Kapitel eine formale Regeltektonik festzuhalten, die auf drei intersemiotischen Bausteinen fußt (zwei

53 Gaier (1966), S. 110–180.
54 Gaier (1967), S. 242–244.
55 Theisen (1996), S. 71.

sprachlichen und einem Bildbaustein): a) vorangestelltes Motto, b) Holzschnitt-Bild, c) Spruchgedicht mit Überschrift. Hier deutet sich bereits eine Struktur an, die historisch wenig später als emblematische Trias von Inscriptio, Pictura und Subscriptio hervortritt.[56] Dieses Grundparadigma und die drucktechnische Einrichtung der Kapitel wird jedoch bei Brant verschiedentlich aufgebrochen. Manchmal fehlt das Motto (Kap. 48, 103 und 110b), manchmal der Holzschnitt (Kap. 110b), die Kapitel werden im zweiten Teil des Buches länger, ab Kapitel 76 tritt ein optischer Wechsel ein, weil der Holzschnitt jetzt nicht mehr dem Spruch gegenüber zu stehen kommt, sondern bereits auf der vorausgehenden Seite platziert wird usw.

Was die gedankliche Struktur der Texte in den Einzelkapiteln angeht, so hat man bei einem systematisch und logisch geschulten Juristen wie Brant mit Recht nach einheitlichen Grundmodellen gesucht. Da Brant mehrere Jahre die Basler Poetik- und Rhetorikdozentur innehatte, kann man füglich auch rhetorischen Einfluss erwarten.[57] Ein deutliches Beispiel liefert in dieser Hinsicht seine *Traum*-Schrift (lat. um 1500, dt. 1502), in der er geradezu schulmäßig das vom bekanntesten Poetorhetoriker des Mittelalters, Galfredus de Vinosalvo (*Poetria nova*, V. 467–507), bei Erläuterung der Prosopopöie (Personifikation) vorgeführte Beispiel des klagenden Kreuzes Christi eigenständig ausarbeitet.[58]

Ulrich Gaier fand die genannten Einflüsse vor allem in den beiden rhetorischen Figuren der Ratiocinatio und der Expolitio.[59] Sie sind Teil der argumentativen Tiefenstruktur der Einzelkapitel des *Narrenschiffs*, die jeweils dem Nachweis einer bestimmten Seinsbefindlichkeit dienen. Bereits Aristoteles isolierte in seiner *Poetik* (Kap. 19) die unter dem Begriff *diánoia* gefasste Gedankenführung zum

56 Manger (1983), S. 62 f.; Knape (1988).
57 Manger (1983), S. 110–113.
58 Zum *Traum* Knape (2003).
59 Gaier (1966).

Zwecke des Erkenntnisgewinns als den rhetorischen Anteil der Dichtung. Wilhelm von Moerbeke fasst diesen aristotelischen Terminus im 13. Jahrhundert in seinem *Aristoteles latinus* im lateinischen Begriff *ratiocinatio*, der auf die von Cicero und anderen Rhetorikern definierte mehrgliedrige syllogistische Figur verweist. In Basel lehrte man sie zu Zeiten Brants als die wichtigste Denkfigur der beratenden Rede.[60] Die Expolitio ist demgegenüber eher eine zur einprägsamen Erklärung von Sachverhalten (*res*) gedachte, ebenfalls mehrgliedrige Figur, die mit Gegensatzdarstellung und Exempeln arbeitet, mithin besonders gut für literarische Zwecke geeignet ist. In allen Kapiteln des *Narrenschiffs* lassen sich die logischen Strukturen der Gedankengänge auf beide oder eine der genannten Hauptfiguren näherungsweise zurückführen, wenn auch – wie zu erwarten – nicht mechanisch. Brant bevorzugt hier ebenfalls die poetische Umspielung, denn Denkfiguren dieser Art bilden nur Hintergrundmuster, werden nur manchmal genau umgesetzt und darüber hinaus durch zahlreiche andere rhetorische Konstruktionselemente ergänzt.[61]

Versifikation

Horaz kommt an verschiedenen Stellen seiner *Ars poetica* auf die Versifikation als ästhetisches Kennzeichen anspruchsvoller Dichtung zu sprechen. In den Versen 73–85 redet er vom elegischen Distichon als dem heroischen Versmaß. Später widmet er dem Jambus einen eigenen Abschnitt im Zusammenhang von Überlegungen zu Formstrenge und literarischer Formkultur (V. 251–262).

Der Vers ist auch um 1494 prominentestes Kennzeichen von Dichtung. Zum dichterischen Selbstkonzept Brants gehört es, die poetologischen Äußerungen eines Horaz

60 Knape (2002), S. 35.
61 Gaier (1966), S. 62–66.

ernst zu nehmen und auch im Fall seiner deutschen Dichtung mittels Assimilation und Adaptation umzusetzen. Vor diesem Hintergrund wird seine so genannte *Verwahrung* von 1499 verständlich (vgl. S. 532 f.), in der er sich gegen verfälschende Bearbeitungen seines *Narrenschiffs* wendet, insbesondere auch gegen metrische Verhunzung in den interpolierten Ausgaben. Man habe da seine ganze dichterische Mühe ins Gegenteil verkehrt, indem man Verszusätze einmischte, denen es an Kunstfertigkeit, an erkennbarer Zugehörigkeit zu einem bestimmten Versfuß und mithin auch am rechten Metrum mangele (*denen kunst / art vnd moß gebryst*, V. 20); seine eigenen Verse seien dabei oft verstümmelt und damit ihres vollständigen Sinns beraubt. Auch im *Cato* von 1498 macht sich Brant Sorgen um das deutsche Versmaß.[62]

Die Frage, worin Kunst, Art und Maß seiner deutschen Verse bestehe, wurde von dem zeitgenössischen Humanisten Ulrich von Hutten (1488–1523) in seinem Gedicht *An die deutschen Dichter* (*Ad Poetas Germanos*) dahin gehend beantwortet, dass Brant neue metrische Strenge in den deutschen Vers habe bringen wollen und daher als neuer »Gesetzgeber des deutschen Verses« zu gelten habe.[63] Hutten drückt dies in den folgenden, auf Brant bezogenen Versen aus: *Qui Germana nova carmina lege facit / barbaraque in numeros compellit verba ligatos.*[64] Ein größeres Kompliment kann ein Humanist einem zeitgenössischen deutschen Dichter nicht machen. Es besagt, dass die deutsche Sprache auch für anspruchsvolle ästhetische Overcodes geeignet sei und dass Brant dies bewiesen habe. Für Hutten hat Brant also nach einem neuen metrischen Gesetz (*nova lex*) gearbeitet. Es bestand darin, die Wörter der Volkssprache (*barbara verba*) metrisch in gebundene Versfüße (*in numeros ligatos*) zu fassen. Für den Verstheoretiker Andreas Heusler kann kein Zweifel beste-

---

62 Wiegand (1993), S. 80.
63 Schlütter (1966), S. 65; vgl. Wuttke (1968), S. 166 f.
64 Böcking (Hrsg., 1862), S. 79.

hen, dass Hutten hier an syllabische Größenmessung gedacht habe, »jedenfalls an Jamben: v–v–...«. Denn »andere *numeri ligati* konnte er im Narrenschiff nicht aufspüren«.[65] Untersuchungen zu Brants Versifikationen auch in anderen Texten zeigen, dass man diesem Urteil zustimmen muss.[66] Horaz mahnt in Fragen ästhetischer Überkodierung große Sorgfalt an und setzt auf handwerkliche Kontrolliertheit und Perfektion (V. 379–390, 438–444); zugleich aber spricht er sich für Toleranz gegenüber dichterischen Lizenzen und Abweichungen vom strengen Regelkorsett aus (V. 347–360). Und so arbeitet auch Brant bei Reim und Metrifizierung immer wieder auch mit lockerer Hand und keineswegs mechanisch.[67]

Stil und Publikum

Nach Horaz hat das pragmatische Grundgesetz der Rhetorik, die gewöhnlich unter den Begriffen »Aptum« oder »Decorum« geführte Angemessenheitsregel, auch für die Dichtung zu gelten. Die Redeweise des Sprechers müsse im Einklang mit der kommunikativen Lage stehen, wenn der Text beim Publikum Akzeptanz finden solle (V. 112 f.). Die beurteilende Instanz sind für Horaz die Kunstliebenden aller Schichten, vom Ritter bis zum Fußvolk. Entsprechend schreibt er dem Dichter später ins Stammbuch: »Du vernimm, was ich und mit mir das Volk (*populus*) verlangt, falls du dir Applaudierende wünschst« (V. 153 f.). Damit wird also eine sehr weit gedachte Rezipientengruppe vor Augen gestellt, die wir natürlich nicht als historisch konkret, sondern im Sinne einer Idealprojektion verstehen müssen.

Jedem dieser denkbaren Rezipienten sollte die Textur einleuchten können. So hat etwa den in der Dichtung auftretenden literarischen Personen die richtige Ausdrucks-

65 Heusler (1929), S. 52.
66 Knape (1992a), S. 249–268.
67 Zarncke (Hrsg., 1854), S. 276–279.

weise zugeordnet zu sein: »Es macht einen großen Unterschied, ob ein Gott spricht oder ein Heros, ein gereifter Mann oder Hitzkopf« usw. (V. 114–118). Vorher weist Horaz schon darauf hin, dass bei der Textgestaltung auf stilistischer Ebene stets an die passende Wortwahl zu denken ist. Die Dichter können hier auch zu ganz eigenwilligen Ausdrucksweisen finden (V. 46–72). Allerdings betont er an anderer Stelle: »Bisweilen gefällt ein Stück, das durch allgemeine Wahrheiten schön und edlen Charakters ist, aber bar jeder Anmut, ohne Pathos, ohne Kunst, dem Volke (*populus*) mehr und fesselt es besser als Verse, denen Substanz fehlt, und klangvolles Tändeln« (V. 319–322).

Auch Brant arbeitet mit dem Begriff »Volk« (*populus*), wenn er von seinem Publikum spricht. In der *Additio* zu Lochers *Stultifera navis* begründet Brant, warum er sich nicht schon im deutschen *Narrenschiff* mit Gruppen wie den bigotten Lollarden oder Beginen auseinander gesetzt hat:

Es soll reichen, daß ich früher dahingehend Rücksicht
auf euch nahm,
daß ich euch nicht ins volkssprachliche Schiff setzte,
damit das Volk (*populus*), falls es eurer schlimmen Sünden gewahr wird, nicht etwa
nur die mißratenen, sondern auch die guten von der
Erde vertreibt.
Weder wollt ihr als vom gemeinen Volk erscheinen,
noch beruft Gott selbst euch in geistlichen Stand.

(XV,25–30)[68]

Wie bei Horaz kann der Begriff »Volk« hier nicht als empirisch gesicherter Begriff im lesersoziologischen Sinn aufgefasst werden. Er bezieht sich auf die vom Dichter erwartete soziale Urteilsinstanz, die man mit Umberto Eco den idealen Leser bzw. Literaturrezipienten nennen kann, den sich Brant in dieser uneingeschränkten Form zweifel-

68 Hartl (Hrsg., 2001), S. 352 f.

los auch wünschte. Das *Narrenschiff* sollte programmatisch für keine begrenzte gesellschaftliche Gruppe oder Kaste bestimmt sein, sondern wie bei Horaz theoretisch für all jene, denen die volkssprachliche Literatur zugänglich und wahrnehmenswert ist. Aber natürlich ist klar, dass in der Frühzeit des Buchdrucks trotz solch programmatischer Offenheit faktisch nur ein geringer Prozentsatz der Bevölkerung »literaturfähig« in Hinsicht auf Buchliteratur war. Damit ist nicht nur die wenig verbreitete Lesefähigkeit gemeint, sondern insbesondere die in bestimmten Milieus fehlende Hinwendungsbereitschaft zu einer Buchliteratur der hier in Frage stehenden Art. Demgegenüber ist die *Stultifera navis* ausdrücklich für die relativ kleine, mit dem Gelehrten-Kode der lateinischen Sprache vertraute Schicht bestimmt (*pro doctis* IX,6).[69]

Rein sprachlich gesehen bewegt sich Brant auf betont einfacher Ebene, hält in seinem Frühneuhochdeutsch noch an Formen des älteren Lautstands fest und bezieht sich damit offensichtlich auf einen gewissen Sprachkonservativismus der Kulturlandschaft des Oberrheingebiets. Diese Einfachheit des Sprachkodes (linguistisch) kontrastiert deutlich mit Brants dichterischem Sprachspiel (ästhetisch), von dem noch die Rede sein wird (s. den Abschnitt »Ornatus«). Brants in deutscher Sprache gefundener »satirischer« Ton lässt oft nichts an Drastik zu wünschen übrig, so wie es die satirische Schärfe verlangt. Vor Luther war es Brant, der den Leuten zur Gewinnung einer eindringlichen Dichtersprache aufs Maul schaute.

Stoff, Innovation, das Fremde und das Eigene

In Hinsicht auf den literarischen Stoff hebt Horaz zwei Aspekte hervor: die Frage der Innovativität und die Frage der rechten Selektion und Neukombination stofflicher

69 Ebd., S. 32/33.

Elemente. Völlig neue Stoffe anzubieten will gut überlegt sein: »Schwierig ist, Allgemeines individuell zu sagen, und besser, du setzt die [allseits bekannte] Dichtung um Troja in ein Bühnenstück um, als daß du Unbekanntes und Ungesagtes als erster vorlegst« (V. 128–130). Bei einem Rekurs auf altbekannte Stoffe kommt dann wiederum alles auf die stimmige und einfallsreiche Komposition der Teile an, so wie es etwa Homer bei der Zusammenfügung seiner Handlungselemente vorführt (V. 131–152). Später bekennt sich Horaz auch ausdrücklich zur Proprietät der Stoffe; der Dichter solle auch Materien aus der eigenen Umwelt und Tradition verarbeiten (heimische Taten / *domestica facta*), und zwar unter Rückgriff auf die eigene Muttersprache, was einen Verzicht aufs Griechische impliziert (V. 285–291).

Brant lässt keinen Zweifel daran, dass das *Narrenschiff* als seine dichterische *inventio* betrachtet werden muss. Der aus der Rhetorik kommende Terminus technicus der Invention schwankt in seiner Bedeutung zwischen gedanklicher ›Findung‹ von etwas bereits in der Welt Vorhandenem und dichterischer ›Erfindung‹ eines neuartigen Konzepts oder Gebildes. Das ist auch bei Brant so (vgl. den Abschnitt »Fiktion«). Einerseits betont er den Gegenwarts- und heimischen Weltbezug seiner Narrenreihe, andererseits kann kein Zweifel an der dichterischen Abstraktion mittels metonymischer Konstruktionen (Narren) und Allegorisierung (Schifffahrt) bestehen. Auf jeden Fall soll das Werk auch eine Auseinandersetzung mit Gegenwartsverhältnissen sein, die, auf den größten gemeinsamen Nenner der deutschen Sprache gebracht, in den heimischen Kommunikationszusammenhang eingebunden sind. Daher die programmatische Hinwendung zur Volkssprache.[70]

Unter Gelehrten war es keineswegs selbstverständlich, sich bei anspruchsvollen Arbeiten der Muttersprache zu bedienen. Wie Horaz bekennt sich auch Brant ausdrück-

70 Knape (2000a; 2000b).

lich dazu. Jakob Locher wird ihn dafür 1497 in einem Vergleich loben und den berühmten italienischen Vorbildern Dante und Petrarca gleichstellen, die ihre Hauptwerke ebenfalls in der Muttersprache verfassten. Brant habe sich zu Recht des Narrenthemas in satirischer Schärfe angenommen, betont Locher im *Prolog* zur *Stultifera navis*, und fährt dann fort:

Von dieser Freimütigkeit im Schreiben machte unser hochgeschätzter Lehrer Sebastian Brant, Doktor der Rechte und ein wahrlich berühmter Poet, zum allgemeinen Wohle der Menschen in der Volkssprache Gebrauch. Darin tat er es dem Vorbild der heroischen Dichter Dante aus Florenz und Francesco Petrarca nach, die in ihrer etruskischen Sprache außerordentliche Gedichte verfaßten.

(XI,63–67)[71]

Jakob Locher spricht dem deutschen *Narrenschiff* an anderer Stelle hohe sprachliche Raffinesse zu. Brant habe es geschafft, in der Muttersprache durchaus Feinheiten (*vernacula lingua lepores*) herauszuarbeiten (VI,7–10).[72]

Natürlich ist es ein Bescheidenheitstopos, wenn Locher diesen Gedanken an anderem Ort vertieft und behauptet, gegen die souveräne dichterische Sprachbeherrschung Brants im Deutschen mit seiner Übersetzung nicht ankommen zu können. Immerhin aber befinde er sich in guter Gesellschaft mit dem berühmten italienischen Humanisten Philippo Beroaldo (1453–1505), der ja ebenfalls die volkssprachlichen Werke Petrarcas und Boccaccios ins Lateinische übertragen habe (III,31–39).[73]

Bemerkenswert ist bei solchen Humilitätsgesten, dass Locher die übliche Sprachen-Hierarchie, wenn nicht ironisch, so aus Achtung vor den hohen Motiven seines Leh-

71 Hartl (Hrsg., 2001), S. 40/41.
72 Ebd., S. 28/29.
73 Ebd., S. 14/15.

48

rers, umkehrt und seine Hinwendung zum Latein einer Apologie für nötig zu erachten scheint. Erhöht doch in den Augen humanistischer Gelehrter die lateinische Sprache ein Werk eigentlich von vornherein. Locher hingegen greift zu einer anderen Begründung, die Brants Intentionen gewiss entspricht: Die gewählte Sprache hat letztlich nur Vehikelfunktion bei der Vermittlung des eminent wichtigen moralphilosophischen Inhalts. In diesem Sinn sagt Locher, er wolle das *Narrenschiff* ins Lateinische bringen, »damit es auch ausländischen Nationen (denen unsere Sprache nicht geläufig ist) von Nutzen sei. Da wären zum Beispiel die Franzosen, die Italiener, die Spanier, die Ungarn und schließlich die Griechen, die diese Art von Literatur nicht mit gerunzelter Stirn zu lesen pflegen« (XI,70–73).[74]

Ornatus

In einem kurzen historischen Abriss erläutert Horaz das Auftreten einer höher entwickelten, um die Komponente Melopoiia ergänzten Dichtkunst bei den Griechen. Nach dem Sieg über die Perser entwickelte sich in Athen insofern eine kulturelle Verfeinerung, als jetzt zur Dichtung Flötenbegleitung hinzutrat und »Metrum und Melodie größere Ungebundenheit« erlangten. »Also ergänzte nun der Flötist die frühere Kunst um Bewegtheit und Aufwand« und »Beredsamkeit überschlug sich mit einer ungewöhnlichen Sprache« im Text, für Horaz allerdings nicht unbedingt zum Vorteil der Poesie (V. 202–217).

Dichter zu sein heißt für Brant zweifellos, vorrangig auch Sprachkünstler zu sein. Figuration und Sprachspiel im Text können dabei zwar der klassischen rhetorisch-poetischen Kategorie des Ornatus zugeordnet werden, jedoch handelt es sich dabei nicht um funktionslosen

74 Ebd., S. 40/41.

Schmuck, sondern um die eigentliche Ausdrucksform des spezifisch Dichterischen, zumindest in der nicht-aristotelischen »Diktions«-Ästhetik. Dieses Konzept hat sich nicht nur auf dem Feld der metrischen Bändigung von Sprache, sondern insbesondere auch auf dem komplementären Feld der Freisetzung und Erfindung von sprachlich-dichterischen Strukturen mit entsprechenden Effekten zu bewähren. Überall im *Narrenschiff* wird mit Evokation bildlicher Vorstellungen durch einfallsreiche Wendungen (»Narren an der Hand führen«, »jemanden am Narrenseil führen« usw.) gearbeitet, mit Vergleichen, Metaphern, Anspielungen (auch obszönen), mit Wortneuschöpfungen (etwa im Bildfeld des Narren: »Narrenpflug, Narrenorden, Narrenbrei, Narrenseil, Narrenberg«), mit Intellekt anregenden Sentenzen, mit witzigen und die Leser abholenden Redensarten, mit komisch-derben Personifikationen (insbesondere in Kap. 72) und mit Wortspielen. Brant bietet sprachliche Variation und macht Angebote zur Wiedererkennung an alle denkbaren Rezipientengruppen, an jene, die sich an losen Sprüchen erfreuen, und an jene, die Spaß am Identifizieren des umfangreichen, teils aus entlegenen Quellen gezogenen Personals haben (s. im Anhang das Personennamen-Verzeichnis) oder sich von versteckten gelehrten Zitaten überraschen lassen wollen, die nicht jeder erkennt und heute von Philologen mit viel Aufwand nachgewiesen werden müssen.[75]

Horaz spricht in der oben erwähnten Passage seiner *Ars poetica* vom Aufkommen der Flötenbegleitung als vom Hinzutreten eines zweiten semiotischen Systems zur Sprache der Dichter. Es ist eine schmückende Ergänzung, die der sprachlichen Ebene Stimmungswerte, also gewissermaßen ästhetische Konnotationen zur expressiven Verstärkung hinzufügt. In den ganz der Optik verpflichteten Produkten der Gutenberg-Galaxis tritt als solch zweites semiotisches System das Bild bzw. das Ornament auf. Se-

---

75 Zarncke (Hrsg., 1854), S. 265–469; Vredeveld (1997; 2000).

bastian Brant und Bergmann von Olpe wollen ein Bildbuch und damit ein semiotisch komplexes Ensemble von sprachlichen, bildlichen und ornamentalen Komponenten schaffen. Von Anfang an ist daher jedes Kapitel mit aufwendigen Zierleisten oder Bordüren bestückt, die den Sprachtext optisch flankieren und zugleich immer das Narrenthema durch die in die Leisten neben Rankenwerk, Tieren, Früchten und Blumen eingearbeiteten Narrenfiguren aufrufen. Und zu jedem Kapitel wird ein ganzseitiger Holzschnitt gestellt (im ersten Teil des Buchs auch stets dem Spruch gegenüber), der das Thema, die angesprochenen Handlungen oder Personen bildlich variiert (vgl. die Reproduktion der zwei Originalseiten des 52. Kapitels auf S. 52/53). Von den Zeitgenossen wurde all dies durch die emphatische Aufnahme des kunstvollen Buchs gewürdigt, und Jakob Locher bestätigt Bergmann von Olpe im Jahre 1497 die besondere Ensemble-Leistung seiner Drucke: »Du bringst nämlich auf deine sehr ersprießlichen Kosten ausgezeichnete, mit feiner Druck und Zeichenkunst verzierte Bücher ans Licht« (XVI,38 f.).[76]

Satyr, Satire

Als Ausweis der kulturellen und dichterischen Höherentwicklung der Griechen nach dem Sieg über die Perser wertet Horaz in seiner *Ars poetica* das Auftreten des Satyrspiels. Der Dichter durfte jetzt auch den »ländlichen Satyrn« auf die Bühne stellen und »versuchte dabei herbe und ohne Verletzung der Würde zu scherzen, weil er mit Lockmitteln und mit dem Reiz der Neuheit ein Publikum festhalten mußte, das nach dem Gottesdienst trunken und vom Gesetze befreit war« (V. 220–224). Das Satyrspiel darf niedere und ganz populäre Stoffelemente herbeiziehen, was der ernsten Tragödie verwehrt ist, und es darf

76 Hartl (Hrsg., 2001), S. 364/365.

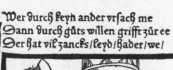

Wer durch keyn ander vrsach me
Dann durch gůts willen grifft zůr ee
Der hat vil zancks/leyd/hader/we/

wibē durch gutz willē

Wer schlůfft inn esel/vmb das schmår
Der ist vernunfft/vnd wißheyt lår
Das er eyn alt wiß nymbt zůr ee
Eyn gůtten tag/vnd keynen me

Erstdruck, Blatt h 8ʳ (Kap. 52)

Er hatt ouch wenig freüd dar von
Keyn frücht mag jm dar vß entston
Vnd hatt ouch nyemer gütten tagk
Dann so er sicht den pfening sagk
Der gatt jm ouch dick vmb die oren
Durch den er worden ist zům doren
Dar vß entspringt ouch offt vnd dick
Das darzů schlecht gar wenig glück
So man das gůt alleyn betracht
Vff ere / vnd frümkeyt / gar nit acht
So hatt man sich dann vber wißt
Keyn fryd noch früntschafft me do blißt
Lichter wer eym syn / jnn der wůst
Dann das er langzyt / wonen můst
By eym zorn / wäßen / bösen wiß
Dann sie dörtt bald des mannes lib /
Worlich zů truwen ist dem nůt
Welcher vmb gelt syn jugent gytt
Sidt das jm smeckt des schmäres rouch
Er durst den esel schinden ouch
Vnd wann er langzyt vmbhar gat
So fyndt er nůt dann myst vnd kat
Vil stellent Achabs dochter noch
Vnd fallent jnn syn sünd vnd roch /
Der tufel Asmodeus hat
Vil gwalt yetz jnn dem eelichen stat /
Es sindt gar wenig Boos me
Die Ruth begeren zů der ee
Des fyndt man nůt dann ach vnd we
Vnd criminor te / kratznor a te

i

Erstdruck, Blatt i.i.ʳ (Kap. 52)

sprachlich auch »die ungeschmückten (*inornata*)« und im Alltagsleben herrschenden Namen und Wörter verwenden (V. 234). Horaz gibt späteren Generationen mit solchen Überlegungen Anlass, über stilistisch ›gemischte‹ Gattungen nachzudenken.[77] Um 1500 begann man in Deutschland, die im lateinischen Bildungswesen der Zeit hoch angesehenen römischen Satiriker auch zu übersetzen.[78] Der Jurist Brant kann im Kapitel über ein als »Satire« bezeichnetes Gesetz (*lex satyra*) in dem von ihm selbst 1493 herausgegebenen kirchenrechtlichen Hauptwerk *Decretum Gratiani*[79] lesen, eine *satyra* zu schreiben bedeute, gleichzeitig von verschiedenen Dingen (*de pluribus simul rebus*) zu reden und dementsprechend verschiedene Gedichte zusammenzustellen (*poemata uaria condere*), wie die des Horaz, des Juvenal oder Persius (*Decretum Gratiani* I.D.II., c. 7). Diese klassischen Satiriker sind Sebastian Brant und Jakob Locher gut bekannt, ja geradezu in Fleisch und Blut übergegangen; für mehrere *Narrenschiff*-Kapitel lassen sich Übernahmen von Ideen und Themen aus Horaz und anderen nachweisen.[80] Brant bearbeitet Juvenal-Verse,[81] versieht sein Handexemplar eines Persius-Druckes (heute in Karlsruhe) mit zahlreichen Randbemerkungen und setzt einen Quellenhinweis auf die Horaz-Satire II,3 an den Rand von Kapitel 17 der *Stultifera navis* (*Horatius 2. s[ermones]*). Locher gibt im selben Werk einen literarhistorischen Abriss der römischen Satiretradition mit ihren wichtigsten Vertretern; darunter natürlich auch Horaz, »der, geschliffener und feiner in seiner Sprache, durch seine Satirendichtungen keinen geringen Ruhm erwarb« (XI,46f.)[82] und sich in aufsteigender Reihe zu Persius und Juvenal gesellt.

77 Zur frühen Satiretradition in Deutschland Hess (1971); Könneker (1991); Brummack (2003).
78 Henkel (1979).
79 Knape (1992a), S. 97–104.
80 Gaier (1966), S. 189–394; Hartl (2001), S. 92–94.
81 Zarncke (Hrsg., 1854), S. XXXVIII, Nr. 17.
82 Hartl (Hrsg., 2001), Sp. 38/39.

Im Deutschen war der Terminus »Satire« bei Entstehung des *Narrenschiffs* im Frühjahr 1494 noch nicht eingeführt, auch wenn es in der mittelalterlichen deutschen Literatur natürlich bereits satirische bzw. ständesatirische Werke gab (*Reinhart Fuchs*, *Buch der Rügen*, *Des Teufels Netz*, Wittenwilers *Ring*). Dichterische Formen von Schimpf und Spott in moralisierender Absicht sah Brant allerorten in der deutschsprachigen Kultur seiner Zeit, insbesondere auch im Fastnachtswesen.[83] Er griff sie gekonnt auf und schuf etwas ganz Eigenständiges. Poetologische Reflexionen über derartige Phänomene allerdings hatten im lateinischen Gelehrtendiskurs stattzufinden. Dabei war zunächst zu prüfen, ob die lateinische Tradition adäquate Beschreibungstermini bereithielt. Zwei unmittelbar nach Erscheinen des deutschen *Narrenschiffs* publizierte Äußerungen aus dem zeitgenössischen poetologischen Metadiskurs geben hier positive Antworten und stellen das Werk in die Tradition der klassischen Satire. Brant hatte an dieser Zuordnung entweder Anteil oder hat sie ausdrücklich gebilligt. In jedem Fall aber ist festzustellen, dass der Poetiker Brant im Zusammenhang lateinisch geführter Gattungsdiskussionen keinen besseren deskriptiven Begriff für sein Werk als den der Satire hätte finden können.

Aber wie ist das produktionstheoretisch zu sehen? Gewiss hat Brant vorab immer wieder einmal Überlegungen zur Gattungsfrage angestellt. Vom deutschsprachigen Literaturzusammenhang her war das Vorhaben als Teil der Sangspruchdichtungstradition bzw. Spruchsprecherkultur einzustufen. Hieran knüpft Brant bei seinem antizipatorischen Adressatenkalkül an. Doch sah sich der Basler Poetikdozent und weit berühmte Publizist Brant in Hinsicht auf sein Selbstkonzept allen Ernstes nur mit den deutschen Spruchsprechern im Dichter-Agon? Hatte er nicht einen anderen Anspruch? Kam für ihn nicht ein Satiriker wie Horaz viel eher als Anreger, Leitbild oder Herausfor-

83 Moser (2003), Sp. 111 f.

derer in Frage? Und nicht zu vergessen: Das *Narrenschiff* war als Bild-Text-Ensemble faktisch zum Exponenten der neuen Druck- und Schriftkultur bestimmt. Damit bekommt es eine neue Qualität. Zugleich plante Brant eine lateinische Version. Die Ausführung dieses Plans überließ er seinem Schüler Jakob Locher. Für beide ist klar, dass sich die dann entstandene *Stultifera navis* terminologisch vernünftigerweise nur als *satira* fassen lässt.

Der früheste Beleg, der diesen Reflexionsstand widerspiegelt, stammt aus der Literaturgeschichte des Johannes Trithemius. Sie erschien wenige Monate nach dem *Narrenschiff* bei Amerbach, ebenfalls in Basel. Brant arbeitete am Druck als Korrektor mit und steuerte, wie er es in solchen Fällen zu tun pflegte, ein Versgedicht bei. Er selbst bekommt auch einen auf das Jahr 1494 datierten Autor-Artikel, in dem alle seine Werke vorgestellt werden.[84] Die detaillierten Angaben des Artikels kann Trithemius nur von Brant persönlich bekommen haben. Zum *Narrenschiff* heißt es, Brant habe mit bewundernswerter Kunstfertigkeit und Eingebung bzw. Begabung (*mira arte & ingenio*) gedichtet. Er stelle in ganz ausgesuchter Weise den Ursprung und die Wurzel aller Torheiten dar (*causam & radicem omnium stulticiarum adeo eleganter expressit*). Das Werk verspotte die schlechten Gewohnheiten bzw. Sitten der Menschen (*mores hominum carpit*), aber es zeige auch die entsprechenden Mittel zur Besserung (*salutaria remedia singulis tradit*), sodass man das Werk weniger ein bloßes Narrenbuch als vielmehr eine gottgefällige Satire hätte nennen sollen (*non iure stultorum librum; sed diuinam potius satyram*). Es gebe zu dieser Zeit kein Werk, das man mit mehr Nutzen und Vergnügen zugleich lesen könne.[85] Mit diesen Äußerungen sind dem *Narrenschiff* jene Merkmale zugesprochen, die bis heute das Gattungsverständnis der Satire prägen: »Ihr hervorstechendstes Merkmal ist die Negativität, mit der sie eine Wirklich-

84 Knape (1993), passim.
85 Knape (1993), S. 160–166.

keit als Mangel, als Missstand und Lüge, kenntlich macht. Die traditionelle Berufung auf Wahrheit und Tugend kann zwar als bloße Maske erkennbar sein, verweist aber trotzdem auf eine grundsätzlich [...] zur Satire gehörende Normbindung.«[86]

Der zweite Beleg stammt von Jakob Locher. Auch er bezieht das deutschsprachige *Narrenschiff* ausdrücklich auf die klassische Satiretradition. Er schreibt 1497, man könne Brants Werk »mit Fug und Recht eine Satire nennen« (*non inepte satyram appellare possumus* XI,68 f.).[87] Es bleibt nicht bei einer solchen Bemerkung. An anderer Stelle schreibt Locher:

> Das Narrenschiff zog Brant, dessen Ruhm und
> Ansehen
> groß sind, mit trefflichem Spott herbei.
> ›Satire‹ kann ich es nennen, denn es dichtet von den
> strahlenden
> Gaben der Tugend und zermalmt das Laster.
>
> (VI,1–4)[88]

Brant hatte offensichtlich keine Einwendungen dagegen, dass Locher ihn mehrfach eindeutig in die Tradition der römischen Satiriker stellt. Er hätte das sofort in einer seiner Beigaben zur *Stultifera navis* korrigieren können. Locher deutet an, dass es eine Diskussion über den Buchtitel zwischen ihm und Brant gab. Während Locher offenbar den poetologischen Begriff »Satire« in den Vordergrund rücken wollte, wollte Brant der *novitas* seines Buchtitels keinerlei Abbruch tun. Locher schreibt: »Unser hier vorliegendes Werk hätte man mit Fug und Recht [auch] Satire nennen können, aber der ungewöhnliche Titel (*novitas tituli*) bereitete seinem Verfasser (*auctor*) Freude« (XIII,5 f.).

86 Brummack (2003), S. 355 f.
87 Hartl (Hrsg., 2001), S. 40/41; vgl. Baschnagel (1979), S. 52–74.
88 Hartl (Hrsg., 2001), S. 28/29.

Horaz macht in seiner Programm-Satire I,4 Bemerkungen, die Brant auch für seinen satirischen Durchgang durch die menschlichen Torheiten gelten lassen konnte. Horaz schreibt: »Die meisten wissen ja, daß sie den Spott verdienen, und drum sagt ihnen diese Dichtungsart nicht zu. Greife aus der Menge heraus, wen du willst: an Habgier krankt er oder an unglückseliger Ehrsucht; einer ist in Ehefrauen toll verliebt, ein andrer in Knaben; den betört der Glanz kunstvoller Silberarbeit, Albius schwärmt für Bronze. Von Sonnenaufgang bis ins Land der milden Abendsonne tauscht der Kaufherr seine Waren; ja, ruhelos treibt er dahin durch Leid und Gefahr wie im Wirbelwind der Staub« – »Sie alle hassen die Dichter und fürchten ihre Verse« (V. 24–33); »Dich freut es eben, zu verletzen,‹ meint da einer, ›und so recht absichtlich und aus innerer Bosheit tust du dies‹« (I,4,78 f.).[89] Und an anderer Stelle sagt Horaz, indem er ausdrücklich den Satire-Begriff (*satura*; dies gilt heute im Gegensatz zu *satyr* als richtige Ableitung) verwendet: »Manche meinen, *in satura* sei ich zu scharf, und straffer als erlaubt sei spannte ich den Bogen« (II,1,1). Er weist solche Vorwürfe mit der Bemerkung zurück, dass er seine Kritik ganz offen vorbringe und dies nach dem Erziehungsansatz seines Vaters, der ihn immer auf Beispiele von Verfehlungen anderer hingewiesen und zugehörige Warnungen ausgesprochen habe (I,4,106–130).

Auch Brant äußert sich in vergleichbarer Weise. Er wisse sehr wohl, heißt es in der »Rechtfertigung des Verfassers« (Kap. 111), dass es kritische Reaktionen auf sein »Schreiben« geben werde. Ihm sei auch klar, dass bestimmte Rezipienten wie bei einer Blume nur das Gift statt des Honigs aus seinem Buch saugen wollten. Negativ denkende Menschen könnten eben auch nur Negatives sehen. Wer nicht gern etwas über Vernunft und Weisheit sagen höre, werde über ihn als Dichter oftmals klagen (111.25–49).

89 Hier und im Folgenden zit. nach der zweisprachigen Ausgabe von Färber/ Schöne (1985).

In seiner Satire II,3 prägt Horaz Denkfiguren aus, die uns wie Modelle der Brantschen Argumentation erscheinen: die Fallserie menschlicher Verfehlungen und Torheiten, Belege durch konkrete Beispiele und die Konklusionsformel. Etwa wie folgt: »Wenn einer Zithern kauft und sie in Massen häuft, der nichts vom Zitherspiel, nichts von der Musen Kunst versteht; wenn einer, der kein Schuster, Ahlen sich und Leisten schafft, ein andrer Segel, der an keinen Handel je gedacht: verrückt und sinnlos (*delirius et amens*) wird ihn alle Welt mit vollem Rechte nennen« (104–108). Oder: »Wer falsche Vorstellungen hegt, die mit verbrecherischer Leidenschaft sich wirren, gilt mir als närrisch, gleichgültig, ob die Quelle seines Irrtums Dummheit oder Jähzorn ist« (208–210). Der kritisierende Dichter selbst aber gehört ebenfalls in die Narrenreihe. Als sich Horaz daher im weiteren Durchgang durch die Narreteien der Zeitgenossen schließlich auch selbst angreifen lässt, kann er die satirische Selbstabrechnung nur mit dem Ausruf beenden: »Nun Schluß! Der größere Narr verschone jetzt den kleineren!« (326) Solch ein Selbstbekenntnis des Dichters zu eigenen Torheiten findet sich auch in Brants »Rechtfertigung« (Kap. 111). Er wisse sehr wohl, wo bei ihm selbst der moralische Schuh drücke, und tadele sich am meisten selbst nach dem Motto »Arzt, heile erst einmal dich selbst«. Er bekenne vor Gott, selbst viele Torheiten begangen zu haben und insofern auch Mitglied im Narrenorden zu sein. Wie jeder andere Sünder auch, könne er die Narrenkappe nie ganz abstreifen (111.67–75).

Dichterkonzept

Im weiteren Verlauf seiner *Ars poetica* kommt Horaz auf die Frage zu sprechen, was unter einem Dichter zu verstehen sei. Er grenzt sein Konzept deutlich von Vorstellungen (etwa eines Demokrit) ab, nach denen Dichter irrational arbeitende, genialische Bohemiens zu sein haben, denen man schon am wilden Habitus ansieht, wie sehr sie vom poetischen Furor besessen sind. Für Horaz muss der Dichter ganz im Gegenteil bestens gebildet und auf dem Gebiet der Textarbeit geschult sein (V. 297–308).

Bei den Renaissance-Humanisten der Romania wird seit Dantes Zeit am Dichterkonzept gearbeitet. In Auseinandersetzung mit der rhetorischen Tradition wandeln sich die Vorstellungen: »Um es in drei Schlagworten zu sagen: die Entwicklung führt vom Dichtertheologen über den Poeta Orator zum Poeta Rhetor und Philologus.«[90] Dies ist zweifellos ein Thema, das Brant beschäftigt, zu dem er sich aber nicht selbst mit deutlichen Worten äußert. Dass für ihn Horaz eine Art Ideal darstellte, können wir mit guten Gründen annehmen. Die dezidierte Zuordnung der Dichtertätigkeit zur Konstruktion von Fiktionen, wie sie die aristotelische Tradition als poetisches Spezifikum postuliert, ist für ihn gewiss zu radikal. Aristoteles grenzt im berühmten 9. Kapitel seiner *Poetik* den Historiographen vom Dichter ab und kommt schließlich zu dem Ergebnis, dass sich die Tätigkeit des Dichters mehr auf die dargestellten Geschichten (Plots) erstrecke als auf die Verse; denn er sei ja im Hinblick auf die Fiktionen oder Simulationen Dichter, und das, was er simuliere, seien Handlungen (*Poetik* 1451b). Für Brant kommt weder diese strikte Sicht des Dichters als Schöpfer entpragmatisierter Simulationen (Fiktionen) in Betracht, noch eine primäre Konzeptualisierung aufgrund des *furor poeticus* bzw. der *manía*, also jenes Dichterwahnsinns, den auch schon Platon im *Phaidros* vorgestellt hatte.

Lediglich in seiner *Traumdichtung* (dt. 1502) geht Brant einen Schritt in diese Richtung, indem er mit dichterischer Raffinesse die Frage evoziert, ob er als Autor nicht vielleicht doch unter dem Einfluss direkter göttlicher Inspiration stehe.[91] Daran wird deutlich, dass Brant produktionstheoretisch gesehen keine bloß vershandwerkliche, vom

90 Vossler (1900), S. 88; Stackmann (1995), S. 156.
91 Knape (2003), S. 94.

ingenium absehende Vorstellung von Dichtkunst hatte. Freilich wurde diese Sicht auch schon im Elementarunterricht des Triviums vermittelt, wenn man in den Progymnasmata (also in der Textbausteinlehre) beim Studium der Chrien den Satz lernte: »Platon sagte, dass die Musen in den Seelen der Talentierten sind.«[92] Rezeptionstheoretisch betrachtet kann Dichtung für Brant nicht wirklich »situationserlöst« (Bühler) sein. Dass Dichtung Teil pragmatischer Kommunikation in lebensweltlichen Zusammenhängen ist, steht für ihn, einen noch vollkommen rhetorisch denkenden Autor, ganz außer Frage. Bei alledem lassen die Werkausgaben seiner deutschen und lateinischen Dichtungen der 1490er Jahre in einem Punkt keinen Zweifel: Brant will als deutscher Dichter mit seinen Büchern für seine Zeit neue Maßstäbe setzen, Maßstäbe des philosophischen Ernsts, Maßstäbe beim rhetorischen Prinzip des *tua-res-agitur*, Maßstäbe beim Sprachspiel, Maßstäbe bei der Verskunst und Maßstäbe bei der ästhetischen Gestaltung von Dichtungsbüchern.

Philosophische Leistung

»Ursprung und Quelle, um richtig zu schreiben,« ist für den Dichter »die richtige Einsicht (*scribendi recte sapere est et principium et fons*)«. Horaz leitet mit diesem Satz Überlegungen zu den philosophischen Hintergründen und Anliegen jeglicher Dichtung ein. Da sind zunächst die Wissensquellen. Hier steht die Philosophie an erster Stelle, denn sie unterrichtet über die sittlichen Grundlagen zwischenmenschlicher Beziehungen. An zweiter Stelle kommt die Lebenswirklichkeit, denn sie verleiht dem Werk erst eigentlich poetisch frische Farben (V. 309–318). Der dichterische Text kann etwas, was dem kühl argumentierenden Traktat fremd ist: Er kann, wenn er möchte, ernste Ge-

---

92 Priscian, *Praeexercitamina* Nr. 2b (*De usu*); Halm (Hrsg., 1868), S. 552.

danken in eine spielerische, publikumsbezogene und mit Genuss wahrnehmbare Ausdrucksform bringen. Daher lautet die berühmte horazische Definition der kommunikativen Leistung des Dichters wie folgt: »Entweder nützen oder erfreuen wollen die Dichter (*aut prodesse volunt aut delectare poetae*) oder zugleich, was erfreut und was nützlich fürs Leben ist, sagen« (V. 333). Und Horaz setzt als Imperativ für jeden verständigen Dichter hinzu, dass auch alles, was man des Vergnügens wegen erfindet, dicht an der Wahrheit zu sein habe (*ficta voluptatis causa sint proxima veris*, V. 338). Andernfalls würde der Dichter auf die Stufe des bloßen Entertainers herabsinken.

Horaz definiert mit solchen Überlegungen einerseits die philosophische Zielsetzung jeglichen Dichtens, andererseits verweist er auf die philosophischen Schriften und das Leben als poetische Erkenntnisquellen. Brant folgt unausgesprochen genau diesen Vorgaben, wie ja generell das Konzept des *poeta philosophus* eine programmatische Idee des zeitgenössischen Renaissance-Humanismus in Deutschland ist.[93] Nur der ernste philosophische Kern nobilitiert auch für Brant jegliche Dichtung. Dieter Wuttke hat in seiner Interpretation des *Philosophia*-Holzschnitts von Dürer/Celtis aus dem Jahre 1502 den komplexen philosophiehistorischen Horizont des zeitgenössischen Dichterphilosophen-Konzepts aufgewiesen.[94] Mit Brant tritt in Deutschland eine aus dem weltlichen Gelehrtenstand kommende Literatengeneration auf, die den auf scholastische Metaphysik festgelegten Klerikern die Philosophie aus den Händen zu nehmen beginnt. Angeregt von italienischen Humanisten wie Francesco Petrarca, dessen Werke Brant 1496 in Basel herausgibt, gehen die neuen Dichterphilosophen einen von der klerikalen Schulphilosophie getrennten Weg.

Brant konfrontiert uns mit 109 Narren, vorzustellen (und in den Holzschnitten entsprechend umgesetzt) als typisierte »Personen«, die man besser als bloß menschlich

93 Stejskal (1937).
94 Wuttke (1985/86), S. 402–450.

konturierte Figuren bezeichnen sollte. Sie sind die dichterischen Versinnlichungen bestimmter Abstraktionsleistungen, insofern Personifikationen (im Sinne rhetorischer Metonymie). Im Bild der Holzschnitte bekommen sie jeweils konkrete menschliche Gestaltmerkmale. Der Text spricht von ihren Handlungen, ihrem Verhalten und von der Beurteilung ihres Tuns. Es kann also kein Zweifel bestehen, dass Brants Erkenntnisinteresse auf die Anthropologie und die Ethik gerichtet ist. In diesem Sinne wirft das *Narrenschiff* zwei philosophische Fragen auf: Was ist der Mensch? Und worin besteht das richtige Handeln des Menschen in der Welt? Die für die Scholastik wichtigen Fragen, etwa nach den Absichten und der Existenz Gottes (man denke an die ungemein traktierte Gottesbeweisfrage), stehen hier nicht mehr im Mittelpunkt, auch wenn die Norminstanz Gott im ethischen Zusammenhang weiter von Belang ist. Auf diese Neuakzentuierung lässt sich das Wort des französischen Historikers J. Michelet von der »Entdeckung der Welt« und »Entdeckung des Menschen« in der Renaissance beziehen. Damit ist die religiöse Grundierung des Denkens keineswegs aufgehoben. Die Grundsätze normativer Rückbindung kann sich Brant gar nicht anders als von der ideologischen Wächterinstanz Kirche determiniert vorstellen. Unabhängig davon gilt für ihn wie für seine humanistisch-gelehrten Zeitgenossen die Feststellung Wuttkes: »Die Wiederbelebung der Antike und die Herausbildung des Sprachideals waren nicht Selbstzweck, sondern wurden in den Dienst einer neuen Sensibilisierung für die ethische Natur des Menschen genommen.«[95]

Unter welchen Aspekten man die Frage nach dem Menschen verhandeln und wie man ihn in bestimmten Kommunikationssituationen beurteilen könne, lernte man auf elementare Weise schon im mittelalterlichen Schulunterricht bei der Lektüre der weit verbreiteten, Cicero zugeschriebenen *Rhetorik an Herennius* oder bei den rhetori-

95 Wuttke (1979), S. 309.

schen »Vorübungen« zur Ausarbeitung von Textbausteinen, insbesondere beim Einüben des Enkomions. Wichtig war bei der Lob-und-Tadel-Topik der topische Kontrast von persönlicher Tüchtigkeit (*virtus*) und kontingenten Bedingungen und Lebensumständen (*fortuna*; *Rhetorica ad Herennium* 3,6,10). In den lateinischen *Praeexercitamina* (Vorübungen) des noch zu Brants Zeit bekannten Grammatikers Priscian gibt das 7. Kapitel »Über das Lob« einschlägige Anweisungen. Dort heißt es: »Lob (*laus*) ist die Darlegung der Güter, die irgendeiner Person zukommen, sei es im allgemeinen (*communiter*), sei es im besonderen (*privatim*); im allgemeinen, wie etwa beim Lob des Menschen schlechthin, im besonderen, wie etwa beim Lob des Sokrates.« Mit dem Lob als einem einschätzenden und bewertenden Sprechakt korrespondiert als Gegenstück der Tadel (die *vituperatio*). Es wird also ein bipolares Bewertungsdenken vorgeschlagen, nach dem etwa die menschliche Weisheit und Vernunft positiv zu bewerten, die Narrheit hingegen zu kritisieren wäre. Für beide Sprechakttypen gelten dieselben Topoi (*loca*), also Suchörter bzw. Ordnungskategorien, unter denen die Darstellung und Bewertung einer speziellen Person oder des Menschen in seiner generellen Befindlichkeit vorgenommen werden können. Zur Verhandlung stehen intrinsische und extrinsische Topoi. Die intrinsischen betreffen die inneren, personalen Verhältnisse eines Menschen wie Abstammung oder auch Ernährungsweise, die Erziehung, also wie gebildet einer ist (*educatio, quo modo eruditus est*), und die mentale Eigenart (*natura animi*). Beim zuletzt genannten Topos des menschlichen Bewusstseins ist zu erörtern, ob einer gerecht, besonnen, weise und tüchtig ist (*iustus, moderatus, sapiens, strenuus*). Die extrinsischen Topoi richten sich auf äußere Verhältnisse wie Freundschaften, Reichtum, Gesinde und nicht zuletzt die im Begriff *fortuna* gefassten Glücksumstände des Lebens.[96]

96 Halm (Hrsg., 1868), S. 556.

Die nicht nur in diesem Schulzusammenhang verhandelte, anthropologisch interessante Kategorie *fortuna* greift Francesco Petrarca im 14. Jahrhundert in seinem philosophischen Hauptwerk *Über die Heilmittel in Glück und Unglück* (*De remediis utriusque fortunae*) auf. Brant hingegen wendet sich im *Narrenschiff* der intrinsischen *natura animi* unter dem Aspekt des *sapiens/insipiens* (weise/närrisch) zu. Petrarca verhandelt die *utraque fortuna*, die gewissermaßen doppelgesichtige Göttin Fortuna, die die Lebensbedingungen des Menschen ihrem erbarmungslos rotierenden Glücksrad unterwirft. Nach Art einer Kasuistik stellt Petrarca ein Kompendium möglicher existentieller Grundsituationen des Menschen zusammen, gedacht als Spiegel des menschlichen Lebens. Die Umstände geben für den einzelnen Menschen objektive, außerhalb seines Einflusses liegende Determinanten ab. Der Mensch gerät in diese teils positiven, teils negativen Lebenskontexte und reagiert darauf mit Hilfe seiner psychischen Instanzen Vernunft (*ratio*) auf der einen Seite und Affekt (z. B. Freude oder Furcht) auf der anderen Seite. Es entsteht eine Psychomachie. Die Ratio versucht in 122 Dialogen zu glücklichen Lebensumständen und in 132 Dialogen zu unglücklichen Situationen die Affekte davon zu überzeugen, dass in jedem Fall stoischer Gleichmut und geduldiges Ertragen des Unvermeidlichen die beste Haltung des Menschen ist.[97]

Brant kannte Petrarcas *Glücksbuch* und wurde in seiner Straßburger Zeit beauftragt, für eine deutsche Übersetzung das Bildprogramm zu entwerfen. Er konzipierte dabei ein weiteres »Bildbuch«, indem er wie beim *Narrenschiff* zu jedem Fallkapitel einen eigenen Holzschnitt setzte. Thematisch gibt es zwischen beiden Werken immer wieder gewisse Annäherungen, etwa beim Eloquenz-Kapitel I/9 Petrarcas (vgl. die Abb. auf S. 67) und Brants »Redenarren«-Kapiteln (19, 41, 42, 51). Der Druck des monu-

97 Knape (1986), S. 13–19.

mentalen Petrarca-Buchs wurde 1532, nach Brants Tod, mit den Holzschnitten des Petrarca-Meisters realisiert.[98] Man kann das letztlich doch ganz anders geartete *Narrenschiff* von 1494 unter bestimmten Gesichtspunkten mit Petrarcas *Glücksbuch* vergleichen. Vergleichsmomente sind der Quellenhintergrund, das Konzept der kasuistischen Serie, das anthropologische Interesse, die formale Bewältigung des Themas und die philosophischen Konzepte.

Petrarca und Brant schöpfen, dem Rat des Horaz folgend, aus der Fülle aller zur Verfügung stehenden Bücher menschlichen Wissens. Wenn wir die dabei gewonnenen Exempla und Beispielfiguren zum Vergleichsmaßstab machen, dann bezieht Petrarca diese zu 85 Prozent aus heidnisch-antiken Kontexten.[99] Anders als bei Brant hat die Bibel in dieser Hinsicht bei ihm kein Gewicht. Brants Personenarsenal zeigt einen geringeren Anteil der paganen Antike. Selbst wenn man die meist antiken historischen und die antik-mythologischen Namen zusammennimmt, ergibt sich nur ein leicht übergewichtiger Anteil von 51 Prozent, 31 Prozent der Namen sind biblisch.

Im *Narrenschiff* versammelt der Dichter-Jurist Brant Fälle von Lebensumständen, in denen das Handeln der Menschen in die Irre gehen kann. Es sind Fälle, die das ethische und religiöse Bewusstsein herausfordern und unterhalb der juristischen Ebene liegen, Fälle, die auch abstrakter Gegenstand in Kirchenrechtsquellen, in volkssprachlichen Bußbüchern und lateinischen Poenitentiarien der Zeit waren. Es gibt Kapitelgruppen, die – in lockerer Ordnung, ähnlich wie bei Petrarca – durch ein entsprechendes gemeinsames gedankliches Band zusammengehalten werden. Ulrich Gaier hat sie als »Problemkreise« gesehen, in denen der Mensch für Brant zum Narren werden konnte:[100] Erziehung (5, 6 und 9), Freundschaft (7, 8, 10), Herausforderung der Strafe Gottes (11, 14), rechte Ein-

98 Lemmer (Hrsg., 1984).
99 Knape (1992b), S. 178.
100 Gaier (1966), S. 110–188.

Von wolreden oder aufsprechen/
Das Neündt Capitel. Freud.

Ch hab ein klares aufsprechen. Vernunfft. Das ist (bekenn ich) ein grosses Instrument der ehren/ yedoch zweyfellich/ gleich eins zwischendende spiefs/vnd daran ist vil gelegen/ wie du dich dessu geprauchen wissest. Freud. Mein aufsprechenn ist schnell gengig. Vernunfft. Fürwar nit vngeschickter weiß haben etlich eynes narren vnnfrommen wolredenheit vergleicht einem schwert eins vnsinige/dañ dise baide waffen loß sein/ist ein gemeiner nug. Freud. Jch hab ein klares gezünge. Vernunfft. Ain ding mag in mancherley gestalt klar genent werden/ klar ist die Sunñ/klar ist auch ein prunst. Mein gespräch ist fürscheinlich. Vernunfft. Vñ die traurigen Cometi/vnholtselige schwerter/auch feintliche helmlin/seind scheinig/das der glantz deines wol redens ehrlich sey/soll mit heyligkeyt vnd mässigkeyt temperiert sein. Freud. Jch hab grosse wolredens menge. Vernunfft. So ferr/die der mässig keyt zügewant/bekenn ich/sein etwas vber die gemainen maß der menschen/ohn das were besser du werest ein stumme. Freud. Jch kan genüg redens. Vernunfft. Das gnügsamer wolreden aber wenig weißheyt/inn dem schalckhafftigen Catilina gewest sey/wirdestu bey der lere Crispo find? diser hat kein ehre des wolredens gesächt/ Wiewol er(so man das höher erwigt)nit wol beredt/sonder geschwätzig gewesen ist/ dañ ein warer redner(das ist ein meister des gesprechs)kan nichts anders/dañ ein frum man sein/So du nun frum/mere vnd weiser vermeinst/zü dem lob redens vnd volkomens ampts aufsprechen/vngestüm der wörter(so bey wey-

B ij   lenden

Petrarca: Glücksbuch, Blatt VIIIʳ

67

schätzung der gegebenen Lage (12, 15), Umgang mit übermächtigen körperlichen Reizen (13, 16), Verhältnis der weltlichen Sphäre zur göttlichen Sphäre sowie Weisheit und Reichtum (17–30), Neigung zur Welt und Besserung des Menschen (31, 34), Ehe und Verhältnis des Mannes zur Frau (32, 33), Furcht im sozialen Bereich (35, 37, 39), Eigensinn des Menschen (36, 38), Einstellung zum Religiösen (43, 44, 45, 47), Berufsethos (48, 55), Verhältnis von Untergeordneten zu Übergeordneten (42, 49), Todsünden (50, 52, 53, 54), Politik und Rechtsleben (46, 51), Belohnung und Geschenk bei Gott und in der Welt (57, 59), menschliche Selbstsorge und menschliche Selbsterkenntnis (58, 60, 61, 66), Verhältnis zwischen Mann und Frau (61, 62, 64), Glauben an Falsches (63, 65, 66), Selbsterkenntnis und Erkenntnis des Anderen (67–71), Grobheit und falsches Priestertum (72, 73), fröhliches Gesellschaftsleben (74–77), Verhalten in sozialen Rollen (79–82), Reichtum (83, 85), Besserung (84, 86), Einstellung gegenüber Gottes Strafgericht (87, 88), Einstellung auf das Irdische und Heilsorientierung (89–92), Habgier und irdische Betriebsamkeit (93–97).

Der Mensch kann sich auf diesen Problemfeldern klug oder närrisch verhalten. Um das zu demonstrieren, führt Brant in drei Vierteln seiner Kapitel insgesamt 411 Beispiele, Exempel und personale Konkretionen ein.[101] In Petrarcas *Glücksbuch* sind es aufgrund des größeren Umfangs weit mehr als 2000 solcher Beispiele. Bereits die zu Brants Zeit immer noch hoch im Kurs stehende, Cicero zugeschriebene *Rhetorik an Herennius* macht beim Exempel eine deutliche Unterscheidung. Normalerweise verwende man Exempel aus der Wirklichkeit, um eine Regel zu untermauern, schreibt der Verfasser da zu Beginn des vierten Buchs. Er aber wolle die Beispiele selbst erfinden, um seine Theorie zu verdeutlichen. Im ersten Fall dienen die Beispiele mithin als Elemente eines Induktionsbewei

101 Hartl (2001), S. 109; Überblick zu allen Exempeln ebd., S. 118–133.

ses im Sinne des zweiten Buchs der aristotelischen Rhetorik, im zweiten Fall als Verdeutlichungs- und Veranschaulichungsmittel. Beide Wege beschreitet Brant. Er bringt zahlreiche veranschaulichende Beispiele aus der Natur, insbesondere aus dem Tierreich. Hinzu treten selbst erfundene Personen mit teils komischen Namen, die das Personenregister im Anhang (S. 540–619) ebenfalls verzeichnet, sowie Beispiele aus der Dichtung. Das Gros seines 355 Namen umfassenden Personenarsenals ist jedoch für Brant »historisch« beglaubigt und wird für induktive Beweiszwecke eingesetzt.[102]

Die argumentativ-beweisende Tiefenschicht der einzelnen Kapitel zielt auf den Nachweis, dass der Mensch in den wichtigen, existentiellen Lebenszusammenhängen anfällig ist. Es ist die durch Erbsünde und Schwachheit bedingte Korruptheit der menschlichen Natur, ihre *concupiscentia*, also die Neigung, sich den Versuchungen alles Irdisch-Egoistischen hinzugeben. Trotz Christi Erlösungstat, so die theologische Auffassung der Zeit, muss der Mensch hier selbst moralisch aktiv werden. Klugheit, Vernunft und Weisheit verhelfen ihm dabei zum rechten Handeln. Bei Petrarca war es das Pathos, also die affektive Seite des menschlichen Gemüts (der *natura animi*), die den wechselnden irdischen Gegebenheiten mit leidenschaftlicher Zuneigung oder mit Ablehnung und Leiderfahrung gegenüberstand. Die Ratio trat als Korrektiv auf.

Brant widmet zwar auch dem Zorn, dem Hass sowie menschlicher Ungezügeltheit eigene Kapitel (35, 53 und 72), doch insgesamt bilden bei ihm nicht die Affekte, sondern menschliche Dummheit und Uneinsichtigkeit den Antagonisten der Ratio. Es ist das moralische Bewusstsein, das sich entscheiden muss, wie es den Herausforderungen der Welt begegnet. Für Brant ist der Mensch, der im Entscheidungsfall zum Narren werden kann, eine alltägliche Erscheinung. Im diesbezüglichen Schlüsselkapitel

---

102 Ebd., S. 106–118.

107 arbeitet er diese Problematik unter Rückgriff auf die antike Fabel von Herkules am Scheideweg heraus. Das pythagoräische Ypsilon (Y) steht im Mittelpunkt des zugehörigen Holzschnitts. Es symbolisiert die Entscheidungsmöglichkeit zwischen dem von einer Krone gezierten Königsweg normgerecht-erwünschten Verhaltens und dem mit einer Narrenkappe gekennzeichneten *neben weg* (107.14) töricht-fragwürdigen Verhaltens. Im Spruch wird die Herkules-Fabel mit der schließlichen Entscheidung für den rechten, wenn auch harten Weg ethischen Handelns wiedergegeben (107.17–36).

Petrarca und Brant verbindet das anthropologische und ethische Interesse. Während es Petrarca auf die Ausprägung einer rationalen Haltung des Menschen in allen Seinsverhältnissen ankommt, richtet Brant sein Augenmerk speziell auf den Umgang mit ethischen Herausforderungen bei dem in der sittlichen Entscheidung stehenden Menschen. Beide bewältigen ihren Ansatz auf unterschiedliche Weise. Petrarca konstruiert Prosadialoge nach dem Vorbild der Ps.Seneca-Schrift *De remediis fortuitorum*, Brants Vorbild waren wohl die verssatirischen *Sermones* von Horaz in Kombination mit Modellen deutscher Sangspruchdichtung. Bei Petrarca hat der Dialogpartner Ratio in allen Dialogen zwar das argumentative Heft in der Hand, aber die merkwürdige Unbelehrbarkeit der Affekte subvertiert in gewisser Weise die deklamatorisch klare Tendenz der Texte. Nie wird klar, ob sich die Ratio mit ihren Argumenten wirklich durchsetzt. Insofern bleibt bei Petrarca eine gewisse Offenheit. Die zyklisch zusammengeschlossenen 112 monologischen Gedichte Brants sind streng persuasiv konzipiert, auch wenn sie diese Tiefenstruktur mit allen erdenklichen sprachkünstlerischen und ästhetischen Mitteln nach Art der Satire umspielen und auflockern. Insofern sind sie letztlich gedanklich geschlossen.

Die Anthropologie beider Autoren richtet ihren Blick in sehr unterschiedliche Richtungen. Petrarca zeigt uns den Menschen determiniert und in völliger Abhängigkeit von Fortuna. Der Mensch tritt nicht selbst als handelnder Protagonist auf, sondern zwei seiner inneren Instanzen treten auf: die mit unbestechlicher Logik argumentierende Ratio und die irrational reagierenden Pathē. Es geht darum, den Menschen in ein immer gleiches Verhältnis zum wechselnden Schicksal zu setzen. Brants Menschenbild ist demgegenüber deutlich voluntaristisch. Der Mensch, so wird immer wieder bekräftigt und bewiesen, ist zwar moralisch anfällig, doch er wäre potentiell handlungsmächtig und könnte sein moralisches Leben in die eigene Hand nehmen. Die Rationalität bekommt bei ihm einen ganz anderen Impetus. Sie verhilft dem Menschen nicht zur Einsicht ins Unvermeidliche, sondern zur Einsicht in die Möglichkeiten der Überwindung irdischer Verfangenheit.

»Die Sangspruchdichtung ist von ihrem Ursprung her Weisheitsdichtung.«[103] Brant knüpft in deutscher Sprache immer wieder an diese Tradition an. Der in so gut wie allen Kapiteln des *Narrenschiffs* von Brant ins Spiel gebrachte Zentralbegriff *wisheit* rekurriert auf den *sapientia*-Begriff der antiken Philosophie und der Bibel zugleich. Er schwankt in seiner Bedeutung zwischen »Einsicht«, »Vernunft«, »Klugheit«, »Wissen« und »Weisheit«. Die Narrheit, die aus mangelnder Einsichtsfähigkeit und mangelndem Wissen um die entscheidenden Dinge besteht, nimmt die Gegenposition ein. Die *wisheit* ist eine kognitive Instanz des Menschen, die sowohl Mittel der Erkenntnis sein kann, indem sie uns zur Einsicht bringt, als auch Inhalt der Einsicht, wenn sie das richtige Wissen und Erkennen repräsentiert. In jedem Fall ist ihr Erwerb und ihre Kultivierung das wichtige Ziel des menschlichen Strebens. In verschiedenen Kapiteln wird diese oft vernachlässigte, missbrauchte oder unterentwickelte kognitive Seite des Menschen angesprochen (12, 15 und 39). Für Brant ermöglicht die von ihm so oft aufgerufene *vernunfft* als das

---

103 Stackmann (1995), S. 153.

dem Menschen in der Schöpfung mitgegebene *lumen naturale* (107.59f.), sich dem Göttlichen in mentaler Harmonie anzunähern und Einblick in die göttlich bestimmte Weltordnung zu bekommen. Zur *vernunfft* treten weitere Begriffe aus dem Sinnbezirk des Verstandes, so die Einsichtskraft (*fürsichtikeyt* 22.11) und das Wissen (*bschydikeyt*), das der Uneinsichtigkeit und Dummheit (*dorheyt*) gegenübersteht (22.3f.). Brant ist mit dieser eindeutigen Akzentsetzung Exponent jener europäischen Tradition, die von Platon bis zur frühneuzeitlichen Aufklärung in der Rationalität die entscheidende Möglichkeit des Menschen sieht, sich und sein Leben zu steuern. In diesem Sinne lässt auch Albrecht Dürer seinen großen Triumphwagen für Kaiser Maximilian I. von der Ratio lenken. Was sich im Menschen dann als *wisheit* herausbilden kann, findet für Brant erst in christlich-religiöser Rückbindung seine wahre Eigenart. Im sokrateischen Diktum »Ich weiß, dass ich nichts weiß« spricht sich für ihn demzufolge auch die Unterlegenheit bzw. der Defekt heidnischer, bloß weltlicher Philosophie aus, der es am Zugang zu dieser Harmonie mit dem christlichen Gott gebricht. Entsprechend relativiert Brant in Kapitel 107 die Leistungen der antiken Philosophie (107.65–73), auch wenn er ansonsten gern die großen Weisheitslehrer Sokrates, Platon oder Vergil als Modellfiguren heranzitiert.

Sebastian Brant hat in seiner *Freiheitstafel* eine differenzierte und hoch entwickelte Freiheitslehre entfaltet.[104] Es handelt sich dabei um die erste Freiheitstheorie, die das ganze Spektrum der Problematik im Zusammenhang und zudem in deutscher Sprache abhandelt. Die Überlegungen gehen dabei bis in den sozialen Bereich hinein, wo die Frage nach der Emanzipation leibeigener Bauern positiv beantwortet wird. Brants *Freiheitstafel* erschließt uns eine wichtige Hintergrundtheorie für seinen philosophischen, humanistisch-anthropologischen Optimismus. Der

104 Knape (1992a), S. 327–415.

Mensch hat einen freien Willen, kann seine Vernunft entwickeln und zum eigenen Heil frei gebrauchen. Wer dies nicht versteht, versagt sich die höchste Stufe des Menschseins und gehört ins Narrenschiff. Gott hat seine Gesetze und Regeln in die Welt eingeschrieben und dem Menschen mit der Vernunft ein Instrument gegeben, sie zu erkennen und zum Maßstab richtigen Handelns zu nehmen. Daran hat Brant keinen Zweifel. Die ebenfalls mitgegebene menschliche Freiheit impliziert aber auch Verweigerung und närrisches Abstehen von der Möglichkeit eines so zu verstehenden vernünftigen Lebens. Bei Brant findet sich kein Gedanke an determinierende Eingriffe Gottes in diese Freiheit per unmittelbar lenkendem Gnadenwirken. Insofern wäre ihm Luthers *sola gratia*-Postulat, das in letzter Konsequenz auch die für spätere Denker so wichtig gewordene menschliche Emanzipation von einer außermenschlichen Größe abhängig macht, fremd gewesen.

Vor diesem Hintergrund können wir Äußerungen, wie sie etwa in Kapitel 103.96–141 auftreten, nicht einfach als biedere Kirchengläubigkeit abtun, sondern müssen sie als Betonung des menschlichen Voluntarismus interpretieren. Brant setzt in diesem Kapitel das moralische Universum auf den christlichen Glauben auf, der drei Säulen hat: die Heilige Schrift, den Ablass (Sündenvergebung auf Grund eigener guter Werke) und die religiöse Bildung. Jede Säule ist bei genauerem Hinsehen ein Exponent menschlicher Willensfreiheit. Die Menschen können mit den Erkenntnisquellen der Schrift umgehen, wie sie wollen, und sie tun es auch; der Ablass ist Ausdruck der relativen Eigenständigkeit des Menschen im moralischen Universum, denn er basiert auf dem Konzept, dass sich die Menschen Gottes Gnade hier auf Erden in Form der kirchlichen Sündenvergebung durch eigenes Handeln erwirtschaften können, wenn sie wollen; die Bildung schließlich vertieft und entwickelt das menschliche Einsichtsvermögen in diese Zusammenhänge, aber nur, wenn dies auch gewollt ist. Der so in der Freiheit stehende Mensch hat gegebenenfalls den

Preis zu zahlen, als Tor dazustehen: Ein Narr ist, wer viel Gutes wahrnimmt und dennoch seine *wisheit* nicht mehrt, heißt es in Kapitel 34, wer immer viel erfahren und sich dennoch nicht moralisch weiterentwickeln will (34.1–4).

Klugheit und moralisches Bewusstsein gehen für Brant zusammen. Sich mental voranzubringen gehört für ihn zur vernünftigen Selbstsorge, zu der sich jeder Mensch bekennen sollte (Kap. 58). Der beste Mensch ist dann derjenige, der gelernt hat, autonom zu entscheiden, was man tun und lassen soll, den man dann auch nicht mehr unterweisen muss und der von sich aus die *wisheit* preist; ein *vir bonus* ist auch, wer Rat und Einsichten von anderen annimmt und dabei immer mehr an Erziehungswerten und *wisheit* lernt; wer aber zu alldem nicht fähig ist, der gehört in die Reihe der Narren, und wenn er dieses Narrenschiff versäumt haben sollte, dann kann er getrost darauf warten, dass noch ein anderes kommt (vgl. 108.142–151).

Brant schwebt die Autonomie des moralischen Subjekts vor. Dazu nimmt er im abschließenden Kapitel 112 Stellung. Ein vollkommen entwickelter, d. h. ein vernünftiger und kluger Mensch ist sein eigener Richter, ist sich dabei aber auch stets seiner intellektuellen Schwächen bewusst, hört weder auf Adel noch auf die breite Masse, denkt über alles gründlich nach und fragt nach Verbesserungsmöglichkeiten. Der Weisheitslehrer Vergil kann hier ein Beispiel geben.

Brant weiß, dass dies sehr hoch gegriffen ist. Er selbst apostrophiert sich oft ebenfalls als Narren, sieht mithin die permanente Gefahr des Abdriftens in die falsche Richtung, weil der freie Wille dies ermöglicht. Seine oratorische Rolle besteht angesichts dessen darin, das Freiheitspendel durch kommunikative Akte gesellschaftlicher Selbstkontrolle immer wieder neu zu justieren. Die Dichtung als Kommunikationsform hält, ausweislich des *Narrenschiffs*, probate Mittel solcher oratorischer Intervention bereit. Die literarische Auseinandersetzung mit philosophischen Fragen ist also rhetorisch gesehen kein Selbstzweck, sondern Teil der pragmatisch-konkreten Kommunikation im gesellschaftlichen Zusammenhang der Zeit um das Jahr 1500. In Kapitel 55 verdeutlicht Brant dies an den Beispielen von Arzt, Advokat und Priester. Alle drei sind als soziale Ratgeber tätig, die aus einem Befund die richtige Deutung zum Wohl ihrer Klienten ableiten müssten und es oft genug nicht können. Dem unfähigen Arzt gleicht ein Advokat, heißt es da, der in juristischen Fällen nicht den richtigen Rat geben kann. Und dem gleicht auch ein Beichtvater, der nicht in der Lage ist, die Sündenkasuistik so zu durchschauen, dass er jede Art von Vergehen bestimmen und mit adäquater Buße belegen kann. So jemand geht *on vernunfft* um den Brei herum (55.26–32).

Ganz anders der Orator Brant, so der implizit zu vollziehende Schluss des Lesers. Der Dichter kennt nicht nur die Kasuistik, sondern weiß auch um die Heilmittel (*remedia*) zur Abhilfe des Übels. Brant erwartet mit Recht, dass seine geneigten Leser Interesse an anthropologisch-ethischen Fragen haben. Der für damalige Verhältnisse ungeheure Erfolg des *Narrenschiffs* widerspricht dem zumindest nicht. Vor diesem Hintergrund muss sehr vorsichtig mit dem Begriff der »Didaxe« umgegangen werden. Das *Narrenschiff* kann als »Lehrgedicht« in antiker Tradition nur insofern bezeichnet werden, als eben jeder für die konkret-pragmatische Kommunikation bestimmte Text einen deutlich gerichteten informationellen Impetus hat oder, rhetorisch gesprochen, die *docere*-Funktion bedient. So gesehen kann man auch hier von Didaxe sprechen. Es träfe aber Brants Auffassung vom Status der Dichtung nicht, wenn man annähme, er verwende die dichterische Form nur, um – gewissermaßen mit einem Unterhaltungstrick – jungen oder ungebildeten Leuten Moral beizubringen. Sein Text ist bei genauerem Hinsehen so voraussetzungsreich, seine Anspielungen, Sentenzen, Zitate sind oft so geschickt inseriert, ja versteckt, sein in hunderten von Fällen herangezogenes exemplarisches Per-

sonenarsenal ist teilweise so esoterisch (vgl. das Personenregister im Anhang), setzt für Erkennung insgesamt einen
so ungewöhnlichen Bildungsstandard voraus, dass man
auf keinen Fall von einem Werk der *popular culture* sprechen kann. Welcher Leser konnte etwa schon auf Anhieb
Anspielungen wie etwa die von Kapitel 33.26 verstehen?
Das *Narrenschiff* ist ein Werk für literarische Kenner, die
nicht unbedingt Gelehrte sein müssen, für »gebildete«
Zeitgenossen, für Leser, die Brant mit der Inschrift am
Apollontempel in Delphi konfrontieren zu können glaubt:
»Erkenne dich selbst!«[105]

Es läge also ein Missverständnis vor, wenn man meinte,
Brant gehe es um Volkserziehung im modernen Verständnis oder um literarisch camouflierte Volksdidaxe. In einer
Äußerung der *Stultifera navis*-Ausgabe von 1497 erklärt
er, sein Werk sei nur für verständige Menschen geschrieben, für Menschen, die erkenntnisfähig und einsichtswil-
lig, kurz: in seiner Sicht philosophiefähig sind. Für Brant
kann also derjenige kein idealer Leser sein, dem es am für
den Humanismus typischen Verständnis für moralphilo-
sophische Fragen gebricht:

> Wenn aber ein kritischer Leser, dem stete Krittelei
>   eine Herzenslust ist,
> dieses durchliest, zieht er spöttelnde Grimassen – das
>   weiß ich.
> Aber es soll genügen, ein Werk verfaßt zu haben, das
>   gelehrten Leuten
> gefällt, [denn] Dummköpfen kann nichts recht sein.
> Weder stand mir anfangs der Sinn danach, noch woll-
>   te ich
> für närrische Männer schreiben oder ihnen gefallen,
> noch hattest du vor zu glauben, daß ein so gutes Werk

---

105 Vgl. Brants Verse über die »Hinwendung eines der Welt verfallenen
Menschen zur Erkenntnis seiner selbst: das ›Erkenne dich selbst‹« (*Con-
versio cuiusdam secularis hominis ad cognitionem sui ipsius: Gnoti seau-
ton*, hrsg. von Wilhelmi, 1998, in Nr. 204).

einem klugen Mann und einem Toren [zugleich] ge-
nügen könne. [...]
Diejenigen, die alles haarklein bekritteln und gelehrt
scheinen wollen,
wissen gar nichts, sondern [ihnen] gefallen allein ihre
[Werke].
(XV,131–138; 141–142)[106]

Einsicht in die Zusammenhänge des moralischen Uni-
versums beginnt mit Selbstkritik und dem Bemühen um
Selbsterkenntnis, so Horaz in seiner Satire II,3. Brant und
Locher ziehen die Spiegel-Metapher heran, um den philosophischen Erkenntnisvorgang des »Erkenne dich selbst«
zu verdeutlichen. Das *Narrenschiff* bietet ein bestimmtes
Abbild des menschlichen Lebens, dessen sich der Mensch
erst bewusst wird, wenn er es in einem reflektierten Akt
der Wahrnehmung als Gespiegeltes erkennt. Der Leser
kann einen Abgleich vornehmen und sich wie beim Lesen
eines kasuistischen Handbuchs oder Beichtspiegels fragen,
welcher Fall auch ihn selbst betrifft. Brant teilt uns mit, er
habe diesen Durchgang für sich selbst als sein erster Leser
ebenfalls vorgenommen und mit Schrecken bemerkt, auf
wie vielen Narrenpositionen er bereits Platz genommen
hatte. Erst in der Spiegelung wird dem Leser wirklich klar,
wie es um ihn selbst steht. Gleich in der Vorrede des *Narrenschiffs* spricht Brant dies an (V. 29–44), und in der *Stultifera navis* ruft er dem Leser zu:

Auf, auf! Schau in den Spiegel, der du den Lebenswandel
der Menschen und ihr schlimmes Ende zu kennen
wünschst!
Denn wer sich und sein Leben in diesem Buch erblickt,
wird nicht leichthin sagen, er sei redlich und gut.

106 Hartl (Hrsg., 2001), S. 360/361.

Wenn einer, mag er auch weise sein für sich, glaubt, er
befinde
sich nirgends unter uns, so soll er wissen, daß er es
allerorten ist.
Als ich selbst mir etwa einen Platz suchen wollte,
merkte ich, daß ich oft [schon] auf allen möglichen
Plätzen saß.

(X,13–20)[107]

Ut pictura poesis

Zu allen Zeiten war der von Horaz im Fortgang seiner *Ars
poetica* formulierte *ut-pictura-poesis*-Satz berühmt. Er bezieht sich auf Wahrnehmungs- und Wirkungsunterschiede
bei der Beschäftigung mit ästhetisierten Artefakten und
den daraus resultierenden Kunsturteilen, die auf unterschiedliche, handwerklich bedingte Werkstrukturen zu-
rückführbar sind: »Eine Dichtung ist wie ein Gemälde (*ut
pictura poesis*): es gibt solche, die dich, wenn du näher
stehst, mehr fesseln, und solche, wenn du weiter entfernt
stehst; dieses liebt das Dunkel, jenes will bei Licht be-
schaut sein und fürchtet nicht den Scharfsinn des Richters« (V. 361–364). Zu allen Zeiten hat man sich auf die
Implikatur dieser Äußerung konzentriert, die die semiotische Ähnlichkeit von Bild- und Sprachtexturen, ihre
Gleichartigkeit, Gleichwertigkeit und Wirkungsähnlich-
keit postuliert.[108] An anderer Stelle hatte Horaz sogar von
der Überlegenheit optischer Wahrnehmung gesprochen,
wie das schon in Platons *Phaidros* (250d) thematisiert
worden war. Schwächer errege die Aufmerksamkeit, sagt
Horaz, was seinen Weg akustisch-flüchtig durch das Ohr
nehme (also der dichterische Text), als was vor die verläss-
lichen Augen gebracht werde (V. 180–182).

Brant betont in der Vorrede des *Narrenschiffs*, dass die

107 Ebd., S. 34/35.
108 Entner (1976), S. 371.

Bilder gemäß der *ut-pictura-poesis*-Formel gleich geordnete Bestandteile der Gesamttextur sind; die angestrebten Wiedererkennungserlebnisse der Rezipienten können seiner Meinung nach auch durch die Bilder evoziert werden (V. 25–30). Das beim *Narrenschiff* konsequent umgesetzte »Bildbuch«-Konzept[109] trug gewiss ganz entscheidend zum Erfolg des Werkes bei. Theoretisch war es nicht nur durch die Poetik des Horaz gestützt, sondern insbesondere auch durch die Evidenztheorie der Rhetorik, die in der Mimesis eine wirkungsvolle Stütze autordiegetischen Sprechens sieht. Die Theorie bezieht sich in diesem Punkt freilich auf verbalmimetische Verfahren, also das Hervorrufen geistiger Bilder in der Imagination der Rezipienten mittels Sprache. Doch der Transfer auf das semiotische System der Bildzeichen liegt nahe, wird von Quintilian auch angesprochen.

Der Orator muss Bildvorstellungen entwickeln und in seinem Inneren kultivieren. Sie sind Kern seiner geistigen Kraft. Dazu schreibt Quintilian: »Deshalb gilt es, diese anschaulichen Vorstellungen von den Gegenständen (*rerum imagines*), [...] die, wie wir gezeigt haben, *phantasíai* (Vorstellungen) heißen, zu erfassen und alles, worüber wir gerade reden wollen, die Personen, die Fragen, um die es geht, die Hoffnungen und Befürchtungen, leibhaftig vor den Augen zu haben (*in oculis habenda*) und ins Gefühl aufzunehmen (*in adfectus recipienda*). Unser Inneres ist es nämlich, was beredt macht, und die geistige Kraft (*vis mentis*) in uns« (*Institutio oratoria* 10,7,15). Die Wirkkraft der *evidentia* ist vor Gericht unbestritten: »All das macht meistens gewaltigen Eindruck; denn es führt ja den Menschen die Tat gleichsam leibhaftig vor Augen« (6,1,31). Die Holzschnitte, die jedem Kapitel des *Narrenschiffs* beigegeben sind, interagieren mit dem autordiegetischen Text und repräsentieren die eigentlich mimetische Komponente. Die Narren der Holzschnitte sind also die eigentlichen Fiktionen des *Narrenschiffs*. Gerade Bilder von Negativfiguren

109 Knape (1988).

vergegenwärtigt man sich ja gern simulativ: »Denn von Dingen, die wir in der Wirklichkeit nur ungern erblicken, sehen wir mit Freude möglichst getreue Abbildungen (*eikónes*), z. B. Darstellungen von äußerst unansehnlichen Tieren und von Leichen« (Aristoteles, *Poetik* 4). In der kommunikativen Praxis der Antike führten solche Auffassungen zu missbräuchlichen Erscheinungen, wie Quinitilian rügt. Er habe gelesen und auch einmal miterlebt, dass man verschiedentlich »ein Bild der Sache (*imago rei*) auf Holz oder Leinwand darstellt, durch dessen Schrecklichkeit der Richter in Erregung gebracht werden soll« (*Institutio oratoria* 6,1,32). »Eine große Leistung ist es, die Dinge, von denen wir reden, klar und so darzustellen, daß es ist, als sähe man sie deutlich vor sich. Denn der vorgetragene Text (*oratio*) leistet noch nicht genug und übt seine Herrschaft noch nicht völlig, wie sie es muß, wenn ihre Kraft nur bis zu den Ohren reicht, und der Richter von dem, worüber er zu Gericht sitzt, glaubt, es werde erzählt, nicht vielmehr, es werde herausmodelliert und zeige sich vor dem geistigen Auge« (8,3,62). In diesem Punkt kann er sich auch auf Cicero berufen, der das mimetische Verfahren genauer beschrieben habe: »Die Figur nun, die Cicero [*De oratore* 3,53,202] als ›Unmittelbar vor Augen Stellen‹ (*sub oculos subiectio*) bezeichnet, pflegt dann einzutreten, wenn ein Vorgang nicht als geschehen angegeben, sondern so, wie er geschehen ist, vorgeführt wird, und nicht im Ganzen, sondern in seinen Abschnitten« (9,2,40).

Bergmann von Olpe und Sebastian Brant betrieben einen großen Aufwand bei der Herstellung des ungewöhnlichen, in seiner Originalität ohne Vorbild dastehenden und bei den Zeitgenossen begeistert aufgenommenen Holzschnittzyklus von Narren.[110] Sie engagierten Albrecht Dürer als Hauptmeister und zogen noch drei oder vier weitere, weniger geniale Reißer heran, als die Herstellung beim letzten Viertel aus unbekannten Gründen ins Stocken geriet. Brant hat seine Bildvorstellungen gewiss mitgeteilt.

110 Manger (1983), S. 54–56; Lemmer (1994), S. 126 f.

Für die um diese Zeit ebenfalls geplante Terenz-Ausgabe zeichnete er eigenhändig, wenn auch ungelenk, die Figurenkonstellationen auf die Rückseite der Holzstöcke, die Dürer dann in kunstvoll-elegante Zeichnungen umsetzte.[111] Dürers Holzschnitte zum *Narrenschiff* sind von der Kunstgeschichte begeistert kommentiert worden, weil seine Narrenfiguren die Darstellungen der anderen Reißer des *Narrenschiff*-Projekts bei weitem überbieten. Doch auch das ikonographische Beiwerk ist von besonderer Qualität: »Niemals zuvor sind im altdeutschen Holzschnitt die Landschaft, der Innenraum, das Straßenbild, der Bauernhof, dazu die ›Schöne Aussicht‹, das Dickicht des Gebüschs, die weite Fläche des Meeres als solche die Hauptmotive von Bildern gewesen und mit so erstaunlicher Überzeugungskraft wiedergegeben worden.«[112]

Eine einheitliche Linie lässt sich bei den *Narrenschiff*-Holzschnitten hinsichtlich des Bild-Text-Verhältnisses nicht erkennen. Die Holzschnitte greifen thematisch oft einzelne Aspekte des Kapiteltextes auf, bisweilen das ganze Kapitelthema, teilweise ergänzen sie die Verbalaussage eigenständig. Stets gilt aber, dass der Text Regie führt. Auf jeden Fall sind die Bilder das Ergebnis eines eigenständig erfolgten Kodierungsvorgangs und bieten in zahlreichen Fällen einen informationellen Mehrwert. »Es gibt Schnitte, die den allgemeinen Inhalt eines Kapitels trefflich ausdrücken, daneben andere, die eine Art Capriccio darstellen, indem sie an einen einzelnen Wortwitz oder eine Wendung des Textes anknüpfen. Sehr oft dienten ein Sprichwort oder eine sprichwörtliche Redensart, für die Brant allgemein eine Vorliebe hatte, als Vorwurf. Brants bilderreiche Sprache ist den Künstlern überhaupt oft entgegengekommen und hat ihnen geholfen, schwierigere abstrakte Begriffe wie etwa Wollust, Geldheirat, Selbstvergessenheit, Gottesverachtung sinnfällig zu verbildlichen.«[113]

111 Knape (1992a), S. 272.
112 Winkler (1951), S. 15.
113 Lemmer (1994), S. 129.

Erringt eine Dichtung durch das »Naturtalent (*natura*)« ihres Schöpfers Beifall, fragt Horaz in seiner Poetik, oder durch seinen »Kunstverstand (*ars*)«? In der Theorie gibt es da keinen eindeutigen Vorrang. Auf jeden Fall befindet sich der Dichter in einer Art Wettlauf (*cursus*) mit anderen (V. 408–412). Mit diesem »Sportlervergleich«[114] betont Horaz einerseits die Notwendigkeit des Trainings bei der Höherentwicklung literarischer Gestaltungskompetenz, andererseits bringt er den Wettkampfgedanken auch auf dem Feld der Dichtung ins Spiel. Bei Erwähnung der Kritiker ist dementsprechend auch vom Konkurrenten (*rivalis*) des Dichters die Rede (V. 444). Solche Vorstellungen sind nichts Ungewöhnliches in einer Epoche, in der der Künstlerwettstreit (griech. *agōn*) alltäglich ist, wie etwa jener bei den ebenfalls erwähnten Pythischen Musenwettkämpfen im Tal von Delphi (V. 414).

Brant war der Gedanke des Dichterwettkampfs sehr gegenwärtig. Dichteragone und Dichterrankings sind im zeitgenössischen Singschulwesen der Städte praktisch und theoretisch verankert.[115] Brant selbst machte den qualitativen Dichtervergleich zum Prinzip seines Poetikunterrichts an der Basler Universität. Einen entsprechenden Reflex liefert uns Lochers rückblickende Bemerkung zu Brants Lehrtätigkeit: »Wie oft nämlich hast du in deinem zahlreich besuchten Unterricht den Wettstreit der Dichter (*certamina poetarum*) und das erhaben klingende Saitenspiel der Alten entfacht.«[116]

Wenn sich Brant mit seinem so aufwendig produzierten Buch in der literarischen Welt seiner Zeit positioniert, dann weiß er um das Wechselspiel von Imitatio und Aemulatio. Ein Dichter wie Brant muss sich notwendigerweise mit den Meistern der Antike, etwa einem Horaz,

114 Fuhrmann (1973), S. 118.
115 Stackmann (1995), S. 146 f.
116 Hartl (Hrsg., 2001), S. 12/13.

ebenso in Konkurrenz sehen wie mit den selbstbewussten Humanisten der Romania, beispielsweise einem Petrarca. Doch es geht auch um die innerdeutschen Verhältnisse. Im 103. Kapitel des *Narrenschiffs* setzt sich Brant mit den negativen Seiten des expandierenden Buchmarkts auseinander. Es herrsche eine alles nivellierende Quantitätssucht. Auf die Qualität des Inhalts gebe niemand mehr Acht. Gute zeitgenössische Produktionen vermisst Brant, wohingegen eine Masse älterer Literatur den Markt überschwemme. Vor diesem Hintergrund bekommt das *Narrenschiff* hinsichtlich inhaltlicher Qualität und hinsichtlich Kontemporaneität einen ganz besonderen Rang unter der zeitgenössischen literarischen Produktion. Brant stellt bei seinen Zeitgenossen einen sehr geringen Zugewinn an philosophischer Einsicht fest. Dem steht ein hoher, wenn auch gefährdeter Enwicklungsstand des Bildungswesens (103.105–125) und die unübersehbare Expansion des Buchmarktes gegenüber. Die Welt sei inzwischen »voll« von Büchern (103.20), doch dem entspreche keineswegs eine Zunahme an Erkenntnis. Brant nennt dafür unter anderem zwei gewichtige Gründe. Zum einen gibt es kein allgemeines Buchdruckerethos, das wirklich gute Bücher garantiert. Die Drucker stellen sich in den Dienst des Irrlehren verbreitenden Antichristen, weil sie nur an ihren Gewinn denken. Dabei senken sie die Qualität ab, indem sie nurmehr auf hohen Buchausstoß setzen, mangelnde Sorgfalt bei den Korrekturen üben und achtlos bei inhaltlichen Dingen sind. Die Technik ermöglicht ihnen jetzt zwar, genau gleiche Exemplare herzustellen, doch die sind in den genannten Hinsichten korrupt und bereiten ihnen nur Schande. Drucker, die dabei zu weit gehen, berauben sich sogar ihrer Existenzgrundlage (103.72–88). Zum anderen gibt es die bereits erwähnte Buchinflation. Wer auf die hohe Zahl der Druckereien achte, dem entgehe auch nicht die Menge an Schriften. Inzwischen sind schon alle Bücher auf dem Markt, die früher einmal von den Altvorderen abgefasst wurden. Ihre Zahl ist so inflationär, dass sie jeden Wert verloren haben und niemand sie mehr ernst nimmt (103.98–104). In diesem Kontext bekommt Brants eigenes Buch, das *Narrenschiff*, natürlich einen besonderen Rang.

Den Schriftstellerkatalog des Trithemius von 1494 (vgl. den Abschnitt »Satyr, Satire«) muss Brant vor diesem Hintergrund als Versuch gewertet haben, eine Art Kanon aller für die Christenheit wirklich wichtigen Bücher zu erstellen. Brants *Narrenschiff* ist das einzige zeitgenössische deutschsprachige Buch, das im Trithemius-Kanon auftaucht und ausführlich gewürdigt wird. Und Brant selbst ist einer der wenigen zeitgenössischen deutschen Autoren, die überhaupt vorkommen. Er teilt sich diese Ehre mit den wenigen humanistischen Autoren, die als deutsche Nicht-Kleriker in den Gesichtskreis des Trithemius getreten waren und für die sein *Catalogus* üblicherweise einen Weltlichkeitsvermerk wie etwa »ein Mann, der in den weltlichen Wissenschaften höchst gebildet ist« (*vir in secularibus literis eruditissimus*) verwendet. Abgesehen von den Niederländern Rudolph Agricola und Jodocus Badius sind dort neben Brant noch Autoren wie Konrad Celtis, Johannes Reuchlin, Hartmann Schedel und Adam Werner von Themar angeführt.[117] Diese genannten Autoren sind nur mit einigen wenigen lateinischen Werken vertreten (Schedels einzig genannte *Weltchronik* kam 1493 auch in deutscher Übersetzung von Georg Alt heraus). Das deutsche *Narrenschiff* wird hier in eine bemerkenswerte Diskursumgebung versetzt.

Den Ton hatte der bei Trithemius direkt vor Brant auftauchende lateinische Dichter und Universitätsgelehrte Konrad Celtis im Jahre 1486 mit seiner Ode an Apoll vorgegeben, die er dem zu dieser Zeit erfolgten Druck seiner Poetik (*Ars versificandi*) beigab: Der Dichtergott soll das Licht anspruchsvoller Dichtung aus der Romania nach Deutschland tragen. Celtis selbst stilisiert sich dabei zum

---

117 Trithemius (1601).

Dichter des Beginns und wird so ein wichtiger Mitspieler in einer »Geschichte der Archegeten-Pose im europäischen Humanismus«.[118] Und wie Horaz den Anspruch erhebt, als Erster aus Griechenland »Äolisches Lied zu den Italienern gebracht zu haben«, so »stilisiert sich Celtis intertextuell zum ›deutschen Horaz‹, welcher nunmehr das lyrische Gedicht zu den Deutschen transferiert.« Dabei ist für Celtis die zu überwindende barbarische Rede (*barbarus sermo*) ein Problem der Latinität. »Die Volkssprache mag hier tendenziell und stillschweigend unter dem Verdikt des Barbarischen subsumiert sein, sie erscheint jedoch soweit aus Celtis' Gesichtskreis verbannt, daß im Horizont lateinischer Verslehre jeder Gedanke einer Polemik gegen die Volkssprache von vornherein als obsolet erscheinen muß.«[119] Im Rahmen universitärer Dichterkultur stand Brant faktisch, wenn auch unausgesprochen im Agon mit Celtis. Ob Brant deswegen eine ähnlich antikisierende Apoll-Ode verfasst hat, ist vom Überlieferungsbefund her fraglich.[120]

Vor diesem Hintergrund wäre Brant in ganz besonderer Weise am Modell Horaz orientiert. Im Unterschied zu Celtis, der die Frage nach der »Konstitution« der Dichterrolle unter den Gelehrten Deutschlands aufgeworfen hatte, nimmt er nämlich den Gedanken einer Übertragung der Kunst zu den Deutschen (*translatio artis ad Germanos*)[121] noch sehr viel genauer, indem er sein *Narrenschiff* in deutscher Sprache publiziert, wie ja auch Horaz in der Volkssprache schrieb. Wenn Brant den ihm gewiss gut bekannten zeitgenössischen deutschsprachigen Literaturmarkt betrachtete, dann muss für ihn außer Zweifel gestanden haben, dass es kein Buch eines lebenden Autors gab, das im literarischen Wettbewerb mit seinem *Narrenschiff* auch nur im Entferntesten mithalten konnte. Er

118 Garber (1989), S. 38.
119 Robert (2003), S. 98 f.
120 Ebd., S. 101 f.; aber Knape/Wilhelmi (2004), S. 200.
121 Worstbrock (1965; 1995).

setzt mit diesem ungewöhnlichen Werk den Grundstein für eine neue Ära »deutscher« Dichtung. Seine in den Folgejahren beobachtbaren Selbststilisierungen als Autor zeigen, dass er die Dinge wohl so einschätzte. Ab jetzt lässt er etwa in beispielloser Weise die Drucke seiner Werke auf dem Titelblatt mit einem Autorporträt versehen.[122]

Es gibt nur noch einen lebenden deutschen Dichter, der im deutschsprachigen Literaturdiskurs der Zeit ebenfalls hervortritt, wenn es auch nicht denkbar ist, dass er Brant die Archegetenrolle hätte streitig machen können: der Nürnberger Hans Folz (um 1435–1513). Folz hinterließ ein breit gefächertes Œuvre von Fastnachtspielen, Reimpaarsprüchen und Liedern. Eine ganze Reihe von Fastnachtspielen und Reimpaardichtungen bringt er bis 1488 mit Hilfe seiner eigenen Druckoffizin auf den Markt. Unter seinen gedruckten Dichtungen »sind nicht weniger als 18 Schwankmären, mit denen er das Unterhaltungsbedürfnis seiner Leser zu befriedigen suchte, ohne bei all dem *delectare* die Gebote des *prodesse* zu vernachlässigen«.[123] Mit »weltlich-didaktischen Reden« wie *Der Buhler*, *Der Spieler* oder *Der Trinker* bewegt er sich thematisch durchaus im Horizont der Brantschen Moralistik. Warum brachte es Folz aber dennoch nicht zu jenem Ruhm und maßstäblichen Einfluss, der Brant zufiel? Wahrscheinlich ist dafür ein ganzes Bündel von Gründen ausschlaggebend. Folz bediente literarisch durchaus konventionelle Gattungserwartungen seines Publikums; Brant setzte mit seinem Schiff der Narren auf Originalität und fand mit der im imaginären Schiff positionierten Narrenreihe ein neues literarisches Konzept; bei Folz vermisst man einen ähnlichen, auch formalästhetisch durchgearbeiteten Neuansatz. Die Drucke der Texte des Hans Folz waren im Umfang schmal, schlicht und billig;[124] Brants deutsches *opus magnum* wurde mit Aufwand produziert, repräsen-

122 Knape (2003), S. 81–84.
123 Krohn (1993), S. 118.
124 Rautenberg (1999).

tierte im Ergebnis ein ungewöhnliches Ensemble künstlerischer Mittel und reklamierte darüber hinaus auch inhaltlich hohe Wertigkeit. Dem *Narrenschiff* war sein Anspruch in jeder Hinsicht auf die Stirn geschrieben. Die begeisterten Nachdrucker und Leser verstanden dies sofort.

Brant löste eine Welle von Nachahmungen und Fortentwicklungen aus, die man heute als frühneuzeitliche Narrenliteratur bezeichnet[125] und unter denen das mit philosophischem Anspruch geschriebene *Lob der Torheit* des Erasmus von Rotterdam herausragt (Erstdruck 1511).[126] Aber Brant schuf in Deutschland auch generell ein neues Bewusstsein für Autorschaft im volkssprachlichen Diskurs, für Buchästhetik und für die neuen Ansprüche an deutschsprachige Dichtung unter den Bedingungen der Gutenberg-Galaxis. Das Selbstverständnis der Deutsch schreibenden Dichter und Schriftsteller der nächsten Generation, von Thomas Murner bis Hans Sachs, um nur diese zu nennen, ist wesentlich von diesem programmatischen Aufbruch geprägt.[127]

Die zeitgenössischen Kenner und Kollegen Brants positionierten ihn im Wettstreit der lebenden Dichter ganz oben. Das unbestrittene Haupt der humanistischen Bewegung nördlich der Alpen, Erasmus von Rotterdam, feiert Brant anlässlich eines persönlichen Treffens in Straßburg 1514 als einen Mann, der seine Vaterstadt und die Wissenschaft berühmt mache (*illustrans patriamque litterasque*).[128] Zur gleichen Zeit (1513/14) rühmt ihn der Humanist Joachim Vadianus (Watt) in seiner Wiener Literaturvorlesung (gedruckt 1518) als Muster neuerer deutscher Gegenwartsliteratur:

125 Rezeptionsüberblick bei Lemmer (Hrsg., 2004), S. XV–XX; Manger (2000); Müller (2003).
126 Könneker (1966); Baschnagel (1979); Grassi (1986), S. 118–122; Grassi/Lorch (1986).
127 Vgl. Wuttke (1968), S. 164.
128 Wiegand (1993), S. 101.

Auch in den Versmaßen unserer Sprache (*nostrae linguae rythmis*), nämlich der deutschen, werden Satiren geschrieben, wie sie z. B. vor einigen Jahren der Straßburger Stadtschreiber Sebastian Brant gegen alle erdenklichen Laster voll Eifer und mit weit mehr als durchschnittlicher Kunstfertigkeit verfaßt hat, später von Jakob [Locher] Philomusus ins Latein übersetzt, und zwar mit dem Titel *Das Narrenschiff* (*Navicula Stultorum*), denn überall wallen die lastergerichteten Ruder des Ithakäers Odysseus.

(8,19–27)[129]

3

Editorische Bemerkungen

Brant betreute zu seinen Lebzeiten zwischen 1494 und 1512 sechs Auflagen.[130] Dabei unterscheiden sich die drei ersten Basler Auflagen des Narrenschiffs (A von 1494, B von 1495 und C von 1499) durch Erweiterungen um insgesamt drei Kapitel: Der Druck B wurde um die Kapitel 110a und 110b erweitert; im Druck C setzte Brant seine »Verwahrung« an den Anfang des Werkes. Diese drei Kapitel sind im »Anhang« (S. 519–533) abgedruckt.

Von der Erstausgabe A haben sich bis heute nicht mehr als zehn Exemplare erhalten.[131] Sie haben an bestimmten Stellen kleinere Varianten.[132] Für die hier vorgelegte Ausga-

---

129 Schäffer (Hrsg., 1973), lat. S. 79; dt. S. 92; vgl. Entner (1972), S. 368–371, 383–387.

130 Zu Brants Lebzeiten erschienen insgesamt 15 deutsche Druckausgaben. Zur Druckgeschichte s. Zarncke (1854), S. LXXIX–CXVI; *Gesamtkatalog der Wiegendrucke* (1968), Nr. 5041–52; Manger (1983), S. 66–69; Lemmer (Hrsg., 2004), S. XXII–XXIV und XXXV–XXXVIX.

131 Wuttke (1994), S. v–w; das Exemplar Fribourg befindet sich heute in Washington, D. C. (Library of Congress).

132 Liste der Varianten in den Druckexemplaren der Ausgabe A im *Gesamtkatalog der Wiegendrucke* (1968), S. 671–678; Wuttke (1994), S. ee–hh; das Ex. Fribourg weist besonders viele Varianten auf (älteste Stufe?).

be bildet das Berliner Exemplar des Druckes A die Grundlage. Es wurde 1912 von Franz Schultz und 1994 von Dieter Wuttke als Faksimile herausgegeben.[133] Wie schon in diesen Editionen sind auch hier die vertauschten Holzschnitte der Kapitel 38 und 55 an die richtige Stelle gesetzt.[134] Aus technischen Gründen konnten die im Original alle Seiten schmückenden Zierleisten nicht reproduziert werden. Einen Eindruck von der besonderen ästhetischen Form des ursprünglichen Druckes können die in Verkleinerung beigegebenen faksimilierten Seiten geben. Der Text folgt genau dem Druck A. Kleinere Druckerversehen des Originals wurden stillschweigend korrigiert. Alle weiteren Änderungen erfolgten unter Beiziehung der A-Varianten sowie der Drucke B und C und sind hier verzeichnet:

Vorrede.91	schlyeffent] schleyffent	19.58	rocks] rock
2.29	gwalttig] gwalttg	26.58	sicht] sticht
4.27	Phuch] Phfuch	32.13	Penelope] Penolope
5.18	heyntz] heytz	33.63	nyemans] neymans
5.25	sparen] sparen.	39.31	keyn] eyn
5.26	Vnd] Wnd	41.29	od kalt] okalt
6.45	huß] hnß	42.27	Sannabalath] Sannabalach
6.90	Persia] Perfia	43.27	wünschest] wünschecht
10.20	früntschafft] frintschafft	44.26	treib] trieb
11.2	antrifft] antriffr	45.12	nochbur] nochnur
14.b	nit] *fehlt*	45.15	Empedocles] Empodocles
14.34	vberal] vberol	48.Titel	Eyn gesellen schiff (*nach dem Register ergänzt*)
15.Titel	narrechtem] narrechtez		
17.Titel	richtum] richtuz		
19.7	antwurt] anttwürt		

133 Schultz (Hrsg., 1912); Wuttke (1994).
134 Vgl. das Nachwort in der Ausgabe von Schultz (Hrsg., 1912), S. XV.

48.80	Do er nit] Do er er nit
49.17	nyemans] neymans
49.21	vnd] wnd
49.25	jungen] jnngen
52.19	zorn wåhen] zorn/wåhen
62.16	springen] sprige
63.58	yeder] eyder
63.79	vile] vil
64.31	stråbkatz] kråbkatz
73.21	kyrch regyeren] kyrchregyeren
73.26	dapfer lüt] dapferlüt
75.42	geschwigen] geschwige
76.92	vile] vil
77.25	gnomen] gnome
77.34	schamen] schame
77.79	gantz] gatz
77.87	ürten] ütten
78.c	vff dem] vff den
79.31	wil] vil
80.15	das] des
83.23	Eyn] Eym
83.51	schwymmen] schwymme
85.154	das hôhst] des hôhst
86.54	erhôrt] erhort
89.15	den] dem
92.9	weltlich] wettlich
92.15	hohen] hohe
92.57	spricht] spicht
92.77	größt] größst
93.31	gschicht] gchicht
95.9	dem] den
95.13	fyrtag] frytag
98.c	ander] andern
98.31	ertrencken] ettrencken
99.74	Jedes] Jeder
101.24	knecht] kneckt
102.72	viertel] veirtel
103.Titel	Vom endkrist (*nach dem Register ergänzt*)
103.150	wart] wûrt
104.28	Da] Das
105.18	wißheyt] wißhyt
107.60	wißheyt] wißhyt
107.87	Penelope] Penolope
109.34	schwymmen] schwymme
111.27	Jr] Jn
112.c	vmb] wmb
112.2	eynen] yenen
112.22	Versetz] Versetzt
110a.96	blapphart] bapphart
110a.196	stoß] stoßt
Register.80	narrechter] narrechte
Verwahrung.35	synem] synen

Herausgeber-Ergänzungen stehen in eckigen Klammern. Die Abkürzungszeichen wurden alle aufgelöst. Ausnahme: Die Nasalstriche beim Doppel-*n* bleiben in den wenigen Fällen der Schreibung von »Dañ« und »Jñ« stehen. Ansonsten sind alle Schreibungen des Originals einschließlich Interpunktion übernommen. Kapitel- und Verszählung stammen vom Herausgeber. Die Verszählung des Vorspruchs erfolgt alphabetisch, die des Haupttextes numerisch.

4

Literaturverzeichnis

Bibliographien

Knape, Joachim / Wuttke, Dieter: Sebastian-Brant-Bibliographie. Forschungsliteratur von 1800 bis 1985. Tübingen 1990.
Wilhelmi, Thomas: Sebastian Brant Bibliographie. Bern [u. a.] 1990.

Literatur

Aristoteles: Poetik [s. Fuhrmann (Hrsg., 1982)].
Asmuth, Bernhard: Anfänge der Poetik im deutschen Sprachraum: Mit einem Hinweis auf die von Celtis eröffnete Lebendigkeit des Schreibens. In: Renaissance-Poetik. Renaissance-Poetic. Hrsg. von Heinrich F. Plett. Berlin / New York 1994. S. 94–113.
Baschnagel, Georg: Narrenschiff und Lob der Torheit. Zusammenhänge und Beziehungen. Frankfurt a. M. 1979.
Böcking, Eduard (Hrsg.): Ulrichs von Hutten Schriften. Bd. 3. Leipzig 1862.

Brummack, Jürgen: Satire. In: Reallexikon der deutschen Literaturwissenschaft 3 (2003). S. 355–360.

Cicero: De oratore [s. Merklin (Hrsg., 1976)].

Eder, Christine E.: Ein neuentdecktes Autograph von Sebastian Brant. In: Bibliotheksforum Bayern 6 (1978). S. 209–214.

Entner, Heinz: Zum Dichtungsbegriff des deutschen Humanismus. In: Grundpositionen der deutschen Literatur im 16. Jahrhundert. Hrsg. von Ingeborg Spriewald [u. a.]. Berlin/Weimar 1972. S. 330–398.

Färber, Hans / Schöne, Wilhelm (Hrsg./Übers.): Horaz. Sämtliche Werke. Lat./dt. Tl. 2. München/Zürich ¹⁰1985.

Fuhrmann, Manfred: Einführung in die antike Dichtungstheorie. Darmstadt 1973.

– (Hrsg./Übers.): Aristoteles. Poetik. Griech./dt. Stuttgart 1982.

Garber, Klaus: Zur Konstitution der europäischen Nationalliteraturen. Implikationen und Perspektiven. In: Nation und Literatur im Europa der Frühen Neuzeit. Hrsg. von Klaus Garber. Tübingen 1989. S. 1–55.

Gaier, Ulrich: Studien zu Sebastian Brants *Narrenschiff*. Tübingen 1966.

– Satire: Studien zu Neidhart, Wittenwiler, Brant und zur satirischen Schreibart. Tübingen 1967.

Genette, Gérard: Fiktion und Diktion. München 1992.

Gerber, Gustav: Die Sprache als Kunst. Berlin ²1885. [1. Aufl. 1871. Nachdr. 1961.]

Grassi, Ernesto: Einführung in philosophische Probleme des Humanismus. Darmstadt 1986.

– / Lorch, Maristella: Folly and Insanity in Renaissance Literature. Binghamton / New York 1986.

Gesamtkatalog der Wiegendrucke. Bd. 4. Hrsg. von der Kommission für den Gesamtkatalog der Wiegendrucke. Stuttgart / New York ²1968. [1. Aufl. 1930.]

Halm, Karl (Hrsg.): Priscianus. Praeexercitamina. In: Rhetores latini minores. Leipzig 1868. S. 551–560.

Hartl, Nina: Die *Stultifera navis*. Jakob Lochers Übertragung von Sebastian Brants *Narrenschiff*. Bd. 1.1: Untersuchung und Kommentar. Münster [u. a.] 2001.

– (Hrsg.): Die *Stultifera navis*. Jakob Lochers Übertragung von Sebastian Brants *Narrenschiff*. Bd. 1.2: Teiledition und Übersetzung. Münster [u. a.] 2001.

Henkel, Nikolaus: Anmerkungen zur Rezeption der römischen Satiriker in Deutschland um 1500. In: Befund und Deutung. Festschrift Hans Fromm. Hrsg. von Klaus Grubmüller [u. a.]. Tübingen 1979. S. 451–469.

Hess, Günter: Deutsch-lateinische Narrenzunft. Studien zum Verhältnis von Volkssprache und Latinität in der satirischen Literatur des 16. Jahrhunderts. München 1971.

Heusler, Andreas: Deutsche Versgeschichte mit Einschluß des altenglischen und altnordischen Stabreimverses. Bd. 3. Tl. IV/V: Der frühneudeutsche Vers. Der neudeutsche Vers. Berlin/Leipzig 1929.

Horaz: Ars poetica [s. Schäfer (Hrsg., 1972)].

– Sermones [s. Färber/Schöne (Hrsg., 1985)].

Hutten: An die deutschen Dichter [s. Böcking (Hrsg., 1862)].

Koegler, Hans: Johann Bergmann von Olpe in Basel und seine Druckwerke. In: Frankfurter Bücherfreund 13 (1920). S. 469–474.

Könneker, Barbara: Wesen und Wandlung der Narrenidee im Zeitalter des Humanismus. Brant – Murner – Erasmus. Wiesbaden 1966.

– Satire im 16. Jahrhundert. Epoche – Werke – Wirkung. München 1991.

Knape, Joachim: Die ältesten deutschen Übersetzungen von Petrarcas *Glücksbuch*. Texte und Untersuchungen. Bamberg 1986.

– Mnemonik, Bildbuch und Emblematik im Zeitalter Sebastian Brants (Brant, Schwarzenberg, Alciati). In: Mnemosyne. Festschrift Manfred Lurker. Hrsg. von Werner Bies und Hermann Jung. Baden-Baden 1988. S. 133–178.

Knape, Joachim: Dichtung, Recht und Freiheit. Studien zu Leben und Werk Sebastian Brants 1457–1521. Mit 58 Abb. Baden-Baden 1992. [Zit. als 1992a.]

- Petrarca und Augustinus. In: Hugolin von Orvieto. Ein spätmittelalterlicher Augustinertheologe in seiner Zeit. Hrsg. von Williges Eckermann und Bernd Ulrich Hucker. Cloppenburg 1992. S. 169–185. [Zit. als 1992b.]

- Sebastian Brant. In: Deutsche Dichter der frühen Neuzeit (1450–1600). Ihr Leben und Werk. Hrsg. von Stephan Füssel. Berlin 1993. S. 156–172.

- Elocutio. In: Historisches Wörterbuch der Rhetorik. Hrsg. von Gert Ueding, mitbegr. von Walter Jens. Bd. 2. Tübingen 1994. Sp. 1022–83.

- Zehn Thesen zu Sebastian Brants dichterischer Arbeitsweise. Am Beispiel seiner Epigramm-Sammlung. In: Sébastien Brant, son époque et *La Nef des fols* / Sébastian Brant, seine Zeit und das *Narrenschiff*. Hrsg. von Gonthier-Louis Fink. Straßburg 1995. S. 149–172.

- Humanismus. In: Literaturwissenschaftliches Lexikon. Grundbegriffe der Germanistik. Hrsg. von Horst Brunner und Rainer Moritz. Berlin 1997. S. 144–146. [Zit. als 1997a.]

- Renaissance. In: Literaturwissenschaftliches Lexikon. Grundbegriffe der Germanistik. Hrsg. von Horst Brunner und Rainer Moritz. Berlin 1997. S. 284–286. [Zit. als 1997b.]

- Humanismus, Reformation, deutsche Sprache und Nation. In: Nation und Sprache. Diskussion ihres Verhältnisses in Geschichte und Gegenwart. Hrsg. von Andreas Gardt. Berlin / New York 2000. S. 103–138. [Zit. als 2000a.]

- Das Deutsch der Humanisten. In: Sprachgeschichte. 2. Teilbd. Hrsg. von Werner Besch [u. a.]. Berlin / New York ²2000. S. 1673–81. [Zit. als 2000b.]

- Einleitung. In: Rhetorica deutsch. Rhetorikschriften des 15. Jahrhunderts. Hrsg. von Joachim Knape und Bernhard Roll. Wiesbaden 2002.

- Autorpräsenz. Sebastian Brants Selbstinszenierung in der Oratorrolle im *Traum*-Gedicht von 1502. In: Self Fashioning / Personen(selbst)darstellung. Hrsg. von Rudolf Suntrup und Jan R. Veenstra. Frankfurt a. M. [u. a.] 2003. S. 79–108.
- Brant (latinisiert: Titio), Sebastian. In: Verfasserlexikon. Deutscher Humanismus 1480–1520. Hrsg. von Franz Josef Worstbrock. Berlin [u. a.] 2005.
- / Wilhelmi, Thomas: Zum Stand der Arbeiten am Sebastian Brant-Schriften-Zensus. In: Zeitschrift für deutsches Altertum und deutsche Literatur 133 (2004). S. 198–209.

Krohn, Rüdiger: Hans Folz. In: Deutsche Dichter der frühen Neuzeit (1450–1600). Ihr Leben und Werk. Hrsg. von Stephan Füssel. Berlin 1993. S. 111–124.

Lemmer, Manfred (Hrsg.): Franciscus Petrarca. Von der Artzney bayder Glück / des guten vnd widerwertigen. Komm. von M. L. Hamburg 1984.
- Die Holzschnitte zu Sebastian Brants *Narrenschiff*. 121 Bildtafeln. Leipzig [3]1994.
- (Hrsg.): Das Narrenschiff. Tübingen [4]2004.

Manger, Klaus: Das *Narrenschiff*. Entstehung, Wirkung und Deutung. Darmstadt 1983.
- Narrensatire. In: Reallexikon der deutschen Literaturwissenschaft. Bd. 2. Hrsg. von Harald Fricke [u. a.]. Berlin / New York 2000. S. 678–680.

Merklin, Harald (Hrsg./Übers.): Marcus Tullius Cicero. De oratore / Über den Redner. Lat./dt. Stuttgart 1976.

Mischler, Beat: Gliederung und Produktion des Narrenschiffes (1494) von Sebastian Brant. Bonn 1981.

Moser, Dietz-Rüdiger: Narrenliteratur. In: Historisches Wörterbuch der Rhetorik. Hrsg. von Gert Ueding, mitbegr. von Walter Jens. Bd. 6. Tübingen 2003. Sp. 106–115.

Müller, Jan-Dirk: Poet, Prophet, Politiker. Sebastian Brant als Publizist und die Rolle der laikalen Intelligenz um 1500. In: Zeitschrift für Linguistik und Literaturwissenschaft 10 (1980). H. 37. Sp. 102–127.

Müller, Jan-Dirk: Literarischer Text und kultureller Text in der frühen Neuzeit am Beispiel des *Narrenschiffs* von Sebastian Brant. In: Zwischen den Disziplinen? Perspektiven der Frühneuzeitforschung. Hrsg. von Helmut Puff und Christopher Wild. Göttingen 2003. S. 81–101.

Petrarca: Glücksbuch [s. Lemmer (Hrsg., 1984)].

Priscian: Praeexercitamina [s. Halm (Hrsg., 1868)].

Quintilian: Institutio oratoria [s. Rahn (Hrsg., 1988)].

Rahn, Helmut (Hrsg./Übers.): Marcus Fabius Quintilianus. Ausbildung des Redners. Zwölf Bücher. 2. Bde. Darmstadt ²1988.

Rautenberg, Ursula: Das Werk als Ware: der Nürnberger Kleindrucker Hans Folz. In: Internationales Archiv für Sozialgeschichte der deutschen Literatur 24 (1999). H. 1. S. 1–40.

Robert, Jörg: Konrad Celtis und das Projekt der deutschen Dichtung. Studien zur humanistischen Konstitution von Poetik, Philosophie, Nation und Ich. Tübingen 2003.

Schäfer, Eckart (Hrsg./Übers.): Quintus Horatius Flaccus. Ars poetica / Die Dichtkunst. Lat./dt. Stuttgart 1972.

– Deutscher Horaz. Conrad Celtis – Georg Fabricius – Paul Melissus – Jacob Balde. Die Nachwirkungen des Horaz in der neulateinischen Dichtung Deutschlands. Wiesbaden 1976.

Schäffer, Peter (Hrsg.): Joachim Vadianus. De Poetica. Lat./dt. 3 Bde. München 1973.

Schlütter, Hans-Jürgen: Der Rhythmus im Deutschen Knittelvers des 16. Jahrhunderts. In: Euphorion 60 (1966). S. 48–90.

Schmidt, Charles: Histoire littéraire de l'Alsace à la fin du XVe et au commencement du XVIe siècle. 2 Bde. Paris 1879.

Schnur, Harry C. (Hrsg./Übers.): Lateinische Gedichte deutscher Humanisten. Lat./dt. Stuttgart 1966.

Schultz, Franz (Hrsg.): Das Narrenschiff. Faksimile der Erstausgabe von 1494. Straßburg 1913. [Neudr. mit einem Vorw. Hrsg. von Dieter Wuttke. Baden-Baden 1994.]

Stackmann, Karl: Quaedam Poetica. Die meisterliche Dichtung Deutschlands im zeitgenössischen Verständnis. In: Literatur, Musik und Kunst im Übergang vom Mittelalter zur Neuzeit. Hrsg. von Hartmut Boockmann [u. a.]. Göttingen 1995. S. 132–161.

Stejskal, Herbert: Die Gestalt des Dichters im deutschen Humanismus. Diss. [Masch.] Wien 1937.

Theisen, Joachim: Sebastian Brant, Dr. Griff und Petrarca auf dem Mont Ventoux. Das Titelblatt als Verständnisvorgabe des *Narrenschiffs*. In: Euphorion 90 (1996). S. 62–75.

Trithemius, Johannes: Liber de Ecclesiasticis Scriptoribus. In: J. T.: Opera Historica. 2 Bde. Hrsg. von M. Freher. Frankfurt a. M. 1601. S. 184–400. [Nachdr. ebd. 1966.]

Vossler, Karl: Poetische Theorien in der italienischen Frührenaissance. Berlin 1900.

Vredefeld, Harry: Materials for a New Commentary on Sebastian Brant's *Narrenschiff*. In: Daphnis 26 (1997). S. 553–651.

– Materials for a New Commentary to Sebastian Brant's *Narrenschiff* (II). In: Ebd. 29 (2000). S. 709–713.

Warburg, Aby M.: Heidnisch-antike Wahrsagung in Wort und Bild zu Luthers Zeiten. Heidelberg 1920. [Neudr. in: Aby M. Warburg: Ausgewählte Schriften und Würdigungen. Hrsg. von Dieter Wuttke. Baden-Baden ³1992. S. 199–304.]

Wiegand, Hermann: Sebastian Brant (1457–1521). Ein streitbarer Publizist an der Schwelle zur Neuzeit. In: Humanismus im deutschen Südwesten. Biographische Profile. Hrsg. von Paul Gerhard Schmidt. Sigmaringen 1993. S. 77–104.

Wilhelmi, Thomas: »Wem noch vil pfrunden hie ist nott ...«. Beiträge zur Biographie des Basler Geistlichen und Verlegers Johann Bergmann von Olpe. In: »Von wyßheit würt der mensch geert ...«. Festschrift Manfred Lemmer. Hrsg. von Ingrid Kühn und Gotthard Lerchner. Frankfurt a. M. 1993. S. 257–270.

Wilhelmi, Thomas (Hrsg.): Sebastian Brant. Kleine Texte. 3 Tle. Stuttgart-Bad Cannstatt 1998.

Winkler, Friedrich: Dürer und die Illustrationen zum *Narrenschiff*. Die Basler und die Straßburger Arbeiten des Künstlers und der altdeutsche Holzschnitt. Berlin 1951.

Worstbrock, Franz Josef: Translatio artium. Über die Herkunft und Entwicklung einer kulturhistorischen Theorie. In: Archiv für Kulturgeschichte 47 (1965). S. 1–22.

– Die *Ars versificandi et Carminum* des Konrad Celtis. Ein Lehrbuch eines deutschen Humanisten. In: Studien zum städtischen Bildungswesen des späten Mittelalters und der frühen Neuzeit. Hrsg. von Bernd Moeller [u. a.]. Göttingen 1983. S. 462–498.

– Konrad Celtis. Zur Konstitution des humanistischen Dichters in Deutschland. In: Literatur, Musik und Kunst im Übergang vom Mittelalter zur Neuzeit. Hrsg. von Hartmut Boockmann [u. a.]. Göttingen 1995. S. 9–35.

Wuttke, Dieter: Deutsche Germanistik und Renaissanceforschung. (1968) In: D. W.: Dazwischen. Kulturwissenschaft auf Warburgs Spuren. Bd. 2. Baden-Baden 1996. S. 163–194. [Zit. als Wuttke (1968).]

– Sebastian Brants Verhältnis zu Wunderdeutung und Astrologie. (1974) In: Ebd. S. 195–212. [Zit. als Wuttke (1974).]

– Sebastian Brant und Maximilian I. Eine Studie zum Donnerstein-Flugblatt des Jahres 1492. (1976) In: Ebd. S. 213–250. [Zit. als Wuttke (1976).]

– Ethik im Humanismus. Aus einem Vorwort. In: Ebd. S. 309–311. [Zit. als Wuttke (1979).]

– Brant, Sebastian. In: Lexikon des Mittelalters. Bd. 2. München/Zürich 1983. Sp. 574–576.

– Humanismus als integrative Kraft. Die Philosophia des deutschen ›Erzhumanisten‹ Conrad Celtis. Eine ikonologische Studie zu programmatischer Graphik Dürers und Burgkmairs. (1985/86) In: D. W.: Dazwischen. Baden-Baden 1996. S. 389–454. [Zit. als Wuttke (1985/86).]

Wuttke (1994) [s. Schultz (Hrsg., 1912).].

Zarncke, Friedrich (Hrsg.): Sebastian Brant. Narrenschiff. Leipzig 1854.

Zeydel, Edwin H.: Sebastian Brant. New York 1967.

Die Vorarbeiten zu dieser Ausgabe begannen im Jahre 1999. An ihnen waren mit viel Engagement Katie Böhme, Stefanie Strigl, Anne Ulrich, Simon Wolf und Philipp Erchinger beteiligt. Ihnen sei herzlich gedankt.

Text

Das Narren schyff

Ad Narragoniam

Zů schyff zů schyff brüder. Eß gat/ eß gat

Das Narren Schyff.

[in banner:] Ad Narragoniã

[in banner:] Gaudeam, omnes

Gen Narragonien.

Hi sunt qui descendunt mare in nauibus
faciétes opationem in aquis multis.
Ascendũt vsqȝ ad cẹlos / & descẽdunt vsqȝ
ad abyssos: aia eorũ in malis tabescebat
Turbati sunt & moti sunt sicut ebrius: &
omnis sapientia eorũ deuorata est.
Psalmo .Cvi.

Ein vorred in das narren schyff.

Zů nutz vnd heylsamer ler / verma=
nung vnd ervolgung der wyßheit / ver
nunfft vnd gůter sytten : Ouch zů ver=
achtung vnd straff der narheyt / blint=
heyt yrrsal vnd dorheit / aller stāt / vnd
geschlecht der menschen : mit besun
derem flyß ernst vnd arbeyt / gesamlet
zů Basell : durch Sebastianū Brant.
in beyden rechten doctor.

All land syndt yetz voll heylger geschrifft
Vnd was der selen heyl antrifft /
Bibel / der heylgen vātter ler
Vnd ander der glich bůcher mer /
Jn maß / das ich ser wunder haß
Das nyemant bessert sich dar aß /
Ja würt all gschrifft vnd ler veracht
Die gantz welt lebt in vinstrer nacht
Vnd důt in sünden blint verharren
All strassen / gassen / sindt voll narren
Die nūt dañ mit dorheit vmbgan
Wellen doch nit den namen han
Des haß ich gdacht zů diser früst
Wie ich der narren schiff vff rüst
Galleen / füst / kragk / nawen / parck
kiel / weydling / hornach / rennschiff starck

a.ii.

Ein vorred in das
narren schyff.

Zů nutz vnd heylsamer ler / verma=
nung vnd ervolgung der wyßheit / ver=
nunfft vnd gůter sytten: Ouch zů ver=
achtung vnd straff der narheyt / blint=
heyt yrrsal vnd dorheit / aller ståt / vnd
geschlecht der menschen: mit besun=
derem flyß ernst vnd arbeyt / gesamlet
zů Basell: durch Sebastianum Brant.
in beyden rechten doctor.

    All land syndt yetz voll heylger geschrifft
    Vnd was der selen heyl antrifft /
    Bibel / der heylgen våtter ler
    Vnd ander der glich bůcher mer /
5   Jn maß / das ich ser wunder hab
    Das nyemant bessert sich dar ab /
    Ja würt all gschrifft vnd ler veracht
    Die gantz welt lebt in vinstrer nacht
    Und důt in sünden blint verharren
10 All strassen / gassen / sindt voll narren
    Die nüt dann mit dorheit vmbgan

Bild Holzschnitt-Inschriften des Titelblatts: »das Narren schyff«; »Ad Narragoniam« [Auf nach Narragonien!]; »Gaudeamus omnes« [Lasst uns alle fröhlich sein!]; »har noch« [Hier nach!]; »doctor griff« [Doktor Greif]; »Zů schyff
Zů schyff brůder. Eß gat / eß gat« [Zu Schiff! Zu Schiff, Bruder! Es geht los! Es
geht los!]. Holzschnitt-Inschriften der Titelblattrückseite: »Das Narren
Schyff.«; »Ad Narragoniam«; »Gaudeamus omnes«; »Gen Narragonien«
[Nach Narragonien!]; »Hi sunt qui descendunt …« [»Dje mit Schiffen auff
dem Meer furen / Vnd trieben jren Handel in grossen Wassern«; »Vnd sie gen
Himel furen / vnd in Abgrund furen / Das jre Seele fur angst verzagte, Das sie
daumelten vnd wancketen / wie ein Trunckener / Vnd wusten keinen Rat
mehr.« Luther, Biblia 1545, Psalm 107,23 und 26–27]   **c–d** zu Ächtung und
Tadel   **e** Irrung   **e–f** aller Stände / und Arten   **g** und Mühe   **i** Doktor beider Rechte (lat. *doctor utriusque iuris*; Doktor des geistlichen und weltlichen
Rechts)   **11** Die mit nichts anderem als Torheit umgehen

Wellen doch nit den namen han
Des hab ich gdacht zů diser früst
Wie ich der narren schiff vff rüst
15 Galleen / füst / kragk / nawen / parck
Kiel / weydling / hornach / rennschiff starck
Schlytt / karrhen / stoßbåren / rollwagen   [a.ii.ᵛ]
Ein schiff möcht die nit all getragen
Die yetz sindt jn der narren zal
20 Ein teil kein für hant überal
Die stieben zůher wie die ymmen
Vil vnderstont zů dem schiff schwymmen
Ein yeder der wil vorman syn
Vil narren / doren kumen dryn
25 Der bildniß jch hab har gemacht
Wer yeman der die gschrifft veracht
Oder villicht die nit künd lesen
Der siecht jm molen wol syn wesen
Vnd fyndet dar jnn / wer er ist
30 Wem er glich sy / was jm gebrist /
Den narren spiegel ich diß nenn
Jn dem ein yeder narr sich kenn
Wer yeder sy wurt er bericht
Wer recht in narren spiegel sicht
35 Wer sich recht spiegelt / der lert wol
Das er nit wis sich achten sol
Nit vff sich hallten / das nit ist /
Dan nyeman ist dem nütz gebrist
Oder der worlich sprechen tar
40 Das er sy wis / vnd nit ein narr
Dann wer sich für ein narren acht
Der ist bald zů eym wisen gmacht
Aber wer ye wil witzig syn

---

13 Zeit **15f.** (Bezeichnungen für Schiffstypen) **17** Schlitten / Karren /
Schubkarre **20** Fuhrwerk **21** fliegen heran wie Bienen **22** versuchen
28 sieht in der Malerei **30** mangelt **35** lernt **39** wagt

Der ist fatuus der gfatter myn
45　Der důt mir ouch dar an gewalt
Wann er dyß bůchlin nit behalt
Hie ist an narren kein gebrust　　　　　　　[a.iij.ʳ]
Ein yeder findt das in gelust
Vnd ouch war zů er sy geboren
50　Vnd war vmb so vil sindt der doren /
Was ere vnd freyd die wißheit hat /
Wie sôrglich sy der narren stat /
Hie findt man der welt gantzen louff
Diß bůchlin wurt gůt zů dem kouff
55　Zů schympff vnd ernst vnd allem spil
Findt man hie narren wie man wil /
Ein wiser findt das in erfreydt
Ein narr gern von syn brůdern seyt /
Hie findt man doren arm vnd rich
60　Schlym schlem / ein yeder findt sin glich /
Jch schrot ein kapp hie manchem man
Der sich des doch nit nymet an
Het ich in mit sym namen gnent
Er sprech / ich het in nit erkent /
65　Doch hoff jch das die wisen all
Werdent harjnn han wolgefall
Vnd sprechen vß jr wissenheit
Das jch hab recht vnd wor geseit
Sydt jch sollch kuntschafft von jn weiß
70　So geb jch vmb narren eyn schweyß
Sie můssen hôren worheit all
Ob es jnn joch nit wol gefall
Wie wol Terencius spricht / das
Wer worheit sag / verdienet haß

44　der Dumme (lat. *fatuus*/»einfältig«)　45　Unrecht　46　beherzigt
47　Mangel　48　was er begehrt　49　wozu er　51　und Freude　52　sorgenvoll
– Narrenstand　55　Zu Scherz　60　schlimm schlemm (Verballhornung von
lat. *similis* (*quaerit*) *similem* / ›Gleiches sucht Gleiches‹)　61　ich schneidere
eine (Narren-)Kappe　66　hieran haben　69　Kenntnis　70　nur Schweiß (gar
nichts)　74　verdient (sich nur) Hass

75 Ouch wer sich langzyt schnützen důt
    Der würfft ettwan von jm das blůt
    Und wann man Coleram anreygt
    So würt die gall gar offt beweygt
    Dar vmb acht ich nit / ob man schon
80 Mit worten mich wirt hindergon
    Vnd schelten / vmb myn nutzlich ler
    Jch hab der selben narren mer
    Den wißheit nit gefallet wol
    Dyß bůchlin ist der selben vol
85 Doch bitt jch yeden / das er mer
    Wil sehen an vernunfft vnd er
    Dann mich oder min schwach gedicht
    Warlich hab jch on arbeit nicht
    So vil narren zůsamen bracht
90 Jch hab ettwan gewacht zů nacht
    Do die schlyeffent der jch gedacht
    Oder villicht by spyl vnd win
    Sassent / vnd wenig dochtent myn /
    Eyn teyl jn schlitten umbher fůren
95 Jm schne / das sie wol halb erfrůren
    Eyn teyl vff kalbß fůss gingen sust /
    Die andern rechten jr verlust
    Den sie den tag hetten gehan
    Vnd was jnn gewyns dar vß môcht gan
100 Oder wie sie morn wolten liegen
    Mit gschwåtz / verkouffen / manchen triegen
    Den selben noch zů dencken all
    Wie mir jr wys / wort / werck / gefall
    Jst wunder nit / ob ich schon offt
105 Do mit myn gdicht nit würd gestrofft
    Gewacht hab / so eß nyeman hofft

---

75 schneuzen   **77** Galligkeit erregt (Zorn erregt; griech./lat. *Cholera* / ›Galle,
Gallenbrechruhr‹)   **78** bewegt   **80** hinterrücks angehen   **93** an mich dach-
ten   **96** (wie unreife Kälber)   **97** berechneten   **100** morgen lügen wollten
101 betrügen   **103** ihre Art und Weise   **106** niemand erwartete

Jn disen spiegel sollen schowen
All gschlecht der menschen man vnd frowen
Je eyns ich by dem andern meyn
110 Die man sint narren nit allein
Sunder findt man ouch nårrin vil
Den ich die schleyer / sturtz vnd wile
Mit narren kappen hie bedeck
Metzen hant ouch an narren rôck
115 Sie wellen yetz tragen on das
Was ettwan mannen schântlich was /
Spitz schů / vnd vßgeschnytten rôck
Das man den milchmerck nit bedeck
Wicklen vil hudlen jn die zôpff
120 Groß hôrner machen vff die kôpff
Als ob es wer ein grosser stier
Sie gånd har wie die wilden thier /
Doch sollen erber frowen mir
Verzyhen / dann ich gantz nit jr
125 Gedencken zů keym argen wyl
Den bôsen ist doch nit zů vil
Der selben man ein teil hie fyndt
Die jnn dem narren schiff ouch syndt
Dar vmb mit flyß sich yedes sůch
130 Fyndt eß sich nit jn dysem bůch
So mag es sprechen / das es sy
Der kappen vnd des kolben fry
Meint yemant das jch jnn nit růr
Der gang zůn wysen fůr die thür
135 Vnd lyd sich / vnd sy gůter dyng
Byß ich ein kapp von Franckfurt bryng

---

109 ich mit   112 (Ausdrücke für schleierartige Kopfbedeckungen)
114 Mädchen   118 (Busen)   119 viele Lappen (verächtlich für Haarbän-
der)   122 Sie gehen einher   123 angesehen-ehrbare Damen   124f. denn
ich will ihrer nicht im Argen gedenken   132 von Narrenkappe und Narrenkeule befreit   133 berühre   134 vor   135 Und gedulde sich   136 von der
Frankfurter Messe

Den vordantz hat man mir gelan [a.iiij.ᵛ]
Dann jch on nutz vil bůcher han
Die jch nit lyß / vnd nyt verstan

Von vnnutzen buchern

Das jch sytz vornan jn dem schyff
Das hat worlich eyn sundren gryff
On vrsach ist das nit gethan
Vff myn libry ich mych verlan
5   Von buͤchern hab ich grossen hort   [a 5ʳ]
Verstand doch drynn gar wenig wort
Vnd halt sie dennacht jn den eren
Das ich jnn wil der fliegen weren
Wo man von künsten reden duͤt
10   Sprich ich / do heym hab jchs fast guͤt
Do mit loß ich benuͤgen mich
Das ich vil buͤcher vor mir sych /
Der künig Ptolomeus bstelt
Das er all buͤcher het der welt
15   Vnd hyelt das für eyn grossen schatz
Doch hat er nit das recht gesatz
Noch kund dar vß berichten sich
Jch hab vil buͤcher ouch des glich
Vnd lys doch gantz wenig dar jnn
20   Worvmb wolt ich brechen myn synn
Vnd mit der ler mich bkümbren fast
Wer vil studiert / würt ein fantast
Jch mag doch sunst wol sin eyn here
Vnd lonen eym der für mich ler
25   Ob ich schon hab eyn groben synn
Doch so ich by gelerten bin
So kan ich jta sprechen jo

a Den Vortanz; den ersten Tanz (Vortritt)   c lese   2 besondere Bewandtnis
(Zugriff; vgl. Kap. 76.72–74)   4 Bibliothek, Bücher (lat. *libri*) – verlasse
5 Schatz, Menge   9 Künste und Wissenschaften (lat. *artes*)   10 sehr gut
11 begnügen   13 bestimmte   16 Gesetz, Grundsatz   17 sich unterrichten
20 mir den Kopf zerbrechen   21 mich belästigen   23 ein Herr (Anrede für
Höhergestellte, Gelehrte)   24 lernt   27 »so! ja!« sagen (lat. *ita/›so‹)

Des tütschen orden bin ich fro
Danñ jch gar wenig kan latin
30 Jch weyß das vinum heysset win
Gucklus ein gouch / stultus eyn dor
Vnd das ich heyß domne doctor
Die oren sint verborgen mir
Man såh sunst bald eins mullers thier

28 Orden der Deutsch Sprechenden   31 Gucklus (lat. *cuculus*) ein Kuckuck
(auch: Tor, Narr, Esel)   32 Herr Doktor (lat. *domine doctor*)

2

Wer sich vff gwalt jm radt verloßt [a 5ᵛ]
Und henckt sich wo der wint har bloßt
Der selb die suw jnn kessel stoßt

Von guten reten

Vil sint den ist dar noch gar not
Wie sie bald kumen jn den rot
Die doch des rechten nit verston
Vnd blintlich an den wenden gon
5 Der gůt Cusy ist leyder dot
Achytofel besytzt den rodt /
Wer vrteln sol vnd raten schlecht
Der dunck vnd folg alleyn zů recht
Vff das er nit ein zunsteck blib
10 Do mit man die suw in kessel trib
Worlich sag ich es hat kein fůg
Es ist mit duncken nit genůg
Do mit verkürtzet würt das recht
Es durfft das man sich baß bedecht
15 Vnd witer fragt / was man nit wust
Dann wirt das recht verkürtzet sust
So hast kein wörwort gegen got
Gloub mir / fürwor es ist kein spot
Wann yeder wüst / was volgt har noch
20 Jm wer zů vrteiln nit so goch /
Mit sölcher moß / wirt yederman
Gemessen / als er hat gethan
Wie du richtst mich / vnd ich richt dich
Als wirt er richten dich vnd mich /
25 Eyn yeder wart noch synem dot
Der vrteil die er geben hat
Wer mit sym urteil bschwåret vil
Dem ist gesetzet ouch sin zyl
Do er ein gwalttig vrteil fyndt

[a 6ʳ]

---

a auf Macht im Rate stützt **c** Sau **Titel** Von guten Räten **1** haben das Bedürfnis **3** vom Recht nichts verstehen **4** blind an den Wänden entlangge-
hen **6** hat (heutzutage) den Rat inne **7** aufrichtig raten **8** Der bedenke und
befolge allein das Recht **9** Zaunlatte (als Werkzeug; s. Holzschnitt)
11 Schicklichkeit **12** vermuten **14** besser bedenke **17** keine Entschuldigung **20** so eilig **25** erwarte nach **27** belastet (schädigt)

30   Der stein der felt jm vff den grindt
       Wer hie nit halt gerechtikeit
       Der fyndt sie dort mit hertikeit
       Keyn wisheyt / gwalt / fürsichtikeit /
       Keyn ratt / got wider sich verdreit

---

30 auf den Kopf   **32** mit aller Härte   **33** Macht/Einsicht   **34** duldet

3

Wer setzt sin lust vff zyttlich gůt [a 6ᵛ]
Vnd dar jnñ sůcht sin freyd vnd můt
Der ist eyn narr jnn lib vnd blůt

Von gytikeit.

Der ist eyn narr der samlet gůt
Vnd hat dar by keyn fryd noch můt
Vnd weyß nit wem er solches spart
So er zům finstren keller fart
5   Vyl narrechter ist der verdůt   [a 7ʳ]
Mit üppykeit vnd lichtem můt
Das so jm got hat geben heyn
Dar jnn er schaffner ist allein
Vnd dar vmb rechnung geben můß
10   Die me gilt dan ein hand vnd fůß
Ein narr verläßt sin fründen vil
Sin sel er nit versorgen wil
Vnd vorcht jm brest hie zitlich gut
Nit sorgend / waß daß ewig důt /
15   O armer narr wie bist so blindt
Du vorchst die rud / vnd findst den grindt
Mancher mit sunden gůt gewynt
Dar vmb er jn der hellen brynt
Syn erben achten das gar klein
20   Sie hülffen jm nit mit eym stein
Sie lößten jnn kum mit eym pfundt
So er dieff ligt in hellen grundt /
Gib wil du lebst durch gottes ere
Noch dym dot wirt ein ander here /
25   Eß hat keyn wyser nye begerdt
Das er möcht rich syn hie vff erdt
Sunder das er lert kennen sych

---

b frohen Mut   **Bild** Holzschnitt-Inschrift: »gnad her« [Gnade, Herr!]
Titel Von Habsucht   **5** Viel närrischer ist derjenige, der verschleudert   **7** als
Heim   **8** Verfügungsberechtigter   **10** Hand und Fuß (die bei Strafmaß-
nahmen abgehackt werden können)   **11** hinter-, überlässt   **13** mangele
16 Räude – bekommst die Krätze   **17** mit sündhaften Übeltaten Besitz gewinnt   **21** sie lösten ihn kaum (mit teuren kirchlichen Ablässen usw.) aus
22 Höllengrund   **23** Gib bei Lebzeiten um der Ehre Gottes willen   **24** ein
anderer Herr

Wer wys ist / der ist me dann rich /
Crassus das golt zů letzst vßtrangk
Noch dem jnn hat gedürstet langk /
Crates syn gelt warff jn das mer
Das es nyt hyndert jnn zůr ler /
Wer samlet das zergenglich ist
Der grabt sin sel jn kott vnd mist

4

Wer vil nüw fünd macht durch die land   [a 7ᵛ]
Der gibt vil ärgernyß vnd schand
Vnd halt den narren by der hand

Von nuwen funden

Das ettwan was eyn schantlich dyng
Das wygt man yetz schlecht vnd gering
Eyn ere was ettwan tragen bert
Jetzt hand die wibschen mann gelert

5 Vnd schmyeren sich mit affen schmaltz [a 8ʳ]
Vnd důnt entblössen jren halß
Vil ring vnd grosse ketten dran
Als ob sie vor Sant lienhart stan
Mit schwebel / hartz / büffen das har

10 Dar in schlecht man dan eyer klar
Das es jm schusselkorb werd kruß
Der henckt den kopff zům fenster vß
Der bleicht es an der sunn vnd für
Dar vnder werden lüse nit dür

15 Die trůgen yetz wol in der welt
Das důt all kleider sindt vol felt
Rŏck / mentel / hembder vnd brustdůch
Pantoffel / Styffel / hosen / schůch
Wild kappen / mentel / vmblouff dran /

20 Der jüdisch syt wil gantz vffstan
Dann ein fundt kum dem andern wicht
Das zeygt / das vnser gmůt ist licht
Vnd wanckelbar in alle schand
Vil nüwrung ist jn allem land

25 Kurtz schåntlich vnd beschrotten rŏck

---

a neue Erfindungen; neue Moden   **Bild** Holzschnitt-Spruchband: »Vly von
stouffen / frisch vnd vngeschaffen« / ›Ulli von Staufen, keck und hässlich‹; un-
ten das Holzschnitt-Datum: »1494«   **2** wägt (bewertet) man jetzt (als zu)
schlicht   **3** Bärte zu tragen   **4** weibischen   **5** schminken   **9** Schwefel –
kräuseln   **10** schlägt – Eiweiß   **11** (flacher Korb, den man auf das Haar
drückt, um es kraus zu machen)   **13** und Feuer   **14** nicht teuer; selten
15 Die befinden sich jetzt recht wohl   **16** Das wird dadurch hervorgerufen: –
Falten   **19** Besatz daran   **20** Sitte will sich ganz durchsetzen   **21** eine Mode
weicht widerstandslos der andern   **22** leicht   **24** Neuerung   **25** beschnittene
Oberkleider

Das einer kum den nabel bdôck
Phuch schand der tütschen nacion
Das die natur verdeckt wil han
Das man das blôst / vnd sehen lat
30 Dar vmb es leider übel gat
Vnd wurt bald han ein bôsern stand
We dem der vrsach gibt zů schand
We dem ouch der solch schand nit strofft
Jm wurt zů lon das er nit hofft

26 den Nabel bedecke   27 Pfui   29 entblößt   33 nicht tadelt   34 was er
nicht erwartet

Wie wol jch vff der grůben gan
Vnd das schyntmesser jm ars han
Mag jch myn narrheyt doch nit lan

Von alten narren.

Myn narrheyt loßt mich nit sin grys
Jch byn fast alt / doch gantz vnwys
Eyn bőßes kynt von hundert jor
Den jungen trag ich die schellen vor
5 Den kynden gib ich regiment   [b.j.ʳ]
Vnd mach mir selbst ein testament
Das mir leydt würt noch mynem dot
Jch gib exempel vnd bőss rodt
Vnd trib was ich jung hab gelert
10 Mynr boßheit wil ich syn geert
Vnd gtar mich rûmen myner schand
Das ich beschissen hab vil land
Vnd hab gemacht vil wasser tryeb
Jn boßheit ich mich allzyt yeb
15 Vnd ist myr leydt / das ichs nit mag
Volbringen me / myn alten tag
Aber was ich yetz nym mag thûn
Wil ich entpfellen heyntz mym sûn
Der würt thûn / was ich hab gespart
20 Er kopt yetz mir noch jn die art
Eß stat jm dapferlichen an
Lebt er / eß würt vß jm eyn man
Man mûß sprechen / er sy myn sûn
Dann er dem schelmen recht würt thûn
25 Vnd wirt sich in kein dingen sparen
Vnd in dem narren schiff ouch faren
Das wirt mich nach mym dot ergetzen
Das er mich wirt so gantz ersetzen
Do mit dût alter yetz vmb gan

b das Schlachtmesser im Arsch habe (s. Holzschnitt)   **Bild** Holzschnitt-Inschrift: »Haintz Nar«, ›Heinz Narr‹   1 lässt mich kein (rechter) Greis sein
2 unklug (dumm)   4 voran   5 Anleitung   10 Für meine Schlechtigkeit
11 wage   13 trübe   14 übe   19 unterlassen   20 er schlägt jetzt ganz nach
mir in der Art aus   21 steht ihm gut zu Gesicht   29 umgehen

Alter will gantz kein witz me han
Susannen richter zeigten wol
Waß man eim alten truwen sol
Ein alter nar synr sel nit schont
Swår jst recht thůn / ders nit hat gewont

[6]

Wer synen kynden übersicht [b.j.ᵛ]
Jrn mûtwil / vnd sie stroffet nicht
Dem selb zû letzst vil leydes geschicht

127

Von ler der kind

Der ist in narheyt gantz erblindt
Der nit mag acht han / das syn kyndt
Mit züchten werden vnderwißt
Vnd er sich sunders dar vff flyßt
5 Das er sie loß irr gon on straff [b.ij.ʳ]
Glich wie on hirten gônt die schaf
Vnd jn all můtwil vbersicht /
Vnd meynt sie dôrffen stroffens nicht /
Sie sygen noch nit by den joren
10 Das sie behaltten jn den oren
Was man jn sag / sy stroff vnd ler /
O grosser dor / merck zů vnd hôr
Die jugent ist zů bhaltten gering
Sie mercket wol vff alle ding /
15 Was man jn nüwe hâfen schitt
Den selben gsmack verlont sie nit /
Ein junger zwyg sich biegen lot /
Wann man ein altten vnderstat
Zů biegen / so knellt er entzwey
20 Zymlich stroff / bringt kein sôrglich gschrey
Die rüt der zücht vertribt on smertz
Die narrheit vß des kindes hertz
On straffung seltten yemens lert
Alls übel wechßt das man nit wert
25 Hely was recht vnd lebt on sünd
Aber das er nit strofft sin kynd
Des strofft jn got / das er mit klag
Starb / vnd syn sůn vff eynen tag /
Das man die kind nit ziehen wil
30 Des findt man cathelynen vil

---

a nachsieht **3** mit (angemessenen) Erziehungsmaßnahmen **4** in Sonder-
heit befleißigt **5** in die Irre ohne Tadel gehen lässt **7** ihnen jede Willkür
nachsieht **8** sie bedürfen **13** lernt schnell **15** in neue Töpfe schüttet
16 dieser Geruch verlässt sie nicht **18** es unternimmt **20** sorgenvolles
21 Rute **30** deshalb findet man (jetzt) viele Catilinas

Es stünd yetz vmb die kynd vil bas
Geb man schůlmeister jnn / als was
Phenix / den peleus synem sůn
Achilli sůcht / vnd zů wolt důn
35   Philippus durch sůcht kriechen landt
Biß er sym sůn ein meister fandt
Dem grösten kunnig jn der welt
Wart Aristoteles zů geselt
Der selb Platonem hort lang jar
40   Vnd Plato Socratem dar vor
Aber die våtter vnser zitt
Dar vmb das sie verblent der gyt
Nemen sie vff sölich meister nůn
Der jn zům narren macht ein sůn
45   Vnd schickt jn wider heym zů huß
Halb narrechter dann er kam druß
Des ist zů wundern nit dar an
Das narren narrecht kynder han
Crates der allt sprach / wann es jm
50   Zů stůnd / wolt er mit heller stym
Schryen / jer narren vnbedacht
Jr hant vff gůtsamlen groß acht
Vnd achten nit vff vwer kind
Den jr sölich richtum samlen sindt
55   Aber vch wirt zů letst der lon
Wann vwer sůn jn rott sönt gon
Vnd stellen zücht vnd eren nach
So ist jn zů dem wesen gach
Wie sie von jugent hant gelert
60   Dann wirt des vatters leydt gemert
Vnd frist sich selbst das er on nutz
Erzogen hat ein wintterbutz

39 hörte   42 die Habgier   46 Halbnärrischer   52 Besitzanhäufung   54 Für
die ihr solchen   56 Wenn Eure Söhne in den Rat gehen sollen   57 Und dort
Anstand und Ehre nachgehen sollen   58 So streben sie (dann) zu dem Treiben
(Verhalten)   61 verzehrt sich selbst (vor Kummer)   62 Vogelscheuche in den
Reben

Ettlich dûnt sich in bûben rott
Die lâstern vnd gesmâchen gott
Die andren hencken an sich sâck
Dise verspielen roß vnd rôck
Die vierden prassen tag vnd nacht
Das würt vß solchen kynden gmacht
Die man nit jn der iugent zücht
Vnd [mit] eim meister wol versycht
Dann anfang / mittel / end / der ere
Entspringt allein vß gûter lere
Ein lôblich ding ist edel syn
Es ist aber frômbd / vnd nit din
Es kumbt von dynen eltern har /
Ein kôstlich ding ist richtum gar
Aber des ist des gelückes fall
Das vff vnd ab dantzt wie ein ball /
Ein hubsch ding der weltt glory ist /
Vnstantbar doch / dem alzyt gbrist /
Schonheit des libes man vyl acht
Wert ettwann doch kum vbernacht /
Glich wie gesuntheit ist vast liep
Und stielt sich ab doch wie ein diep
Groß sterck / acht man für kôstlich hab
Nymbt doch von kranckheit / alter ab /
Dar vmb ist nützt vndôttlich mer
Vnd bliblich by vns dann die ler
Gorgias frogt / ob sellig wer
Von Persia der mâhtig her
Sprach Socrates / ich weiß noch nüt
Ob er hab ler vnd tugent üt /
Als ob er sprech / das gwalt vnd golt
On ler der tugent nützet solt

65
70
75
80
85
90

---

63 in eine Rotte übler Kerle   64 und schmähen   65 hängen sich Huren an
77 des Glückes Wendung (beim Drehen des Rades der Fortuna)   80 Nicht
standhaft   82 Währt   83 ist sehr geliebt   85 Habe   87 nichts ist unsterb-
licher   88 Und dauerhaft   89 ob glücklich   93 Als ob er sagen wollte
94 nichts vermöge; nichts gelte

Wer zwischen stein vnd stein sich leit [b.iij.ᵛ]
Vnd vil lüt vff der zungen dreit
Dem widerfert bald schad vnd leidt

Mancher der hat groß freüd dar an
Das er verwirret yederman
Vnd machen künn diß hor vff das
Dar vß vnfründschafft spring vnd haß
5   Mit hynder red vnd lyegen groß   [b.iiij.ʳ]
Gibt er gar manchem einen stoß
Der das erst vberlang entpfindt
Vnd machet vß dem fründ ein findt
Vnd das ers wol besyglen móg
10   Lúgt er / das er vil dar zů leg
Vnd wills jn bichts wiß han geton
Das nit verwissung kum dar von
Vnd das ers vnder der rosen hett
Vnd jn din eigen hertz geredt
15   Meynen do mit gefallen wol
Die welt ist sólcher zwytracht voll
Das man eins vff der zungen trag
Wyter dann vff eim hangenden wag
Als Chore det / vnd Absolon
20   Das sie groß anhang móchten han
Aber es flytzt jn vbel vß
Jn allem land ist Alchymus
Der fründ zertrag vnd hynder lieg
Vnd finger zwüschen angel dieg
25   Die werden offt geklembt dar von
Als der / der meynt entpfohen lon
Vmb das er Saul erslagen hett
Vnd die do dóttent Hißboseth

---

a Mühlstein (s. den Holzschnitt)   2 entzweit   3 Und ein Haar aufs andere
binden kann   5 Mit Verleumdung und Lügen   7 erst später   11 nach Art einer geheimen Beichte   12 Verweis; Tadel   13 unter der Rose (im Verschwie-
genen; lat. *sub rosa*; an der Decke von Ratsstuben war oft eine Rose, das antike
Symbol der Verschwiegenheit, angebracht)   18 einem (abgefederten) Hänge-
wagen   21 ging für sie übel aus   23 Freunde entzweit und hintenherum
lügt   24 zwischen Tür und Angel tut   26 Lohn zu empfangen

Als dem der zwischen mülstein lyt
30 Gschicht / wer vil zwytraht macht all zyt
Man sicht gar bald jn gberden an
Was er sag vnd sy für ein man
Bürg man ein narren hynder thür
Er streckt die oren doch har für

8

Wer nit kan sprechen ja vnd neyn   [b.iiij.ᵛ]
Vnd pflegen ratt vmb groß vnd kleyn
Der hab den schaden jm allein

Nit volgen gutem ratt.

Der ist ein narr der wys will syn
Vnd weder glympf / noch moß dût schyn
Vnd wenn er wyßheit pflegen will
So ist ein gouch syn fåderspyl /
5 Vil sint von worten wyse vnd klůg   [b 5ʳ]
Die ziehen doch den narren pflůg
Das schafft das sie vff ir wyßheit
Verlossen sich vnd bschydikeit
Vnd achten vff kein frômden ratt
10 Biß jn vnglück zů handen gat
Syn sůn Thobias allzyt lert
Das er an wysen ratt sich kert /
Dar vmb das nit folgt gůttem rott
Vnd den veracht die husfrow Loth
15 Wart sie geplagt von got dar von
Vnd můst do zů eim zeichen ston /
Do Roboam nit volgen wolt
Den altten wysen / als er solt
Vnd volgt den narren / do verlor
20 Er zehen gslecht / vnd bleib ein dor /
Het Nabuchodonosor Daniel ghôrt
Er wer nit jnn ein dier verkôrt
Machabeus der sterckest man
Der vil groß tugent hat getan
25 Hett er gefolget Jorams rott
Er wer nit so erschlagen dot /
Wer allzytt volgt sym eygnen houbt
Vnd gůttem rott nit folgt vnd gloubt
Der acht vff glück vnd heyl gantz nüt
30 Vnd will verderben ee dann zytt

b sich Rat holen   2 weder Benehmen noch rechtes Maß zeigt   4 sein Jagd-
vogel   7 Dies wird dadurch hervorgerufen   8 Schlauheit   10 ihnen Unglück zustößt   12 sich hinwendet   16 als Mahnzeichen fest stehen   22 in
ein Tier verwandelt   30 ehe es Zeit ist

135

Ein fründes ratt nieman veracht
Wo vil rätt sint / ist glück vnd macht
Achitofel sich selber dot
Das Saul nit volget synem rott

9

Wer hat böß sitten vnd geberd [b 5ᵛ]
Vnd guckt wo er zům narren werd
Der schleyfft die kappen an der erd

Von bosen sytten.

Vil gandt gar stoltz jn schuben har
Vnd werffent den kopff har vnd dar
Dann hyn zů tal / dann vff zů berg
Dann hyndersich dann vberzwerg
5   Dann gont sie bald / dann vast gemach   [b 6ʳ]
Das gibt ein anzeig vnd vrsach
Das sie hant ein lichtferig gmůt
Vor dem man sich gar billich hůtt
Wer wyß ist / vnd gůt sitten hatt
10   Dem selb syn wesen wol an stat
Vnd was der selb anfaht vnd důt
Das dunckt ein yeden wysen gůt
Die wor wysheit voht an mit scham
Sie ist züchtig / still / vnd fridsam /
15   Vnd ist ir mit dem gůten wol
Des füllt sie got genaden vol
Besser ist haben gůt geberd
Dann alle richtum vff der erd
Vß sytten man gar bald verstat
20   Was einer jn sym hertzen hat
Mancher der sytten wenig schont
Das schafft / er hatt sin nit gewont
Vnd ist gezogen nit dar zů
Des hatt geberd er / wie ein ků
25   Die best geziert / vnd hôhster nam
Das sint gůt sitten / zucht / vnd scham
Zů gůttem sydt sich Noe zoch

a und Betragen   1 Schauben (weite, teure Überkleider; s. Holzschnitt)
2 hin und her   4 dann seitwärts   5 gehen sie schnell   6 Anzeichen und
Begründung dafür   7 leichtfertiges Bewusstsein   8 sich sehr zu Recht
10 Zu dem passt sein Verhalten gut   11 anfängt   13 beginnt beim Schamge-
fühl; beim Gefühl für Schicklichkeit; bei scheuer Zurückhaltung   15 fühlt
sich beim Guten wohl   19 aus den Verhaltensweisen   21 Mancher nimmt
wenig Rücksicht auf die rechten Verhaltensweisen   22 sie sind ihm ungewohnt   23 erzogen   24 Deshalb   25 Würde   27 erzog

Doch slůg jm Cham syn sůn nit noch
Wer einen wysen sůn gebert
Der sytt / vernunfft / vnd wyßheit lert
Der soll des billich dancken got
Der jn mit gnad versehen hat
Syns vatters nase Albinus aß
Das er jn nit hatt gzogen baß

28 Doch schlug Cham, sein Sohn, nicht nach ihm (in seine Art)   29 hervor-
bringt

Wer vnrecht / gwalt / důt einem man [b 6ᵛ]
Der jm nye leydes hat gethan
Do stossend sich sunst zehen an

von worer fruntschafft

Der ist ein narr / vnd gantz dorecht
Der einem menschen důt vnreht
Dan er dar durch gar manchen trôwt
Der sich dar nach syns vnglücks frôwt

5 Wer synem frund üt vbels důt   [b 7^r]
Der all sin hoffnung / trüw / vnd můt
Allein gesetzet hat vff jnn
Der jst ein narr vnd gantz on synn
Man findt der fründ / als Dauid was

10 Gantz keinen me / mit Jonathas
Als Patroclus vnd Achilles
Als Horestes vnd Pilades
Als Demades vnd Pythias
Oder der schyltknecht Saulis was

15 Als Scipio / vnd Lelius
Wo gelt gbrist do jst fründtschafft vß
Keiner so lieb syn nechsten hat
Als dan jm gsatz geschriben stat
Der eigen nutz vertribt all recht

20 All fründtschafft lieb sipschafft / geschlecht
Kein fyndt man Moysi jetz gelich
Der andre lieb hab / als selbst sich
Oder als was Neemias
Vnd der gotzvorchtig Thobias

25 Wem nit der gmein nütz jst als werd
Als eigen nutz des er begert
Den halt jch für ein nårschen gouch
Was gmeyn ist / das ist eigen ouch
Doch Cayn ist in allem stat

c daran nehmen zehn weitere Anstoß   **1** töricht   **3** bedroht   **4** Der sich später über sein Unglück freut   **6** Hoffnung / Vertrauen   **10** (befreundet wie David) mit Jonathan   **18** im (biblischen) Gesetz   **20** Verwandtschaft/ Familiengeschlecht   **25** Wem nicht das Gemeinwesen (lat. *res publica*) ebenso viel wert ist   **28** gemeinschaftlich   **29** in jedem Stand

Dem leid ist was glücks Abel hat
       Früntschafft wann es gat an ein not
       Gant vier vnd zweintzig vff ein lot
       Vnd well die besten meynen syn
       Gant siben wol vff ein quintin

---

31 von den Freunden   **32** auf ein Lot (kleine Gewichtseinheit)
33 Und (von denen) welche die Besten zu sein glauben   **34** auf ein Quänt-
chen (vierter Teil eines Lots)

Wer yedem narren glouben will
So man doch hört der gschrifft so vil
Der schickt sich wol jns narren spil

verachtung der gschrift

Der ist ein narr der nit der geschrifft
Will glouben die das heil antrifft
Vnd meynet das er leben sôll
Als ob kein got wer / noch kein hell
5 Verachtend all predig vnd ler   [b 8ʳ]
Als ob er nit sâh noch hôr
Kem einer von den dotten har
So lieff man hundert mylen dar
Das man von jm hort nuwe mer
10 Was wesens jn der hellen wer
Vnd ob vil lut fûrend dar jn
Ob man ouch schanckt do nuwen win
Vnd des glich ander affen spil
Nûn hat man doch der gschrifft so vil
15 Von alter vnd von nuwer ee
Man darff kein zugniß furter me
Noch sûchen die kappel vnd klusen
Des sackpfiffers von Nickelshusen
Got redt das vß der worheit sin
20 Wer hie sünd dût / der lidt dort pin
Wer hie sin tag zû wißheit kert
Der wirt jn ewikeit geert
Gott hat geschaffen das ist wor
Das sâh das oug / vnd hôrr das or
25 Dor vmb ist der blindt vnd ertoubt
Der nit hôrt wißheit vnd jr gloubt
Oder hôrt gern nuw mâr vnd sag
Jch vôrcht / es kumen bald die tag

b obgleich – aus der Heiligen Schrift (Bibel)   2 betrifft   9 hört Neuigkeiten; Nachrichten; Geschichten; Sensationen   10 Was für ein Treiben
12 ausschenkt   15 Vom alten und neuen Bund (Altes und Neues Testament,
die beiden Bibelteile)   16 man bedarf keines weiteren Zeugnisses   17 die
Kapelle und Klause   18 Des Pfeifers von Niklashausen   19 gemäß seiner
Wahrheit   20 erleidet dort Qualen   21 seine Lebenstage der Weisheit zu-
wendet

Das man me nuwer mår werd jnn
Dann vns gefall vnd syg zů synn
Jheremias der schrey vnd lert
Vnd wart von nyeman doch gehórt
Des glichen ander wisen me
Des ging harnoch vil plag vnd we

29 gewahr wird　**30** Als uns gefällt und der Sinn danach ist　**34** Darauf folgte

Wer nit vor gürt / ee dañ er rytt   [b 8ᵛ]
Vnd sych versicht vorhyn by zyt
Des spott man / falt er an eyn sytt

Von vnbesinten narren

Der ist mit Narheyt wol vereynt
Wer spricht / das hett jch nit gemeint
Dañ wer bedenckt all dyng by zyt
Der satlet wol / ee dañ er rytt
5   Wer sich bedenckt noch der gedat   [c.i.ʳ]
Des anslag gmeynklich kumbt zů spat /
Wer jnn der gdat gůt ansleg kan
Der můß syn ein erfarner man
Oder hat das von frowen gelert
10   Die syndt sollchs rates hochgeert /
Het sich Adam bedocht vor baß
Ee dann er von dem appfel aß
Er wer nit von eym kleynen biß
Gestossen vß dem Paradiß /
15   Hett Jonathas sich recht bedacht
Er hett die goben wol veracht
Die jm Tryphon jn falscheit bot
Vnd jn erschlůg dar noch zů dot /
Gůt anschleg kund zů aller zyt
20   Julius der keiser / jn dem strit /
Aber do er hat frid vnd glück
Sumbt er sich an eym kleynen stuck
Das er die brieff nit laß zů hant
Die jm jn warnung worent gsant /
25   Nycanor vberschlůg geryng
Verkoufft das wyltpret / ee ers fyng
Sin anschlag doch so gröplich fålt
Zung / handt / vnd grynt man jm abstrålt
Gůt anschlåg die sint allzyt gůt

a erst sattelt / bevor er reitet b sich rechtzeitig versieht c fällt er auf einer
Seite herab **Titel** Von unbedachten Narren 2 vermutet 5 nach der Tat
6 kommt meist 7 Wer im Handeln gute Pläne ausführen kann 20 Krieg
22 Versäumte 23 nicht gleich las 25 ließ etwas Geringfügiges aus
27 ging so stark fehl 28 Kopf – abkämmte (abschlug)

Wol dem / der sy by zyten důt
    Mancher ylt / vnd kumbt doch zů spot
    Der stoßt sich bald / wem ist zů not /
    Wer Asahel nit schnell gesyn
    Abner hett nit erstochen jn

32 Der stößt sich schnell, dem es zu sehr drängt

13

An mynem seyl ich draffter yeich [c.i.ᵛ]
Vil narren / affen / esel / geüch
Die ich verfür betrüg vnd leych

Von buolschafft

Frow Venus mit dem strówen ars
Byn nit die mynnst jm narren fars
Jch züch zů mir der narren vil
Vnd mach ein gouch vß wem ich wil
5   Myn kunden nyemans nennet all   [c.ij.ʳ]
Wer hat gehórt von Circes stall /
Calypso / der Syrenen joch
Der gdenck / was gwaltes ich hab noch
Welcher meynt das er wytzig sy
10   Den dunck ich dieff jnn narren bry /
Wer eyn mol wurt von mir verwunt
Den macht keyn krütter krafft gesunt /
Dar vmb hab ich ein blynden sůn /
Keyn bůler sicht was er soll tůn /
15   Myn sůn ein kindt ist / nit eyn man
Bůler mit kintheit důnt vmbgan /
Von jnn wurt selten dappfer wort
Glych wie von eynem kindt gehórt /
Myn sůn stat nackt vnd bloß all tag
20   Dann bůlschafft nyeman bergen mag /
Bóß lieb die flügt / nit lang sie stat
Dar vmb myn sůn zwen flügel hat /
Bůlschafft ist licht zů aller frist
Nüt vnstátters vff erden ist /
25   Cupido treit syn bogen bloß
Vff yeder sytt / ein kocher groß /
Jn eym / hat er vil hocken pfil

---

a hin und her treibe **b** (Pl. von *gouch*) **c** und foppe **Titel** Von Buhlerei **1** Stroharsch **2** nicht der Geringste im Narrenbrei (frz. *farce*/›Braten-
füllung‹; vgl. V. 10) **3** ziehe **5** Meine Bekannten **10** Narrenbrei (vgl. V. 2
sowie Kap. 57.14; 60.a und 60.1; 73.78; 105.6) **12** Kräuter **15** (s. Holzschnitt) **16** handeln nach Art der Kinder **20** verbergen **21** fliegt davon **23** jederzeit leichtsinnig **24** Nichts Unbeständigeres **27** Hakenpfei-
le (Pfeile mit Widerhaken)

Do mit trifft er der narren vil /
Die sint scharpff / gulden / hockecht / spitz
30   Wer troffen würt / der kumbt von witz /
Vnd dantzt har noch am narren holtz /
Jm andern köcher / vogelboltz
Sint stumpff / mit bly beswert / nit lücht
Der erst macht wunt / der ander flücht
35   Wån trifft Cupido / den entzyndt   [c.ij.ᵛ]
Amor syn brüder / das er bryndt
Vnd mag nit leschen wol die flam
Die Didoni jr leben nam
Vnd macht das Medea verbrant
40   Jr kind / den brüder dot mit jr handt
Tereus wer ouch keyn wydhopff nit /
Pasyphae den stier vermitt /
Phedra Theseo für nit nach
Noch sücht an jrem styeff sün smach /
45   Nessus wer nit geschossen dott /
Troy wer nit kumen jn solch not /
Scylla dem vatter ließ syn hor
Hyacinthus wer keyn ritter spor /
Leander nit syn schwymmen dåt
50   Messalina wer jn küscheit ståt
Mars ouch nit jnn der ketten låg
Procris der hecken sich verwåg
Sappho nit von dem berg abfiel
Syrån vmb kerten nit die kyel
55   Circe ließ faren wol die schiff
Cyclops vnd pann nit leidtlich pfiff
Leucothoe nit wyhrouch gbår
Myrrha wer nit Adonis swår

29 widerhakig / spitz   30 verliert den Verstand   32 Vogelpfeile   33 nicht
leicht   34 flüchtig   42 hätte sich vom Stier fern gehalten   43 führe nicht
nach   46 Troja   48 Rittersporn   52 hätte sich von der Hecke fortbe-
wegt   54 die Schiffe   56 nicht klagevoll pfiffen   58 ginge nicht mit Adonis
schwanger

Byblis wer nit jrm brůder holt
60 Danǎ entpfing nit durch das golt
Nyctimine flůg nit vß by nacht /
Echo nit wer ein stym gemacht /
Tysbe ferbt nit die wissen bôr
Athalanta keyn lôwin wer
65 Des leuiten wib wer nit gesmǎcht   [c.iij.ʳ]
Vnd drumb erschlagen eyn geschlecht
Dauid ließ weschen Bersabe
Samson vertruwt nit Dalide
Die abgôt Salmon nit anbât
70 Amon wer an synr swester stât
Joseph würd nit verklagt vmb suß
Als Bellerophon Hyppolitus
Der wiß man als eyn roß nit gyng
Am thurn Virgilius nit hyng
75 Ouidius hett des keysers gunst
Hett er nit gelert der bůler kunst
Es kâm zů wißheit mancher me
Wann jm nit wer zůr bůlschafft we
Wer mit frowen hat vil credentz
80 Dem würt verbrennt syn conscientz
Vnd mag gântzlich nit dienen got
Wer mit jnn vil zů schaffen hat
Die bůlschafft ist eym yeden stand
Gantz spôtlich / nârrisch / vnd eyn schand
85 Doch vil schântlicher ist sie dann
So bůlen důnt allt wib vnd mann /
Der ist eyn narr / der bůlen will
Vnd meynt doch haltten maß vnd zil /
Dann das man wyßheit pfleg vnd bůl

---

63 weißen Beeren   65 Leviten – entehrt   67 (ohne weitere Folgen) sich waschen   68 vertraute   71 umsonst; ohne Grund   73 Der weise Mann (Aristoteles) ginge nicht wie ein Pferd   74 Turm   78 es ihn nicht zur Buhlerei
drängte   79 vertrauten Umgang (mlat. *credentia*/›Vertrauen‹)   80 Gewissen
(lat. *conscientia*)   84 Ganz verächtlich   88 einzuhalten

90   Mag gantz nit ston jn eynem stůl /
Eyn bůler würt verblånnt so gar /
Er meynt / es nåm nyeman sin war /
Diß ist das krefftigst narren krutt
Diß kappen klåbt lang an der hütt

90 geht nicht auf einen Stuhl   91 so sehr verblendet   92 er bleibe unbe-
merkt   93 Kraut   94 Haut

14

Wer spricht das gott barmhertzig sy [c.iij.ᵛ]
Alleyn / vnd nit gerecht dar by
Der hat vernůnfft wie genß vnd sü

Der schmyert sich wol mit esels schmaltz
Vnd hat die büchsen an dem halß
Der sprechen gtar / das gott der herr
So bârmyg sy / vnd zürn nit ser
5   Ob man joch ettwann sund volbring /   [c.iiij.ʳ]
Vnd wygt die sünden also gering
Das sünden ye sy gantz menschlich
Nůn hab doch gott das hymelrich
Den gensen ye gantz nit gemacht
10 So hab man allzyt sünd volbracht
Vnd vohe nit erst von nuwem an /
Die Bybel er erzelen kan
Vnd ander sunst hystorien vil /
Dar vß er doch nit mercken will
15 Das allenthalb die stroff darnach
Geschriben stat / mit plag vnd rach /
Vnd das gott nye die leng vertrůg
Das man jn an eyn backen schlůg /
Gott ist keyn bôhem / oder Datt
20 Jr sprochen er doch wol verstat /
Wie wol syn bârmung ist on moß /
On zal / gewiecht / vnnentlich groß /
So blibt doch syn gerechtikeyt
Vnd strofft die sünd jn ewikeyt
25 An allen den / die nit dúnt recht
Gar offt / biß jnn das nünd geschlecht
Barmhertzigkeyt die leng nit stat
Wenn gott gerechtikeyt verlat /
Wor ist / der hymel ghôrt nit zů

---

c Gänse und Säue **Titel** Von Anmaßung gegenüber Gott **1** Eselsfett
(Eselsdreck; vgl. Kap. 72.36–45) **2** (s. Holzschnitt) **3** zu sagen wagte
4 barmherzig **9** Für die Gänse **11** fange **16** mit Strafe und Vergeltung
17 auf die Dauer ertrug **19** kein Böhme oder Tatar **21** Barmherzigkeit
22 Gewicht **26** neunte **28** hinterlässt

30 Den gensen / aber ouch keyn kŭ
Keyn narr / aff / esel / oder schwyn
Kumbt yemer ewiklich dar jn /
Vnd was ghórt jn des tüffels zal
Das nymbt jm nyeman vberal /

33 was zum Teufel zählt   34 Das nimmt ihm überall niemand ab

15

Wer buwen will / der schlag vor an
Was kostens er dar zů můß han
Er würt sunst vor dem end abstan

Von narrechtem anslag

Der ist eyn narr der buwen wil
Vnd nit vorhyn anschlecht wie vil
Das kosten werd / vnd ob er mag
Volbringen solchs / noch sym anschlag
5 Vil hant groß buw geschlagen an   [c 5ʳ]
Vnd môchtent nit dar by bestan
Der kunig Nabuchodonosor
Erhůb jn hochfart sich entbor
Das er Babylon die grosse statt
10 Durch synen gwalt gebuwen hatt
Vnd kam jm doch gar bald dar zů
Das er jm feld bleib / wie eyn ků
Nemroth wolt buwen hoch jn lufft
Eyn grossen thurn für wassers klüfft
15 Vnd schlůg nit an das jm zů swår
Sin buwen / vnd nit môglich wår
Es buwt nit yeder so vil vß
Als vor zyten dett Lucullus
Wer buwen will / das in nit ruw
20 Der bdenck sich wol / ee dann er buw
Dann manchem kumbt sin ruw zů spat
So jm der schad jnn seckel gat /
Wer ettwas groß will vnderstan
Der soll sin selbst bewerung han
25 Ob er môg kumen zů dem stat
Den er jm für genomen hatt
Do mit jm nit eyn gluck zů fall
Vnd werd zů spot den menschen all /
Vil weger ist / nüt vnderstan

---

a Wer bauen will / der mache einen Voranschlag   **c** aufhören   **5** Bau ge-
plant   **6** konnten dabei nicht beständig bleiben   **14** Umzingelung, Ein-
zwängung   **19** reue   **22** in den Geldbeutel   **23** unternehmen   **24** eine
Selbstprüfung abhalten   **25** Zustand   **27** ein Ungeschick zufalle

30   Dann mit schad / schand / gespôt ablan /
        Pyramides die kosten vil
        Vnd Labyrinthus by dem Nyl /
        Doch ist es als nůn langst do hyn /
        Keyn buw mag lang vff erd hye syn /

30 ablassen   32 das Labyrinth

16

Billich jn kunfftig armůt feltt [c 5ᵛ]
Wer staͤts noch schleck vnd füllen stelt
Vnd sich den brassern zů geselt

Der důt eym narren an die schů
Der weder tag noch nacht hat růw
Wie er den wanst füll / vnd den buch
Vnd mach vß jm selbs eyn wynschluch
5   Als ob er dar zů wer geboren   [c 6ʳ]
Das durch jn wurd vil wyns verloren
Vnd er wer eyn tåglicher riff
Der ghört wol jn das narren schiff
Dann er zerstört vernunfft vnd synn
10   Das würt er jn dem altter jnn
Das jm würt schlottern kopff vnd hend
Er kürtzt syn leben vnd syn end
Eyn schådlich ding ist vmb den wyn
By dem mag nyeman witzig syn
15   Wer freüd vnd lust dar jnn jm sůcht
Eyn drunckner mensch gar nyemans růht
Vnd weiß keyn moß noch vnderscheit /
Vil vnkusch kumbt vß trunckenheyt /
Vil vbels ouch dar vß entsprinckt /
20   Eyn wiser ist / wer syttlich drinckt /
Noe möcht lyden nit den wyn
Der jnn doch fand vnd pflantzet jn /
Lotth sündt durch wyn zůr andern fart /
Durch wyn der toüffer köppfet wart /
25   Wyn machet vß eym wysen man
Das er die narren kapp streifft an /
Do Jsrahel sich füllet wol /
Vnd jnn der buch was me dann vol /
Do fyngen sie zů spyelen an
30   Vnd můsten do gedantzet han /

---

a Zu Recht   **b** nach Schleckerei und Völlerei trachtet   **4** Weinschlauch   **7** Reif; Frost (der den Wein verdirbt)   **10** gewahr   **15** darin für sich   **16** achtet   **18** Unkeuschheit   **20** gesittet trinkt   **23** sündigte wegen des Weins wiederholt   **24** (Johannes) der Täufer

Gott gbot den sůnen Aaron
Das sie syn soltten wynes on /
Vnd alles das do truncken macht
Des priesterschafft doch wenig acht

35 Do holofernes truncken wart   [c 6ᵛ]
Verlor den kopff er / zů dem bart /
Thamyris riecht zů spiß vnd tranck
Do sie den künig Cyrum zwang /
Durch wyn lag nyder Bennedab /

40 Do er verlor noh all sin hab /
All ere vnd tugent gar vergaß
Allexander / wann er truncken was /
Vnd dett gar offt jn trunckenheit
Das jm wart selber darnoch leit /

45 Der rich man tranck als eyn gesell
Vnd aß des morndes jnn der hell /
Der mensch wer fry / keyn knecht gesin
Wann drunckenheit nit wer / vnd wyn /
Wer wyns vnd feißt dings flysset sich

50 Der wurt nit selig oder rich /
Dem we vnd synem vatter we
Dem wurt krieg / vnd vil vnglucks me
Wer stådts sich fullet wie eyn ků
Vnd will eym yeden drincken zů

55 Vnd wartten / als das man jm bringt /
Dann wer on not vil wyns vßtrinckt
Dem ist glich / als der vff dem mer
Entschlofft / vnd lyt on synn / vnd wer
Als důnt die vff den praß hant acht

60 Schlemmen vnd demmen / tag vnd nacht
Den dreit der wirt noch kuntschafft zů
Eyn bůg vnd viertel von eynr ků

---

32 ohne Wein sein   **34** achtete   **37** reichte zu   **46** am nächsten Morgen
49 Wer sich des Weins und fetter Sachen bedient   **52** Streit   **53** abfüllt
55 Und jedem (Trinkangebot) nachkommen   **58** liegt verstand- und wehr-
los   **59** Ebenso tun   **60** und schwelgen   **61** Bekannte (Zechgenossen)
62 Ein (oberes) Vorderbein (s. Holzschnitt)

Vnd bringt jnn mandel / figen / riß /
So bzalen sie jn vff dem yß
65 Vil würden bald vast witzig syn
Wann wyßheit stecket jnn dem wyn
Die jnn sich giessen spat vnd frů
Je eyner drinckt dem andren zů /
Jch bring dir eins / ich kützel dich /
70 Das gbürt dir / der spricht / so wart ich /
Vnd wer mich / biß wir beid sint vol
Do ist den narren yetz mit wol
Eins vff den becher / zwey für den mund
Ein strick an hals wer eym gesundt
75 Vnd wåger dann sollich füllery
Triben / es ist eyn groß narry /
Die Seneca zittlich für sach
Dar vmb er jnn syn bůchern sprach
Das man würd ettwann geben mer
80 Eym drunckenen / dann eim nůhtern ere
Vnd man wurd wellen gerůmet syn
Das eyner druncken wer von wyn /
Die biersupper ich dar zů meyn
Do eyner drinckt eyn tunn alleyn
85 Vnd werden do by allso vol
Man lieff mit eym eyn tür vff wol /
Eyn narr můß vil gesoffen han
Eyn wiser måßlich drincken kan
Vnd ist gesünder vil dar mit
90 Dann / der mit kübeln jn sich schüt
Der wyn ist gar senfft am jngang
Zů letzst sticht er doch wie eyn schlang
Vnd güßt syn gifft durch alles blůt
Glich wie der Basiliscus důt /

63 Reis   64 auf (unsicherem) Eis   69 kitzle   70 dann nehm ichs an
71 Und bewähre mich   77 schon rechtzeitig vorhersah   83 Biertrinker (als
Spottname)   84 Tonne   91 angenehm

[17]

Wer gůt hat / vnd ergetzt sich mit [c 7ᵛ]
Vnd nit dem armen do von gytt
Dem wurt verseit / so er ouch bitt

Von vnnutzem richtum

Die grösßt torheit jn aller welt
Jst / das man eret für wißheit gelt /
Vnd zücht harfür eyn richen man
Der oren hat / vnd schellen dran
5   Der müß alleyn ouch jn den rat   [c 8ʳ]
Das er vil zů verlieren hat /
Eym yeden gloubt so vil die welt
Als er hat jnn sinr täschen gelt
Her pfenning der müß vornen dran
10   Wer noch jn leben Salomon
Man ließ jn / jnn den rat nit gon
Wann er eyn armer weber wer
Oder jm stünd sin seckel ler /
Die richen ladt man zů dem tisch
15   Vnd bringt jnn wiltpret / vogel / visch /
Vnd důt on end mit jnn hofiern
Die wile der arm stat vor der türen
Vnd switzet / das er möcht erfrieren /
Zům richen spricht man / essen herr /
20   O pfening / man důt dir die ere
Du schaffst / daß vil dir günstig sint
Wer pfening hat / der hat vil fründ
Den grüßt vnd swagert yederman /
Wolt eyner gern eyn ee frow han /
25   Die erst frag ist / was hat er doch /
Man fragt der erberkeyt / nym noch
Oder der wißheit / ler / vernunfft
Man sůcht eyn vß der narren zunfft

---

a ergötzt sich daran **c** wird Ablehnung zuteil **Titel** Von unnützem Reichtum **3** zieht vor **9** »Herr Pfennig« **13** seine Geldbörse **16** mit ihnen besonders gewählt umgehen (sie umschmeicheln) **17** Währenddessen **18** schwitzt (fürchtet) **19** »Esst (doch bitte), Herr!« **23** und redet vertraulich an **24** Ehefrau **25** was besitzt er denn **26** Man fragt nicht mehr nach Anstand

Der jnn die mylch zů brocken hab
30 Ob er joch sy eyn kóppels knab
All kunst / ere / wißheit / ist vmb sunst
Wo an dem pfening ist gebrust
Wer syn or / vor dem armen stopfft
Den hórt got nit / so er ouch klopft

30 (kupplerischer) Badersknecht   31 lat. *ars*   32 Mangel ist   33 verstopft

Der vocht zwen hasen vff ein mol [c 8ᵛ]
Wer meynt zweyn herren dienen wol
Vnd richten vß me dann er sol

167

vom dienst zweyer herren

Der ist eyn narr der vnderstot
Der welt zů dienen / vnd ouch got
Dann wo zwen herren hat eyn knecht
Der mag jn nyemer dienen recht
5 Gar offt verdürbt eyn hantwercksman   [d.i.ʳ]
Der vil gewårb vnd hantwerck kan
Wer jagen will / vnd vff eyn stund
Zwen hasen vohen / mit eym hund
Dem wurd ettwan kum eyner wol
10 Gar dick würt jm gantz nůt zůmol
Wer schiessen vß vil armbrust will
Der trifft kum ettwan wol das zil
Wer vff sich selbst vil åmpter nymbt
Der mag nit tůn das yedem zymbt
15 Der hye můß syn vnd anderswo
Der ist reht weder hie noch do
Wer tůn will das eym yeden gfalt
Der můß han ottem warm vnd kalt
Vnd schlucken vil das jm nit smeckt
20 Vnd strecken sich noch der gedeckt
Vnd künnen pfulwen vnderstrowen
Eym yeden vndern ellenbogen
Vnd schmyeren yedem wol syn styrn
Vnd lůgen das er keynen erzürn
25 Aber vil åmpter schmecken wol
Man wermbt sich bald by grossem kol
Vnd wer vil wyn versůchen důt
Den dunckt doch nit eyn yeder gůt
Dann schlåcht gesmydt / ist bald bereit

---

a fängt   **c** ausrichten   **1** es unternimmt   **4** vermag   **7** auf einmal   **10** Oft
bekommt er dabei ganz und gar nichts   **14** zukommt   **18** Atem   **20** Decke   **21** Und (polsternde) Federn unterstreuen können   **23** Stirn   **26** Kohle   **27** Wein   **29** schlichtes Geschmeide ist rasch fertig

Dem wisen liebt eynfaltikeyt
Wer eynem dient / vnd důt jm recht
Den halt man für eyn truwen knecht
Der esel starb / vnd wart nie satt
Der all tag nuwe herren hatt

[19]

Wer syn zung vnd syn mundt behůt [d.i.ᵛ]
Der schyrmt vor angst / sel / vnd gemůt
Eyn specht sin jung mit gschrey verriet

Von vil schwetzen

Der ist eyn narr der anden wil
Dar zů sunst yederman swigt still
Vnd wil on not verdienen haß
So er mit ere möcht schwigen baß
5   Wer reden wil / so er nit sol
Der fügt jn narren orden wol
Wer antwurt / ee man froget jn
Der zeigt sich selbs eyn narren syn
Mancher hat von sym reden freid
10   Dem doch dar vß kumbt schad vnd leid
Mancher verlaßt sich vff syn schwätzen
Das er eyn nuß redt von eynr hätzen
Des wort die sindt so starck vnd tieff
Das er eyn loch redt jn eyn brieff
15   Vnd richtet zů eyn gschwätz gar licht
Aber wenn er kumbt zů der bicht
Do es jm gyltet ewig lon
So will die zung von stat nit gan /
Es sindt vil Nabal noch vff erd
20   Die schwätzen me dann jn gůt werd /
Mancher für witzig würd geschetzt
Wann er sich nit hett selbst verschwätzt
Eyn spächt verradt mit syner zung
Das man syn näst findt / vnd die jung
25   Mit schwigen man veranttwurt vil
Schaden entpfoht / wer schwätzen wil /
Es ist die zung eyn kleyn gelyd
Bringt doch vil vnrů / vnd vnfrid
Befleckt gar dick den gantzen lib

---

a hütet (zähmt)   b der schützt   1 tadeln will   6 fügt sich ein   9 Freude
12 einem Häher eine Nuss abschwätzt   14 Urkunde   15 richtet an (führt
aus)   16 Beichte   18 nicht von der Stelle kommen   25 (be)antwortet
26 empfängt; bekommt   27 Glied   29 Leib (Person)

Vnd macht vil zancken / krieg / vnd kyb
       Vnd ist eyn wunder groß jn mir
       Das man macht zam eyn yedes thier
       Wie hert / wie wild / wie grymm das ist /
       Keyn mensch synr zungen meister ist
35   Zung ist eyn vngerüwigs gůt   [d.ij.ᵛ]
       Vil schaden sy dem menschen důt /
       Durch sie / so důnt wir scheltten gott
       Den nåhsten gschmåhen wir mit spot
       Mit flůchen / nochred / vnd veracht
40   Den gott noch sym bild hat gemacht /
       Durch sie / verrotten wir vil lüt
       Durch sie / blibt vnuerschwigen nüt /
       Mancher durch gschwåtz sich so begot
       Er darff nit kouffen wyn noch brot
45   Die zung die brucht man jn das recht
       Durch sie würt krum das vor was schlecht
       Durch sie / verlurt manch armer man
       Syn sach / das er můß bettlen gan /
       Schwåtzer ist nüt zů reden vil
50   Er kitzt sich / vnd lacht wenn er wil
       Vnd redt keym menschen üt gůts noch
       Er sy joch nyder oder hoch /
       Welch machen groß geschrey vnd braht
       Die lobt man yetz / vnd hatt jr acht
55   Vor vß / welch kõstlich jnhar gant
       Vil grosser rõck vnd ring an hant
       Die fůgen yetz wol für die lüt
       Eyns dünnen rocks acht man yetz nüt /
       Wer noch vff erd Demosthenes
60   Tullius oder Eschynes

---

30 und Auseinandersetzung 31 Verwunderung 35 ruheloses 39 übler
Nachrede 41 verraten 43 ernährt 44 Er braucht nicht 45 im Rechtsleben 46 gerade war 49 fällt das Reden leicht 50 kitzelt 53 und
Lärm 55 Voran jene, die kostbar einhergehen 57 Die erscheinen den Leuten jetzt schicklich

Man geb jn durch jr wißheyt nüt
Wann sie nit kündent bschissen lüt
Vnd reden vil geblůmter wort
Vnd was eyn yeder narr gern hort /
Wer vil redt / der redt dick zů vil /   [d.iij.ʳ]
Vnd můß ouch schiessen zů dem zil
Werffen den schlegel verr vnd witt
Vnd rinckengyessen zů widerstrit
Vil schwâtzen ist seltten on sünd
Wer vil lügt / der ist nyemans fründ
Wer herren vbel redet üt
Das blibt verschwygen nit lang zit
Ob es joch ver geschâh von jm
Die vogel tragen vß din stym
Vnd nymbt die leng nit wol gůt end
Dann herren hant gar lange hend /
Wer vber sich vil howen wil
Dem fallen spân jn die ougen vil
Vnd wer syn mundt jnn hymel setzt
Der würt offt mit sym schad geletzt /
Eyn narr syn geist eyns mols vff schytt
Der wis schwigt vnd beit kunfftig zytt
Vß vnnütz red / keyn nutz entspringt
Schwâtzen me schad dann frommen bringt
Dar vmb vil wâger ist geschwygen
Dann schwâtzen reden oder schryen
Sotades durch wenig wort
Gekerckert wart als vmb eyn mort /
Es sprach alleyn Theocrytus
Das einoygig wer Antigonus /

61 wegen ihrer   63 florierte Worte (mit rhetorischem Schmuck versehene
Ausdrücke)   66 aufs Ziel   67 fern und weit   68 Ringegießen im Wettstreit
(der Ränkeschmiede)   73 entfernt   75 auf die Dauer   76 Herren haben
ziemlich lange (weitreichende) Hände   77 Wer über seinem Kopf (viel Holz
be)hauen will   80 verletzt   81 in einem Mal aufschüttelt   82 erwartet
84 als Nutzen bringt   88 wie bei einem Mord

173

Vnd starb drumb jn sym eygnen huß
Als Demosthenes vnd Tullius
Schwigen ist loblich / recht / vnd gůt
Besser ist red / der jm recht důt

Wer ettwas fyndt / vnd dreyt das hyn   [d.iij.ᵛ]
Vnd meynt gott well / das es sy syn
So hat der tufel bschyssen jn

175

Von schatz fynden

Der ist eyn narr der ettwas fyndt
Vnd jn sym synn ist also blindt
Vnd spricht / das hat mir got beschert
Jch acht nit wem es zů gehört /   [d.iiij.ʳ]
5   Was eyner nit hat vß gespreit
Das ist zů schnyden jm verseit /
Eyn yeder wiß by siner ere
Das das eym andern zů gehör
Was er weiß das es syn nit ist
10 Es hilfft nit / ob jm schon gebryst
Vnd er es fyndet on geuerd
Er lůg das es dem wider werd
Weißt er jn / des es ist gesyn
Oder geb es den erben syn
15 Ob man die all nit wissen kan
So geb man es eym armen man
Oder sunst durch gotts willen vß
Es soll nit bliben jn dym huß
Dann es ist ab getragen gůt
20 Dar durch verdampt jn hellen glůt
Gar mancher vmb solch synden sitzt
Den man offt ribt / so er nit schwitzt /
Achor behielt das nit was syn
Vnd brocht dar durch das volck jn pyn
25 Zů letst wart jm / das er nit meynt
Do man on bårmung jn versteynt /
Wer vff sich ladt eyn kleyne bürd
Der nåm eyn grosser / wen es jm wurd /
Fynden vnd rouben acht got glich

---

a und trägt das (zu sich nach Hause) hin   5 ausgesät   6 ihm zu schneiden
(ernten) untersagt   10 Es nützt nicht   11 rein zufällig   12 demjenigen
wieder zukomme   13 Wenn er ihn kennt   19 fortgetragenes   22 (höllisch)
abreibt, wenn er nicht schwitzt   24 Pein   25 bekam er / was er nicht beab-
sichtigte   26 ihn ohne Erbarmen steinigte   28 möglich würde   29 beur-
teilt; schätzt ein

30   Dann er din hertz ansycht vnd dich /
Vil wåger ist gantz fynden nüt
Dann fundt / den man nit wider gitt
Was man fyndt vnd kumbt eym zů huß
Das kumbt gar vngern wider druß

21

Wer zeygen důt eyn gůte stroß [d.iiij.ᵛ]
Vnd blibt er jn dem pfütz vnd moß
Der ist der synn vnd wißheit bloß

von stroffen vnd selb tun

Der ist eyn narr der stroffen will
Das jm zů tůn nit ist zů vil
Der ist eyn narr vnd vngeert
Der alle sach zům bōsten kert
5   Vnd yedem ding eyn spett anhenckt   [d 5ʳ]
Vnd nit syn eygnen bresten denckt
Ein hant die an dem wågscheid stat
Die zeygt eyn weg / den sie nit gat
Wer jn sym oug eyn trotboum trag
10   Der tůg jn druß / ee dann er sag
Brůder / hab acht / ich sieh an dir
Ein åglin die mißfallet mir
Es stat eym lerer vbel an
Der sunst kan stroffen yederman
15   Wann er das laster an jm hat
Das vbel ander lüt an stat /
Vnd das er lyden můß den spruch
Herr artzt důnt selber heylen üch
Mancher kan ratten ander lüt
20   Der jm doch selb kan raten nüt
Als Gentilis vnd Mesue
Der yeder starb am selben we
Des er meynt helffen yederman
Vnd aller meyst geschriben von /
25   Eyn yedes laster das geschieht
So vil schynbarer man das sieht
So vil / als der wurt hōher geacht
Der sollichs laster hat volbraht
Dů vor die wergk / dar noch die lere
30   Wilt du verdienen lob vnd ere

a Straße   b Und selbst in Pfütze und Schlamm bleibt (s. Holzschnitt)   c ledig   Titel Von Tadeln und Selbertun   3 ehrlos   5 Lumpen   6 Mangel
bedenkt   7 Wegscheide   9 Balken   12 Splitter   15 an sich hat
16 Das andern Leuten schlecht ansteht   26 offenkundiger   29 Tue erst

Das volck von jsrahel hatt synn
Stroffen die sůn Benyamyn
Vnd lagen sie dar nyder doch
Dann sie jn sünden worent noch

22

Wer gern die wißheyt hôrt vnd lert [d 5ᵛ]
Gentzlich zů jr sich allzyt kert
Der wurt jn ewikeyt geert

Die ler der wisheit.

Die wißheyt schrygt mit heller stym
O menschlich gschlecht myn wort vernym
Vff bschydikeyt hant acht jr kyndt
Mercken all / die jn dorheyt synt /
5   Suchen die ler vnd nit das gelt   [d 6ʳ]
Wißheyt ist besser dann all welt
Vnd alles das man wünschen mag
Stellen noch wißheyt nacht vnd tag
Nüt ist / das ir glich vff der erd
10 Jn råtten ist wißheyt gar werdt
All sterck vnd all fürsichtikeyt
Stot zů mir eyn / spricht die wißheyt
Durch mich / die kunig hant jr kron
Durch mich / all gsatz mit reht vff ston
15 Durch mich / die fürsten hant jr landt
Durch mich / all gwålt jr rehtspruch hand
Wer mich lieb hat / den lieb ouch ich
Wer mich frü sucht / der fyndt mich
By mir ist richtům / gůt / vnd ere
20 Mich hat besessen gott der herre
Von anbegynn jn ewikeyt
Durch mich hatt got all ding bereit
Vnd on mich ist gar nüt gemacht
Wol dem / der mich allzyt betracht
25 Dar vmb myn sůn nit synt so tråg
Sellig ist der gat vff mym wåg
Wer mich findt / der fyndt heil vnd glück
Der mich haßt / der verdyrbt gar dick
Die plag wurt vber narren gan
30 Sie werdent wißheyt sehen an

1 ruft   3 Klugheit   4 Gebt Acht   5 Sucht   8 Trachtet nach   10 Beratun-
gen, Ratsgremien – wertvoll   11 Einsicht   12 Steht allein bei mir   14 ent-
stehen   16 haben alle Mächte ihren Rechtsanspruch   25 seid nicht
29 Strafe wird über die Narren kommen

182

Vnd den lon / der drumb ist bereit
Vnd werend wurt jn ewikeyt
Das sie jnblütend vnd selbst sich
Jn jamer nagent ewiklich

32 Und andauern   33 dauernd (schmerzvoll) bluten   34 hungern

23

Wer meynt das jm gantz nütz gebrest [d 6ᵛ]
Vnd er glück hab vffs aller best
Den trifft der klüpfel doch zů lest

von vberhebung glucks

Der ist eyn narr der rümen gtar
Das jm vil glücks zů handen far
Vnd er glück hab jn aller sach
Der wardt des schlegels vff dem tach
5 Dann glücksal der zergenglicheyt   [d 7ʳ]
Eyn zeychen ist vnd vnderscheyt
Das gott des menschen sich verrůcht
Den er zů zytten nit heymsůcht
Jm spruchwort / man gemeynlich gyecht
10 Eyn frůndt den andern offt besiecht
Eyn vatter strofft offt synen sůn
Das er vorcht hab / vnd recht ler tůn
Eyn artzt / gibt sur vnd bitter trangk
Do mit dest ee genåß der krangk
15 Eyn scherer meysselt / schnydt die wund
Do mit der siech bald werd gesunt /
We we dem krancken wann verzagt
Der artzt / vnd er nit strofft / noch sagt
Das solt der siech nit han geton /
20 Er solt das / vnd das han gelon /
Sunder er spricht / gent jm recht hyn
Als das er wil / vnd glustet jn /
Als wån der tufel bschissen wil
Dem gibt er glück / vnd richtum vil
25 Gedult ist besser jn armůt
Dann aller welt glück / richtum / gůt /
Sins glücks sich nyemans vberhab

---

a gar nichts fehlt **c** Knüppel **Titel** Von Überschätzung des Glücks
1 sich zu rühmen wagt **2** widerfährt **4** Der erwarte den Hammer auf dem
Dach (s. Holzschnitt) **5** der Vergänglichkeit unterworfene Glückseligkeit
6 Merkmal **7** sich nicht kümmert **8** zeitweise; zu bestimmter Zeit
9 man gemeinhin sagt **10** aufsucht **11** tadelt **12** recht lerne **15** Wund-
arzt **16** der Kranke **20** unterlassen haben **21** Vielmehr spricht er: Gebt
ihm nur hin **22** ihn gelüstet **23** Ebenso ist: wen der Teufel **27** übermütig
werde

Dann wenn gott will / so nymbt es ab /
Eyn narr ist / wer do schryget dyck
O glück wie loßtu mich / o glück
Was zychstu mich / gib mir so vil
Das ich eyn narr blib noch eyn wil
Dann grosser narren wurden nye
Dann die allzyt glück hatten hye

24

Wer aller welt sorg vff sich ladt [d 7ᵛ]
Vnd nit gedenckt syn nutz vnd schad
Der lyd sich / ob er ettwan bad

Von zu vil sorg.

Der ist eyn narr der tragen will
Das jm vffheben ist zů vil
Vnd der alleyn will vnderston
Das er selb dritt nit mócht getůn
5   Wer nymbt die gantz welt vff syn rück   [d 8ᵛ]
Der felt jn eynem ougenblück
Man lyßt von Alexander das
Die gantz welt jm zů enge was
Vnd schwitzt dar jnn / als ob er nit
10 Für synen lib genůg hett witt
Ließ doch zů letst benůgen sich
Mit sibenschůhigem erterich
Allein der dot erzeigen kan
Wo mit man můß benůgen han
15 Diogenes vil måhtiger was
Wie wol sin bhusung was eyn faß
Vnd er nüt hatt vff aller erdt
So was doch nüt das er begerdt
Dann Alexander solt für gon
20 Vnd jm nit vor der sunnen ston /
Wer hohen dingen stellet noch
Der můß die schantz ouch wogen hoch
Was hülff eyn menschen das er gwynn
Die gantz welt / vnd verdurb er drynn
25 Was hülff dich / das der lib kåm hoch
Vnd fôr die sel jns hellen loch /
Wer sorget ob die gånß gent bloß
Vnd fågen will all gaß vnd stroß
Vnd eben machen berg vnd tal

---

c der sei auch duldsam / wenn er einmal baden geht   **2** zu heben   **3** unternehmen   **4** zu dritt nicht tun könnte   **10** Für sich selbst genug Spielraum
11 begnügte sich   **12** sieben Schuhe langem Erdreich (seines Grabes)
19 Als dass Alexander weitergehen sollte   **21** nach strebt   **22** den Spieleinsatz
(frz. *chance*)   **25** hoch (zu Ansehen)   **27** die Gänse barfuß gehen   **28** fegen

30   Der hat keyn fryd / rûw / vberal
    Zů vil sorg / die ist nyenan fůr
    Sie machet manchen bleich vnd dürr
    Der ist eyn narr der sorgt all tag
    Das er doch nit gewenden mag

31 nie nützlich

25

Wer vil zů borg vff nemen will
Dem essent wölff doch nit syn zyl /
Der esel schlecht jn vnderwil

von zuo borg vff nemen

Der ist me dann eyn ander narr
Wer ståts vff nymbt vff borg vnd harr
Vnd jn jm nit betrahten wil
Das man spricht / wôlff essen keyn zyl
5　Als dûnt ouch die / den jr boßheyt　　　　[e.i.ʳ]
Gott lang vff besserung vertreit
Vnd sie doch tâglich mer vnd mer
Vff laden / dar durch gott der herr
Jr warttet / byß das stundlin kunt
10　So bzalen sie bym mynnsten pfundt
Es sturben frowen / vieh / vnd kyndt
Do der von Amorreen sünd
Vnd Sodomiten kam jr ziel /
Hierusalem zû boden fiel
15　Do jm gott beittet lange jor
Die Niniuiten bzaltten vor
Gar bald jr schuld / vnd wurden quit
Doch bhartten sie die lenge nit
Sie nomen vff noch grôsser we
20　Des schickt jn gott keyn Jonas me /
All ding die hant jr zyt vnd zyl
Vnd gant jr stroß noch / wie gott wil /
Wem wol ist mit nemmen vff borg
Der hat zû bzalen gantz keyn sorg /
25　Nit biß by den / die bald jr hendt
Strecken / vnd für dich bürgen wendt
Dann so man nit zû bzalen hett
Sie nement kuter von dem bett /

a borgen; Kredit nehmen　b seinen Zahlungstermin　c schlägt ihn währenddessen (s. Holzschnitt)　2 und Zahlungsaufschub　3 bei sich nicht bedenken will　5 So　6 mit Nachsicht bedenkt　9 Auf sie (besonders) achtet　10 bis zum letzten　13 Ende (Tag der Abrechung)　14 Jerusalem
15 Frist gab　18 blieben sie nicht auf Dauer dabei　24 macht sich ums Rückzahlen keine Sorgen　25 Sei nicht　28 die Decke

Do hunger jn Egypten was
30 Nomen sie korn vff so vil / das
Sie eygen wurden hyndennoch
Vnd mŭsten das bezalen doch /
Wann der esel anfoht syn dantz
Haltt man jn nit wol by dem schwantz

31 schließlich leibeigen wurden   33 seinen Tanz (auf dem Eis) anfängt (s. Holzschnitt)

26

Wer wünschet das er nit verstot [e.i.ᵛ]
Vnd nit syn sachen setzt zu got
Der kumbt zů schaden dick vnd spott

von vnnutzem wunschen

Der ist eyn narr der wünschen důt
Das jm als bald schad ist als gůt /
Vnd wann ers hett / vnd wurd jm wor
So wer er doch eyn narr als vor
5   Mydas der kunig wünschen wolt   [e 2ʳ]
Das alls / das er angriff / würd goldt
Do das wor wart / do leidt er nott
Dann jm zů gold wart wyn vnd brot /
Recht hatt er / das er deckt sin hor
10 Das man nit sach syn esels or
Die dar noch wůchsen jn dem ror
We dem syn wünsch all werden wor /
Vil wünschen das sie leben lang
Vnd důnt der sel doch also trang
15 Mit schlemmen / prassen im wynhuß
Das sie vor zyt můß faren vß /
Dar zů ob sie schon werden alt
Sint sie doch bleich / siech / vngestalt
Jr backen vnd hüt sint so lår
20 Als ob eyn aff jr můter wår /
Vil getzlicheyt die jugent hat
Das alter jn eym wesen stat
Jnn zittern glyder / stym / vnd hirn /
Eyn trieffend naß / vnd glatzeht stirn /
25 Synr frowen ist er vast vnmår /
Jm selbst / vnd synen kynden schwår
Jm schmeckt vnd gfelt nüt was man důt
Vnd sicht vil das jn nit dunckt gůt /
Welch leben lang / die hand groß pin
30 Allzyt jn nüwem vnglück syn

a was er nicht (wirklich) durchschaut   2 eher schädlich   8 Wein   9 sein
Haar bedeckt   10 sah   11 danach im Schilfrohr wuchsen (s. Holzschnitt)
14 Bedrängnis   19 Haut   21 Viel Freude   22 verharrt in ein und demselben Zustand   25 sehr unlieb   26 beschwerlich

Jn truren vnd jn stâtem leidt /
Enden jr tag jn schwartzem kleyd
Nestor / Peleus / vnd Laertes /
Beklagten sich jm alter des
35 Das sie zů lang ließ leben gott
Do sie jr sůn an schowten dot /
Wer Priamus gestorben vor
Vnd het gelebt nit so vil jor
Sâh er nit leid so jâmerlich
40 An sůn / frow / dôchter / stat / vnd rich /
Wann Mythridates / vnd Marius /
Cresus / vnd der groß Pompeyus
Nit werent worden also alt
Werent sie dott jn grossem gwalt /
45 Wer hübscheyt jm / vnd synem kynd
Wünschet / der sůcht vrsach zů sünd
Wer Helena nit gwesen schon
Pariß het sie jn kriechen gelon /
Wer hâslich gsyn Lucrecia
50 Sie wer geschmâchet nit also /
Hett Dyna kropff vnd hofer ghan
Sychem hett sie gelossen gan /
Es ist gar seltten das man treit
Bynander schonheyt vnd küscheyt /
55 Vor vß / die hübschen hansen nůn
Die went all bübery yetz tůn
Vnd werden doch gefellet dick
Das man sie sicht jm narren strick /
Mancher wünscht / hüser / frow / vnd kynd
60 Oder das er vil gulden fynd
Vnd des glich goůckels / das gott wol
Erkennt / wie es geroten sol

31 Trauer – beständigem **36** ihre Söhne tot sahen **44** auf der Höhe ihrer
Macht gestorben **45** körperliche Schönheit **47** schön **48** in Griechenland gelassen **50** entehrt **51** Kropf und Höcker gehabt **55** »die hübschen Hansen« (sich höfisch-eitel gebende Lebemänner) **57** zu Fall gebracht **61** ähnliche Gaukelei

Dar vmb gibt er vns ettwan nüt
Vnd das er gibt / nymbt er zů zyt
65 Ettlich dem gwalt ouch wünschen noch
Vnd wie sie stygen vff vast hoch
Vnd btrachten nit das höher gwalt
Dest höher wider abher falt
Vnd das / wer vff der erden lyt
70 Der darff vor vall sich vörchten nyt
Gott gibt vnß alles das er will
Er weist was recht ist / was zů vil
Ouch was vns nütz sy / vnd kum wol
War vß vns schad entspringen sol
75 Vnd wann er vns nit lieber hett
Dann wir vns selb / vnd das er dåt
Vnd macht vns (was wir wünschtten) wor
Es ruwt vns / ee vß kem eyn jor /
Dann vnser bgir die macht vns blint
80 Zů wünschen ding / die wider vns sint /
Wer wünschen well das er reht leb
Der wünsch das jm gott dar zů geb
Eyn gsunden synn / lib / vnd gemůt
Vnd jn vor vorcht des todes bhůt
85 Vor zorn / begyr / vnd bösem gydt
Wer das erwirbt jn diser zyt
Der hat sin tag geleit baß an
Dann Hercules ye hat gethan
Oder Sardanapalus hatt
90 Jn wollust / gfüll / vnd fåderwatt
Vnd hatt alles das jm wurt sin not
Darff nit an rüffen glück für got
Eyn narr wünscht synen schaden dyck
Syn wunsch würt offt syn vnglück

---

65 verlangen auch noch nach Macht 68 herunter 69 liegt 73 und uns gut
bekomme 78 Es reute uns / ehe ein Jahr zu Ende ginge 85 böser Habsucht; Geiz 87 besser angelegt 90 In Vergnügung / Völlerei / und (beque-
mem) Federbett 91 was ihm je notwendig sein wird 92 anstelle Gottes

Wer nit die rechte kunst studiert [e.iij.ᵛ]
Der selb jm wol die schellen růrt
Vnd wurt am narren seyl gefůrt

von vnnutzem studieren

Der studentten ich ouch nit für
Sie hant die kappen vor zů stür
Wann sie alleyn die streiffen an
Der zippfel mag wol naher gan
5 Dann so sie soltten vast studieren
So gont sie lieber bůbelieren
Die jugent acht all kunst gar kleyn
Sie lerent lieber yetz alleyn
Was vnnütz vnd nit frůchtbar ist
10 Das selb den meystern ouch gebrüst
Das sie der rehten kunst nit achten
Vnnütz geschwetz alleyn betrachten
Ob es well tag syn / oder nacht
Ob hab eyn mensch / eyn esel gmacht
15 Ob Sortes oder Plato louff
Sollch ler ist yetz der schůlen kouff /
Syndt das nit narren vnd gantz dumb
Die tag vnd nacht gant do mit vmb
Vnd krützigen sich vnd ander lüt
20 Keyn bessere kunst achten sie nüt
Dar vmb Origenes / von jnñ
Spricht / das es sint die frösch gesyn
Vnd die hundsmucken die do hant
Gedurechtet Egypten landt /
25 Do mit so gat die jugent hyen
So sint wir zů Lyps / Erfordt / Wyen
Zů Heidelberg / Mentz / Basel / gstanden
Kumen zů letst doch heym mit schanden

a Wissenschaft; lat. *ars* b Der rührt bei sich selbst die Narrenschelle
1 vernachlässige ich auch nicht 2 vorab sowieso schon 3 anziehen
4 Der Narrenzipfel folgt sogleich 6 sich übermütig aufführen 10 Lehr-
meistern; Lehrern 15 (peripatetisch) einhergehe 16 Geschäft 23 Schna-
ken 24 Geplagt (vgl. Kap. 57.49) 26 Leipzig 27 Mainz – immatrikuliert
(vgl. Kap. 76.76)

Das gelt das ist verzeret do
Der truckery sint wir dann fro
Vnd das man lert vfftragen wyn
Dar vß wurt dann eyn henselyn
So ist das gelt geleit wol an
Studenten kapp will schellen han

---

30 Arbeit im Druckgewerbe   31 lernt Wein zu servieren   32 Lotterbube
33 wohl angelegt   34 Das Studentengewand (mlat. *cappa* / ›Umhang; Mantel‹) verlangt nach Narrenschellen (s. Holzschnitt)

[28]

Solt gott noch vnserm willen machen [e.iiij.ᵛ]
Vbel ging es jn allen sachen
Wir wurden weynen me dann lachen

200

Von wider gott reden.

Der ist eyn narr / der macht eyn für
Das er dem sunnen schyn geb stür
Oder wer fackeln zündet an
Vnd will der sunnen glast zů stan
5 Vil mer der gott strofft vmb syn werck   [e 5ᵛ]
Der heißt wol Henn von narrenberg
Dann er all narren vbertrifft
Sin narrheyt gibt er jn geschrifft
Dann gotts gnad vnd fürsichtikeyt
10 Jst so voll aller wissenheyt
Das sie nit darff der menschen ler
Oder das man mit rům sie mer
Dar vmb o narr / was straffst du gott
Din wißheit ist gen jm eyn spot
15 Loß gott důn synem willen nach
Es syg gůttåt / stroff / oder rach
Loß wittern jn / loß machen schön
Dann ob du joch dar vmb bist hön
So gschicht es doch nit dester ee
20 Din wünschen důt alleyn dir wee
Dar zů versündest dich gar schwår
Vil wåger dir geschwygen wer
Wir betten das syn will der werd
Als jn dem hymel / so vff erd /
25 Vnd du narr wilt jn stroffen leren
Als ob er sich an dich můst keren
Gott weiß all ding baß ordinieren
Dann durch din narreht fantisieren
Das judisch volck das lert vns wol
30 Ob gott well das man murmlen sol

a Müsste Gott (alles) nach unserem Willen machen   1 Feuer   2 Unterstützung   4 dem Sonnenlicht beistehen (s. Holzschnitt)   5 tadelt   8 bestätigt
er schriftlich   11 bedarf   17 Gewitter machen   18 verdrießlich   27 besser einzurichten (lat. *ordinare*)   30 murren

Wer was sin ratgeb zů der zyt
Do er all ding schůf / macht vß nüt
Wer hat jm geben vor vnd ee
Der rům sich des / vnd stroff jn me

Wer vff syn frumkeyt halt alleyn [e 5ᵛ]
Vnd ander vrtelt böß vnd kleyn
Der stoßt sich offt an hertte steyn

Der ander lut vrteilt

Der ist eyn narr der sich vertrôst
Vff won / vnd meynt er sig der grôßt
Vnd weiß nit das jn eyner stund
Syn sel fert dieff jn hellen grund
5 Aber den trost hat yeder narr
Er meynt nit syn der nâhst der far
Wann er schon ander sterben sicht
Bald hat eyn vrsach er erdicht
Vnd kan sagen / der dett also /
10 Der was zů wild / der seltten fro
Der hatt diß / vnd der jhens gethan
Dar vmb hatt jn gott sterben lan
Vnd vrteilt eynen noch sym tod
Der villicht ist jn gotts gnod
15 So er jn grôssern sünden lebt
Wider gott vnd syn nâhsten strebt
Vnd forcht dar vmb nit stroff noch bůß
Vnd weiß doch das er sterben můß
Wo / wenn / vnd wie / ist jm nit kundt
20 Biß das die sel fert vß dem mundt
Doch gloubt er nit das syg eyn hell
Biß er hin jn kumbt vber die schwell
So wurt jn den der synn vff gan
So sie jn mitt der flammen stan
25 Eyn yeden dunckt syn leben gůt
Alleyn das hertz gott kennen důt
Für bôß schetzt man offt manchen man
Den gott doch kent / vnd lieb will han
Mancher vff erden würt geert
30 Der noch sym tod zůr hellen fert

---

a Tüchtigkeit   b verurteilt als   **Titel** Wer über andere Leute richtet   1 sich
verlässt   2 Auf Wahn (auf eine unbegründete Meinung)   6 der Nächste, der
hinfährt   9 der handelte so   23 ihnen dann

Eyn narr ist wer gesprechen dar
Das er reyn sig von sünden gar
Doch yedem narren das gebrist
Das er nit syn will / das er ist

Wem noch vil pfrůnden hie ist nott [e 6ᵛ]
Des esel fellt me dann er got
Vil seck die synt des esels dot

Von vile der pfrunden

Der ist eyn narr / wer hat eyn pfrůn
Der er alleyn kum recht mag tůn
Vnd ladt noch vff so vil der seck
Biß er den esel gantz ersteck
[e 7ʳ]
5 Eyn zymlich pfrůnd nert eynen wol
Wer noch eyn nymbt / der selb der sol
Acht han / das er eyn oug bewar
Das jm das selb nit ouch vß far
Dann wo er noch eyn dar zů nynnt
10 Wurt er an beiden ougen blynt
Dar noch keyn tag noch nacht hat růw
Wie er on zal vff nem dar zů
Als ist dem sack der boden vß
Biß er fert jnn das gernerhuß /
15 Aber man důt yetz dispensieren
Dar durch sich mancher ist verfieren
Der meynt das er sy sicher gantz
So eilff vnd vnglück wurt syn schantz /
Mancher vil pfrůnden bsitzen důt
20 Der nit wer zů eym pfrůndlin gůt
Dem er allein wol recht mőcht tůn
Der bstelt / duscht / koufft / so manig pfrůn
Das er verjrrt dick an der zal
Vnd důt jm also we die wal
25 Vff welcher er doch sytzen well
Do er mőg syn eyn gůt gesell
Das ist eyn schwer sorglich collect

---

a nach vielen Pfründen (Einnahmequellen aus geistlichen Ämtern)   **c** Lastsä-
cke   **Titel** Vielzahl   **2** gerecht werden kann   **4** erstickt (s. Holzschnitt)
5 angemessene   **9** nimmt   **12** zahllose   **14** in den Karner (das am Kirchhof
befindliche Totenbeinhaus; mlat. *carnarium*)   **15** Ausnahme gewähren (lat.
dispensare)   **16** verführen lässt   **18** die Elf (Unglückszahl im Würfelspiel) –
Fall der Würfel   **22** sichert sich im Voraus / tauscht / kauft   **23** irre wird
25 sich fest etablieren   **27** Sorgen bringendes Einsammeln (lat. *collectio*)

Worlich der dot jm hafen steckt
Seltten man pfrůnden yetz vß gyt
30   Symon vnd Hyesy louffen mit
Merck wer vil pfrůnden haben well
Der letsten wart er jnn der hell
Do wurt er fynden eyn presentz
Die me důt dann hie sechs absentz

28 im Topf (als Sammelbehälter)   **32** erwarte   **33** Anwesenheit (lat. *prae-sentia* des Pfründners bei der Geldeinnahme am Residenzort)   **34** Abwesen-heit (lat. *absentia* des Pfründners bei der Geldeinnahme an anderem Ort)

31

Wer singt Cras Cras glich wie eyn rapp [e 7ᵛ]
Der blibt eyn narr biß jnn syn grapp
Morn hat er noch eyn grösser kapp

Von vffschlag suchen

Der ist eyn narr dem gott jn gyt
Das er sich besseren soll noch hüt
Vnd soll von synen sünden lan
Eyn besser leben vohen an
5 Vnd er jm selbs sücht eyn vffschlag
Vnd nymbt zyl vff eyn andern tag
Vnd singt Cras / Cras / des rappen gsang
Vnd weißt nit ob er leb so lang /
Dar durch synt narren vil verlorn
10 Die allzyt süngen / morn / morn / morn /
Was künd an trifft vnd narrheyt sust
Do ylt man zü mit grossem lust
Was got an trifft / vnd recht ist gton
Das will gar schwårlich naher gon
15 Vnd sücht eyn vffschlag jm allzyt
Bychten ist besser morn / dann hüt
Morn went wir erst recht leren tün
Als spricht mancher verlorner sün
Das selb morn / kumbt dann nyemer me
20 Es flüht vnd smyltzt glich wie der schne
Biß das die sel nym bliben mag
So kumbt dann erst der mornig tag
So wurt von we der lib gekrenckt
Das er nit an die sel gedenckt
25 Also verdurbent jn der wůst
Der juden vil / der keyner můst
Noch solt gantz kumen jn das landt
Das gott verhieß mit syner handt
Wer hüt nit gschickt zů ruwen ist

---

a Morgen! Morgen! (lat. *cras*) – Rabe (s. Holzschnitt) **c** Morgen
Titel Vom Aufschubsuchen **1** eingibt **2** heute **5** Aufschub **6** Ter-
min **12** eilt **14** vorangehen **17** Morgen wollen wir erst lernen, recht zu
tun **20** flieht **23** geschwächt **26** von denen keiner **27** unversehrt kommen **29** bereit zur Buße

30   Der fyndt morn me das jm gebrist
Wån hüt berůfft die gottes stym
Der weißt nit / ob sie morn rüff jm
Der sint vil tusent yetz verlorn
Die meynten besser werden morn

32

Der hůtt der hewschreck an der sunn [e 8ᵛ]
Vnd schüttet wasser jn eyn brunn
Wer hůttet das syn frow blib frum

Von frowen huetten

Vil narren tag / vnd seltten gůt
Hat wer synr frowen hůtten důt
Dann welch wol wil / die důt selb recht
Welch vbel wil / die macht bald schlecht
5   Wie sie zů wegen bring all tag   [f.i.ˡ]
Jr bőß fürnemen vnd anschlag
Leitt man eyn malschloß schon dar für
Vnd bslüßt all rygel / tor / vnd tůr /
Vnd setzt jns huß der hůtter vil
10 So gatt es dennaht als es wil
Was halff der turn dar jnn Danå ging
Dar für / do sie eyn kynd entpfyng /
Penelope was fry vnd loß
Vnd hatt vmb sich vil bůler groß
15 Vnd was jr man zwentzig jor vß
Bleib sy doch frum / jn irem huß
Der sprech alleyn / das er noch sy /
Vor btrügniß syner frowen fry
Der hab syn frow ouch lieb vnd holt
20 Den syn frow nie betriegen wolt
Eyn hübsch frow die eyn nårrin ist
Jst glich eym roß dem oren gbryst
Wer mit der selben eren will
Der machet krumber fürchen vil
25 Eyn fromme frow sol haben gberd
Jr ougen schlagen zů der erd
Vnd nit hoffwort mit yederman
Tryben / vnd yeden gåfflen an
Noch hőren alles das man jr seitt /

---

a hütet Heuschrecken (s. Holzschnitt)   c ehrbar (vgl. auch die Holzschnitt-
Inschrift: »hůt fast« / ›bewache sehr gut‹)   3 von selber   4 ebnet sich bald
den Weg   7 Vorhängeschloss   10 geht es dennoch   11 Turm   13 und
ledig   23 ackern, pflügen   24 krumme Furchen   25 (rechtes) Benehmen
27 sprachlich kokette Rede   28 liebäugeln

Vil kuppler gont jn schoffes kleydt
Hett nit Helen vff pariß gifft
Eyn antwürt geben jn geschrifft
Vnd Dydo durch jr schwester Ann
Sie werent beid on frŏmde mann

30 im Schafspelz   31 Geschenk   34 ehebrecherische Männer (ihre Liebhaber)

Wer durch die fynger sehen kan [f.i.ᵛ]
Vnd loßt syn frow eym andern man
Do lacht die katz die müß süsß an

Von eebruch

Eebrechen wigt man als geryng
Als ob man schnellt eyn kyseling /
Eebruch / das gsatz yetz gantz veracht
Das keiser Julius hatt gemacht
5   Man vôrht keyn pen noch stroff yetz me   [f.ij.ͬ]
Das schafft das die synt jn der ee
Zerbrechen krûg vnd hâfen glich
Vnd kratz du mich / so kratz ich dich
Vnd schwig du mir / so schwig ich dir
10   Man kan wol haltten finger für
Die ougen / das man sâch dar vß
Vnd wachend tûn / als ob man ruß /
Man mag yetz lyden frowen schmach
Vnd gat dar nach keyn stroff noch rach
15   Die mann / starck mâgen hant jm land
Sie môgen towen gar vil schand
Vnd tûn als ettwan dett Catho
Der lech syn frow Hortensio /
Wenig sint den gat yetz zû hertz
20   Vß eebruch sollch leyd / sorg / vnd smertz
Als Atrydes strafften mit recht
Do jn jr wiber worent gschmâht /
Oder als Collatinus det
Das man Lucretz geschmâhet het /
25   Des ist der eebruch yetz so groß
Clodius beschisßt all weg vnd stroß /
Der yetz mit geyßlen die wol strich
Die vß dem eebruch rûmen sich /
Als man Salustio gab lon
30   Mancher der wurd vil schnatten han /

---

c Mäuse süß an   **2** einen Kieselstein wirft   **5** fürchtet weder Pein   **7** und
Töpfe   **11** hindurchsieht (s. Holzschnitt)   **12** schnarche   **13** jetzt dul-
den   **14** folgt darauf   **16** verdauen   **18** lieh   **19** Wenige gibt es   **22** entehrt   **27** schlug   **30** Striemen; Wundmale

Ging yedem eebruch sollch plag nach
Als dann Abymelech geschach /
Vnd den sůnen Benyamyn /
Oder dar noch ging sollich gwynn
35 Als Dauid gschah mit Bersabee
Manchen glust brechen nit die ee /
Wer lyden mag das syn frow sy
Jm eebruch / vnd er wont jr by
So er das wißlich weißt vnd sycht
40 Den halt ich für keyn wysen nycht
Er gibt jr vrsach mer zů fall
Dar zů die nochburn mumlen all
Er hab mit jr teyl vnd gemeyn
Sie bring ouch jm den rôrroub heyn
45 Sprech zů jm / hans myn gůtter man
Keyn liebern will ich / wen dich han
Eyn katz den müsen gern noch gat
Wann sie eynst angebissen hat /
Welch hatt vil ander mann versůcht
50 Die würt so schamper vnd verrůcht
Das sie keyn scham noch ere me acht
Jrn můtwill sie alleyn betracht /
Eyn yeder lůg das er so leb
Das er synr frow keyn vrsach geb
55 Er hallt sie fründtlich / lieb vnd schon
Vnd vôrcht nit yeden glocken thon /
Noch kyfel mit jr nacht vnd tag
Lůg dar by was die glocken schlag
Dann ich das rott jn truwen keym
60 Das er vil gest fůr mit jm heym
Vor vß lůg für sich der genow
Wer hat ein hübsch / schon / weltlich frow

36 Mancher trachtet danach   38 verkehrt mit ihr   42 munkeln   43 Gemeinschaft   44 den Hurenlohn heim   46 als dich   48 einmal   50 schandbar   52 ist nur noch auf ihren eigenen übermütigen Willen bedacht   57 keife er   59 Denn das rate ich keinem ernsthaft   60 Gäste   61 Vor allem   62 weltzugewandte; lebenslustige Ehefrau

217

Dann nyemans ist zů truwen wol
All welt ist falsch vnd vntruw vol
65 Menelaus hett syn frow behan
Hett er Paris do vßhin gelan /
Hett Agamennon nit zů huß
Gelossen syn fründt Egysthus
Vnd dem vertruwt hof / gůt / vnd wyb
70 Er wer nit kumen vmb syn lyb /
Glych wie Candaules der dor groß
Der zeigt syn wyb eym andern bloß /
Wer nit syn freüd mag han alleyn
Dem gschicht reht das sie werd gemeyn
75 Dar vmb soll man han für das best
Ob eelüt nit gern haben gest
Vor vß / den nüt zů trüwen ist
Die weltt steckt voll beschyß vnd lyst
Wer argwon hat / der gloubt gar bald
80 Das man tůg das jm nit gefalt
Als Jacob mit dem rock beschach
Den er mit blůt besprenget sach
Aswerus gdocht das Amon meynt
Hester gesmåhen der doch weynt /
85 Abraham vorcht synr frowen ee
Dann er ye kåm gon Gerare
Wåger eyn schmyrtzler jn sym huß
Dann brůten frômde eyer vß
Wer vil vß fliegen will zů wald
90 Der wurt zů eyner grasmuck bald /
Wer brennend kol jnn gören leidt
Vnd schlangen jnn sym bůsen treyt
Vnd jnn synr teschen zücht eyn muß
Solch gest lont wenig nutz jm huß

---

63 Denn niemandem   65 behalten   66 draußen   70 nicht ums Leben gekommen   74 allen gemeinsam   81 geschah   83 dachte   85 fürchtete um
die Ehetreue seiner Frau   87 Knauser   90 Grasmücke (Vogelart, die unter-
geschobene Kuckuckseier ausbrütet)   91 Kohle in Rockschöße legt   93 in
seiner Tasche eine Maus heranzieht

[34]

Manchen dunckt / er wer witzig gern   [f.iij.ᵛ]
Vnd ist eyn ganß doch / hür als vern
Dann er keyn zůcht / vernunfft / will lern

Narr hur als vern

Eyn narr ist der vil gůttes hôrt
Vnd würt syn wißheyt nit gemôrt
Der allzyt bgert erfaren vil
Vnd sich dar von nit besseren wil
5   Vnd was er sicht will er han ouch   [f.iiij.ʳ]
Das man merck / das er sy eyn gouch
Dann das ist aller narren gbrust
Was nuw ist / allzyt doren glust
Vnd hant doch bald vernǔwgert dran
10   Vnd wellen ettwas frômdes han
Eyn narr ist wer vil land durchfert
Vnd wenig kunst / noch tugent lert
Als ist eyn ganß geflogen vß
Vnd gagack kumbt wider zů huß /
15   Nit gnůg / das eyner gwåsen sy
Zů Rom / Hierusalem / Pauy
Aber do ettwas geleret han
Das man vernunfft / kunst / wißheit kan
Das halt ich fůr eyn wandlen gůt /
20   Dann ob voll krützer wer din hůt
Vnd du künst schissen berlin kleyn
Hielt ich doch nit vff das allein
Das du vil land ersůchet hast
Vnd wie eyn ků / on wißheit gast
25   Dann wandlen ist kein sunder ere
Es sy dann das man sunders ler
Hett Moyses jn Egypten nüt /
Vnd Daniel gelert die zyt
Do er was jn Chaldeen landt

---

b jedoch nach wie vor eine Gans (s. Holzschnitt)   **c** keine rechte Lebensart
Titel Narr heute wie gestern   **2** vermehrt   **7** Mangel   **8** neu – Verlangen
9 die Lust daran verloren   **16** Jerusalem / Pavia   **19** Reisen   **20** Kreuzer
21 könntest kleine Perlen scheißen   **23** durchforscht   **24** gehst   **25** besondere Zierde   **26** etwas Besonderes lerne   **28** in der Zeit

Sye weren nit so wol erkant
Mancher kumbt melbig zů der bicht
Der gantz wiß werden meint / vnd licht
Vnd gat berǎmt doch wider heyn
Vnd dreyt am hals eyn mülensteyn

---

30 bekannt   **31** staubbedeckt zur Beichte   **32** schneeweiß zu werden glaubt /
und erleichtert   **33** beschmutzt

35

Wer ståts jm esel hat die sporen [f.iiij.ᵛ]
Der juckt jm dick biß vff die oren
Bald zürnen / stat wol zů eym doren

Von luchtlich zyrnen

Der narr den esel allzyt ryt
Wer vil zürnt do man nüt vmb gyt
Vnd vmb sich schnawet als eyn hunt
Keyn gůtig wort gat vß sym mundt
5   Keyn bůchstab kan er dann das R   [f 5ʳ]
Vnd meynt man soll jn vôrchten ser
Das er müg zürnen wann er well
So spricht eyn yeder gůtter gsell
Wie důt der narr sich so zerryssen
10   Vnglück will vns mit narren bschyssen
Er wânt man hab keyn narren vor
Gesehen / dann hans esels or /
Der zorn hyndert eyns wysen můt
Der zornig weyßt nit was er důt /
15   Archytas / do jm vnrecht gschach
Von synem knecht / zů jm er sprach /
Jch soltt das yetz nit schencken dir
Wann ich nit merckt eyn zorn jn mir /
Des glychen Plato ouch geschach
20   Keyn zorn von Socrates man sach /
Wân lycht syn zorn jn vngedult
Zücht / der velt bald jn sünd vnd schuldt /
Gedult / senfft widerwertikeyt
Eyn weiche zung bricht herttikeyt
25   All tugend / vngedult verschytt
Wer zornig ist / der bettet nit
Vor schnellem zorn / dich allzyt hůt
Dann zorn wont jnn eyns narren gmůt
Vil ringer wer eyns beren zorn

b rutscht ihm oft (s. Holzschnitt)   **c** zu rasches Zürnen / passt gut
Titel Von leichtem Erzürnen   **2** worauf man nichts gibt (um Nichtigkeiten)
3 schnaubt, knurrt   **7** vermag   **11** zuvor   **12** »Hans Eselsohr«   **13** behin-
dert – Denken   **22** hinein zieht   **23** besänftigt Streit   **25** verschüttet
26 betet   **29** Viel geringer wäre eines Bären Zorn

Der joch syn jungen hett verlorn
Dann tulden / das eyn narr dir důt
Der vff syn narrheyt setzt syn můt /
Der wiß man důt gemach allzyt
Eyn gåher / billich esel rytt

36

Wer vff syn eygnen synn vßflügt [f 5ᵛ]
Der selb zůn vogel nåster stygt
Das er offt / vff der erden lygt

Von Eygenrichtikeit

Der kratzet sich mit den dornen scharff
Wån duncket das er nyemans darff
Vnd meynt er sy alleyn so klůg
Vnd allen dingen witzig gnůg
5   Der jrrt gar dick vff ebner stroß   [f 6ʳ]
Vnd fůrt sich jnn eyn wilttniß groß
Das er nit licht kumbt wyder heyn /
We dem der velt / vnd ist alleyn
Zů kåtzer synt vil worden offt
10   Die wollten nit / das man sie strofft
Verlossend sich vff eygne kunst
Das sie eruolgtent rům vnd gunst
Vil narren fyelen ettwann hoch
Die stygen vogelnåster noch
15   Vnd sůchten wåg / do keyner was
On leytter mancher nyder saß
Verahtung dick den boden růrt
Vermessenheyt vil schiff verfůrt
Nyemer erfolget nutz noch ere
20   Wer nit mag han / das man jn lere
Die welt wolt Noe hóren nye
Biß vndergingen lüt vnd vieh /
Chore wolt důn das jm nit zam
Dar vmb er mit sym volck vmb kam
25   Das sunder thier das frißt gar vil
Wer eygens koppfs sich bruchen will /
Der selb zertrennen vnderstat
Den rock gar offt / der do ist on nat
Wer hofft dem narren schiff entgan

---

a sich eigensinnig aufschwingt (vgl. Holzschnitt)   **Titel** Von Eigensinnig-
keit   **2** niemand braucht   **9** Ketzern   **10** kritisiert   **11** Wissenschaft
12 erlangen   **13** irgendwann hoch herab (s. Holzschnitt)   **17** Missachtung
läuft oft auf Grund (strandet)   **18** Selbstüberschätzung – wegführt (vom
Kurs abbringt)   **19** Nie erlangt   **23** ziemte   **25** abgesonderte (isolierte)
26 gebrauchen   **27** unternimmt es, zu zertrennen   **29** zu entgehen

30   Der můß des wachs jnn oren han
      Das brucht Vlisses vff dem mer
      Do er sach der Syrenen her
      Vnd er durch wißheyt von jnn kam
      Do mit eyn end jr hochfart nam

32 Heer   **34** Hochmut (Überheblichkeit)

37

Wer sitzet vff des glückes rad [f 6ᵛ]
Der ist ouch warten fall / mit schad
Vnd das er ettwann nåm eyn bad

Von gluckes fall

Der ist eyn narr der stiget hoch
Do mitt man såch syn schand vnd schmoch
Vnd såchet ståts eyn höhern grad
Vnd gdencket nit an glückes rad
5   Eyn yedes ding wann es vffkunt
Zům höchsten / felt es selbst zů grunt
Keyn mensch so hoch hie kumen mag
Der jm verheiß den mornden tag
Oder das er morn glück soll han
10 Dann Clotho loßt das rad nit stan /
Oder den syn gůt vnd gewalt
Vorm tod eyn ougenblick behalt /
Wer gwalt hatt der hat angst vnd nott
Vil synt durch gwalt geschlagen dott /
15 Den gwalt man nit langzyt behalt
Den man måß schyrmen mitt gewalt
Wo nit lieb ist vnd gunst der gmeyn
Do ist vil sorg vnd wollust kleyn
Der måß vil vörchten / der do wil
20 Das jn ouch söllen vörchten vil
Nůn ist vorcht / gar eyn böser knecht
Die leng mag sie nit hütten recht
Wer hatt gewalt der selb der ler
Lieb haben gott / vnd såch syn ere
25 Wer gerechtikeyt halt jn der hant
Des gwalt mag haben gůt bestant
Der hatt syn gwalt wol angeleyt
Vmb des abgang man truren treit
We dem regyrer noch des dot

b hat auch auf die mit Schaden herabfallende Drehung zu achten (s. Holzschnitt) **Titel** Vom Niedergang des Glücks **5** hinaufsteigt **8** sich Verhei-
ßungen auf den morgigen Tag mache **11** Besitz und Macht **12** zurückhält;
rettet **16** schützen **17** Gemeinschaft **18** und wenig Freude **22** Auf die
Dauer kann sie nicht recht hüten (bewachen; zusammenhalten) **23** Wer Macht
innehat, der lerne **27** eingerichtet **28** Trauer trägt **29** nach dessen Tod

30   Man sprechen můß gelobt sy gott
Wer waltzt eyn steyn vff jn die hőh
Vff den falt er vnd důt jm we
Vnd wer verloßt sich vff syn glück
Der vellt offt jn eym ougenblyck

31 Wer einen Stein hoch rollt

38

Wer kranck ist / vnd lyt jn der nott   [f 7ᵛ]
Vnd volget nit eyns artztes rott
Der hab den schaden / wie es gott

von krancken die nit volgen

Der ist eyn narr der nit verstat
Was jm eyn artzt jnn nöten rat
Vnd wie er recht haltt syn dyget
Die jm der artzt gesetzet hett
5   Vnd er für wyn das wasser nymbt
Oder des glich das jm nit zymbt
Vnd lůg das er syn lust erlab
Biß man jn hyn treit zů dem grab
Wer will der kranckheyt bald entgan
10   Der soll dem anfang widerstan
Dann artzeny můß würcken langk
Wann kranckheyt vast nymbt vberhanck
Wer gern well werden bald gesund
Der zoug dem artzet recht die wund
15   Vnd lyd sich / so man die vff brech
Oder mit meißlin dar jn stech
Oder sie hefft / wesch / oder bynd
Ob man jm schon die hut abschynd
Do mit alleyn das leben blib
20   Vnd man die sel nit von jm trib /
Eyn gůtter artzt dar vmb nit flücht
Ob joch der kranck halber hyn zücht
Eyn siech sich billich lyden sol
Vff hoffnung / das jm bald werd wol /
25   Wer eym artzt jn der kranckheyt lügt
Vnd jn der bicht eyn priester drügt
Vnd vnwor seyt sym aduocat
Wann er will nemen by jm ratt
Der hatt jm selbs alleyn gelogen
30   Vnd mit sym schaden sich betrogen

a liegt   1 einsieht   3 Diät (lat. *diaeta* / ›geregelte Lebensweise‹)   7 Verlangen befriedige   9 entgehen   12 überhand nimmt   14 zeige   15 gedulde
sich   16 Skalpell   17 heftet / wäscht / oder verbindet   18 Haut abziehe
21 macht sich nicht davon   22 halb hinstirbt   26 betrügt   27 Unwahres
29 nur sich selbst belogen

232

Eyn narr ist / der eyn artzet sůcht
Des wort / vnd ler / er nit gerůcht
Vnd volget altter wiber rott
Vnd loßt sich segen jn den dott

35 Mitt kracter vnd mitt narren wurtz   [f 8ᵛ]
Des nymbt er zů der hell eyn sturtz
Des abergloub ist yetz so vil
Do mitt man gsuntheyt sůchen will
Wann ich das als zů samen sůch

40 Jch maht wol druß eyn ketzerbůch
Wer kranck ist der wer gern gesunt
Vnd acht nit wo die hilff har kunt
Den tüfel růfft gar mancher an
Das er der kranckheyt mōcht entgan

45 Wann er von jm hülff wartend wer
Vnd nit můst sorgen grösser schwer /
Der würt jnn narrheyt gantz verrůcht
Wer wider gott gesuntheyt sůcht
Vnd on die wore wißheyt gert

50 Das er well wyß syn vnd gelert
Der ist nit gsunt / sunder gantz blōd /
Nit wyß / sunder jn torheyt schnōd
Jn stātter kranckheyt er verhartt
Jn vnsünn blintheyt gantz ernartt /

55 Kranckheyt vß sünden dick entspringt
Die synd vil grosser siechtag bringt
Dar vmb wer kranckheyt will entgan
Der soll gott wol vor ougen han
Lůgen das er der bicht sich noh

60 Ee er die artzeny entpfoh
Vnd das die sel vor werd gesunt
Ee dann der liplich artzet kunt

---

32 beachtet 33 Frauen Rat 34 beschwören 35 Mit magischen Schriftzeichen und mit Zauberwurzeln 43 Teufel 45 Wenn er von ihm Hilfe erwarten
könnte 46 große Beschwernis befürchten 47 skrupellos 49 ohne die wahre
Weisheit begehrt 54 In Unvernunft und Blindheit ganz närrisch 56 Krankheit 59 sich nähere 60 empfange 61 vorher 62 der Leibesarzt kommt

233

Aber es spricht yetz mancher gouch
Was sich gelibt das gesölt sich ouch
65 Doch wurt es sich zů lest so liben   [g.i.ʳ]
Das weder lib noch sel wurt bliben
Vnd werden ewig kranckheyt han
So wir der zyttlich went entgan
Vil sindt yetz ful / vnd langest dott
70 Hetten sie vor gesůchet gott
Syn gnad erworben / hülff / vnd gunst
Ee dann sie sůchten artzet kunst
Vnd meynten leben on syn gnad
Stůrben doch mit der selen schad /
75 Hett Machabeus sich verlon
Alleyn vff gott / vnd nit vff Rom
Wie er zům ersten dett dar vor /
Er hett gelebt noch lange jor
Ezechias wer gestorben dott
80 Hett er sich nit gekórt zů gott
Vnd dar vmb erworben / das gott wolt
Das er noch lenger leben solt
Hett sich Manasses nit bekert
Gott hett jn nyemer me erhórt
85 Der herr zů dem bettrysen sprach
Der lange jor was gwesen schwach
Gang hyn / sünd nym / nit biß eyn narr
Das dir nit bósers wider far /
Mancher gelobt jn kranckheyt vil
90 Wie er syn leben bessern will
Dem spricht man / do der siech genaß
Do wart er bóser dann er was
Vnd meynt gott do mitt btrogen han
Bald gont jn grósser plagen an

---

64 Was sich »leibt« (gesunden Körper hat), »seelt« sich auch (bekommt auch
Seele) 65 »leiben« 68 Wenn wir der zeitlichen entgehen wollen 69 ver-
fault 75 sich verlassen 85 zum Bettlägerigen 87 sündige nicht mehr /
sei kein Narr 91 wenn der Kranke gesundete 94 greifen ihn größere Plagen an

Wer ôfflich schleht syn meynung an [g.i.ᵛ]
Vnd spannt syn garn fûr yederman
Vor dem man sich lycht hûtten kan

235

von offlichem anschlag.

Eyn narr ist wer will fahen sparen
Vnd für jr ougen spreit das garn
Gar lycht eyn vogel flyehen kan
Das garn / das er sicht vor jm stan
5   Wer nüt dann trowen důt all tag
Do sorg man nit / das er vast schlag
Wer all syn råt schlecht öfflich an
Vor dem hůt sich wol yederman /
Hett nit entfrembt sich Nycanor
10   Vnd anders gstelt / dann er dett vor
Judas hett nit gmerckt syn gemůt
Vnd sich so bald vor jm gehůt /
Das dunckt mich syn eyn wyser herr
Der syn sach weiß / sunst nyemans mer /
15   Vor vß / do jm syn heyl lyt an
Es will yetz råtschen yederman
Vnd triben solche kouffmanschatz
Die vornen leck / vnd hynden kratz
Jch halt nit für eyn wysen man
20   Wer nit syn anschlag bergen kan
Dann narren rott / vnd bůler wergk /
Eyn statt gebuwen vff eym bergk
Vnd strow das jn den schůhen lyt
Die vier verbergen sich keyn zyt
25   Eyn armer bhalt wol heymlicheyt
Eyns richen sach / würt wyt gespreyt
Vnd würt durch vntruw hußgesynd

---

a Wer offen seine Absicht anschlägt (bekannt gibt) **b** Und sein Netz vor jedermann ausspannt **Titel** Von offener Absichtserklärung **1** Spatzen fangen **2** ausbreitet **5** nichts als drohen **6** plötzlich zuschlägt **9** verändert **10** vorher tat **11** Sinneshaltung **15** an der sein Heil hängt **16** schwatzen **17** solche Geschäfte treiben **18** vorn (schmeichlerisch) lecken **20** verbergen **21** Buhlerwerk **23** Stroh **25** Verschwiegenheit **26** Angelegenheiten – weit verbreitet **27** untreues Gesinde

Geöffnet vnd vßbrocht geschwynd /
Eyn yedes ding kumbt lychtlich vß
30 Durch die / by eym syndt jn dem huß
Zů schaden ist keyn böser vyndt
Dann die ståts by eym wonent syndt
Vor den man sich nitt hütten důt
Bringen doch vil / vmb lib vnd gůt

28 Öffentlich gemacht und nach außen gebracht   29 leicht heraus   31 Bei
Schädigungen gibt es keinen übleren Feind

Wer sicht eyn narren fallen hart [g.ij.ᵛ]
Vnd er sich darnoch nit bewart
Der grifft eym narren an den bart

An narren sich stossen

Man sicht tåglich der narren fal
Vnd spottet man jr vberal
Vnd synt verachtet by den wysen
Die doch jnn narren kapp sich brysen
5 Vnd schylt eyn narr den andern narren   [g.iij.ʳ]
Der doch vff synem weg dût karrhen
Vnd stoßt sich do zů aller frist
Do vor der narr gefallen ist
Hyppomenes sach manchen gouch
10 Vor jm enthoubten / doch wolt er ouch
Sich wogen / vnd syn leben gantz
Des wer nah gsyn vnglück syn schantz
Eyn blynd den andern schyltet blyndt
Wie wol sie beid gefallen synt
15 Eyn krebs den andern schaltt / vmb das
Er hynder sich gegangen was
Vnd gyng jr keyner für sich doch
Dann eyner gyng dem andern noch
Eym stieff vatter volgt dick vnd vil
20 Wer nit sym vatter volgen will
Hett Phaeton syn faren gelon
Vnd Jcarus gemåcher gton
Vnd beid gefolgt jrs vatter rott
Sie wern nit jn der jugent dot
25 Welcher den weg Hyeroboam
Gyng / keyner ye zů gnaden kam
Vnd sahen doch / das plag vnd roch
Gyng ståts on vnderloß dar noch

Titel An Narren Anstoß nehmen   **1** Hinfallen (s. Holzschnitt)
4 sich schnüren; kleiden   **6** (auch) auf seinem Weg mit dem Karren fährt
7 nimmt da ständig Anstoß   **8** wo zuvor   **11** wagen   **12** Deshalb wäre beinahe Unglück sein Spielgewinn gewesen   **16** rückwärts   **17** dabei ging keiner von ihnen vorwärts   **22** gemäßigter gehandelt (in der Flughöhe)
27 und Rache

Wer sicht eyn narren fallen hart
30   Der lůg / das er syn selbs wol wart
Dann das ist nit eyn doreht man
Wer sich an narren stossen kan
Der fuchs wolt nit jnn berg / vmb das
Nye keyner wyder kumen was /

---

30 auf sich selbst Acht gibt   31 törichter   32 Anstoß nehmen kann (sich
warnen lässt)

Eyn glock on klüpfel / gibt nit thon [g.iij.ᵛ]
Ob dar jnn hangt eyn fuchßschwantz schon
Dar vmb loß red für oren gon

Nit achten vff all red.

Wer by der weltt vß kumen will
Der můß yetz lyden kumbers vil
Vnd sehen vil / vor syner tůr
Vnd hören / das er gern entbůr
5   Dar vmb jnn grossem lob die ston
Die sich der welt hant ab gethon
Vnd synd durch gangen berg vnd tal
Das sie die welt nit brâcht zů fal
Vnd sie villicht verschuldten sich
10   Doch loßt die welt sie nit on stich
Wie wol sie nit verdienen kan
Das sie solch lüt sol by jr han
Wer recht zů tůn den willen hett
Der acht nit / was eyn yeder redt
15   Sunder blyb vff sym fürnem stiff
Ker sich nit an der narren pfiff
Hetten propheten vnd wissagen
Sich an noch red by jren tagen
Kert / vnd die wyßheyt nit geseit
20   Es wer jn yetz langst worden leit
Es lebt vff erden gantz keyn man
Der recht tůn yedem narren kan
Wer yederman künd dienen recht
Der můst syn gar eyn gůter knecht
25   Vnd frůg vor tag dar zů vff ston
Vnd seltten wider schloffen gan
Der můß mâl han / vil me dann vil
Wer yedems mul verstopffen wil
Dann es stat nit jn vnserm gwalt

---

a ohne Klöppel (s. Holzschnitt)   c an den Ohren vorbeigehen   1 mit der
Welt auskommen   4 entbehrte   6 abgewandt   9 schuldig würden
10 ohne Stichverletzung   15 in seinem Vorhaben fest   17 und Weissager
18 Nachrede; Verleumdung   23 könnte   24 großer Held   25 Und
früh   27 Mehlkleister   29 Macht

242

Was yeder narr red / klaff / od kalt
Die welt müß triben das sie kan
Sie hatß vor manchem me getan
Ein gouch singt guckguck dick vnd lang
Wie yeder vogel syn gesang

---

30 redet / verleumdet / oder schwätzt   **31** betreiben, was sie kann

42

Es ist der narren gůt entbern
Die allzyt mit steyn werffen gern
Vnd went keyn straff vnd wyßheyt lern

Von spott vogelen.

Jr narren / wellen von mir leren
Anfang der wyßheyt / vorcht des herren
All kunst der heilgen ist gespreit
Jn den weg / der fürsichtikeyt
5   Von wyßheyt würt der mensch geert   [g 5ʳ]
Von jr all tag / vnd jor gemert
Eyn wyser ist nütz der gemeyn
Eyn narr syn kolben dreitt alleyn
Vnd mag vor wyßheyt hören nitt
10   Er spott der wysen zů aller zyt
Wer eyn spott vogel leren will
Der macht jm selbst gespöttes vil
Wer strofft eyn boßhafftigen man
Der henckt jm selbst eyn spätlin an
15   Eyn wysen stroff / der hört dich gern
Vnd yllt / von dir me wyßheyt lern
Wer eyn gerechten stroffen důt
Der hat von jm syn stroff für gůt
Der vngerecht geschåndet vil
20   Vnd würt doch selbst geschånt bywil
Der håher eyn spottvogel ist
Vnd ist doch vil / das jm gebrist
Wann man eyn spötter würfft für thür
So kumbt mit jm / all spott hyn für
25   Vnd was er zanck vnd speywort tribt
Das selb dann vor der tůren blybt
Hett Dauid nit syn selbs geschont
Nabal wer syns gspöts gelont /

c Zurechtweisung   **Titel** Von Spottvögeln   **1** wollt doch (solltet)   **3** ausgebreitet   **4** Verständigkeit   **7** ein Nutzen für die Gemeinschaft   **8** Narrenkeule   **9** vor (lauter eigener) Schlauheit   **12** macht sich selbst zum Gespött
13 tadelt   **14** hängt sich selbst einen Fetzen an (flickt sich selbst etwas am
Zeug)   **16** eilt   **18** Der bekommt für seinen Tadel Anerkennung   **19** be-
schimpft viel   **20** bisweilen   **21** Häher   **23** vor die Tür   **24** hinfort
25 und Beschimpfung

30 Sannabalath syn spottes ruwt
Do man die mur Hierusalem buwt
Die kynd wurdent von Beren gdôt
Die glatzeht schulten den prophet
Semey hat noch gar vil sůn
Die gern mit steynen werffen tůn

29 bereute   **31** von Bären getötet   **32** Die den Propheten (Elias) als glatz-
köpfig verspotteten

43

Das ich alleyn zyttlichs betracht
Vnd vff das ewig hab keyn acht
Das schafft / eyn aff hat mich gemacht

verachtung ewiger freyt

Eyn narr ist / wer berůmet sich
Das er gott ließ syn hymelrich
Begerend / das er leben mag
Jnn narrheyt / biß an jungsten tag
5   Vnd blyben mócht eyn gůt gesell
Er far joch dann / war gott hyn well /
Ach narr / wer doch vff erd eyn freyd
Die wert eyn tag vnd nacht on leyd
Das sie nit wurd verbittert dir
10 So mócht ich gdencken doch jn mir
Das du móchtst han ettwas vrsach
Die doch wer narreht / klein vnd schwach
Dann der hatt worlich dorecht glust
Wån hie die leng zů leben lust
15 Do nůt ist dann das jamertal
Kurtz freůd / voll leid steckt vberal
Gedencken soll man wol do by
Das hie keyn bliblich wesen sy
Die wile wir farent allesant
20 Von hynnan / jn eyn frómdes landt
Vil sint vorhyn / wir kumen noch
Wir můssen gott an schowen doch
Es sy zů freůden oder stroff /
Dar vmb sag an du dorehts schoff
25 Ob grósser narr ye kem vff erdt
Dann der / wer sollches mit dir gerdt
Du wünschest von got scheyden dich
Vnd würst dich scheyden ewigklich
Eyn hunig trópflin dir gefalt

Titel Verachtung ewiger Freude   **1** sich rühmt   **2** überlasse   **4** bis zum
letzten Tag (der Welt)   **6** wohin Gott will   **11** Dass du dir eine Sache
wünschst   **12** närrisch   **13** törichtes Verlangen   **18** beständiges Dasein
19 Während   **21** voran   **24** törichtes Schaf   **26** begehrt   **29** Honig

Vnd wurst dort gall han / tusent falt
    Eyn ougenblick / all freüd hie sint /
    Dort ewig freüd vnd pyn man findt /
    Welch fråuelich triben sollch wort
    Den fålt jr anschlag / hie vnd dort

---

30 wirst dort tausendfach Galle haben   32 Freude und (oder) Pein   33 fre-
velhaft; vermessen   34 Denen schlägt ihre Absicht fehl

44

Wer vogel / hund / jnn kyrchen fůrt   [g 6ᵛ]
Vnd ander lüt / am betten jrrt
Der selb / den gouch wol stricht vnd schmyert

Gebracht in der kirchen

Man darff nit fragen / wer die sygen
By den die hund jnn kylchen schrygen
So man meß hat / predigt / vnd singt
Oder by den der habich schwyngt
5   Vnd důt syn schellen so erklyngen
Das man nit betten kan noch syngen
So můß man hüben dann die hätzen
Do ist eyn klappern vnd eyn schwätzen
Do můß man richten vß all sachen
10 Vnd schnyp / schnap / mit dem holtzschůh machen
Vnd sunst vil vnfůr mancher hand
Do lůgt man wo frow kryemhild stand
Ob sie nit well har vmbher gaffen
Vnd machen vß dem gouch eyn affen
15 Lyeß yederman syn hund jm huß
Das nit eyn dieb stiel ettwas dar vß
Die wile man wer zů kylchen gangen
Ließ er den gouch stan vff der stangen
Vnd brucht die holtzschů vff der gassen
20 Do er ein pfeningwert drecks möht fassen
Vnd döubt nit yederman die oren
So kant man ettwan nit eyn doren
Doch die natur gybt yedem jn
Narrheyt will nit verborgen syn
25 Christus der gab vns des exempel
Der treib die wechßler vß dem tempel
Vnd die do hatten tuben feil
Treib er jn zorn vß mit eym seil

---

b andere Leute / beim Beten stört **c** striegelt; streichelt **Titel** Lärm in der
Kirche **2** in der Kirche Laut geben (bellen) **4** Jagdfalke mit Flügeln
schlägt (s. Holzschnitt) **7** mit einer Haube dann den Falken versehen (s.
Holzschnitt) **9** aushandeln; geschwätzig ausrichten **11** übles Betragen
13 hier umher **17** Dieweil **19** gebrauchte **21** betäubte **22** erkennte
27 Tauben feilboten

Solt er yetz offen sünd vß triben
30 Wenig jnn kylchen wurden bliben
Er fing gar dick am pfarrer an
Vnd würt biß an den meßner gan
Dem huß gottes heylikeit zů stat
Do gott der herr syn wonung hat

45

Wån jn das für syn můttwill bringt [g 7ᵛ]
Oder sunst selbs jnn brunnen springt
Dem gschicht recht / ob er schon erdrinckt

von mutwilligem vngfell

Manch narr ist der do bettet ståt
Vnd důt (als jn dunckt) andaht gbet
Mitt růffen zů gott vberlut
Das er kum von der narren hut
5 Vnd will die kappen doch nit lon   [g 8ʳ]
Er zücht sie tåglich selber an
Vnd meynt / gott well jn hören nitt
So weiß er selbst nit was er bitt /
Wer mit můttwill jn brunnen springt
10 Vnd vórchtend / das er drynn erdrinckt
Schryg vast / das man eyn seil jm brecht
Sin nochbur sprech / es gschicht jm reht
Er ist gefallen selbst dar jn
Er möcht hie vß wol blyben syn
15 Empedocles jn solch narrheyt kam
Das er vff Ethna sprang jnn flam
Wer jn har vß solt gzogen han
Der hett jm gwalt vnd vnrecht gtan /
Dann jn jn narrheyt was verrůcht
20 Er hett es doch noch me versůcht /
Alls důt wer meynt das gottes stym
Jn ziehen soll mit gwalt zů jm
Jm geben gnad / vnd goben vil
Sich dar zů doch nit schicken will /
25 Mancher fůrloufft jm selbs syn tag
Das gott jn nym erhören mag
Dann er jm nym die gnaden gytt
Das er üt fruchtbars von jm bitt
Wer bett / vnd weißt nit was er bett /

a Feuer b von selbst c geschieht **Bild** Inschrift: »Jn geschicht recht«
[ihnen geschieht recht] **Titel** Von mutwillig herbeigeführtem Missgeschick
1 betet beständig 2 wie er meint, ein andächtiges Gebet 3 überlaut
4 aus der Narrenhaut komme 6 zieht 11 Schreit laut 14 hätte ja draußen bleiben können 19 war entrückt (s. Holzschnitt) 23 Gaben 25 ver-
stellt sich selbst den Weg seiner Lebenstage

30   Der bloßt den wint / vnd slecht die schet
        Mancher jm gbett von gott begert
        Jm wer leid / das er wurd gewert
        Wer lebt jnn eym sörglichen stat
        Der hab den schad / wie es jm gat

30 schlägt die Schatten   **32** was ihm gewährt wurde   **33** sorgenvollen Zustand

[46]

Narrheyt hatt gar eyn groß gezelt
By jr lågert die gantze welt
Vor uß / was gwalt hatt / vnd vil gelt

von dem gwalt der narren.

Es ist nott / das vil narren synt
Dann vil synt an jn selbs erblynt
Die mitt gwalt went witzig syn
Do yederman sicht vnd ist schyn
5   Jr narrheyt / doch nyeman getar   [h.i.ʳ]
Zů jnn sprechen / was tůstu narr /
Vnd wenn sie grosser wißheyt pflegen
So ist es vast von der gouch wegen
Vnd wann sie nyemans loben wil
10   So loben sie sich dick vnd vil
So doch der wiß man gibt vrkund
Das / lob stinck / vß eym eigenen mundt
Wer jn sich selbst vertruwen setz
Der ist eyn narr vnd doreht gótz
15   Wer aber wißlich wandlen ist
Der würt gelobt zů aller frist
Die erd ist sellig / die do hat
Eyn herren / der jnn wißheyt stat
Des rott ouch yßßt zů rechter zyt
20   Vnd sůchen nit wollust / vnd gydt
We we dem ertrich / das do hat
Eyn herren / der jnn kynttheyt gat
Des fürsten essen morgens frůg
Vnd achten nit was wißheyt tůg /
25   Eyn arm kyndt / das doch wißheyt hat
Jst besser vil jn synem stadt
Dann eyn künig / eyn alter tor
Der nit fürsicht die kunfftig jor /
We den gerechten vber we
30   Wann narren stygen jnn die hóh

a Zelt (s. Holzschnitt) c vor allem / was Macht hat 1 Es ergibt sich mit
Notwendigkeit 2 sich selbst gegenüber 3 klug sein wollen 4 offensichtlich ist 11 bezeugt 14 törichter Götze 15 klug im Lebenswandel
16 jederzeit 19 isst 20 und Habgier 22 noch ein Kind ist 23 früh
25 schwaches 26 Stand 28 voraus bedacht

Aber wann narren vndergondt
Gar wol die gerechten dann gestondt
Das ist dem gantzen land eyn ere
Wann vß dem gerechten wurt eyn here
35   Aber doch / wann eyn narr regyert   [h.i.ᵛ]
So werdent vil mit jm verfürt /
Der důt nit recht / wer an gerycht
Durch früntschafft eim jns anttlit sicht
Der selb ouch vmb eyn byssen brot
40   Worheyt / vnd gerechtikeyt verlot /
Recht vrteyln / stat eym wisen wol
Eyn richter nyemans kennen sol
Ratt und gerycht / hat keynen fründt
Susannen rychter noch vil syndt
45   Die můttwill triben / vnd gewalt
Gerechtikeyt die ist vast kalt
Die schwert die sint verrostet beyd
Vnd wellen nym recht vß der scheyd
Noch schnyden me / do es ist nott
50   Gerechtikeyt ist blyndt vnd dott
All ding dem geltt sint vnderthon /
Jugurtha do er schyed von Rom
Do sprach er / o du veyle statt
Wie werstu so bald schoch vnd matt
55   Wann du eyn kouffman hettst alleyn
Man fyndt der stett noch me dann eyn
Do man hant schmyerung gern vff nymt
Vnd dar durch důt vil das nit zymbt
Myet / früntschafft / all worheyt vmb kert
60   Als moysen syn schwåher lert
Pfenning / nyd / früntschafft / gwalt vnd gunst
Zerbrechen yetz / recht / brieff / vnd kunst /

---

31 untergehen   32 bestehen   34 Herr   37 bei Gericht   38 Antlitz
40 verlässt   45 Willkür   47 Die Schwerter (der geistlichen und weltlichen
Macht)   53 käufliche   54 schachmatt   55 nur hättest   56 solcher Städte   57 Handschmierung (Bestechung)   58 sich nicht gehört   59 Bestechung   60 Schwiegervater   61 Neid   62 Urkunden / und Fachkenntnis

Die fürsten worent ettwann wiß /
Hattent altt råt / gelert / vnd gryß
65 Do stund es wol jn allem land
Do wart gestroffet sünd vnd schand
Vnd was gůt fryd jnn aller welt
Jetz hatt narrheyt all jr gezelt
Geschlagen vff / vnd lyt zů wer
70 Sie zwingt die fürsten / vnd jr her
Das sie sốnt wißheyt / kunst / verlan
Alleyn eygen nutz sehen an
Vnd wốlen jnn eyn kyndschen ratt
Dar vmb es leyder vbelgat
75 Vnd hat kunfftig noch bốser gstalt
Groß narrheyt ist by grossem gwalt /
Gott ließ / das mancher fürst regiert
Langzyt / wann er nit wůrd verfůrt
Vnd vnmylt wurd / vnd vngerecht
80 Durch anreytz valscher rått vnd knecht
Die nåmen gaben / schenck / vnd myet
Vor den eyn furst sich billich hůt
Wer gaben nymbt / der ist nit fry
Schenck nemen / macht verretery
85 Als von Ayoht geschach Eglon /
Vnd Dalida verryet Samson /
Andronicus nam gulden vaß
Des wart gedốtet Onyas /
Ouch Benedab der künig brach
90 Syn büntniß / do er gaben sach /
Tryphon do er betryegen wolt
Das jonathas jm glouben solt
Do schanckt er gaben jm vorhyn
Do mit er mốcht beschissen jn

---

64 und Greise   67 guter Friede   69 liegt wehr-, kampfbereit   71 sollen –
verlassen   73 wählen sich eine kindische Beratergruppe   74 schlecht geht
79 unbarmherzig   81 Geschenke / und Bezahlung   87 goldene Gefäße

47

Vil důnt jnn dorheyt hye beharren [h.ij.ᵛ]
Vnd ziehen vast eyn schweren karrhen
Dort würt der recht wag naher faren

von dem weg der sellikeit

Gott laßt eyn narren nit verston
Syn wunder / die er hat gethon
Vnd tåglich důt / dar vmb verdyrbt
Gar mancher narr / der zittlich styrbt
5 Hie / vnd dort ist er ewig dott
Das er nitt lernet kennen got /
Vnd leben noch dem willen syn
Hie hatt er plag / dort lydt er pyn /
Hie můß er burd des karrhen tragen
10 Dort wůrt er ziehen erst / jm wagen /
Dar vmb narr / nit frog noch dem ståg
Der fůret vff der hellen weg
Gar licht do hyn man kumen mag
Der weg statt offen / nacht vnd tag
15 Vnd ist gar breyt / glatt / wolgebant
Dann narren vil sint / die jn gant
Aber der weg der sellikeit
Der wißheyt ist alleyn bereyt
Der ist gar eng / schmal / hert vnd hoch
20 Vnd stellen wenig lüt dar noch
Oder die jn hant můt zů gan
Do mitt will ich beschlossen han
Der narren frog die offt geschicht
War vmb / man me der narren sicht
25 Oder die faren zů der hell
Dann des volcks / das noch wißheyt stel
Die welt jnn üppikeyt ist blynt
Vil narren / wenig wyser synt
Vil sint berůfft zů dem nachtmol

---

c dort (statt »hier« in V. 1) wird der rechte Wagen entlangfahren **Titel** Vom
Weg der Seligkeit **4** vorzeitig **9** die Last **10** sogar den ganzen Wagen
ziehen **11** Pfad **15** wohlgebahnt **18** ist nur für die Weisheit bereitet
20 trachten **23** Frage **29** (biblisch) zum Nachtmahl berufen

Wenig erwelt / lůg für dich wol /
Sechßhundert tusent man alleyn
On frowen vnd die kynder kleyn
Fůrt gott vß / durch des meres sandt
Zwen komen jnn das globte landt

263

48

Eyn gesellen schiff

Eyn gsellen schiff fert yetz do hår /   [h.iiij.ʳ]
Das ist von hantwercks lüten schwår
Von allen gwerben vnd hantyeren /
Jeder syn gschyrr důt mit jm fůren
5   Keyn hantwerck stat me jnn sym wårdt
Es ist als überleydt / beschwårt
Jeder knecht / meyster werden will
Des sint yetz aller hantwerck vil
Mancher zů meysterschafft sich kert
10   Der nye das hantwerck hat gelert
Eyner dem andern werckt zů leyd
Vnd tribt sich selbs dick vber die heyd
Das ers wolfeyl erzügen kan
Des můß er offt zům thor vß gan
15   Was dyser nit will wolfeyl gån
Do findt man sunst dryg oder zwen
Die meynen das erzügen wol
Důnt doch nit arbeyt / als man sol
Dann man hyen sudelt yetz all ding
20   Das man sie geben mög gering
Do by mag man nit langzyt bliben
Dür kouffen / vnd wolfeyl vertriben
Mancher eym andern macht eyn kouff
Der blibt / so er zům thor vß loufft
25   Vff wolfeyl gån / gat yederman
Vnd ist doch gantz keyn werschafft dran

1 daher   2 von Handwerksleuten schwer   3 und Geschäftszweigen
4 Werkzeug   6 überlastet / in Bedrängnis   11 Einer werkt zum Leidwesen
des andern   12 Heide   13 preiswert erzeugen   14 hinausgehen   15 geben   16 anderwärts drei oder zwei   19 hinsudelt   20 billig abgeben
kann   22 Teuer   23 Mancher macht für einen andern (auf eigene Kosten)
ein Geschäft   24 Der (andere) kann dann bleiben   25 preisgünstiges Herge-
ben   26 Garantie für den Wert

Dann wenig kosten man dran leidt
Vnd würt als vff die yl bereydt
Das es alleyn eyn muster hab
30 Do mit die hantwerck gont vast ab
Mögent nit wol erneren sich
Was du nit důst / das dů doch ich
Vnd leg dar an keyn kost noch wile
Echt ich alleyn mög machen vil /
35 Jch selbs / das ich die worheyt sag
Mit disen narren hab vil tag
Vertriben / ee ichs hab erdicht
Noch sint sie nit recht zů gericht
Jch hett bedörfft noch lenger tag
40 Keyn gůt werck / yl erlyden mag
Der moler der Apelli bracht
Syn tafel / die er bald hat gmacht
Vnd sprach er hett geylt do mit
Fand er jnn bald on anttwürt nitt
45 Er sprach / die arbeyt zeigt wol an
Das du hast wenig flyß gethon
Vnd wunder ist / das du nit vil
Der glych hast gmacht jn kurtzer wil
Keyn arbeit dett nie gůt zůr yl
50 Den stich es nit wol lyden mag
Zwentzig par schů / vff eynen tag
Eyn dutzen tågen vß bereytten
Vil wercken / vnd vff borg dann beitten
Vertrybt gar manchem offt das lachen
55 Böß zymerlüt vil spånen machen
Die murer důnt gern grosse brüch

---

27 drauf verwendet   28 auf die Schnelle gemacht   29 nur ein (gutes) äußeres Ansehen   30 schnell zugrunde   31 Vermögen sich nicht   33 beachte weder Kosten noch Zeit   34 Wenn ich nur   37 bevor ich es ersonnen und abgefasst   38 dargestellt; entworfen   44 blieb nicht lange ohne (passende) Antwort   47 nicht viel mehr   49 Keine Arbeit tut sich in Eile gut   50 Die Qualitätsstichprobe   52 Degen fertig machen   53 auf das Geborgte (Zahlung) dann warten   55 Hobelspäne   56 Die Maurer tun

265

Die schnyder důnt gar witte stich
Do würt die natt gar leittig von
Die trucker jn dem brasß vmb gon
60 Vff eynen tag / eyn wochen lon
Verzeren / das ist jr gefert [h 5ʳ]
Jr arbeyt ist doch schwer vnd hert
Mitt trucken / vnd [mit] bosselyeren
Mit setzen / strichen / corrigieren
65 Vff tragen / mit der schwartzen kunst
Varb brennend / jn des füres brunst
Vnd ryben die / vnd vigen spitzen /
Vil sint die lang jnn arbeyt sitzen
Machen doch nit dest besser werck
70 Das důt / sie sint von affenberck
Vnd hant die kunst nit baß gelert
Mancher jn disem schyff gern fert
Dann es sint vil gůt bossen drynn
Die groß arbeit vnd kleynen gwynn
75 Hant / vnd verzeren das doch licht
Dann jnn ist wol by der wynfücht
Vff kunfftigs / hant gar wenig sorg
Wann man alleyn jnn gibt vff borg
Mancher eyn bletzschkouff machen kan
80 Do er nit vil gewynnet an /
Man kan yetz nüt verkouffen me
Man hab dann gott geschworen ee
Vnd so man lang schwôrt / jn vnd vß
So wurt eyn vischerschlag dann druß
85 Do by merckt man das all diß welt

---

57 weite   58 die Naht sehr beweglich (nicht fest)   59 Die Drucker treiben
sich im Wirtshaus (frz. *brasserie*) herum   61 Lebensart   63 an Details arbeiten (frz. *bosseler*); an den Holzstöcken arbeiten   64 streichen   65 (Dru-
ckerschwärze) auftragen   66 Feuersglut   67 reiben – Bleistege (zwischen
den einzelnen Wörtern)   70 (spöttische Ortszuweisung)   73 gute Handlan-
ger; Lehrlinge   76 Feuchte des Weins   77 Zukünftiges   78 Kredit   79 ra-
schen Handel   84 Zuschlag bei heruntergehandeltem Preis (wie bei den Fi-
schern)   85 all diese Leute

Sich vast des kôllschen bôttchen helt
Dat halff ab / ist yetz vast der schlagk
Berott dich gott / bricht keym den sack
Die hantwerck faren all do hâr
90   Noch sint vil schifflin halber lâr

86 sich fest ans Kölner Gebötchen halten   87 »Die Hälfte ab!« – (Regel beim) Kauf-Handschlag   88 »Gott berate dich!« – Geldbeutel

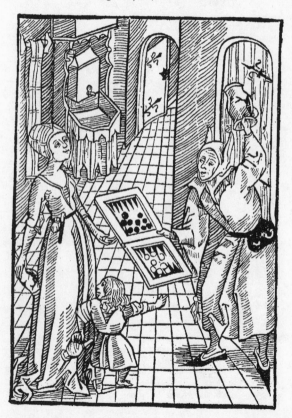

Do werdent kynd den eltern glich   [h 5ᵛ]
Wo man vor jnn nit schamet sich
Vnd krůg vor jnn / vnd håfen bricht

Bos exempel der eltern.

Wer vor frowen vnd kynder wil
Von bůlschafft / boßheyt / reden vil
Der wart / das von jnn widerfar
Des glich / er vor jn triben tar

5   Keyn zůcht / noch ere / ist me vff erd   [h 6ʳ]
Kynd / frowen / leren wort vnd gberd
Die frowen das von mannen hand
Die kynd von eltern nemen schand
Vnd wenn der appt die würffel leydt

10 So sint die münch zům spiel bereit
Die welt ist yetz voll böser lere
Man findt leyder keyn zůcht / noch ere
Die våtter sint schuldig dar an
Die frow die lert von jrem man

15 Der sůn / des vatters halttet sich
Die dochter ist der můtter glich
Dar vmb zů wundern nyemans yl
Ob jnn der welt sint narren vil
Der krebs glich wie syn vatter trytt

20 Es macht keyn wolff / keyn lemblin nytt
Brutus / vnd Catho sint beyd dott
Des mert sich Cathelynen rott /
Wis / syttlich våtter / tugentrich
Machen ouch kynder jren glich

25 Diogenes eyn jungen sach
Der druncken was / zů dem er sprach
Myn sůn / das ist dins vatter stadt
Eyn drunckner dich geboren hat

---

a Kinder   c Töpfe bricht   **Titel** Schlechtes Beispiel der Eltern   **2** Liebes-
dingen / Schlechtigkeit   **3** Der erwarte   **4** vor ihnen zu treiben wagt
7 haben es von den Männern   **9** der Abt die Würfel zurechtlegt   **10** Mön-
che   **11** Anleitung; Lehrmeinung   **15** hält sich an den Vater   **17** niemand
eile   **20** Es zeugt – Lamm   **22** Deshalb vermehrt sich Catilinas Rotte
27 Stand

Es darff das man gar eben lůg
30   Was man vor kynden red vnd tůg
Dann gwonheyt / andere natur ist /
Die macht / das kynden vil gebrist
Eyn yedes leb recht / jnn sym huß
Das ärgerniß nit kumm dar vß

29 Es ist nötig, dass man sehr genau darauf schaut   31 Gewohnheit ist die zweite Natur (lat. *Consuetudo altera natura*)

Wollust durch eynfalt manchen feltt [h 6ᵛ]
Manchen sie ouch am flug behelt
Vil hant jr end dar jnn erwelt

Von wollust

Wollust der welt / die glychet sich
Eym üppigen wib / die offentlich
Sitzt vff der straß vnd schrygt sich vß
Das yederman kum jnn jr huß
5   Vnd syn gemeynschafft mit jr teil /   [h 7ʳ]
Dann sie vmb wenig gelt sy feil
Bittend / das man sich mit jr üb
Jnn boßheyt / vnd in falscher lieb
Als gont die narren jnn jr schosß
10   Glich wie zům schynder got der ochß
Oder eyn einfalt schäflin geyl /
Das nit verstat / das es jnns seyl
Gefallen ist / vnd jnn die streng
Biß jm der pfyl syn hertz durch dreng
15   Gedenck narr / das es gylt din sel
Vnd du dyeff fallest jnn die hell
Wann du mit jr vermeynschaffst dich
Wer wollust flüht / der würt dort rich
Nit sůch zitlich wollust vnd freüd
20   Als Sardanapalus der heyd
Der meynt man solt hye leben wol /
Mit wollust / freüd / vnd füllen voll
Es wer keyn wollust noch dem todt /
Das was eyns rechten narren rott
25   Das er sůcht so zergenglich freüd /
Doch hat er wor jm selbs geseydt
Wer sich mit wollust vberlad /
Der koufft kleyn freüd / mit schmertz vnd schad
Keyn zitlich wollust würt so sůsß

a Irdisches Vergnügen (Lebensgenuss) bringt aufgrund von Einfalt manchen
zu Fall   b am Flügel festhält (s. Holzschnitt)   1 die gleicht   2 leichtferti-
gen   3 ausruft   10 Schlächter   11 ein argloses und fröhliches Schäfchen
(s. Holzschnitt)   13 an den Strang   14 Pfeil   15 um deine Seele geht
17 mit ihr Gemeinschaft hast   18 flieht – reich   22 Freude / und Völlerei
(Prassen)   26 sich selbst wahrgesagt

272

Do von nit gall zů letst vß flyeß
Der gantzen welt wollustikeyt
Endt sich zů letst / mitt bitterkeyt
Wie wol der meyster Epycurus
Das hôhst gůt setzet jnn wollust

---

30 bittere Galle

Wer nit kan schwygen heymlichkeyt [h 7ᵛ]
Vnd syn anschlag eym andern seyt
Dem widerfert / rüw / schad / vnd leydt

Heymlicheit verswigen

Der ist eyn narr / der heymlicheyt
Synr frowen / oder yemans seyt
Dar durch der sterckest man verlor
Samson / syn ougen vnd syn hor /
5 Es wart verrotten ouch alsus
Der wissag Amphyaraus
Dann frowen sint als die gschrifft seyt
Böß hůteryn der heimlicheyt
Wer heymlich ding nit schwigen kan /
10 Wer důt mit btrogenheit vmb gan
Vnd spannt syn lefftzen wie eyn tor
Do hůt eyn yeder wis / sich vor /
Mancher berůmbt sich grosser sach /
Wo er nachts vff der bůlschafft wach
15 Wann man syn worten recht nach gründ
Offt man jnn vff eym misthuff fünd
Dar vß gar dick entspringet ouch /
Das man merckt / wo er åtzt den gouch
Dann was du wilt das ich nit sag /
20 Schwigstu gar wol ich schwigen mag
Magst du nit bhaltten heymlicheyt
Die du jnn gheym mir hast geseyt
Was bgårst du dann schwigen von mir
Das du nit haben möchst an dir
25 Hett Achab nit syn heymlicheyt
Synr frowen Jezabel geseyt
Vnd hett verschwigen solich wort
Es wer geschehen nit eyn mort
Wer üt heymlichs jm hertzen trag

a kein Geheimnis bewahren kann   c widerfährt / Betrübnis   **Titel** Über
Geheimnisse schweigen   4 Haar (s. Holzschnitt)   5 auch auf solche Weise
verraten   6 Wahrsager   10 geht mit Untreue um   11 Lippen   12 jeder
Kluge   14 auf Liebeslauer liege   15 auf den Grund geht   18 dem Kuckuck
Futter gibt

Der hůt sich / das ers nyeman sag
       So ist er sicher / das nyeman
       Das jnnen werd / vnd sag dar von
       Der prophet sprach / jch will alleyn /
       Myn heimlicheyt han / nit gemeyn /

32 es erfährt / und davon spricht   34 nicht allgemein

Wer durch keyn ander vrsach me [h 8ʳ]
Dann durch gůts willen grifft zůr ee
Der hat vil zancks / leyd / hader / we /

wiben durch gutz willen

Wer schlüfft inn esel / vmb das schmår
Der ist vernunfft / vnd wißheyt lår
Das er eyn alt wib nymbt zůr ee
Eyn gůtten tag / vnd keynen me
5   Er hatt ouch wenig freüd dar von   [i.i.ʳ]
Keyn frůcht mag jm dar vß entston
Vnd hatt ouch nyemer gůtten tagk
Dann so er sicht den pfening sagk
Der gatt jm ouch dick vmb die oren
10   Durch den er worden ist zům doren
Dar vß entspringt ouch offt vnd dick
Das dar zů schlecht gar wenig glück
So man das gůt alleyn betracht
Vff ere / vnd frümkeyt / gar nit acht
15   So hatt man sich dann vber wibt
Keyn fryd noch früntschafft me do blibt
Lichter wer eym syn / jnn der wůst
Dann das er langzyt / wonen můst
By eym zorn wåhen / bôsen wib
20   Dann sie dôrtt bald des mannes lib /
Worlich zů truwen ist dem nůt
Welcher vmb gelt syn jugent gytt
Sidt das jm smeckt des schmåres rouch
Er durst den esel schinden ouch
25   Vnd wann es langzyt vmbhar gat
So fyndt er nüt dann myst vnd kat
Vil stellent Achabs dochter noch
Vnd fallent jnn syn sünd vnd roch /

Titel Heiraten des Geldes wegen   **1** Wer kriecht – um das »Fett« zu bekommen (vgl. Kap. 14.1–2 und Kap. 72.36–45; s. auch den Holzschnitt)   **8** außer,
er sieht den Geldsack   **12** (seinen Weg) einschlägt   **14** Ansehen und Anstand   **15** »überweibt« (in unangemessener Weise verheiratet)   **19** zornmü-
tigen   **20** dörrt aus   **21** zu trauen   **23** Wenn er den Fettgeruch gerochen
hat   **24** Wagt er; will er   **25** lange währt   **26** Kot   **28** fallen (wie er) in
Sünde und Vergeltung

278

Der tufel Asmodeus hat
30   Vil gwalt yetz jnn dem eelichen stat /
Es sindt gar wenig Boos me
Die Ruth begeren zů der ee
Des fyndt man nüt dann ach vnd we
Vnd criminor te / kratznor a te

30 Macht – Stand   34 »Ich beschuldige dich (des Ehebruchs)!« – »Ich werde
von dir gekratzt!«

[53]

Vergunst vnd haß / witt vmbhar gat [i.i.ᵛ]
Man fyndt groß nyd / jn allem stat
Der nythart / der ist noch nit dot

Von nyd vnd has.

Vindtschafft vnd nyd / macht narren vil
Von den ich ouch hye sagen will /
Der doch entspringt alleyn dar von
Das du vergünst mir das ich han
5   Vnd du dir hettest gern das myn
Oder mir sunst nit hold magst syn /
Es ist nyd / eyn so tötlich wundt
Die nyemer me würt recht gesundt
Vnd hat die eygenschafft an jr
10   Wann sie jr ettwas gantz setzt für
So hat keyn rŭw sy / tag noch nacht
Biß sie jr anschlag hat volbracht
So lieb ist jr keyn schloff noch freyd
Das sie vergeß jrs hertzen leyd
15   Dar vmb hat sie eyn bleichen mundt
Dürr / mager / sie ist wie eyn hundt
Jr ougen rott / vnd sicht nyeman
Mitt gantzen vollen ougen an
Das wart an Saul mit Dauid schyn
20   Vnd Joseph mit den brŭdern syn /
Nyd lacht nit / dann so vndergat
Das schiff / das sie ertrencket hat
Vnd wann nyd kyfflet / nagt / langzyt
So isßt sie sich / sunst anders nüt
25   Wie Ethna sich verzert alleyn
Des wart Aglauros zŭ eym steyn
Was gyfft hab jn jm / nyd vnd haß
Das spürt man zwyschen brŭdern basß
Als Cayn / Esau / Thyestes /
30   Jacobs sŭn / vnd Ethyocles

---

a Missgunst – weit umgeht b Neid – Stand 1 Feindschaft 4 missgönnt mir, was ich habe 6 geneigt 10 sich etwas fest vornimmt 19 augenscheinlich 21 außer wenn 23 Neid zankt 24 So frisst er (der Neid) sich selbst 25 der Ätna (s. Holzschnitt) 27 Was Gift in sich hat

Die trůgen grôsseren nyd jn jnn
Dann weren sie nit brůder gsyn
Dann das geblůt würt so entzündt
Das es vil me dann frômbdes bryndt

54

Wem sackpfiffen freüd / kurtzwil gytt
Vnd acht der harpff / vnd luten nytt
Der ghórt wol vff den narren schlytt

Eyn gwisses zeichen der narrheyt
Jst / das eyn narr nyemer vertreyt
Noch mit gedult gelyden mag
Das man von wysen dingen sag
5   Eyn wyser gern von wißheyt hórt   [i.iij.ʳ]
Do durch syn wißheit wurt gemert
Eyn sackpfiff ist des narren spil
Der harppfen achtet er nit vil
Keyn gůt dem narren jn der welt
10   Baß dann syn kolb / vnd pfiff gefelt
Kum loßt sich stroffen der verkert
Narren zal ist on end gemert /
O narr gedenck zů aller fryst
Das du eyn mensch / vnd tótlich bist
15   Vnd nüt dann leym / ásch / erd / vnd myst
Vnd vnder aller creatur
So hat vernunfft jn der natur
Bist du das mynst / vnd eyn byschlack
Eyn abschum / vnd eyn trůsensack
20   Was überhebst dich dins gewalt /
Dyns adels / richtům / jugent / gestalt /
Sydt als das vnder der sunnen ist
Vnnütz ist / vnd dem wißheyt gbrist /
Wáger das dich eyn wyser stroff
25   Dann dich anlach eyn narrecht schof
Dann wie eyn brennend dystel kracht
Als ist eyn narr ouch wenn er lacht /

---

a Wem Dudelsack spielen Freude / Unterhaltung gibt b Harfe / und Laute (s. Holzschnitt) c Schlitten **Titel** Vom Nichtertragen des Tadels **2** erträgt **3** auf sich nehmen **5** von klugen Dingen **9** Besitz **10** Narrenkeule / und Narrendudelsack **11** der Verkehrte **13** zu jeder Zeit **14** sterblich **15** Lehm **18** das Geringste / und ein Geringfügiges (auch Bastard bzw. unechte Rebe) **19** Abschaum / und ein Weintrester-Sack (Behältnis für Pressrückstände) **20** Was rühmst du dich deiner Macht **22** Wo doch alles, was **24** tadle **25** närrisches Schaf

Sellig der mensch der jn jm hat
Allzyt eyn schrecken / wo er gat
Der wysen hertz / truren betracht
Eyn narr alleyn vff pfiffen acht
Man sing vnd sag / man flôh vnd bitt /
Ab syn elff ougen kumbt er nit
Vmb keyn stroff / ler / er ettwas gitt

29 (Gottes-)Furcht   30 betrachtet (auch) das Ernst-Traurige   32 man fle-
he   33 Er kommt nicht von seinen elf Augen (als Unglückszahl beim Würfeln) los   34 gibt er irgendetwas

55

Wer artzeny sich nyemet an [i.iij.ᵛ]
Vnd doch keyn presten heylen kan
Der ist eyn gůtter gouckelman

Von narrechter artzny

Der gat wol heyn mit andern narrn
Wer eym dottkrancken bsycht den harrn
Vnd spricht / wart / biß ich dir verkünd
Was ich jn mynen bůchern fynd
5 Die wile er gat zůn bůchern heym
So fert der siech gön dottenheym /
Vil nemen artzeny sich an
Der dheyner ettwas do mit kan
Dann was das krüter bůchlin lert
10 Oder von altten wybern hört
Die hant eyn kunst / die ist so gůt
Das sie all presten heylen důt
Vnd darff keyn vnderscheyt me han
Vnder jung / allt / kynd / frowen / man /
15 Oder füht / trucken / heiß / vnd kalt /
Eyn krut das hat solch krafft / vnd gwalt
Glych wie die salb jm Alabaster
Dar vß die scherer all jr plaster
Machent / all wunden heylen mit
20 Es sygen gswär / stich / brüch / vnd schnyt
Her Cucule verloßt sye nit /
Wer heylen will mit eym vngent
All trieffend ougen / rott / verblent /
Purgyeren will on wasserglaß
25 Der ist eyn artzt als Zůhsta was /
Dem glych / ist wol eyn Aduocat
Der jnn keynr sach kan geben ratt /
Eyn bichtvatter ist wol des glych
Der nit kan vnder richten sich

---

a Heilkunst   b Gebrechen   c Gaukler   **Titel** Von närrischer Heilkunst
2 den Harn besieht (prüft)   **5** Während   **6** fährt der Kranke Richtung »To-
tenheim«   **8** Von denen keiner   **15** feucht   **17** Salbengefäß   **18** die
Wundärzte all ihre (Wund-)Pflaster   **20** Geschwüre   **21** Herr *cuculus* (lat.
für Kuckuck, Narr) lässt sie nicht im Stich   **22** Salbe (lat. *unguentum*)
23 rot / blind   **24** Rein und heil machen (lat. *purgare*)

287

Was vnder yeder maletzy
Vnd gschlecht der sünden / mittels sy
Jo on vernunfft / gat vmb den bry /
Durch narren mancher würt verfůrt
Der ee verdürbt / dann er das spůrt /

30 Schlechtigkeit (mlat. *malitia*) **31** Und für (jede) Art der Sünde / ein Heilmittel (lat. *remedium*) ist **32** Dabei ohne Verstand um den (heißen) Brei geht

56

So groß gewalt vff erd nye kam [i.iiij.ᵛ]
Der nitt zů zytten / end ouch nam
Wann jm syn zyl / vnd stündlin kam

von end des gewalttes

Noch fyndt man narren manigfalt
Die sich verlont vff jren gwalt
Als ob er ewiklich solt ston
Der doch důt / wie der schne zergon
5   Julius der keyser / was genůg
Rich / måchtig / vnd von synnen klůg
Ee dann er mit gewalt an sich
Brocht / vnd regyert das Rômsche rich
Do er den zepter an sich nam
10 Syn sorg vnd angst jm huffeht kam
Vnd was so witzig nit an rott
Er würd dar vmb erstochen dott /
Darius der hat groß / måchtig land
Vnd wer wol blyben heym on schand
15 Vnd hett behaltten gůt vnd ere
Aber do er wolt sůchen mer
Vnd haben das / das syn was nitt
Verlor er ouch das syn dar mitt /
Xerxes der brocht jnn kriechen landt
20 So vil des volcks / als meres sandt
Das mer mit schiffen er bedeckt
Er môcht die gantz welt han erschreckt
Aber was wart jm me dar von
Er greiff Athenas grüslich an
25 Glich wie der lôw / angrifft eyn hůn
Vnd floch doch als die hasen thůn /
Der künig Nabuchodonosor
Do jm zů fyel me glück dann vor
Vnd er Arfaxat vber wandt
30 Meynt er erst haben alle landt
Vnd setzt eyn gôtlich gwalt jm für

---

a Macht b Ende 2 sich verlassen 4 zergehen 6 Reich – im Denken
scharfsinnig 10 gehäuft 20 Kriegsvolk 24 Er griff Athen grausam an
26 floh 28 als vorher 31 richtete seinen Sinn auf göttliche Macht

Wart doch verwandelt jn eyn thyer
Der möcht ich wol erzalen me
Jnn altter / vnd jn nuwer ee
35 Aber es dunckt mich nit syn nott [i 5ᵛ]
Gar wenig sint jn rûwen dott
Oder die stürben an jrm bett
Die man nit sunst erdôttet hett /
Har by mercken jr gwaltigen all
40 Jr sitzen zwor jn glückes fall
Sindt witzig / vnd trachtend das end
Das gott das radt / üch nit vmb wend
Vôrchten den herren / dyenent jm
Wo uch syn zorn ergryfft / vnd grym
45 Der kurtzlich wurt entflammen ser
Würt üwer gwalt nit blyben mer
Vnd werden jr / mit jm zergan
Jxion blibt syn rad nit stan
Dann es loufft vmb / von wynden kleyn
50 Sellig / wer hofft jnn gott alleyn /
Er fellt / vnd blibt nit jn der hôh
Der steyn / den waltzt mit sorg vnd we
Den berg vff / Sisyphus der tor
Glügk vnd gwalt / wert nit lange jor /
55 Dann noch der altten spruch vnd sag
Vnglück vnd hor / das wechßt all tag /
Der vnrecht gwalt / nymbt gruntlich ab
Als Jezabel zeygt / vnd Achab /
Ob schon eyn herr sunst hatt keyn vynd
60 Mûß er besorgen doch syn gsynd
Vnd vnderwil syn nâhsten fründ /
Die bringen jnn vmb syn gewalt

---

34 Aus dem Alten und Neuen Testament   **36** reuevoll gestorben   **38** anderweitig getötet   **39** merkt euch   **40** Glücksseite (des sich auf- und dann abdrehenden Rades der Fortuna; s. Holzschnitt; vgl. Kap. 37 und 56)   **41** Seid klug / und bedenkt   **43** Fürchtet   **45** bald schon   **56** Haar   **57** begründet   **59** Feind   **60** sich hüten vor seinem Gesinde   **61** zuweilen

Zambry sins herren rich noch stalt
Vnd dett an jm mort vnd dotschlag
65 Vnd wart eyn herr vff syben tag /
Alexander all welt bezwangk
Eyn dyener dott jn / mitt eym tranck /
Darius entrann / vnd was on nott /
Bessus syn dyener stach jn dott /
70 Also der gwalt sich enden důt
Cyrus der tranck syn eygen blůt /
Keyn gwalt vff erd / so hoch ye kam
Der nit eyn end mitt truren nam
Nye keyner hatt so mǎchtig fründ
75 Der jm eyn tag verheyssen künd
Vnd sicher wer eyn ougenblick
Das er solt han gewalt / vnd glück
Was die welt acht vffs aller best
Das würt verbyttert doch zů lest
80 Wer vberhebt sich das er stand
Der lůg vnd schlypff nit vff dem sand
Das jm nit werd schad / spott / vnd schand /
Groß narrheyt ist vmb grossen gwalt
Dann man jn seltten langzyt bhalt
85 So ich durch sůch all rich do hǎr
Assyrien / Meden / Persyer /
Macedonum / vnd kriechen landt
Carthago / vnd der Rǒmer standt
So hatt es als gehan sin zyl
90 Das rǒmsch rich blibt so lang got will /
Got hat jm gsetzt syn zytt / vnd moß
Der geb / das es noch werd so groß
Das jm all erd sy vnderthon
Als es von recht / vnd gsatz solt han

---

63 trachtete nach   67 tötete   68 war (schon) außer Gefahr   73 Trauer
75 einen (weiteren) Lebenstag versprechen   80 über seinen Stand erhebt
81 gleite; rutsche   85 alle bisherigen Reiche   86 Medien (im Iran)   89 sein
Ende gehabt   91 Maß

57

Wer on verdienst / will han den lon [i 6ᵛ]
Vnd vff eym schwachen ror will ston
Des anschlag / wurt vff krebsen gon

Furwissenheyt gottes

Man fyndt gar manchen narren ouch
Der ferbet vß der gschrifft den gouch
Vnd dunckt sich stryffecht vnd gelert
So er die bůcher hat vmb kert
5   Vnd hat den psaltter gessen schyer   [i 7ʳ]
Biß an den verß / Beatus vir /
Meynend / hab got eym gůts beschert
So werd jm das nyemer entwert /
Sol er dann faren zů der hell
10   So well er syn eyn gůt gesell
Vnd leben recht mit andern wol
Jm werd doch / was jm werden sol /
Narr loß von sollcher fantesy
Du gsteckst sunst bald jm narrenbry /
15   Das gott on arbeit belonung gytt
Verloß dich druff / vnd bach du nytt
Vnd wart / wo dir von hymel kunt
Eyn brotten tub / jn dynen můndt
Dann solt es also schlecht zů gon
20   So würd eym yeden knecht syn lon
Gott geb / er arbeyt oder nit
Das doch nit ist vff erden sytt
War vmb wolt gott dann ewig lon
Eym geben / der wolt můssig gon
25   Geben eym knecht der schlaffen wolt
Syn rich / vnd eyn so grossen solt /
Jch sprich / das vff erd nyemans leb
Dem gott on gnaden ettwas geb

---

b Röhricht   **c** sich auf Krebsen fortbewegen (rückwärts statt vorwärts gehen)   **Titel** Gottes Vorsehung   **2** färbt mit Hilfe der Bibel schön   **3** vornehm in Streifen   **4** umgewendet   **5** fast gegessen   **6** »Der ist ein seliger Mann« (Beginn des Psalters)   **7** jemandem   **8** genommen   **14** Narrenbrei (vgl. Kap. 13.2 und 13.10; 60.a und 60.1; 73.78; 105.6)   **16** backe nicht   **18** Eine gebratene Taube   **19** würde es so einfach zugehen   **21** Es sei der (gottgegebene) Fall, dass er arbeitet oder nicht   **22** Sitte   **26** (Himmel-)Reich

Oder dem er sy pflychtig üt

30 Dann er ist vns gantz schuldig nüt
Eyn fryer her / schenckt wem er wil
Vnd gibt vß wenig oder vil /
Wie jm gelyebt / wån gat es an
Er weiß / war vmb ers hat gethan /

35 Eyn hafner vß eym erdklotz macht   [i 7ᵛ]
Eyn erlich gschyrr / sunst vil veracht
Als kachlen / håfen / wasserkrůg
Do man jn / bôß / vnd gůttes tůg
Die kachel spricht nit wyder jn

40 Jch solt eyn krůg / eyn hafen syn
Gott weiß (dem es alleyn zů stat)
War vmb er all ding geordnet hat /
War vmb er Jacob hat erwelt
Vnd nit Esau jm glich gezelt /

45 War vmb er Nabuchodonosor
Der vil gesündet hatt lang jor
Strofft / vnd zů ruw doch kumen lyeß
Vnd zů sym rich / noch dem er bůsßt /
Vnd Pharao mit Geyßlen hart

50 Strofft / der do von doch bôser wart /
Eyn artzeny macht eynen gsunt
Vnd macht den andern mer verwundt /
Dann eyner noch dem er entpfandt
Gotts stroff / vnd der gewaltigen handt

55 Bdocht er syn sünd / mit sufftzen vil /
Der ander brucht syn fryen will
Vnd merckend gotts gerechtikeyt
Myßbrücht er syn barmhertzigkeyt /
Dann gott nye keynen hatt verlon

60 Er wust / war vmb ers hatt gethon
Wann ers wolt als glych han eracht

---

33 beliebt   **35** Töpfer – Erdklumpen   **36** ansehnliches Geschirr   **37** irdene Gefäße / (irdene) Töpfe   **47** Reue   **49** Geißeln (als Plagen; s. auch Kap. 27.22–23)   **53** empfand   **55** Seufzern   **56** gebraucht   **59** verlassen

Er hett wol nůt dann rosen gmacht
Aber er wolt ouch dystlen han
Do man syn gerechtikeyt såh an
65 Der was ein nydisch schalckhafft knecht [i 8ʳ]
Der meynt syn herr dåt jm vnrecht
Do er jm gab syn gdingten solt
Vnd gab eym andern was er wolt
Der wenig arbeyt hatt gethon
70 Dem gab er doch eyn glychen lon
Man fyndt gar vil gerechter lüt /
Die hye vff erd hant vbelzyt
Vnd loßt jn gott zů handen gon
Als ob sie vil sünd hetten gthon
75 Dar gegen fyndt man narren dick
Die zů all sachen hand vil glück
Vnd jnn jrn sünden syndt so fry
Als ob jr werck gantz heylig sy /
Das sint die vrteyl gotts heymlich
80 Der vrsach weiß nyeman gentzlich
Je me man die zů gründen gårt
Je mynder man dar von erfårt
Ob yeman schon wånt das ers wiß
So ist er syn doch vngewiß
85 Dann all ding werdent vns gespart
Jnn kunfftig / vnsicher / hynfart /
Dar vmb loß gots fürwissenheyt
Vnd ordenung der fürsichtikeyt
Stan wie sie stat / thů recht vnd wol
90 Gott ist barmhertzig / gnaden vol
Loß wissen jnn / als das er weiß
Dů recht / den lon ich dir verheiß
Beharr / so gib ich dir myn sel
Zů pfand / du kumbst nit jnn die hell /

63 Disteln   65 boshafter   67 ausbedungen   72 eine schlechte Zeit
73 etwas zustoßen   79 verborgen   81 zu ergründen begehrt   82 Je weniger   85 aufgespart   88 Voraussicht

296

58

Wer leschen will eyns andern für [i 8ᵛ]
Vnd brennen loßt syn eygen schür
Der ist gůt vff der narren lür

Syn selbs vergessen

Wer groß arbeyt vnd vngemach
Hat / wie er fürdere frômbde sach
Vnd wie eyns andern nutz er schaff
Der ist me dann eyn ander aff
5   So er nit jnn sinr eygnen sach
Lûgt das er flissig sy vnd wach
Der narren bûchlin billich lysßt
Wer wis ist / vnd syn selbs vergißt
Dann der geordente lieb will han
10   Der soll an jm selbst vohen an
Als ouch Terencius vermant
Jch bin mir aller nâhst verwant
Eyn yeder lûg vor syner schantz
Ee er sorg / wie eyn ander dantz
15   Der will verderben ee dann zytt
Der jm nit segt / vnd andern schnyt
Vnd wer eyns andern kleydt mit fliß
Süfert / vnd er das syn beschißß
Wer leschen will eyns andern huß
20   So jm die flamm schleht oben vß
Vnd brennt das syn jn alle macht
Der hat vff syn nutz wenig acht
Wer fürdern will eyns andern karr
Vnd hyndern sich / der ist eyn narr
25   Wer sich mit frômbder sach belad
Vnd selbst versumbt / der hab den schad
Wer sich des vber reden latt
Dar vß jm spott vnd schad entstat

---

a Feuer   b Scheune   c Der spielt gut auf der Narrenleier   **Titel** Sich selbst
vergessen   2 befördere   4 eine zweite Affenart   7 zu Recht   9 die rechte
Liebe   10 anfangen   11 ermahnt   13 schaue zunächst auf seine Chance
15 vor der Zeit   16 Wer für sich nicht sät / und (beim Ernten) für andere
schneidet   17 mit Fleiß   18 säubert – beschmutzt   20 schlägt   21 mit aller Macht (s. Holzschnitt)   23 Karren   26 Und die eigene (im Sinne der
Selbstsorge) vernachlässigt

Der mag die leng sich nit erwören
30   Der narr erwysch jn by dem gören
Mach wißheyt jnn mit schaden leren
Dem lydt syn dott am hertsten an
Den sunst erkennet yederman
Vnd er styrbt / vnd syn leben endt
35   Das er sich selbst nit hatt erkent

29 auf Dauer   **30** an den Rockschößen (s. Holzschnitt)   **31** Lass die Weisheit ihn durch Schaden lernen   **32** drückt

59

Wer bgårt / das man jm dyen all tag [k.i.ᵛ]
Vnd er doch danck / vnd lon versag
Jst wol / das man jm die brütschen schlag

Von vndanckberkeyt

Der ist eyn narr / der vil begårt
Vnd er nüt důt der eren wert
Vnd gibt eym můg / vnd arbeit vil
Dem er doch wenig lonen wil
5 Wer von eyner sach will haben gwynn
Billich setzt der jnn synen synn
Das er ouch kosten leg der an
Will anders er mit eren stan /
Gar seltten jn sym wesen blibt
10 Eyn můd roß / das man vber tribt
Eyn willig roß würt stettig baldt
Wann man daß fůtter jm vorhaldt
Wer eym vil ding zů můten gtar
Vnd lonen nitt / der ist eyn narr
15 Wer nit mag haben wol für gůt
Was man vmb zymlich lon jm důt
Der soll zů zytten sich nit klagen
Ob man jm arbeyt důt versagen
Jo sol man jm die brittschen schlagen /
20 Wes eyner will das er genyeß
Der lůg das er ouch widerschyeß
Vndanckberkeyt nymbt bösen lon
Sie macht den brunnen wassers on
Eyn altt Cystern nit wasser gytt
25 Wann man nit wasser ouch dryn schytt /
Eyn důren angel gar bald kyerrt
Wann man jn nit mit öl ouch schmyert

a diene   c ist gut dafür (wert), dass man ihm die Narrenpritsche zu spüren
gibt (s. Holzschnitt) 3 Mühe und Plage 6 Zu Recht 8 Wenn er in Ansehen bleiben will 9 in gutem Zustand 10 übermäßig antreibt 11 stör-
risch 12 vorenthält 13 zuzumuten wagt 15 Wer nicht für gut halten
kann 16 angemessenen 20 Was 21 entsprechend zurückschieße (eine
Gegenleistung erbringe) 24 Zisterne (lat. *cisterna*) 26 Eine Türangel
knarrt recht schnell

Der ist nit würdig grösser schenck
Wer an die kleynen nit gedenck
30 Dem würt billich versagt all gob
Der vmb die kleyn nit saget lob
Der heisßt wol vnuernunfft / vnd grob
All wysen ye gehasset hant
Den / der vndanckbar wart erkant

---

28 Gaben   **31** sich bedankt   **32** zu Recht unvernünftig

60

Des narren bry / ich nye vergaß [k.ij.ᵛ]
Do mir gefiel das spyegel glaß
Hans esels or / myn brůder was

Der růrt jm wol den narren bry
Wer wånet das er witzig sy
Vnd gfelt alleyn jm selber wol
Jnn spyegel sicht er yemertol
5 Vnd kan doch nit gemercken das   [k.iij.ʳ]
Das er eyn narren sicht jm glaß
Doch wann er schweren solt eyn eyt
Vnd man von wis vnd hübschen seyt
So meynt er doch er wers alleyn
10 Man fynd sins glich vff erden keyn
Vnd schwůr ouch jm gebrŏst gantz nüt
Sin tůn vnd lon gfelt jm all zyt
Den spiegel er nit von jm latt
Er sytz / lyg / ritt / gang / wo er statt /
15 Glich als der keyser Otto dett
Der jn dem stritt eyn spyegel hett
Vnd schar all tag syn backen zwilch
Vnd wůsch sie dann mit esels milch
Das ist eyn wibertåding gůt
20 Keyn on den spyegel ettwas důt
Ee sie sich schleygeren recht dar vor
Vnd muttzen / gatt wol vß eyn jor
Wem so gefelt wis / gstalt / vnd werck
Das ist der aff von Heydelberck
25 Pygmalion gfiel syn eygen byld
Des wart er jnn narrheit gantz wild
Hett sich Narcissus gspyeglet nit
Er hett gelebt noch lange zyt
Manches sicht ståts den spyegel an

a den Narrenbrei habe ich nie (weiterzukochen) vergessen (zum Narrenbrei
vgl. Kap. 13.2 und 13.10; 57.14; 73.78; 105.6)   **Titel** Von Selbstgefälligkeit
1 (s. Holzschnitt)   **4** immerfort wie verrückt   **7** schwören   **8** von Klugen
und Schönen spricht   **11** fehlte gar nichts   **16** im Krieg   **17** schor – zweimal   **19** eine weibische Sache   **21** mit Schleiern schmücken   **22** herausput-
zen   **24** (altes Wahrzeichen auf der Heidelberger Neckarbrücke)

30 Sieht doch nüt hübsches dar jnn stan /
Wer also ist eyn narrecht schoff /
Der lidt ouch nit das man jn stroff
Jo gatt er jnn sym wesen hyn
Vnd wil mit gwalt / nit witzig syn

31 närrisches Schaf   **32** erträgt – tadelt   **33** lebt in seinem Zustand dahin

61

Das best / am dantzen / ist das man [k.iij.ᵛ]
Nit yemerdar důt für sich gan
Vnd ouch by zyt vmb keren kan

Von dantzen

Jch hieltt nah die für narren gantz
Die freüd vnd lust hant jn dem dantz
Vnd louffen vmb als werens toub
Müd füß zů machen jnn dem stoub
5 Aber so ich gedenck dar by   [k.iiij.ʳ]
Wie dantz / mit sünd entsprungen sy
Vnd ich kan mercken / vnd betracht
Das es der tüfel hat vff bracht
Do er das gulden kalb erdaht
10 Vnd schůff das got wart gantz veraht /
Noch vil er mit zů wegen bringt
Vß dantzen vil vnratts entspringt
Do ist hochfart / vnd üppikeyt
Vnd für louff der vnlutterkeyt
15 Do schleyfft man Venus by der hend
Do hatt all erberkeyt eyn end /
So weys ich gantz vff erterich
Keyn schympf der sy eym ernst so glich
Als das man dantzen hat erdocht
20 Vff kilchwih / erste meß ouch brocht
Do dantzen pfaffen / mynch / vnd leyen
Die kutt můß sich do hynden reyen
Do loufft man / vnd würfft vmbher eyn
Das man hoch sieht die bloßßen beyn
25 Jch will der ander schand geschwigen
Der dantz schmeckt bas dann essen fygen
Wann Kůntz mit Mâtzen dantzen mag

b Nicht immer nur vorangeht   1 hielte die beinahe ganz für Narren   3 un-
empfindlich   5 Aber wenn   8 Teufel   9 das (biblische) Goldene Kalb er-
dachte (s. Holzschnitt)   10 bewirkte   11 er damit   12 Schaden; Unheil
13 Hochmut / und Ausschweifungssucht   14 Voranschreiten der sittlichen
Unreinheit   16 Ehrbarkeit   17 auf der ganzen Erde   18 Kein Scherz
20 Auch auf die Kirchweih / (und) Primizfeiern gebracht hat   22 Die Kutte
muss sich hinten (bei den Tänzern) einreihen   26 Feigen

Jnn hungert nit eyn gantzen dag
So werden sie des kouffes eys
Wie man eyn bock geb vmb eyn geiß
Soll das eyn kurtzwil syn genant
So hab ich narrheyt vil erkant
Vil wartten vff den dantz lang zytt
Die doch der dantz ersettigt nit

28 enthalten sie sich keinen Tag   29 handelseinig

62

Wer vil lust hat wie er hofier
Nachts vff der gassen vor der thůr
Den glust / das er wachend erfrůr

von nachtes hofyeren.

Jetz wer schyer vß der narren dantz
Aber das spiel wer nit all gantz
Wann nit hie weren ouch die löffel
Die gassentretter / vnd die göffel
5   Die durch die nacht keyn růw went han   [k 5ʳ]
Wann sie nit vff der gassen gan
Vnd schlagent luten vor der tůr
Ob gucken well die måtz har fůr
Vnd kumen vß der gassen nit
10   Biß man eyn kammer loug jnn gytt
Oder sie würffet mit eym steyn
Es ist die freüd jn warheyt kleyn
Jnn winters nåcht also erfrüren
So sie der göuchin dünt hofyeren
15   Mit seittenspyel / mit pfiffen / syngen
Am holtzmarckt vber die blöcher springen
Das dünt studenten / pfaffen / leyen /
Die pfiffen zů dem narren reyen
Eyner schrygt / juchtzet / bröllt vnd blört
20   Als ob er yetzend würd ermört
Je eyn narr do dem andern seyt
Wo er můß wartten vff bescheyt
Do můß man jm dann hoffrecht machen
Als heymlich halttet er syn sachen
25   Das yederman do von můß sagen
Die vischers vff den küblen schlagen
Mancher syn frow loßt an dem bett

---

c Der hat Lust darauf / hellwach zu erfrieren   **Titel** Vom Ständchenbringen
in der Nacht   1 fast   2 nicht vollständig   3 verliebte Ständchenbringer
4 Die Herumtreiber in den Straßen / und die Mädchengaffer   7 schlagen die
Laute   10 ihnen eine Kammerlauge gibt (eine Nachttopffüllung; s. Holzschnitt)   14 (weibliche Form von *gouch*)   15 pfeifen   16 Bohlen
18 Narrenreigen   19 schreit / kreischt / brüllt und plärrt   20 ermordet
23 Ständchen   24 So geheim   26 Die Fischer schlagen (trommeln) es auf
den Kübeln

Die lieber kurtzwil mit jm hett
Vnd dantzt er an dem narrenseyl
30 Nymbt das gůt end / so darff es heyl
Jch schwig der / den das selb gyt freüd
Das sie louffen jm narren kleyd /
Wann man eyn narren gyene hieß
Mancher sich an den namen styeß

30 so bedarf es dazu göttlicher Hilfe (eines glücklichen Zufalls)
31 schweige von denen   33 jene nennte   34 nähme Anstoß

63

Jch vorcht mir ging an narren ab [k 5ᵛ]
Vnd han durch sůcht den båttel stab
Kleyn wißheyt ich do funden hab /

Von bettleren

Der bâttel hat ouch narren vil
All welt die ryecht sich yetz vff gyl
Vnd will mit bâttlen neren sich
Pfaffen / mynchs ôrden sint vast rich
5   Vnd klagent sich / als werent sie arm   [k 6ʳ]
Hü bâttel / das es gott erbarm
Du bist zů notturfft vff erdocht
Vnd hast groß huffen zamen brocht
Noch schrygt der prior trag her plus
10 Dem sack dem ist der boden vß /
Des glychen dûnt die heyltûm fûrer /
Stürnenstôsser / statzionyerer
Die nyenant keyn kirchwih verlygen
Vff der sie nit ôfflich vß schrygen
15 Wie das sie fûren jn dem sack
Das hew / das tief vergraben lagk
Vnder der kryppf zů Bettleheyn
Das sy von Balams esels beyn /
Eyn fâder von sant Michels flügel
20 Ouch von sant jôrgen roß eyn zügel
Oder die buntschûh von sant Claren /
Mancher dût bâttlen by den joren
So er wol wercken môht vnd kundt
Vnd er / jung / starck ist / vnd gesundt
25 Wann das er sich nit wol mag bucken
Jm stâckt eyn schelmen beyn jm rucken

a mir ginge von den Narren einer verloren   b (jene mit) Bettelstab   1 Das
Bettlerwesen   2 wendet sich dem Betteln zu   6 Hei! (Ausruf)   7 für den
nötigsten Bedarf   8 hast (jetzt) eine große Menge zusammengebracht
9 ruft der Klosterprior – mehr (lat. *plus*)   10 Bettelsack   11 Reliquienträ-
ger   12 Sich an den Stirnen stoßende (fromme Vagabunden oder Pilger) /
Reliquienkrämer (mlat. *statio*/›Wallfahrtsstation‹)   13 versäumen   14 offen   17 Unter der Krippe von Betlehem   18 Knochen   22 in den Jahren
23 arbeiten vermöchte und könnte   25 außer – bücken   26 Ganovenkno-
chen

Sin kynd die müssent jung dar an
On vnderloß zům båttel gan
Vnd leren wol das båttel gschrey
30 Er bråch jnn ee eyn arm entzwey
Oder etzt jnn vil blåtzer / bülen
Do mit sie künden schrygen hülen /
Der sytzen vier vnd zwentzig noch
Zü Straspurg jn dem dummenloch
35 On die man setzt jnn weisen kasten [k 6ᵛ]
Aber båttler dünt seltten vasten
Zů Basel vff dem kolenbergk
Do triben sie vil bůbenwergk
Jr rottwelsch sie jm terich hand
40 Jr gfůge narung durch die land
Jeder Stabyl ein hörnlüten hatt
Die voppen / ferben / ditzent / gat
Wie sie dem predger gelt gewynn
Der lůg wo sy der joham grym
45 Durch alle schöchelboß er loufft
Mit rübling junen ist syn kouff
Biß er beseuelet hye vnd do
So schwåntzt er sich dann anderswo
Veralchend vber den breithart
50 Styelt er all breitfůß / vnd flughart
Der sie flösßlet / vnd lüßling ab schnytt
Grantner / klant / vetzer / fůren mit

31 ätzt ihnen viele Flecken, Beulen ein   32 schreien, heulen
34 (Name einer verrufenen Straße)   35 ohne jene, die man ins Waisenhaus
steckte   37 (verrufenes Bettler- und Gaunerviertel)   38 Gaunereien
39 Rotwelsch (Gaunersprache, aus der die folgenden Ausdrücke stammen) sie
im Lande haben   40 Ihren hinreichenden Unterhalt landauf, landab   41 Jeder Bettler eine Dirne hat   42 Die lügen / betrügen / (und) etwas vorgau-
keln geht   43 Bettler   44 wo der Wein gut sei   45 Wirtshäuser   46 Wür-
felspielen ist sein Geschäft   47 betrügt; bescheißt   48 macht er sich davon   49 wandernd; sich fortpackend ins Weite, über die Heide   50 Gänse
(Enten) / und Hühner   51 ertränkt; tötet – Hals; Kragen   52 Bettler (die
Krankheiten vortäuschen) / Schnorrer (mit einer Schlinge am Arm als Zeichen erduldeter Gefangenschaft) / Fessler

314

Eyn wild begangenschafft der welt
Jst wie man stelt yetz vff das gelt
55 Herolden / sprecher / Partzifand /
Die strofften ettwann öfflich schand
Vnd hatten dar durch eren vil
Eyn yeder narr yetz sprechen wil
Vnd tragen stäblin ruch vnd glatt
60 Das er werd von dem bättel satt /
Eym wer leyd das gantz wer syn gwandt
Bätler beschyssen alle landt /
Eyner eyn sylberin kelch müß han
Do all tag syben moß jn gan
65 Der gat vff krucken so mans sicht   [k 7ʳ]
Wann er alleyn ist / darff ers nicht
Diser kan fallen vor den lüten
Das yederman tüg vff jn düten
Der lehnet andern jr kynder ab
70 Das er eyn grossen huffen hab
Mit körb eyn esel düt bewaren
Als wolt er zů sant Jacob faren /
Der gat hyncken / der gat bucken
Der byndet eyn beyn vff eyn krucken
75 Oder eyn gerner beyn jn die schlucken
Wann man jm recht lügt zů der wunden
So säh man / wie er wer gebunden /
Zům bättel loß ich mir der wile
Dann es sint leyder bättler vile
80 Vnd werden stäts ye me vnd me
Dann bättlen das düt nyeman we
On dem / der es zů nott müß triben

53 Treiben; Tun   54 trachten nach   55 (mit dem Sprecheramt betraute) He-
rolde / Spruchsprecher / Unterherolde (frz. *poursuivant*)   56 tadelten einst
offen   58 vortragen   59 Heroldsstäbe rau und glatt   61 wenn sein Gewand ganz wäre   66 bedarf er ihrer nicht   68 wagt, auf ihn zu deuten
69 leiht sich die Kinder anderer   71 beschweren   73 hinkend   75 das Bein
eines Toten in den Kittel   77 (nur) angebunden ist   78 Für das Bettlerwesen nehme ich mir Zeit   82 Mit Ausnahme dessen

315

Sunst ist gar gůt eyn båttler bliben
Dann båttlen des verdürbt man nit
85   Vil bgont sich wol zů wißbrott mitt
Die dryncken nit den schlåhten wyn
Es můß Reynfal / Elsasser syn
Mancher verloßt vff båttlen sich
Der spielt / bůbt / halt sich üppeklich
90   Dann so er schon verschlembt syn hab
Schleht man jm båttlen doch nit ab
Jm ist erloubt der båttelstab /
Vil neren vß dem båttel sich
Die me geltts hant / dann du vnd ich

84 daran verdirbt   85 bringen es damit zu Weißbrot   86 den einfachen
Wein   87 Wein von Rivoglio (in Istrien)   89 spielt / führt ein unzüchtiges
Gaunerleben – unnütz; leichtfertig   90 wenn er schon seine Habe verprasst
hat

64

Mancher der ritt gern spat vnd frů [k 7ᵛ]
Künd er vor frowen kumen zů
Die lont dem esel seltten růw

Von bosen wibern.

Jnn myner vorred hab ich gton
Eyn bzügniß / protestacion
Jch well der gûtten frowen nycht
Mit arg gedencken jn mym gdycht
5   Aber man würt bald von mir klagen
Solt ich nüt von den bôsen sagen
Eyn frow / die gern von wißheit hôrt
Die würt nit lycht jn schand verkôrt
Eyn gût frow / senfft des mannes zorn
10 Assuerus hatt eyn eyd geschworn
Noch macht jn Hester weych vnd lynd
Abygayl senfft Dauid gschwynd
Aber bôß frowen / gânt bôß râdt
Als Ochosyas mûter dett
15 Herodias jr dochter hyeß
Das man den tôuffer kôppfen lyeß
Salmon durch frowen râtt verkert
Wart / das er die abgôtter ert /
Eyn frow ist worden bald eyn hâtz
20 Wann jnn sunst wol ist mit geschwâtz
Vnd lyplep / schnâdern / tag vnd nacht
Pyeris hat vil jungen gmaht
Den ist gelüpt die zung so wol
Das sie dick brennet wie eyn kol /
25 Diß klagt / die klappert / dise lügt
Die richt vß / als das stübt vnd flügt /
Die ander kyflet an dem bett
Der eeman seltten fryd do hett

b käme er nur vor lauter Frauen dazu **c** Ruhe (s. Holzschnitt) **2** ein Bekenntnis; eine Erklärung (mlat. *protestatio*) **4** Bosheit **6** Würde ich nichts über die Schlechten sagen **8** verkehrt **9** besänftigt **11** Danach **13** geben üble Ratschläge **19** (plappernde) Elster **20** Denn ihnen ist ohnehin wohl **21** Geplapper / Schnattern **22** viel Nachwuchs gezeugt **23** vergiftet **24** Kohle **25** klatscht **26** hechelt durch – staubt **27** keift

Mǔß hǒren predig ouch gar offt
30 So manch barfǔsser lytt vnd schlofft
Es zǔht die strǎbkatz mancher man
Der doch das merteyl noch mǔß lan /
Manch frow ist frum vnd bschyd genǔg
Vnd ist dem man alleyn zǔ klǔg
35 Das sie nit von jm lyden mag
Das er sie ettwas ler / vnd sag /
Gar dick eyn man jnn vnglück kunt
Alleyn durch siner frowen mundt
Als Amphyon zǔ Theba gschach
40 Do er syn kynd all sterben sach /
Wann frowen soltten reden vil
Calphurnia kem bald jns spil /
Eyn bǒß frow stǎts jr boßheyt eügt
Die frow der joseph dyent / das zeygt /
45 Keyn grǒssern zorn man yenant spürt
Dann so eyn wibs bild zornig würt
Die wǔttet / wie eyn lǒwin stǔdt
Der man die jungen nǎmen dǔt
Oder eyn bǎrin / die do seygt
50 Medea das / vnd Progne zeygt /
Wann man die wißheyt gantz durch gründt
Keyn bitterer krut vff erd man fyndt
Dann frowen der hertz ist eyn garn
Vnd strick / dar jn vil doren farn /
55 Durch dry ding würt die erd erschütt
Das vierd das mag sie tragen nitt /
Eyn knecht der worden ist eyn her /
Eyn narr der sich hat gfüllet ser /

---

30 Wenn manch Barfüßermönch (längst) liegt und schläft   31 (ein Kinder-
spiel, bei dem zwei Parteien in entgegengesetzte Richtung ziehen)   32 (bei
diesem Spiel) den größeren Teil nachgeben muss   33 und gescheit   43 im
Blick hat   45 irgend   47 eine Löwin (oder) eine Stute   49 säugt   51 er-
gründet   52 Kraut   53 ein Netz   54 in das viele Toren hineingehen
55 erschüttert   56 ertragen   58 abgefüllt

319

```
        Eyn nydesch böß vnd gifftig wib
60      Wer die vermåhlet synem lib /
        Das vierd all früntschafft gantz verderbt
        Eyn dienst magt die jr frowen erbt /
        Dry ding man nit erfüllen mag
        Das vierd schrygt ståts / har zů har trag
65      Eyn frow / die hell / das erterich          [l.i.ʳ]
        Das schluckt all wassers güsß jnn sich /
        Das für spricht nyemer hör vff nů
        Jch hab genůg / trag nym har zů /
        Dry ding ich nit erkennen kan
70      Des vierden weiß ich gantz nütz von /
        Wann jn dem lufft eyn Adler flüht
        Eyn schlang die vff eym velsen krücht
        Eyn schiff das mitten gat jm mer /
        Eyn man der noch hat kyndesch ler /
75      Des glych der weg eynr frowen ist
        Die sich zům eebruch hat gerüst
        Die schleckt / vnd wüscht den munt gar schon
        Vnd spricht / ich hab nüt böss geton
        Eym rynnend tach zů wynters fryst
80      Jst glich eyn frow die zånckisch ist /
        Hell / vnd vågtüfel hat genůg
        Wer mit eynr solchen züht jm pflůg /
        Vaschy håt vil nochkumen gelan
        Die wenig achten vff jr man /
85      Des wibs will ich geschwigen gar
        Die zů riehten / eyn süpplin gtar
        Als Poncia vnd Agrippina /
        Belides vnd Clytymnestra
        Die jr mann stochen an dem bett
```

62 ihre Herrin beerbt   **64** schreit stets: »Trag mehr heran!«   **65** Erden-
reich   **67** Feuer   **68** trag nicht weiter heran   **74** kindlichen Wissens-
stand   **79** ein triefendes Dach im Winter   **81** Fegeteufel   **82** (zusammen
im Gespann) den Pflug zieht   **83** hinterlassen   **86** ein »Süppchen« anzu-
richten wagt

90　　Als Phereo syn hußfrow dett /
　　　Gar seltzen ist Lucrecia /
　　　Oder Cathonis porcia
　　　Vppiger frowen fyndt man vil
　　　Dann Thays ist jn allem spil

[65]

Vil abergloub man yetz erdicht [l.i.ᵛ]
Was kunfftig man an sternen sycht
Eyn yeder narr sich dar vff rycht

Der ist eyn narr der me verheißt
Dann er jn sym vermógen weisßt
Oder dann er zů tůn hat můt
Verheissen ist den ártzten gůt
5 Aber eyn narr verheisßt eyn tag   [I.ij.ʳ]
Me dann all welt geleysten mag /
Vff kunfftig ding man yetz vast lendt
Was das gestyrn vnd firmament
Vnd der planeten louff vns sag
10 Oder gott jnn sym rott anschlag
Vnd meynent das man wissen sóll
Alls das got mit vns würcken wóll
Als ob das gstirn eyn notturfft bring
Vnd jm noch můsten gan all ding
15 Vnd gott nit herr vnd meyster wer
Der eyns lycht macht / das ander swár
Vnd laßt das vil Saturnus kyndt
Dannacht gerecht / frumm / heylig synd
Dar gegen Sunn / vnd Jupiter
20 Hant kyndt die nit syndt boßheyt lár
Eym kristen menschen nit zů stat
Das er mit heyden künst vmb gat
Vnd merck vff der planeten louff
Ob dyser tag sy gůt zům kouff /
25 Zů buwen / krieg / machung der ee /
Zů früntschafft / vnd des glychen me
All vnser wort / werck / tůn vnd lon
Vß gott / jnn gott / alleyn sol gon

b als Zukunft   **Titel** Von der Beobachtung der Sterne   **2** weiß   **6** zu leisten vermag   **7** Künftigen Dingen wendet man sich jetzt stark zu   **10** plane   **13** etwas Unumgängliches   **14** Und nach ihm (dem Gestirn)   **17** zulässt – (unter dem Unheilbringer) Saturn Geborene   **18** Dennoch   **20** von Schlechtigkeit frei   **22** mit den Wissenschaften (und Künsten) der Heiden umgeht   **24** Geschäft   **25** Bauen

Dar vmb gloubt der nit recht jnn got /
30 Der vff das gstirn sollch glouben hat
Das eyn stund / monet / tag vnd jor
So glücklich sy / das man dar vor
Vnd nach / sol grosß anfohen nüt
Wann es nit gschicht die selbe zyt
35 Das es dann nym geschehen mag   [l.ij.ᵛ]
Dann es sy eyn verworffen tag /
Vnd wer nit ettwas nuwes hat
Vnd vmb das nuw jor syngen gat /
Vnd gryen tann riß steckt jn syn huß
40 Der meynt er leb das jor nit vß
Als die Egyptier hieltten vor /
Des glichen zů dem nuwen jor
Wem man nit ettwas schencken důt
Der meynt das gantz jor werd nit gůt /
45 Vnd des glych vngloub allerley
Mit worsagen / vnd vogelgschrey
Mitt caracter / sågen / treümerbůch /
Vnd das man by dem monschyn sůch
Oder der schwartzen kunst noch stell
50 Nüt ist das man nit wissen well
So yeder schwůr / es fållt jm nit /
So fålt es vmb eyn burenschritt
Nitt das der sternen louff alleyn
Sie sagen / jo eyn yedes kleyn
55 Vnd aller mynst jm flyegen hirn
Will man yetz sagen vsß dem gestirn
Vnd was man reden / rotten werd /
Wie der werd glück han / was geberd

---

33 Großes anfangen   **34** genau zu dieser Zeit   **37** Neues   **39** grünes Tannenreisig   **40** überlebe das Jahr nicht   **41** Wie die Ägypter glaubten
45 Aberglauben   **47** Mit magischen Schriftzeichen / magischen Segenssprüchen / Traumbüchern   **48** Mondschein   **49** schwarze Magie   **50** Es gibt nichts   **51** fehle   **52** So fehlt es (doch) einen tüchtigen Bauernschritt breit
55 Geringste im Fliegenhirn

Was willen / zůfall der kranckheit
60 Frâuelich man vß dem gstirn yetz seit /
Jnn narrheyt ist all welt ertoubt
Eym yeden narren man yetz gloubt /
Vil practick vnd wissagend kunst
Gatt yetz vast vß der drucker gunst /
65 Die drucken alles das man bringt   [l.iij.ʳ]
Was man von schanden sagt vnd singt
Das gott nůn als on straf do hyn
Die weltt die will betrogen syn /
Wann man solch kunst yetz trib vnd lert
70 Vnd das nit jnn vil boßheyt kert
Oder das sunst brâcht schad der sel
Als Moyses kund vnd Daniel /
So wer es nit eyn bôse kunst
Jo wer sie würdig růms vnd gunst /
75 Aber man wissagt mir / das vieh sterb
Oder wie / korn vnd wyn verderb
Oder wann es schnyg oder reg
Wann es schôn sy / der wynt weg
Buren fragen noch solcher gschryfft
80 Dann es jn zů gewynn antrifft
Das sie korn / hynder sich vnd wyn
Haltten / biß es werd dürer syn /
Do Abraham laß solche bůch
Vnd jnn Chaldea sternen sůcht
85 Was er der gsieht vnd trostes an
Die jm gott sandt jnn Chanaan /
Dann es ist eyn lychtferikeyt
Wo man von solchen dingen seitt
Als ob man gott wolt zwingen mitt

---

60 Frech   61 betäubt   63 Kalender- und Prophezeiungsliteratur
64 Kommt jetzt rasch heraus, begünstigt durch die Drucker   66 an Schändli-
chem   72 wie es (noch) Moses konnte und Daniel   77 schneie oder regne
78 wehe   80 ihren Gewinn betrifft   81f. Dass sie Korn und Wein zurück-
halten   82 teurer   85 War er ohne Licht und Trost   87 Leichtfertigkeit

Das es můst syn / vnd anders nitt
    Gotts lieb verloschen ist vnd gunst
    Des sůcht man yetz des tüfels kunst
    Do Saul der kunig was verlan
    Von gott / růfft er den tüfel an

93 verlassen

66

Wer vß misßt hymel / erd / vnd mer [l.iij.ᵛ]
Vnd dar jnn sůcht lust / freüd / vnd ler
Der lůg / das er dem narren wer

Jch halt den ouch nit jtel wiß
Der all syn synn leidt / vnd syn fliß
Wie er erkund all stett / vnd landt
Vnd nymbt den zyrckel jn die hant
5   Das er dar durch berichtet werd   [l.iiij.ʳ]
Wie breit / wie lang / wie witt die erd
Wie dieff / vnd verr sich zieh das mer
Vnd was enthalt den letsten spôr /
Wie sich das mer zů end der welt
10   Haltt / das es nit zů tal ab felt
Ob man hab vmb die gantz welt fûr
Was volcks wone vnder yeder schnûr /
Ob vnder vnsern fûssen lüt
Ouch sygen / oder do sy nüt
15   Vnd wie sie sich enthaltten vff
Das sie nit fallen jnn den lufft /
Wie man vß mit eym stâcklin râch
Das man die gantze welt durch sâch
Archymenides der wust des vil
20   Der macht jm puluer / kreiß vnd zyl
Do mit er vil vßrâchen kundt
Vnd wolt nit vff tůn synen mundt
Er vorcht es ging eyn plast dar von
Das jm an kreyssen ab wurd gon
25   Vnd ee er reden wolt eyn wort
Lyeß er ee das er wurd ermort /
Der messen kunst was er behend
Kund doch vß ecken nit syn end /

a ausmisst   c abwehrend entgegentritt   Titel Von der Erkundung aller Länder   1 nicht für wirklich klug   2 sein Denken darauf verlegt   7 wie weit;
fern   8 Sphäre; Erdkreis (lat. *sphaera*; s. Holzschnitt)   11 Fahrgelegenheit
(Zugang)   12 Richtungsschnur; Grad   15 auf (dem Boden) halten   17 mit
einem Rechenstab ausrechne   18 durchblicke   20 auf dem Sand Kreis und
Linie   23 Hauch   24 an den Kreisen etwas verloren ginge   26 Ließ er eher
zu   27 In der Kunst des Messens war er gewandt   28 ausrechnen; ausmessen

Dycearchus der fleiß sich des
30 Das er die hôh der berg vß meß
Vnd fandt das Pelyon hôher waß
Dann alle berg die er ye mâß
Doch maß er nit mit syner handt
Die Alppen hoch jm Schwitzer landt
35 Masß ouch nit wie tieff wer das loch   [l.iiij.ᵛ]
Do hyn er mûst / vnd sitzet noch /
Ptolomeus rechnet vß mit gradt
Was leng vnd breyt das ertrich hatt /
Die leng zücht er von oryent
40 Vnd endt die selb jnn occident /
Das hundert / achtzig grad er acht /
Sechtzig vnd dryg / gen mitternacht
Die breyt vom equinoccial
Gen mittemtag / ist sie me schmal
45 Zwentzig vnd funf er fyndet gradt
Des lands so man erkundet hat
Plynius râcht das mit schritten vß
So machet Strabo mylen druß
Noch hat man sythar funden vile
50 Landt / hynder Norwegen vnd Thyle /
Als jßlant vnd pylappenlandt
Das vorhyn alls nit was erkandt /
Ouch hatt man sydt jnn Portigal
Vnd jnn hispanyen vberall
55 Golt / jnslen funden / vnd nacket lüt
Von den man vor wust sagen nüt /
Marinus / noch dem mer / die welt
Râchnt / vnd hat drann gar wûst gefâlt /

29 befleißigte   35 das Höllenloch   39 zieht er vom Osten her (lat. *oriens*)
40 im Westen (lat. *occidens*)   42 Dreiundsechzig in Richtung Norden
43 Äquator (lat. *çirculus aequinoctialis*)   44 In Richtung Süden   47 rechnet   49 seither   50 Thule (sagenhafte Insel im äußersten Norden)   51 Is-
land und Lappland   57 f. hat nach dem Meer / die Welt berechnet   58 arge
Fehler gemacht

Plinius der meyster seitt
60 Das es sy eyn vnsynnikeit
Wellen die größ der welt verston
Vnd vsser der / by wilen gon
Vnd råchnen biß hynder das mer
Dar jnn menschlich vernunfft jrrt ser
65 Das sy solchem noch råchen allzyt   [15ʳ]
Vnd kan sich selb vß råchen nitt /
Vnd meynt das er die ding verstat
Das die welt selbs nit jn jr hat /
Hercules setzt jnn das mer
70 Zwo sülen (als man seit) von ere /
Die eyn die endet Affricam
Die ander vocht an Europam /
Vnd hatt groß acht vff end der erdt
Wust nit / was end jm was beschert
75 Dann der all wunderwerck veracht /
Der wart durch frowen list vmbbracht /
Bacchus zoch vmb mit grossem her
Durch alle landt der welt / vnd mer
Vnd was alleyn der anschlag syn
80 Das yederman lert drincken wyn
Wo man nit wyn vnd reben hett
Do lert er machen byer vnd mett /
Sylenus der verlag sich nit
Jm narrenschyff får er ouch mit
85 Vnd sunst juffkynd vnd metzen vil
Mit grosser freüd vnd seitten spyl /
Er ist eyn drunckner schelm gesyn
Das jm so wol was mit dem wyn /
Er dürfft nit arbeit han ankert
90 Man hett sunst drincken wol gelert

62 manchmal (auch noch) darüber hinaus gehen **66** Und kann sich selbst
nicht berechnen **68** Was die Welt selbst nicht in sich hat **70** Säulen (wie
man sagt) aus Erz **71** beendet Afrika **72** fängt Europa an **83** war nicht
müßig **85** närrisches Gesindel und Dirnen **87** trunkener Spitzbube
89 musste keine Mühe aufwenden **90** ohnehin

Man tribt mit prassen noch vil schand
Jetz fårt er erst recht vmb jm land
Vnd macht manchen jm prasß verrůcht
Des vatter nye kein wyn versůcht
95 Aber was wart Baccho dar von [l 5ᵛ]
Er můst zů letst von gsellen gon
Vnd faren hyen do er yetz dringkt
Das jm me durst / dann wollust bringt
Wie wol die heyden jn dar noch
100 Ertten als gott / vnd hyeltten hoch /
Von denen kumen ist sytthar
Das man jm landt vmb båchten far
Vnd důt dem ere noch synem dott
Der vns vil übels hat vff brocht
105 Dye bőß gwonheyten wårent lang
Was vnrecht ist nymbt vberhang
Dann dar zů ståts der tüfel bloßt
Das man syn dienstbarkeit nit losßt /
Do mit ich ouch yetz wider vmb
110 Vff myn matery vnd fürnem kumb
Was nott wont doch eym menschen by
Das er sůch grőssers dann er sy
Vnd weißt nit was jm nutz entspring
Wann er erfart schon hohe ding
115 Vnd nit die zyt syns todes kennt
Die wie eyn schått von hynnan rennt
Ob schon dis kunst ist gwyß vnd wor
So ist doch das eyn grosser tor
Der jn sym synn wygt so gering
120 Das er well wissen frőmde ding
Vnd die erkennen eygentlich

---

93 im Prassen ruchlos   95 geschah   96 seine Freunde verlassen   97 dort-
hin fahren, wo   98 Vergnügen bringt   102 beim Berchta-Fest umgeht
105 halten sich lange   107 der Teufel (das Signal) bläst   108 den Dienst an
ihm nicht unterlässt   109 f. wieder zu meinem Gegenstand und Vorhaben
zurückkomme   111 Welche Not   116 Schatten   117 dieses Wissen   119 so
wenig abwägt   121 nach ihrer Eigenart

Vnd kan doch nit erkennen sich
Ouch gdenckt nit wie er das erler
Er sůcht alleyn rům / weltlich ere /
125 Vnd gdenckt nit an das ewig rich [16ʳ]
Wie das witt ist / schön / wunderlich /
Dar jnn dann ouch vil wonung sint
Vff jrdeschs yeder narr erblyndt
Vnd sůcht syn freüd / vnd lust dar jnn
130 Des er me schad hatt dann gewynn
Vil handt erkundt / verr / frömbde lant
Do keyner nye sich selbs erkant /
Wer wis würd als Vlysses wart
Do er lang zyt fůr vff der fart
135 Vnd sach vil land / lüt / stett / vnd mer
Vnd mert sich stät jn gůtter ler /
Oder als dett Pythagoras
Der vß Memphis geboren was /
Ouch Plato durch Egypten zoch
140 Kam / jn Jtaliam dar noch
Do mit er ye mer täglich lert
Das syn kunst / wißheit / würd gemert /
Appollonius durch zoch all ort
Wo er von gelertten sagen hort
145 Den stellt vnd zoch er täglich noch
Das er jn künsten würd me hoch
Fandt allenthalb das er me lert
Vnd das er vor nit hatt gehört /
Wer yetz solch reyß vnd lantfar dät
150 Das er zů nem jnn weißheit stät
Dem wer zů vber sehen baß
Wie wol doch nit genůg wer das /
Dann wem syn synn zů wandeln stot
Der mag nit gentzlich dienen got

---

123 lernen kann **126** weit / schön / wunderbar ist **128** Aufs Irdische (schau-
end) **136** beständig **140** danach **148** was er zuvor **149** und Durchslands-
streifen **151** Für den wäre es besser, wenn er es gering achtete **153** reisen

67

Der narr Marsyas der verlor [l 6ᵛ]
Das man jm abzoch hut vnd hor
Hielt doch die sackpfiff / noch als vor

Nitt wellen eyn nar syn

Die eygenschafft hat yeder narr
Das er nit kan genemen war
Das man syn spott / dar vmb verlor
Der narr Marsyas hut vnd hor
5 Aber narrheit ist so verblånt   [1 7ʳ]
Eyn narr zů allen zytten wånt
Er sy witzig / so man sin lach
Vnd eyn jufftåding vß jm mach
Stelt er sich ernstlich zů der sach /
10 Das man jn ouch für witzig halt
Biß jm die pfif vß dem ermel fallt /
Wer vil gůt hat / der hat vil fründ
Dem hilfft man redlich ouch zů sünd
Eyn yeder lůgt wie er jn schynd
15 So lang das wårt / biß er würt arm
So spricht er / heu das gott erbarm
Wie hat ich vor / nochlouff so vil
Keyn fründ ist der mich trôsten wil /
Hett ich das vor by zyt betraht
20 Jch wer noch rich vnd nit veraht /
Eyn groß torheyt ist das für wor
Welcher verdůt jn eynem jor
Do er syn tag solt leben mitt
Das er das üppecklich vß gyt
25 Vnd meynt zyttlich für oben han
Das er môg noch dem båttel gan
So jm dann stoßt vnder syn hend

---

a hatte eine Einbuße   b abzog Haut und Haar (s. Holzschnitt)   c Behielt
jedoch den Dudelsack (als Symbol des Narren) nachher wie vorher   3 seiner
spottet   5 verblendet   6 meint   7 Er sei klug (und weise) / wenn man
über ihn lacht   8 Gespött   11 (Narren-)Pfeife   12 viel Besitz   14 ihm die
Haut abziehe   16 ›Ach je!‹ (Ausruf)   17 vorher / so viele Nachläufer
23 sein Lebtag   24 leichtfertig ausgibt   25 beizeiten Feierabend zu haben   26 Dass er dann aber nur noch dem Betteln nachgehen kann   27 unter
die Hände kommt (zustößt)

Armůt / verachtung / spott / ellend /
Vnd er zerryssen loufft / vnd bloß
30 So kumbt jm dann der ruwen stoß /
Wol dem der jm fründ machen kan
Vß gůt / das er doch hye můß lan
Die jn tröston vnd by jm ston /
So er ist allenthalb verlon
35 Dar gegen ist manch narr vff erd   [17ᵛ]
Der sich annymbt nårrscher geberd
Vnd wann man jnn joch schünd vnd süt
So kund er doch gantz nütz dar mitt
Dann das er ettwan die oren schütt /
40 Will nårrisch syn mit allem fliß
Doch nyemans gfeltt syn narren wiß /
Wie wol er glich eym narren důt
Nimbt doch syn schympf niemans für gůt
Ouch sprechen von jm ettlich gsellen
45 Der nar wollt sich gern nårrisch stellen
So kan er weder wiß noch gberd
Er ist eyn narr / vnd nyemans werd /
Vnd ist eyn seltzen ding vff erd
Mancher will syn ein witzig man
50 Der sich doch nymbt der dorheit an
Vnd meynt das man jn růmen sol
Wann man spricht / der kan narrheit wol
Dar gegen sint vil narren ouch
Die vß gebrůtet hat eyn gouch
55 Die wellen von der wißheyt sagen
Es sy gehowen oder gschlagen
So went sie witzig syn gezelt
So man sie doch für narren hellt /

30 Anstoß zur Reue   34 allseits verlassen   36 Gebaren   37 enthäutete und
siedete   38 verstünde er doch davon gar nichts   39 die Ohren schüttelte
41 Narrenweise   43 sein Scherzen   47 wert   48 wunderliches   52 gut
57 als klug eingeschätzt sein

Wann man eyn narren knützschet kleyn
60 Als man den pfeffer důt jm steyn
Vnd stieß jn dar jnn joch lang jor
So blib er doch eyn narr als vor /
Dann yedem narren das gebrist
Das wonolff / btriegolfs brůder ist
65 Mancher der ließ sich halber schynden
Vnd jm alle viere mit seylen bynden
Das jm alleyn ging gelt dar vß
Vnd er vil golds hett jnn sym huß
Der lytt ouch das er låg zů bett
70 Vnd er der richen siechtag hett
Vnd man jn wie eyn bůben schilt
Echt er dar von hett zyns vnd gůlt
Mit zymlich nyeman bnügen will
Wer vil hat / der will han zů vil
75 Vß richtum vbermůt entspringt
Richtum gar selten demůt bringt
Was soll eyn dreck wann er nit stinckt /
Vil sint alleyn / die hant keyn kynd
Keyn brůder noch sunst nohe frůnd
80 Vnd hören nit vff arbeitten doch
Jr ougen fůllt keyn richtum ouch
Noch gdencken nit / wem werck ich vor
Hab übelzyt ich gouch vnd tor
Gott gibt manchem richtum vnd ere
85 Vnd gbrist synr sel / nüt anders mer
Dann das jm gott nit dar zů gitt
Das er das bruch zů rechter zitt
Ouch das nit nyessen zymlich gtar

---

59 klein quetscht   60 Mörser   64 »Wähnolf« ist »Betrügolfs« Bruder (Einbildung gesellt sich dem Betrug)   67 nur damit Geld daraus hervorgehe   69
erduldete   70 die Reichen-Krankheit (i. e. das Podagra; Gicht der großen
Zehe)   71 Ganoven   72 Wenn er nur – und Zahlung   73 Mit dem Angemessenen will sich niemand begnügen   82 wem arbeite ich vor   83 (für
wen) habe ich Ungemach   86 zusätzlich verleiht   87 gebrauche   88 Auch
das angemessenerweise nicht wagt zu genießen

Jo es eym frõmbden füller spar /
90   Tantalus sitzt jnn wassers lust /
Vnd hatt an wasser doch gebrust
Wie wol er sicht die õppfel an
Hat er doch wenig freüd dar von
Das schafft / das er jm selbs nit gan

89 einem fremden Prasser aufspart   91 Mangel   94 sich selbst nichts gönnt

68

Wer kynd vnd narren sich nymbt an [l 8ᵛ]
Der soll jr schympf für gůt ouch han
Er můß sunst mit den narren gan

Schympf nit verston

Der ist eyn narr der nit verstôt
Wann er mit eynem narren redt
Der ist eyn narr der widerbillt
Vnd sich mit eynem trucknen schillt
5 Mit kynd / vnd narren schympfen wil   [m.i.ʳ]
Vnd nit vff nåmen narren spil
Wer wil mit jågern gon der hetz
Wer keyglen will / der selb vff setz /
Der hül / der by den wolffen ist /
10 Der sprech ich lieg / dem nützt gebrist
Wort gåndt vmb wort / ist narren wiß
Gûts gånt vmb bôß / hatt hohen priß
Wer gibt das bôs vmb gûtes vß
Dem kumbt bôs / nyemer vß sym huß /
15 Wer lachet des eyn ander weynt
Dem kumbt des glich / so ers nit meynt
Eyn wiser gern byn wisen stat
Eyn narr mit narren gern vmb gat /
Das nyemans lyden mag eyn narr
20 Das kumbt vß synem hochmût dar
Me leid geschicht eym narren dran
Das er sicht ettlich vor jm gan
Dann er hab freüd / das jm sunst all
Nochgangen / vnd zûn fûssen fall /
25 Vnd das du merckst / wie ich es meyn
Eyn stoltzer wer gern herr alleyn /
Aman hatt nit so grossen glust
Das yederman jn anbett sust

---

b ihren Scherz auch gut aufnehmen (s. Holzschnitt)   **Titel** Keinen Spaß verstehen   **3** widerspricht   **4** zankt   **6** erkennen   **7** Der betreibe (dann auch)
Hetzjagd   **8** Wer kegeln will / der mache (dann auch) einen Spieleinsatz
10 ich lüge   **11** Worte für Worte zu geben / ist Narrenart   **12** hohes Lob
16 wenn er es nicht erwartet   **23 f.** alle nachlaufen / und zu Füßen fallen
27 Vergnügen   **28** ohne weiteres

Alls er hatt leyd / das jn eyn man
30   Nitt bettet Mardocheus an /
Nit nott das man narren vff merck
Man spůrt eyn narren an sym werck /
Wer wis wolt syn (als yeder sol)
Der ging der narren můssig wol

29 f. ihn ein Mann, (nämlich) Mardochai, nicht anbetete (ehrte)   31 auf Narren (besonders) achte   34 der hält sich besser fern von Narren

69

Der würffet jnn die höh den ball [m.i.ᵛ]
Vnd warttet nit des widerfall
Wer will die lüt erzürnen all

Der ist eyn narr der andern důt
Das er von keym mag han für gůt
Lůg yeder / was er andern tůg
Das jn do mit ouch wol benůg
5 Wie yeder vor dem wald jn byllt   [m.ij.ʳ]
Des glich jm allzyt widerhyllt
Wer andere stossen will jnn sack
Der wart ouch selbs des backenschlack /
Wer vilen seyt / was yedem gbrist
10 Der hört gar offt ouch / wer er ist
Wie Adonisedech hatt gton
Vil andern / als wart jm der lon /
Beryllus sang selb jn der ků
Die er het andern gerüstet zů /
15 Des glich geschach ouch Busyris
Diomedi vnd Phalaris /
Mancher eym andern macht eyn loch
Dar jn er selber fallet doch /
Eyn galg eym andern macht Aman
20 Do er wart selbst gehencket an /
Truw yedem wol / lůg doch für dich
Dann worlich / truw ist yetz mysßlich
Lůg vor / was hynder yedem ståck
Wol truwen / rytt vil pferd hyn wågk /
25 Nyt yß mit eym nydischen man
Noch wellst mit jm zů dische gan
Dann er von stund an vberschlacht
Das du nye hast jnn dir gedacht
Er spricht zů dir / fründt ysß / vnd trinck

---

b beachtet nicht dessen Herabfallen (s. Holzschnitt)   **Titel** Böses tun und
nichts (als Reaktion) erwarten   **2** bei keinem andern für gut hält   **4** (die
rechte) Befriedigung werde   **5** hineinschreit   **6** widerhallt   **8** Backen-
streich (s. Holzschnitt)   **21** Traue   **22** ungewiss   **24** »Trauwohl« (i. e. Gut-
gläubigkeit) / ritt viele Pferde weg   **27** überlegt

30   Doch ist syn hertz an dir gantz linck
      Als ob er sprech / wol günd ichs dir
      Als hetts eyn diep gestolen mir /
      Mancher der lacht dich an jn schertz
      Der dir doch heymlich åß din hertz

30 falsch   31 gönne

70

Wer nit jm summer gabeln kan [m.ij.ᵛ]
Der můß jm wynter mangel han
Den berendantz dick sehen an

Nit fursehen by zyt.

Man fyndt gar manch nochgültig mensch
Das ist so gar eyn wåttertrentsch
Das es sich nyenan schicken kan
Zů allem das es vohet an /
5 Keyn ding by zytten er bestelt   [m.iij.ʳ]
Nüt über nåchtigs er behelt
Dann das er sunst so hynlåsß ist
Das er nit gdenckt was jm gebryst
Vnd was er haben můß zůr nott
10 Dann so es an eyn treffen gatt
Nit witter gdenckt er / vff all stundt
Dann von der nasen / biß jnn mundt
Wer jn dem summer samelen kan
Das er den wynter môg bestan
15 Den nenn ich wol eyn wisen sůn
Vnd wer jm summer nüt wil důn
Dann schloffen allzyt an der sunnen
Der můß han gůt / das vor ist gewunnen
Oder můß durch den wynter sich
20 Behelffen ettwan schlåhteklich
Vnd an dem dopen sugen hert
Biß er des hungers sich erwert /
Wer nit jm summer machet hew
Der loufft jm wynter mit geschrey
25 Vnd hat zů samen gbunden seyl
Růffend / das man jm hew geb feyl /
Der tråg jm wynter vngern ert

---

a mit der Heugabel arbeiten   **c** Bärentanz   **Titel** Nicht beizeiten vorsorgen   **1** miserablen; verachteten   **2** Zeitvertrödler   **3** sich nirgends rechtzeitig einstellen   **4** anfängt   **5** versieht   **6** die Nacht über   **7** fahrlässig   **10** Kampf   **15** klugen Sohn   **18** zuvor erworbenen Besitz   **20** schlicht und einfach   **21** fest (wie der Bär beim Bärentanz) an den Tatzen saugen (s. Holzschnitt)   **23** Heu   **25** Seile   **26** wohlfeil   **27** Der Träge im Winter ungern pflügt

Jm summer / bâttlens er sich nert
Vnd mûß lyden manch übel zyt
30   Vnd heyscht vil / wenig man jm gytt /
Ler narr / vnd würd der omeyß glich
Jn gûter zyt versorg du dich
Das du nit mûssest mangel han
Wann ander lüt zû freüden gan

71

Gar dick der håchlen / er entpfyndt [m.iij.ᵛ]
Wer ståtes zancket / wie eyn kyndt
Vnd meynt die worheyt machen blyndt

Zancken vnd zu gericht gon

Von den narren will ich ouch sagen
Die jnn eynr yeden sach went tagen
Vnd nüt mit lieb lont kumen ab
Do man nit vor / eyn zanck vmb hab
5 Do mit die sach sich lang verzyech [m.iiij.ʳ]
Vnd man der gerechtikeyt entflïech
Lont sie sich bitten / triben / manen
Echten / verlüten / vnd verbannen /
Verlossend sich / das sie das recht
10 Wol bügen / das es nit blib schlecht
Als ob es wer eyn wåchsin naß
Nit denckend / das sy sint der has
Der jnn der schriber pfeffer kunt
Der vogt / gwalthaber / vnd fürmundt
15 Vnd aduocat / müß zů sym disch
Dar von ouch han eyn schlågle visch
Die künnent dann die sach wol breyten
Vnd jr garn noch dem wilttbråt spreyten
Das vß eym såchle / wurt eyn sach
20 Vnd vß eym rünsly / werd eyn bach
Man müß yetz köstlich redner dyngen
Vnd sie von verren landen bringen
Das sie die sachen wol verklügen
Vnd mit geschwåtz / eyn richter btrügen
25 So müß man dann vil tag anstellen
Do mit der tagsolt mög vff schwållen

a Zu spüren bekommt derjenige recht oft die Hechel (igelförmige Flachsbürste; s. Holzschnitt) b beständig c Und meint, die Wahrheit (der Justitia; s. Holzschnitt) blind machen zu können Titel Streiten und vor Gericht gehen 2 vor Gericht tagen 3 abbringen lassen 5 hinziehe 8 Ächten / ausläuten 10 beugen – ungebeugt; gerade 11 wächserne Nase 12 Hase 13 in die gewürzte Bratensoße der Schreiber 14 Richter / Polizeigewaltige / Rechtsbeistand 16 Portion Fisch 17 ausdehnen 18 ausbreiten 20 Rinnsal 21 teure Verteidiger anwerben 22 aus fernen 23 bemänteln 25 Gerichtstage anberaumen 26 Honorar

Vnd werd verritten / vnd verzert
Me / dann der houbtsach zů gehôrt
Mancher verzert jn petterle me
30 Dann jm vß synem tag entstee /
Noch meynt er worheyt also blenden
So er die sach nit bald loßt enden /
Jch woltt wem wol mit zancken wår
Das er am ars hett håchlen schwår

---

27 (zu Schanden) geritten / und verbraucht   29 Petersilie (lat. *in petitorio* / ›in Sachen des Klägers‹)   31 blind machen   34 (s. Holzschnitt)

72

Wůst / schamper wort / anreytzung gytt [m.iiij.ᵛ]
Vnd stŏrt gar offt die gůten syt /
So man zů vast die suwglock schütt

Von groben narren

Eyn nuwer heylig heisßt Grobian
Den will yetz fyren yederman
Vnd eren jnn / an allem ort
Mit schåntlich wûst werck / wis / vnd wort
5   Vnd went das zyehen jnn eyn schympf   [m 5ʳ]
Wie wol der gürtel hat kleyn glympf
Her Glympfyus ist leyder dot
Der narr die suw byn oren hat
Schütt sie / das jr die suwglock klyng
10   Vnd sie den moringer jm syng
Die suw hat yetz alleyn den dantz
Sie halt das narrenschiff bym schwantz
Das es nit vndergang von schwår
Das doch groß schad vff erden wår
15   Dann wo narren nit drüncken wyn
Er gyltt yetz kum eyn örtelyn
Aber die suw macht yetz vil jungen
Die wûst rott / hat wißheyt vertrungen
Vnd laßt sie nyeman zů dem brett
20   Die suw alleyn die kron vff hett
Wer wol die suwglock lüten kan
Der mûß yetz syn do vornan dran
Wer yetz kan tryben sollich werck
Als treib der pfaff vom kalenbergk
25   Oder münch Eylsam mit sym bart
Der meynt er tûg eyn gûte fart
Mancher der tribt solch wis / vnd wort
Wann die horestes såh / vnd hort
Der doch was aller synnen on /

---

a unzüchtige Rede ergibt Aufreizung   **b** Sitten   **c** die Sauglocke schüttelt
(s. Holzschnitt)   **1** neuer Heiliger   **2** feiern   **4** Verhaltensweisen / und
Ausdrücken   **5** Scherz   **6** nur einen winzigen Glimpf (vom Mönchsgürtel
herabhängender Zierat)   **10** (das Lied vom) Moringer   **13** Gewicht
15 Wein   **16** (kleinster Münzwert)   **18** verdrängt   **19** ans Spielbrett
24 Wie sie trieb   **29** ohne Sinne

30 Er sprech es hetts keyn synniger gton /
Sufer jns dorff / ist worden blyndt
Das schafft das buren druncken syndt
Her Ellerkůntz den vordantz hat
Mit wůst genůg / vnd seltten satt

35 Eyn yeder narr will suw werck triben
Das man jm loß die büchsen bliben
Die man vmbfůrt mit esels schmer
Die esels büchs würt seltten ler
Wie wol eyn yeder dryn will griffen

40 Vnd do mit schmyeren syn sackpfiffen
Die grobbheyt ist yetz kumen vß
Vnd wont gar noh / jnn yedem huß
Das man nit vil vernunfft me tribt
Was man yetz redet / oder schribt

45 Das ist als vß der büchsen genomen
Vor vß / wann prasser zamen kumen
So hebt die suw die metten an
Die prymzyt / ist jm esel thon
Die tertz ist von sant Grobian /

50 Hůtmacher knecht / syngen die sext
Von groben fyltzen ist der text /
Die wůst rott sytzet jnn der non
Schlemmer vnd demmer dar zů gon /
Dar noch die suw zůr vesper klingt

55 Vnflot / vnd schamperyon / dann syngt
Dann würt sich machen die complet

---

30 keiner, der bei Verstand ist   31 Der »Sauberinsdorf« (i. e. fein sauber ins Dorf) / ist blind geworden   33 Herr »Jedergrob« hat den Vortanz (Vortritt)   34 Zusammen mit »Wüstgenug« und »Seltensatt«   36 ihm das Gefäß lässt (vgl. Kap. 14.1–2)   37 mit sich führt   40 Narren-Dudelsack   41 aufgekommen   46 Vorneweg   47 Mette; Matutin (das nächtliche Stundengebet)   48 Prim (erste kanonische Stunde nach der Matutin um 6 Uhr morgens)   49 Terz (dritte kanonische Gebetszeit)   50 Sext (sechste Gebetsstunde)   51 Von grobem Hutmacherfilz   52 None (neunte Gebetsstunde)   53 und Schwelger   54 Vesper (vorletzte Gebetsstunde am frühen Abend)   55 »Unflat« / und »Schamperjan« (i. e. Schmutz und Unzucht)   56 Komplet (letzte Gebetsstunde)

Wann man / all vol / gesungen hett
Das eselschmaltz vnmüssig ist
Mit bergemschmâr ist es vermyscht
60 Das stricht eyn gsell dem andern an
Den er will jn der gsellschafft han
Der wůst wil sin / vnd das nit kan
Man schont nit gott / noch erberkeyt
Von allem wůstem ding man seyt
65 Wer kan der aller schampperst syn   [m 6ʳ]
Dem büttet man eyn glaß mit wyn
Vnd lacht syn / das das huß erwag
Man bitt jnn / das er noch eyns sag
Man spricht das ist / eyn gůtter schwanck
70 Do mit würt vns die wyle nit langk
Eyn narr / den andern schryget an
Biß gůt gesell / vnd frölich man
Fety gran schyer / e belli schyer
Was freüd vff erden hant sunst wir
75 Wann wir nit gůt gesellen sygen
Lont vns syn frölich / prassen / schrygen
Wir hant noch kleyn zyt hie vff erd
Das vns das selb zů lieb doch werd
Dann wer mit dot abstirbt / der lyt
80 Vnd hatt dar noch keyn frölich zyt
Wir hant von keym noch nye vernomen
Der von der hell syg wider kumen
Der vns doch seyt / wie es do stünd
Gůt gsellschafft triben / ist nit sünd
85 Die pfaffen reden was sie went
Vnd das sie diß / vnd jhens geschend
Wer es so sünd / alls sie vns schriben

---

57 (das Lied) »Alle sind voll«   58 rastlos   59 Eberfett (i. e. Schweine-
dreck)   63 Ehrbarkeit   65 Schändlichste   66 entbietet   67 wackelt
71 anbrüllt   72 Sei   73 Lebt herrlich und in Freuden (frz. *faites grande
chère et belle chère* / ›macht ein großes und schönes Vergnügen‹)   78 angenehm   79 liegt (danieder)   86 ins schlechte Licht gesetzt haben

Sie dåtten es nit selber triben
Wann nit der pfaff vom tüfel seitt
90   Der hirt von wolfen klagt syn leitt
So hetten sie beid nüt dar von
Mit solcher red / narren vmb gon
Vnd důnt mit jrer groben rott
All welt geschenden / vnd ouch gott
95   Doch werden sie zů letst zů spott

93 Gesellschaft

73

Mancher der steltt noch geistlicheyt [m 6ᵛ]
Der an důt pfaffen / klosterkleyt
Den es berüwt / vnd würt jm leyt

Von geystlich werden.

Noch hat man anders yetz gelert
Das ouch jnns narrenschiff gehört
Des důt sich bruchen yederman
Jeder buwr / will eyn pfaffen han
5   Der sich mit můssig gan erner
On arbeit leb / vnd syg eyn her
Nit das er das tůg von andacht
Oder vff selen heil hab acht
Sunder das er mög han eyn herren
10 Der all syn gschwister mög erneren /
Vnd loßt jn wenig dar zů leren /
Man spricht / er mag licht dar zů künnen
Er darff noch grösser kunst nit synnen
Echt er eyn pfrůnden kan gewynnen /
15 Vnd wigt / priesterschafft so gering
Als ob es sy eyn lychtes ding
Des fyndt man yetz vil junger pfaffen
Die als vil künnen als die affen
Vnd nement doch selsorg vff sich
20 Do man kum eym vertruwt eyn vich
Wissen als vil von kyrch regyeren
Alls müllers esel kan qwintyeren
Die Byschöf die sint schuldig dran
Sie solttents nit zům orden lan
25 Vnd zů selsorgen vor vß nüt
Es werent dann gantz dapfer lüt
Das eyner wer eyn wiser hyrt
Der nit syn schof mit jm verfůrt

---

a strebt nach   c Dann bereut er es   3 Dessen bedient sich   4 Bauer – (in seiner Familie) haben   5 ernährt   6 Herr   12 kann leicht dazukommen 13 Er braucht auf höhere Wissenschaft den Verstand nicht richten   14 Nur eine Pfründe (geistliche Einnahmequelle) muss er gewinnen   20 denen man kaum ein Vieh anvertraute   22 auf der Quinterne (Laute) spielen   25 erst recht nicht   26 tüchtige

Aber yetz wånen die jungen laffen
30 Wann sie alleyn ouch werent pfaffen
So hett jr yeder was er wolt
Es ist für war nit alles golt
Das an dem sattel ettwan glysßt
Mancher die hend dar an beschysßt
35 Vnd loßt sich jung zů priester wyhen
Der dann sich selb důt maledyen
Das er nit lenger gbeitet hat
Der selben mancher båttlen gat
Hett er eyn rechte pfrůnd gehan
40 Ee er die priesterschafft nam an /
Es wer jm dar zů kumen nitt
Vil wyht man / durch der herren bytt
Oder vff diß / vnd jhenes disch
Dar ab er doch ysßt wenig visch /
45 Man lehnet brief eynander ab
Do mit / das man eyn tyttel hab
Vnd wånen den bischoff betriegen
So sy mit jrm verderben lyegen
Keyn årmer vych vff erden ist
50 Dann priesterschafft den narung gbrist
Sie hant sunst abzüg vberal
Bischof / Vicary / vnd Fiscal
Den låhenherrn / syn eygen fründ
Die kelleryn / vnd kleyne kynd
55 Die geben jm erst rechte büff
Das er kum jnn das narrenschyff
Vnd do mit aller freüd vergeß /
Ach gott / es halttet mancher meß

---

30 auch nur   31 jeder von ihnen   33 glänzt   34 vollscheißt   36 verflucht
(lat. *maledicere*)   37 gewartet   38 Von denen   42 Viele weit man / aufgrund der Bitte (ihrer) Herren   43 auf eine Tischpfründe hin   45 Man leiht
sich (untereinander) Bestallungsurkunden aus   48 lügen   49 Tier   51 sowieso Abzüge   52 Vikariat (Vertreter)   53 Grundherren   54 Die Haushäl-
terin / und die (eigenen) kleinen Kinder   55 Stöße   56 komme

357

Do weger wer er lyeß dar von
60 Vnd růrt den altter nyemer an
Dann gott acht vnsers opfers nycht
Das jn sünden / mit sünden gschicht
Zů Moysi / sprach got der herr
Eyn yedes thier / das mach sich verr
65 Vnd růr den heyligen berg nit an
Das es nit grosse plag můß han /
Oza der angerůret hett
Die arch / des starb er an der stett /
Chore das wyhrouch vaß růrt an /
70 Vnd starb / Dathan vnd Abyron /
Das gwihte fleisch schmeckt manchem wol
Der wermt sich gern by kloster kol
Dem doch zů letst würt für vnd glůt
Verstanden lüten ist predigen gůt /
75 Man stosßt manch kynd yetz jn eyn orden
Ee es ist zů eym menschen worden
Vnd es verstant / ob das jm sy
Gůt oder schad / ståckt es jm bry
Wie wol gůt gwonheit bringet vil
80 Ruwt es doch manches vnder wile
Die dann verflůchen all jr fründt
Die vrsach solches ordens syndt
Gar wenig yetz jnn klôster gont
Jn solcher ållt das sie es verstont
85 Oder die durch gotts willen dar
Kumen / vnd nit mer durch jr nar
Vnd hant der geistlicheit nit acht
All ding důnt sie dann on andacht /
Vor vß jn allen ôrden gantz

60 Altar   64 halte sich fern   69 Weihrauchbehältnis   72 Kohle   73 (Höl-
len-)Feuer   74 Verständigen   78 steckt es im Narrenbrei (vgl. Kap. 13.2
und 13.10; 57.14; 60.a und 60.1; 105.6)   79 Gewöhnung viel fruchtet
80 Reut   84 Alter   86 wegen ihres Unterhalts   87 Spiritualität   89 Vorneweg

Do man nit halttet obseruantz
     Solch kloster katzen sint gar geyl
     Das schafft / man byndt sy nyt an seyl /
     Doch lychter wer keyn orden han
     Dann nit recht důn / eym ordens man

90 Ordensregel (mlat. *observantia*)   **91** munter (und lebenslustig)   **94** für
einen Ordensmann

Mancher vil kost vff jagen leytt [m 8ᵛ]
Das jm doch wenig nutz vß dreyt
Wie wol er dick eyn weydspruch seyt

Von vnnutzem jagen

Jagen ist ouch on narrheit nit
Vil zit vertribt man on nutz mit
Wie wol es syn sol eyn kurtz wil
So darff es dannaht kostens vil
5   Dann leydthund / wynd / rüden / vnd bracken [n.i.ʳ]
On kosten füllen nit jr backen /
Des glich hund / vogel / våderspil
Bringt als keyn nutz / vnd kostet vil
Keyn hasen / repphůn / vohet man
10   Es statt eyn pfundt den jåger an
Dar zů darff man vil herter zyt
Wie man jm noch louff / gang / vnd rytt
Vnd sůcht all berg / tal / wåld / vnd heck
Do man verhag / wart vnd versteck /
15   Mancher verscheycht me dann er jagt
Das schafft er hat nit recht gehagt /
Der ander voht eyn hasen offt
Den er hat vff dem kornmarckt koufft
Mancher der will gar freydig syn
20   Wogt sich an lôwen / beren / schwyn
Oder stygt sunst den gåmpsen noch
Dem würt der lon zů letsten doch /
Die buren jagen jn dem schne
Der adel hat keyn vorteyl me
25   Wann er dem wiltpret lang noch loufft
So hats der buwr / heymlich verkoufft /
Nembroht zům erst fing jagen an
Dann er von gott was gantz verlan /
Esau der jagt vmb das er was

---

a große Kosten b einträgt c Jägerspruch aufsagt 2 damit 4 bedarf es
dennoch 5 Leithunde / Windhunde / Jagdhunde / und Spürhunde 7 Falken 9 fängt man 10 kommt ein Pfund zu stehen 14 man sich verberge /
lauere 16 gezäunt 19 keck 20 Wildschweine 24 Vorrecht; Vorteil
26 Bauer 29 weil er

Eyn sünder / vnd der gotts vergaß
     Wenig jåger als humpertus
     Fyndt man yetz / vnd Eustachius
     Die liessen doch den jåger stodt
     Sust truwten sie nit dienen gott

33 den Jägerstand   **34** hätten sie sich nicht zugetraut

Wer schyessen will / der lůg vnd triff [n.i.ᵛ]
Dann důt er nit die rechten griff
So schüßt er / zů dem narren schiff

Von bosen schutzen

Wolt es die schützen nit vertryessen
Jch richt ouch zů / eyn narren schyessen
Vnd macht eyn schützreyn / an dem staden
Des mancher fält / nit on syn schaden
5 Dar zů synt goben ouch bestellt   [n.ij.ʳ]
Der nähst bym zyel / der selb der hellt
Zům mynst er zů verstechen kumt
Doch lůg er / vnd heb nit jnn grundt
Noch jn die höh / sunder jnns zyl
10 Wann er den zwäck sunst růren will
Vnd důg syn anschlag nit zůr yl
Vil sint die schyessen über vß
Eym bricht der bogen / senw / vnd nuß
Der důt am anschlag manchen schlypf
15 Dem ist verruckt stůl oder schyppf
Dem loßt das armbrust / so ers růrt
Das schafft der wyndfad ist geschmyert
Dem stäckt das zyl nit glich alls ee
Vnd kan syn gmerck nit haben me
20 Der hatt gemacht gar vil der schütz
Die jm doch sint gantz wenig nütz
Das schafft / jm würt die suw kum wol
Wann man zů letst verschyessen soll
Keyn schütz so wol sich yemer rüst
25 Er fynd allzyt / das jm gebrüst
Dann diß / dann jhens / do mit er hett
Eyn wôrwort / das syn glympff errett
Wann er nit hett gefälet dran

---

a ziele und treffe   c (s. Holzschnitt)   **Titel** Von schlechten Schützen
2 richtete auch aus   3 Schützenrasen / am Ufer   4 verfehlt   5 Siegesgaben;
Preise   6 derjenige erhält sie   7 ins Stechen   10 Wenn er den Zielpunkt ir-
gendwie berühren will   11 Schussvorbereitung   13 Sehne / und Drücker
14 Abgleiten   15 (Auflagevorrichtung)   16 Dem geht los – berührt
17 Sehne; Bindfaden   19 Zielpunkt   20 Schüsse   22 die Sau (als Trost-
preis) wohl zukommen   27 Ausrede – Ansehen rettet

So hett er fry / die gob behan /
30 Vor vß / weiß ich noch schützen mer
Wann die eyn schyessen hören verr
Do hyn von allen landen lüt
Zů ziehen vff bestymbte zitt
Die besten die man fünden kan
35 Der eynr die gob kum vor wolt han [n.ij.ᵛ]
Dann er all schuß / hallt an dem zwåck
Das eyner dann ist so eyn gåck
Der weist das er nüt gwynnet gar
Vnd dannacht do hyn zyehen tar
40 Vnd do versůchen ouch syn heil
Jch nem syn zerung / für syn teyl /
Jch will des gelts jnn doppel geschwigen
Die suw würt jm jnn ermel schrygen /
Zůr wißheyt mancher schiessen will
45 Vnd wenig treffen / doch das zyl
Das schafft / man seygt nit reht dar noch
Der haltt zů nyder / der zů hoch
Der loßt sich bringen vß dem geseyg
Dem bricht syn anschlag gantz entzwey
50 Der důt als Jonathas eyn schuß
Dem fert syn anschlag hynden vß
Wer wißheit eben treffen will
Der durfft / das er hett solche pfil
Der hercules hatt me dann vil
55 Mit den er traff alls das er gerdt
Vnd was er traff / viel dott zůr erdt /
Wer recht zůr wißheit schiessen will
Der lůg das er halt moß vnd zyl
Dann fålt er / oder hebt nit dran

29 behalten   30 Vorneweg   31 fern   35 Von denen kaum einer den Preis
als Erster erhalten kann   36 Außer er trifft alle Schüsse ins Ziel   39 wagt
41 Ich nähme (lieber) seine Aufwendungen / als seinen Gewinnanteil
42 Startgeld   43 schreien   46 man visiert nicht recht an   48 Anvisieren
53 bedürfte   55 begehrte   59 hält nicht drauf

So můß er mit den narren gan
Wer schyessen will / vnd fált des reyn
Der dreit die suw jm ermel heyn
Wer jagen / stechen / schyessen will
Der hat kleyn nutz / vnd kosten vil

61 verfehlt den Schießplatz   **62** trägt

76

Ritter Peter von altten joren [n.iij.ʳ]
Jch můß uch griffen an die oren
Mir gdenckt / das wir beid narren woren
Wie wol / jr fůren ritters sporen

Von grossem ruemen

Die gåcken / narren / ich ouch bring
Die sich berůmen hoher ding
Vnd wellent syn / das sie nit sint
Vnd wånen / das all welt sy erblindt
5   Mann kenn sie nit / vnd frag nit noch /   [n.iij.ᵛ]
Mancher will edel syn / vnd hoch
Des vatter doch macht bumble bum
Vnd mit dem kůffer werck ging vmb /
Oder hat sich also begangen
10   Das er vacht mit eynr ståheln stangen
Oder rant mit eym juden spyeß
Das er gar vil zů boden stieß
Vnd will das man jnn juncker nenn
Als ob man nit syn vatter kenn
15   Das man sprech / meyster hans von Mentz
Vnd ouch syn sůn juncker Vincentz /
Vil růmen hoher sachen nit
Vnd bochen ståts zů widerstich
Vnd sint doch narren jnn der hut
20   Alls ritter Peter von Brunndrut
Der will das man jm ritter sprech
Dann er zů Murten jn dem gstech
Gewesen sy / do jm so not
Zů flyechen was / das jm der kot
25   So hoch syn hosen hatt beschlembt

---

a »Peter von Altenjahren«   b (s. Holzschnitt und vgl. V. 74)   c mir
scheint   Bild Holzschnitt-Spruchbänder: »Ritter Peter«; »doctor griff« (zum
Doktor Greif vgl. auch den Titelholzschnitt und Kap. 93.1)   1 Diejenigen
Gecken (Jecken)   2 rühmen   7 (Küferschläge am Fass)   9 seinen Unterhalt bestritten   10 focht mit einer Eisenstange (war Pfandgut-Aufkäufer)
11 rannte mit einem Judenspieß (i. e. Wucher gewissermaßen als ›Folterwerk-
zeug‹ der Juden)   13 adliger Herr   15 »Meister Hans von Mainz« (i. e. jemanden wie einen weit gereisten, angesehenen Meister seiner Zunft anre-
den)   18 pochen immer auf Widerworte   19 Haut   21 ihn Ritter nenne
25 bekleckert

Das man jm weschen můst das hembd
Vnd hat doch schiltt / vnd helm dar von
Brocht / das er sy eyn edel man
Eyn hapich hat farb wie eyn reyger
30 Vnd vff dem helm eyn nest mit eyger
Dar by eyn han / sitzt jnn der muß
Der will die eyger brůten vß
Der selben narren fyndt man mer
Die des went haben gar groß ere
35 Das sie sint vornan gwesen dran   [n.iiij.ʳ]
Do es wolt an eyn flyehen gan
Lůgten sie hynder sich langzyt
Ob jnn noch kåmen ouch me lüt /
Mancher seyt von sym våchten groß
40 Wie er den stach / vnd jhenen schoß
Der doch von jm was wol als wytt
Er dåt jm mit eynr hantbüchß nüt /
Vil stellen yetz noch edeln woppen
Wie sie fůren vil lôwen doppen
45 Eyn krônten helm vnd guldin feld
Die sint des adels von Bennfeldt
Eyn teyl sint edel von den frowen
Des vatter saß jn růprecht owen
Synr můter schiltt gar mancher fůrt
50 Das er villicht am vatter jrrt /
Vil hant des brieff vnd sygel gůt
Wie das sie sint von edelm blůt
Sie went die ersten sin von recht
Die edel sint jn jrm gschlecht /
55 Wie wol ichs nit gantz straff noch acht
Vß tugent ist all adel gemacht

29 Habicht – Reiher   30 Eiern   31 Mauser-Käfig   36 Flucht   41 so
weit weg   43 trachten nach Adelswappen   44 Tatzen   46 Bennefeld (ein
Bauerndorf bei Straßburg; Benne = Bauernkarren)   48 Ruprechtsau (damals Armeleute-Dorf bei Straßburg)   55 ganz und gar nicht tadle noch ver-
achte

Wer noch gůt sytt / ere / tugent kan
Den haltt ich fůr eyn edel man /
Aber wer hett keyn tugent nitt
60 Keyn zůcht / scham / ere / noch gůte sytt
Den haltt ich alles adels lår
Ob joch eyn fürst syn vatter wer
Adel alleyn by tugent stat
Vß tugent aller adel gat /
65 Des glich / will mancher doctor syn   [n.iiij.ᵛ]
Der nye gesach Sext / Clementin
Decret / Digest / ald jnstitut /
Dann das er hat eyn pyrment hut
Do stat sin recht geschriben an
70 Der selb brieff wißt / als das er kan
Vnd das er gůtt sy vff der pfiff
Dar vmb so stot hye doctor Gryff
Der ist eyn gelert / vnd witzig man
Er grifft eym yeden die oren an
75 Vnd kan me dann manch doctor kan
Der ist doch jn vil schůlen gstanden
Jn nohen / vnd jn ferren landen
Do doch die gôuch nye kamen hyn
Die mit gwalt went doctores syn
80 Mann můß jnn ouch her doctor sagen
Dar vmb das sy rott rôck an tragen
Vnd das eyn aff jr můter ist /
Jch weiß noch eynen heysßt hans myst /
Der will all welt des über reden
85 Er sy zů Norwegen / vnd Schweden
Zů Alkeyr gsin / vnd zů Granat

---

57 gutes Verhalten / Ansehen / Tüchtigkeit (vorweisen) kann   66 nie sah
(die Gesetzessammlungen) Liber sextus / Clementinen   67 (die Gesetzessammlungen) Decretum Gratiani / Digesten / oder Institutionen (des Kaisers
Justinian)   68 Pergamenthaut (i. e. eine Urkunde auf Tierhaut, d. h. Per-
gament ausgefertigt)   70 diese Urkunde weist alles aus / was er kann
71 Narrenpfeife   72 Darum also steht hier   74 greift   79 Gelehrte
83 »Hans Mist«   86 Algier – Granada

Vnd do der pfeffer wechßt / vnd stat
Der doch nye kam so verr hyn vß
Hett syn můter / do heym zů huß
90   Eyn pfannkůch / oder würst gebachen
Er hetts geschmeckt / vnd hören krachen /
Des růmens ist vff erd so vile
Das es zů zálen nám groß wile
Dann yedem narren das gebryst
95   Das er wil sin / das er nit ist

88 so weit   **91** gerochen – brutzeln   **92** (Selbst-)Rühmens   **93** viel Zeit
fürs Aufzählen in Anspruch nähme

77

Vil hant zů spyl so grossen glust [n 5ʳ]
Das sie keynr kurtzwil achten sust
Vnd merckent nit / kunfftig verlust

Von Spylern.

Sunst fynd ich nårrscher narren vil
Die all jr freüd hant jnn dem spyl
Meynend / sie möchten leben nit
Sollten sie nit vmbgon do mit
5   Vnd tag / vnd nacht spyelen / vnd rassen   [n 5ᵛ]
     Mitt karten / würfflen / vnd mit brassen
     Die gantz nacht / vß vnd vß sie såssen
     Das sie nit schlyeffen oder åssen
     Aber man måß gedruncken han
10   Dann spyel das zündt die leber an
     Das man württ dürr / vnd durstes voll
     Des morgens so entpfyndt mans wol
     Eyner sicht wie die gůten byeren
     Der ander spüwet hynder die tůren
15   Der drytt eyn varb / hat an sich gnomen
     Als wer er vß dem grab erst kumen
     Oder glysßt jnn sym angesicht
     Glich als vor tag ein schmidtknecht sicht
     Den koppff hat er also gebyent
20   Das er den gantzen tag vff gyent
     Als ob er flyegen vohen wolt /
     Keyner verdyenen möcht groß goltt
     Das er an eyner predig såß
     Eyn stund / vnd er des schloffs vergåß
25   Er würd den koppff schlagen jnn gören
     Als ob der prediger vff solt hören /
     Aber jm spyel gar lange zyt
     Sitzen / acht man des schloffes nüt /
     Vil frowen die sint ouch so blindt
30   Das sie vergessen wer sie sint

a Lust   c achten nicht auf die auf sie zukommenden Verluste   1 Des Weiteren   5 (mit Würfeln) rasseln   6 Prassen   13 sieht aus wie überreife Birnen   14 speit; erbricht sich   17 glänzt   18 wie frühmorgens (vorm Waschen) ein Schmiedeknecht aussieht   19 so (schlecht) verfugt   20 aufgeht;
gähnt (wie eine schlecht verleimte Fuge klafft)   21 fangen   25 Rockschöße

373

Vnd das verbietten alle recht
Sollich vermyschung beider gschlecht
Die mit den mannen sytzen zamen
Jr zůcht / vnd gschlechtes sich nit schamen
35 Vnd spyelen / rasslen / spat / vnd frů
Das doch den frowen nit stat zů
Sie solten an der kunckel lâcken
Vnd nit jm spyel byn mannen stâcken
Wann yeder spyelt mit synem glich
40 Durfft er dest mynder schamen sich
Do Allexanders vatter wolt
Das er vmb gaben louffen solt
Dann er zů louffen vast geng was
Sprach er zů synem vatter das
45 Billich wâr / das ich alles dât
Das mich myn vatter hieß vnd bât
On zwifel ich gern louffen wolt
Wann ich mit künngen louffen solt
Man durfft dar zů nit betten mich
50 Wann ich hett yemans mynen glich /
Aber es ist yetz dar zů kumen
Das pfaffen / adel / burger / frummen
Setzen an kôppels knaben sich
Die jnn nit sint an eren glich
55 Vor vß die pfaffen mit den leygen
Solten jr spyel lon vnderwegen
Wann sie echt wol betrachten das
Jr vffsatz / vnd den alten haß
Der Nydthart ist sunst vnder jnn
60 Der rôgt sich mit verlust vnd gwynn
Vnd ouch das jnn verbotten ist
Keyn spyel zů tůn zů aller frist

33 zusammen (s. Holzschnitt)   37 den Faden am Spinnrocken benetzen
42 Siegerpreise   43 bestens in der Lage war   49 bräuchte mich dazu nicht
bitten   53 Setzen sich zu Leuten des niedrigsten Standes und Gewerbes
(kupplerischen Badersknechten)   55 Laien   56 unterlassen   58 Ihre Feindschaft   60 regt

Wer mit jm selber spyelen kan
Dem gwynnt gar seltten yemans an
65   Vnd ist on sorg das er verlyer   [n 6ᵛ]
Oder das man jm flůch bőß schwůr
Die wile ich aber sagen sol
Was stand eym rechten spyeler wol
Will ich Virgilium har bringen
70   Der also redt von selben dingen
Veracht das spyel zů aller zytt
Das dich nit btrůb der schåntlich gytt
Dann spiel ist eyn vnsynnig bgyr
Die all vernunfft zerstőrt jnn dir
75   Jr dappfern / hůten üwer ere
Das uch das spiel die nit verser
Eyn spieler můß han geltt vnd můt
Ob er verlürt / das han für gůt /
Keyn zorn / flůch / schwůr / vß stossen gantz
80   Wer gelt bringt / der lůg wol der schantz
Dann mancher zů dem spiel kumbt schwår
Der doch zůr důren vß gat lår
Wer spielt alleyn durch grossen gwynn
Dem gat es seltten noch sym synn
85   Der hatt gůt fryd / wer spyelet nit
Wer spyelt der můß vff setzen mitt
Wer all ürten besitzen wil
Vnd sůchen glück vff yedem spyl
Der můß wol vff zů setzen han
90   Oder gar dick on gelt heym gan /
Wer dryg sůcht hat / vnd stelt noch mir
So werden vnser schwestern vier /
Spyl mag gar seltten sin on sünd
Eyn spyeler ist nit gottes fründt
95   Die spyeler sint des tüfels kynd /

64 jemand etwas ab   69 hier beibringen (in Form einer Übersetzung aus *De
ludo* in den folgenden V. 71–92)   72 Habgier   75 Tüchtigen   78 es für seinen Besitz hinnehmen   80 Chance   83 wegen   86 einsetzen   87 Wer aller
Zechen habhaft werden will   91 drei Süchte (Krankheiten) – trachtet nach mir

78

Vil narren sint jn disem druck [n 7ʳ]
Die doren sint / jnn manchem stuck
Den sitzt der esel vff dem ruck

Von gdruckten narren.

So vil sint jn dem narren orden
Das ich schier wer versessen worden
Vnd hett des schyffes mich versumbt
Hett mir der esel nit gerumbt
5   Jch bin der / den all ding důnt drucken
Will mich recht jnn winckel schmucken
Ob mich der esel wolt verlon
Vnd nit ståts vff mym rucken stan
Wann ich alleyn gdult dar zů hab
10 Hoff ich / des esels kumen ab
Doch hab ich sunst vil gsellen gůt
Die druckt alls das mich drucken důt
Als der nit volget gůtem rott /
Wer zürnet / so es nit ist nott
15 Wer vnglück koufft / wer trurt on sach
Wer lieber krieg hat / dann gemach
Wer gern sicht můtwill siner kynd
Wer halt syn nochbuwr nit zů fründ
Wer lydet das jn druck syn schůch
20 Vnd jnn syn frow jm wynhuß sůch
Der ghórt wol jnn das narrenbůch
Wer me verzert dann er gewynnt
Vnd borget vil / so jm zerrynnt
Wer zücht syn frow eym andern vor
25 Der ist eyn narr / gouch / esel thor /
Wer gdenckt die vile / der sünden syn
Vnd was er drumb můß lyden pin
Vnd mag doch frólich syn dar mitt
Der gehóret vff den esel nitt
30 Sunder der esel vff syn ruck

c auf dem Rücken (s. Holzschnitt)   2 sitzen gelassen (und vergessen)
3 versäumt   4 zugeraunt   6 kauern   7 verlassen   9 nur die (rechte) Geduld   12 bedrückt (auch) all das   16 statt Ruhe   17 den Mutwillen
18 Nachbarn   20 Weinhaus   24 einem anderen vorführt   26 Vielzahl

Das er jn gantz zů boden truck
Der ist eyn narr / der sicht das gůt
Vnd noch dem bösen stellen důt
Hie mit sint narren vil gerůrt
35 Die diser esel mit jm fůrt

33 trachtet   34 berührt

79

Wenn rüter / schriber / gryffen an
Eyn veißsten / schlechten / bürschen man
Der müß die leber gessen han

Ruter vnd schriber

Schriber vnd rüter / man ouch spott
Sie sygen jnn der narren rott
Sie bgont sich noh / mit glicher nar
Der schyndt heymlich / der offenbar
5   Der wogt syn lib jnn druck vnd naß   [n 8ᵛ]
Der setzt syn sel jnns dinckten faß
Der rüter stoßt vil schüren an
Der schryber müß eyn buren han
Der veisßt syg / vnd mög trieffen wol
10   Do mit er ryechen mach syn kol
Wann yeder dåt als er thůn sol /
So weren sie beid gelttes wert
Dyser mit fådern / der mit schwert
Mőht man jr beid entberen nitt
15   Wann ob der hant nit wer jr schnytt
Vnd durch sie würd das recht versert
Man vß dem stågenreiff sich nert /
Die wile aber vff eygen gwynn
Eyn yeder stelt syn műt vnd synn
20   So wőllen sie verzyhen mir
Das ichs jm narrenschiff ouch für
Jch hab sie des gebetten nitt
Jr yeder selb den fůrlon gytt
Vnd will sich vff eyn nüws verdingen
25   Sunst kunden vil / jns schiff zů bringen /
Schriber vnd glysßner sint noch vil
Die triben yetz wild rüterspil

a Wenn Kriegsknechte / (und) Schreiber zugreifen auf   **b** fetten / simplen /
bäurischen   **c** gegessen   **3** ernähren sich beinahe / mit gleicher Nahrung
4 zieht die Haut ab   **5** wagt – im Trockenen   **6** Tintenfass   **7** zündet viele
Scheunen an   **10** seinen Suppenkohl riechend macht (würzt)   **13** Schreibfedern   **15** Wenn ihr (Ernte-)Schnitt nicht unter der Hand wäre   **16** verletzt   **17** Steigbügel (Sattel)   **23** Fuhrlohn   **25** Bekannte; Kunden   **26** Betrüger

Vnd neren sich kurtz vor der handt /
Glich wie die reißknecht / vff dem landt /
30 Es ist worlich eyn grosse schand /
Das man die strossen nit wil fryen
Das bylger / koufflüt / sicher sygen /
Aber ich weis wol / was es důt
Man spricht es mach das geleyt vast gůt

28 kurzerhand 29 Kriegsknechte 31 frei machen 32 Pilger 34 schüt-
zende Geleitzüge bringen viel Besitz ein

80

Jch bin gelouffen ferr / vnd wytt [o.i.ʳ]
Nye lár das fleschlin was allzyt
Biß ich diß brieff den narren büt

Narrehte bottschafft.

Ob ich der botten nůn vergåß
Vnd jnn nit dorheit ouch zů måß
Sie manten mich ee selber dran
Narren můssen eyn botten han
5 Der trag jm mund / vnd syg nit lasß   [o.i.ᵛ]
Eyn briefflin das es nit werd nasß
Vnd süferlich gang vff dem dach
Do mit der zyegelhuff nit krach
Lůg ouch das es jnn nit bevilt
10 Me enden / dann man jm entpfilt
Vnd was er tůn soll / vnd man heißt
Das er / vor wyn / dar vmb nit weißt
Vnd langzyt vff der straß sich sum
Do mit das jm vil lüt bekum
15 Vnd lůg das er zår an der nåh
Vnd drystunt vor die brieff besåh
Ob er künd wissen / was er trag
Vnd was er weiß / bald wyter sag
Vnd leg syn dåsch nachts vff eyn banck
20 So er nymbt von dem wyn eyn schwanck
Vnd kum on antwürt wider heym
Das synt die narren die ich meyn
Dem narren schyff louffen sie noch
Sie fynden es hye zwüschen Ach
25 Doch sollen sie sich des vermessen
Das sie des flåschlins nit vergessen
Dann jnn jr leber / vnd geschyrr
Von louffen / liegen würt gantz dürr /
Wie gůt der schne erkůlung gyt

---

a fern / und weit   **c** entbiete (s. Holzschnitt)   **5** sei nicht saumselig
7 vorsichtig gehe   **8** Ziegelwerk   **9** zur Last wird   **10** befiehlt
12 Wein   **13** versäume   **14** begegnen   **15** verzehre in der Nähe   **16** dreimal die Briefe vorbesichtige   **20** Schwips   **24** zwischen hier und Aachen
25 erkühnen   **27** und Gemächt

30 Wann man jn fyndt jnn summers zyt
    Also ergetzt eyn truwer bott
    Den / der jn vß gesendet hat
    Der bott ist lob / vnd eren wert
    Der bald kan werben / das man bgert

31 tüchtig-treuer   34 ausrichten

384

81

Hie kumen keller / kôch / eehaltten   [o.ij.ʳ]
All die des huses sorg / dûnt waltten
Die redlich jnn dem schiff dûnt schaltten

von kochen vnd keller

Eyn böttlin erst vor vns hyn lyeff
Das froget noch dem narren schiff
Dem goben wir versaltzen suppen
Das er dem fläschlin wol möcht luppen
5   Jm wasß zů louffen also goch   [o.ij.ᵛ]
Das fläschlin es on duren zoch
Wir wolten jm brieff geben han
Wolt es doch nit so lang still stan /
Des kumen wir die straß hie schlecht
10   Keller / vnd köch / megde / eehalt / knecht
Die mit der kuchen sint behafft
Wir tragen all vff noch kuntschafft
Dar vß keyn duren vns bestat
Vß vnserm seckel es nit gat
15   Vor vß wann vnser herschafft nycht
Zů huß ist / vnd es nyeman sycht /
So schlemmen wir / vnd tabernyeren
Frömde prasser / wir mit vns heym fůren
Vnd geben do gar manchen stoß
20   Der kannen / krusen / fleschen groß
Wann nachts die herschafft schloffen gat
Vnd rygel / tor / beschlossen hatt
So drincken wir dann nit des bösten
Wir lossen vß dem vaß / dem grösten
25   Do mag man es nit wol an spůren
Ans bett / wir dann eynander fůren
Doch důnt wir vor zwen socken an
Das vns die herschafft nit hör gan

---

a hier kommen Kellermeister / Köche / Dienstboten (s. Holzschnitt) c her-
umwirtschaften 1 ein Bötlein gerade (vgl. Kap. 80) 4 heben; ihm zuspre-
chen 5 eilig 6 ohne Zögern hervorzog 9 So kommen wir geraden (bequemen) Wegs voran 11 Küche 12 ganz nach Freundschaft 13 kein Bedauern uns überwältigt 17 zechen (lat. *taberna*/›Wirtshaus‹) 20 Krüge /
Flaschen 23 nicht vom Schlechtesten

386

Vnd ob man schon hört ettwas krachen
30 Mann wånt die katzen důnt das machen
Vnd wenn eyn kleyn zyt vmbhar gat
So wånt der herr / das er noch hat
Jn sym våslin eyn gůten drunck
So macht der zappf dann glunck glunck glunck
35 Das ist eyn zeychen dar zů / das   [o.iij.ʳ]
Gar wenig ist me jnn dem faß
Dar zů / wir dar vff flißlich achten
Wie wir zů richten vil der trachten
Do mit den glust / vnd magen reytzen
40 Mit kochen / syeden / broten / schweytzen /
Mit rösten / bachen / pfeffer bry
Voll zucker / wurtz / vnd spetzery
Geben wir eym eyn oxymell
Der by der stågen leidt gewell
45 Oder můß das von jm purgyeren
Mit Syropen / vnd mit klystieren
Des achten wir gantz nütz zů mol
Dann wir ouch werden dar by vol
Vnser selbes wir nit vergessen
50 Das best / wir ab dem hafen essen
Dann ob wir hungers sturben schon
Man sprech / es wer von völl gethon
Der keller spricht / brot mir eyn wurst
Her koch / so lesch ich dir den durst
55 Der keller ist des wyns verråter
Der koch der ist des tüfels bråter /
Hye důt er gwonen by dem für
Das jm dort kumen würt zů stür /

---

33 Fässchen   38 Gänge des Mahls   39 den Appetit   40 braten / schmo-
ren   41 Pfeffer-Soße   42 und Gewürzen   43 (Essig mit Honig vermischt;
lat. *oxymeli*)   44 bei der Stiege Erbrechen erleidet   45 reinigen (lat. *purgare*)   46 Mit Arzneitränken und mit Klistieren   47 beachten – überhaupt
nicht   50 aus dem Topf   52 Völlerei   56 des Teufels Bräter   58 nützlich
sein wird

Keller vnd kôch sint seltten lâr
60 Sie tragen vff alls by der schwâr
Jns narren schiff stat all jr bgâr
Do joseph jnn Egypten kam
Der fürst der kôch jnn zû jm nam
Jherusalem gwann Nabursadam

82

Jch hett vergessen nach jnn myr [o.iij.ᵛ]
Das ich nit noch eyn schyff jnfůr
Do ich der buren narrheyt růr

von burschem vffgang

Die buren eynfalt ettwann woren
Nüwlich jnn kurtz vergangenen joren
Gerechtikeyt was by den buren
Do sie floch vß den stett vnd muren
5 Wollt sie jnn ströwen hüttlin syn　　　　　[o.iiij.ʳ]
Ee dann die buren druncken wyn
Den sie ouch yetz wol mögen tulden
Sie stecken sich jnn grosse schulden
Wie wol jn korn / vnd wyn gilt vil
10 Námen sie doch vff borg vnd zyl
Vnd went bezalen nit by ziten
Man müß sie bannen vnd verlüten
Jn schmeckt der zwilch nit wol / als ee
Die buren went keyn gyppen me
15 Es müß sin lündsch / vnd mechelsch kleit
Vnd gantz zerhacket / vnd gespreit
Mit aller varb wild / über wild
Vnd vff dem ermel eyn gouchs byld
Das statt volck yetz von buren lert
20 Wie es jnn boßheit werd gemert
All bschysß yetz von den buren kunt
All tag hant sie eyn nuwen funt
Keyn eynfalt ist me jnn der welt
Die buren stecken gantz voll gelt
25 Korn vnd wyn halttens hynder sich
Vnd anders / das sie werden rich
Vnd machen selber jnn eyn dür

---

a beinahe in mir　**b** einführe　**c** der Bauern Narrheit berühre　**Bild** Holzschnitt-Spruchband: »Er müß dryn« [Er muß rein]　**Titel** Von bäuerlichem
Emporkommen　1 einfach　4 als sie floh aus Städten und Mauern
5 ströhernen　7 zulassen　9 für sie viel Wert hat　10 Zahlungstermin
(beim Kredit)　12 und durch öffentlichen Ausruf ächten　13 das grobe
Tuch　14 einfache Jacken　15 aus Leyden und Mecheln stammendes
16 geschlitzt / und gesprenkelt　18 Bild　22 neue Mode　23 Einfachheit
25 halten sie zurück　27 sich selbst eine Teuerung

Biß das der tunder kumbt mit für
So würt verbrent dann korn / vnd schür
30 Des glich by vnsern zytten ouch
Jst vff gestanden mancher gouch
Der vor eyn burger / kouffman was /
Will edel syn / vnd ritter gnaß
Der edelman gert syn eyn fry
35 Der Groff / das er gefürstet sy   [o.iiij.ᵛ]
Der fürst die kron des künigs gert
Vil werden ritter / die keyn schwert
Důnt bruchen für gerechtikeyt
Die buren tragen syden kleit
40 Vnd gulden ketten an dem lib
Es kunt da har eyns burgers wib
Vil stöltzer dann eyn gräfin důt
Wo yetz gelt ist / do ist hochmůt
Was eyn ganß von der andern sycht
45 Dar vff on vnderloß sie dicht
Das můß man han / es důt sunst we
Der Adel hat keyn vorteyl me
Man findt eyns hantwercks mannes wib
Die bessers wert dreit an dem lib
50 Von röck / ryng / mäntel / borten schmal
Dan sie jm huß hat überall
Do mit verdyrbt mach byderman
Der mit sym wib můß bättlen gan
Jm wynter drincken vß eym krůg
55 Das er sym wib mög thůn genůg
Wann sy hüt hatt alls das sy gelangt
Gar bald es vor dem koüffler hangt
Wer frowen glust will hengen noch

---

28 Donner mit Blitzesfeuer kommt   29 Scheune   33 des Ritters Genosse
34 zu sein begehrt   38 gebrauchen   39 seidene   44 bei der andern sieht
45 sie sinnt   47 Vorrecht   49 größeren Wert trägt   52 geht mancher bra-
ve Mann zugrunde   56 Wenn sie heute alles hat, wonach sie verlangt
57 Trödler   58 Begierde

Den frürt gar dick / so er spricht schoch
60   Jnn allen landen ist groß schand
      Keynen benügt me / mit sym stand
      Nyemans denckt wer syn vorderen woren
      Des ist die welt yetz gantz voll doren
      Das ich das worlich sagen magk
65   Der dry spitz / der müß jnn den sack

59 friert – Huch! (als Ausruf)   61 genügt   62 Vorfahren   65 Dreizack;
Dreifuß (lat. *tripus*; s. Holzschnitt)

83

Dis narren freüwt nüt jnn der welt [o 5ʳ]
Es sy dann / das es schmeck noch gelt
Sie ghôren ouch jnns narren fellt

von verachtung armut

Gelt narren sint ouch über al
So vil das man nit findt jr zal
Die lieber haben geltt dann ere
Noch armût frogt yetz nyeman mer
5   Gar kum vff erd yetz kumen vß   [o 5ᵛ]
Die tugend hant / sunst nüt jm huß
Man dût wißheit keyn ere me an
Erberkeyt müß verr hynden stan
Vnd kumbt gar kum vff grünen zwig
10 Man wil yetz das man jr geschwig
Vnd wer vff richtûm flysset sich
Der lûgt ouch / das er bald werd rich
Vnd acht kein sünd / mort / wûcher / schand
Des glich verretery der land
15 Das yetz gemeyn ist jnn der welt
All boßheit / fyndt man yetz vmb gelt
Gerehtikeit / vmb gelt ist feyl
Durch gelt kem mancher an eyn seyl
Wann er mit gelt sich nit abkoufft
20 Vmb gelt vil sünd blibt vngestrofft
Vnd sag dir tütsch wie ich das meyn
Man henckt die kleynen dieb alleyn /
Eyn brâm nit jn dem spynnwep klâbt
Die kleynen mücklin es behebt
25 Achab ließ nit benûgen sich
Mit synem gantzen künig rich
Er wolt ouch Nabuhts garten han
Des starb on recht der arm frumm man
Alleyn der arm müß jnn den sack

b rieche **c** Narrenfeld **Bild** Holzschnitt-Inschrift: »gnad her« [Gnade, Herr!] **Titel** Von Verachtung der Besitzlosigkeit **5** kaum kommen auf Erden jetzt (jene) aus **8** Redlichkeit **10** von ihr schweige **11** nach Reichtum strebt **15** allgemein **17** wird für Geld feilgeboten **18** an den Strick **23** Bremse **24** festhält **25** begnügen

30 Was gelt gytt / das hat gůten gschmack
    Armůt die yetz ist gantz vnwerdt
    Was ettwann liep / vnd hoch vff erd
    Vnd was genem der gulden welt
    Do was nyemans der achtet gelt
35 Oder der ettwas hatt alleyn   [o 6ʳ]
    All ding die woren do gemeyn
    Vnd ließ man des benůgen sich
    Was on arbeyt das erterich
    Vnd die natur on sorgen trůg /
40 Noch dem man bruchen wart den pflůg
    Do fing man an / ouch gyttig syn
    Do stund ouch vff / wer myn das din /
    All tugend worent noch vff erd /
    Do man nüt dann zymlichs begerdt /
45 Armůt die ist eyn gob von gott
    Wie wol sie yetz ist der welt spott
    Das schafft alleyn das nyeman ist
    Der gdenck / das armůt nüt gebrüst
    Vnd das der nüt verlieren magk
50 Der vor nüt hat jn synem sack
    Vnd das der lycht mag schwymmen wytt
    Wer nacket ist / vnd an hat nüt
    Eyn armer syngt fry durch den walt
    Dem armen seltten üt entpfalt
55 Die fryheit hat eyn armer man
    Das man jn doch loßt båttlen gan
    Ob man jn schon sicht übel an /
    Vnd ob man jm joch gar nüt gytt
    So hat er doch dest mynder nitt
60 By armůt fand man bessern ratt
    Dann richtům ye gegeben hat

---

30 Geruch   32 beliebt   33 angenehm der goldenen Welt (Goldenes Zeitalter)   38 die Erde   40 in Gebrauch des Pfluges kam   41 habgierig   42 da
kam auch auf: »Wäre (doch) mein, was dein!«   54 etwas entfällt (verloren
geht)   59 weniger

Das wiset Quintus Curius
Vnd der berůmbt Fabricius /
Der nit wolt haben gůt noch gelt
65 Sunder ere / tugent / er erwelt /   [o 6ᵛ]
Armůt hett geben fundament
Vnd anfang allem regyment
Armůt hat gbuwen alle stett
All kunst Armůt erfunden hett
70 Alls übels Armůt ist wol on
All ere vß Armůt mag erston
By allen völckern vff der erd
Jst armůt / langzyt gwesen werdt
Vor vß die Kriechen / dar durch hand
75 Vil stett bezwungen / lüt / vnd land
Aristides was arm / gerecht
Epamynundas streng / vnd schlecht
Homerus was arm vnd gelert
Jnn wißheit Socrates geert
80 Phocyon jnn mylt übertrifft
Das lob hat armůt jnn der gschrifft
Das nüt vff erd ye wart so groß
Das nit von erst vß armůt floß
Das Römsch rich / vnd sin hoher nam
85 Anfånglich vß armůt har kam
Dann wer merckt / vnd gedenckt do by
Das Rom von hyrten gbuwen sy
Von armen buren lang regiert
Dar noch durch richtům gantz verfůrt /
90 Der mag wol mercken das armůt
Rom baß hat gthon / dann grosses gůt /
Wer Cresus arm / vnd wis gesyn
Er hett behalten wol das syn
Do man frogt Solon vmb bescheit

67 Regierung; Herrschaft   68 gebaut   70 Besitzlosigkeit ist ohne jede
Schlechtigkeit   77 schlecht   80 an Freigebigkeit (alle) übertrifft   87 Hirten   89 Danach

396

95   Ob er het rechte sållikeyt
     Dann er was måhtig / rich / vnd werd /
     Sprach Solon man solt hie vff erd
     Keyn heyssen sellig vor sym todt
     Man weißt nit was her noher gat
100   Wer meynt das er vest stand noch hüt
     Der weißt doch nit / die kunfftig zyt
     Der her sprach / üch sy we vnd leydt
     Jr richen / hant hie üwer freüd
     Ergetzlicheit jnn üwerm gůt
105   Sellig der arm / mit fryem můt /
     Wer samlet gůt / durch liegens krafft
     Der ist vnnütz / vnd gantz zaghafft
     Vnd macht sich veißt / mit sym vnglück
     Das er erwürg an todes strick
110   Wer eynem armen vnrecht důt
     Vnd do mit huffen will sin gůt
     Der fyndt eyn richern dem er gibt
     Syn gůt / so er jnn armůt blibt
     Nit richt dyn ougen vff das gůt
115   Das allzyt von dir fliehen důt
     Dann es glich wie der Adler gwynnt /
     Fådern / vnd flügt bald durch den wynt /
     Wer gůt vff erden rich hye syn
     Christus wer nit der årmst gsyn /
120   Wer spricht das jm sunst nüt gebrest
     Dann das on pfenning sy sin tåsch
     Der selb ist aller wißheit on
     Jm gbrüst me dann er sagen kan
     Vnd vor vß das er nit erkennt
125   Das er sy årmer dann er wånt

---

96 und vornehm   100 heute noch feststeht   102 euch   104 Genuss
105 mit ungebundenem Denken   106 Lügenkraft   107 ganz feige; elend
108 mästet sich fett   111 anhäufen   117 Wind   118 Wäre es gut

84

Vil griffen den pflůg an gar resch [o 7ᵛ]
Vnd enden übel doch zů lest /
Das důt / der gouch der blibt jm nest

von beharren jn gutem

Vil legen jr handt an den pflůg
Vnd sint von erst / jnbrünstig gnůg
Zů wißheyt / vnd zů gůtem werck /
Stygent doch nit voll vff den berg
5   Der sie fůr zů dem hymelrich   [o 8ʳ]
Sunder sehen sie hynder sich
Vnd gfelt jnn wol Egypten landt
Do sie jr fleisch hâf gelossen handt
Vnd louffen zů den sünden groß
10   Glich wie der hunt zů synem aß
Das er yetz dickmol gessen hat
Die hant für wor eyn sôrglich stat
Gar kum eyn wund wyder genyßt
Die me dan eynst vff gbrochen ist
15   Wann sich der siech nit haltet recht
Das wider vmb sin kranckheit schlecht
So ist vast sôrglich / das er mag
Genâsen nit / jn langem tag
Vil wâger wer / nit vohen an
20   Dann noch dem anfang doch abstan /
Got spricht / jch wolt du hetst gestalt
Das du werst warm / oder gantz kaltt
Aber die wile du lâw / wilt syn
So vnwillest du der selen myn /
25   Ob eyner joch vil gůts hat gthon
So würt jm doch nit der recht lon
Wann er nit bharret jnn das end /

---

a rasch; munter   c das hat seine Ursache darin, dass der (schmarotzende)
Kuckuck im Nest bleibt   Titel Beharrlich sein im Gutestun   2 anfangs /
heiß verlangend   4 Steigen (dann aber) doch nicht   8 ihre Fleischtöpfe zu-
rückgelassen haben   10 zu seinem (erwürgten) Fleischfutter   11 zum wie-
derholten Mal gefressen   12 einen Besorgnis erregenden Stand   13 heil
wird   15 der Kranke   16 seine Krankheit wieder umschlägt   19 anfangen   20 doch (wieder davon) Abstand nehmen   21 hättest danach getrach-
tet   23 solange du lau willst sein   24 ekelst   27 ausharrt bis ans Ende

Vß grossem übel kam behend
Vnd wart erlößt / die husfrow Loth
30 Aber do sie nit hielt das gbott
Vnd wider vmb sach hynder sich
Bleib sie do stan gantz wunderlich /
Eyn narr loufft wider zů synr schåll
Glich wie eyn hundt zů sym gewåll

33 Narrenschelle 35 Ausgewürgtem

85

Mag Adel / gůt / sterck / jugents zyer   [o 8ᵛ]
Han fryd vnd rům / o todt vor dir?
Alls das / das leben ye gewann
Vnd tôttlich ist / das můß dar von

Nit fursehen den dot

Wir werden btrogen lieben fründt
All die vff erden leben syndt
Das wir fürsehen nit by zyt
Den dott / der vnser doch schont nüt
5   Wir wissen / vnd ist vns wol kunt   [p.i.ʳ]
Das vns gesetzet ist die stundt
Vnd wissen nit wo / wenn / vnd wie /
Der dott der ließ nie keynen hye
Wir sterben all / vnd fliessen hyn /
10 Dem wasser glich zůr erden jn /
Dar vmb sint wir groß narreht doren
Das wir nit gdencken jnn vil joren
Die vns gott dar vmb leben lott
Das wir vns rüsten zů dem dot
15 Vnd leren / das wir müssen künnen
Vnd mögen jnn keyn weg entrynnen
Der wynkouff ist gedruncken schon
Wir mögen nit dem kouff abston
Die erste stund / die lest ouch braht
20 Vnd der den ersten hat gemacht
Der wust ouch / wie der lest würd sterben /
Aber die narrheyt důt vns ferben
Das wir gedencken nit dar an
Das vns der dot nit hie wurt lan
25 Vnd vnsers hübschen horsß nit schonen
Noch vnser grünen krentz / vnd kronen
Er heißt worlich / hans acht syn nit /
Dann wellen er begrifft / vnd schütt

a Kann Adel / Besitz / Stärke / Jugendzier   d sterblich   **Bild** Holzschnitt-
Inschrift: »dü blibst« [du bleibst]   **Titel** Sich um den Tod keine Gedanken
machen   1 liebe Freunde (als Anrede)   17 der Weintrunk (bei Vertragsab-
schluss)   18 Abstand nehmen   19 (hat) die letzte auch (mit sich) gebracht   22 (verblendende) einfärben   25 Haares   27 Er heißt zu Recht
»Hans-nimm-keine-Rücksicht«   28 Denn welchen er (auch) ergreift / und
schüttelt

Er sy wie starck / schon / oder jung
30 Den lert er gar eyn seltzen sprüng
Den ich billich den dotsprung heiß
Das eym vß dringt kalt / grym / vnd sweiß
Vnd streckt / vnd krymbt sich / wie ein wurm
Dann do důt man den rechten sturm
35 O dott wie starck ist din gewalt   [p.i.ᵛ]
Sydt du hyn nymbst beid jung / vnd alt /
O dott wie gar hert ist din nam
Dem adel / gwalt / vnd hohem stam
Vor vß dem / der syn freüd / vnd můt
40 Alleyn setzt / vff das zyttlich gůt
Der dott mit glichem fůß zerschütt
Der kunig Sål / vnd hyrten hüt
Er acht keyn pomp / gewalt / vnd gůt /
Dem babst / er wie dem buren důt /
45 Dar vmb eyn dor ist / wer all tag
Flücht / dem er nit entrynnen mag
Vnd meynt / wann er syn schellen schütt
Das jnn der dott / dar vmb såh nitt
Vff sollich gding eyn yeder har
50 Kunt / das er ouch von hynnan far
Vnd er erloubet sy dem dot
Wann von dem lib die sel vß got /
Mit glichem gsatz / der dot hyn fúrt
Alls das / das leben ye berůrt
55 Du stürbst / der blibt noch lenger hie
Vnd bleib die leng doch keyner nie /
Die tusent jor erlebten schon
Die můsten doch zů letst ouch gon
Es ist kum / vmb eyn rock zů thůn
60 Das noch dem vatter / leb der sůn

29 schön   30 seltsamen   32 ausbricht das kalte Angstergrimmen
34 Kampf   36 da du hinnimmst   41 zertrümmert   42 Königssäle
47 Narrenschellen schüttelt   49 f. Unter dieser Bedingung kommt ein jeder
hierher (auf die Welt)   51 Und er zugestanden sei   56 auf Dauer   59 Es
handelt sich kaum um die Lebensdauer eines Rockes

Der vor dem vatter styrbt zů zyt
Dann man fynd ouch vil kelber hüt
Je eyner fert dem andern noch
Wer nit wol styrbt / der fyndt syn roch

[p.ij.ʳ]

65 Des glich jr narrheyt ouch erscheynen
Die vmb eyn dotten / truren / weynen /
Vnd jm vergünnen syner růw
Do wir doch all begeren zů /
Dann keyner fert zů frůg do hyn
70 Do er můß / ewicklichen syn
Jo gschicht gar manchem wol dar an
Das gott jm růfft zyttlich hyn dan
Der dott ist manchem nütz gesyn
Das er on wart / trůpsal / vnd pin /
75 Vil hant den dot ouch selb begert
Der dott vil dancks an den bewerdt
Zů den er kam / ee man jm růff /
Vil gefangen er jnn fryheyt schůff
Vil hat er vß dem kercker bracht
80 Den der was ewicklich eracht /
Das glück deilt vnglich gut / vnd rich
Aber der dot macht es alls glich
Der ist eyn richter / der gantz nytt
Ettwas abloßt / durch yemans byt /
85 Der ist alleyn / der all ding lont /
Der ist / der nye keym ye hat gschont
Nye keym gehorsam er ye wart
Sye můsten all vff syne fart
Vnd dantzen jm noch synen reyen
90 Bábst / keyser / künig / bischóff / leyen
Der mancher noch nit hat gedacht
Das man den vordantz jm hatt bracht

---

62 man findet auch viele Häute junger Kälber (vgl. Kap. 94.14)   **64** Wer
nicht recht (versehen) stirbt / findet seine Strafe   **65** zum Vorschein bringen   **67** missgönnen   **69** zu früh   **74** frei wurde von   **76** gewährt
78 befreite   **83** ganz und gar nicht   **89** Reigen   **92** ersten Tanz

Das er můß dantzen an dem gzotter
Den westerwelder / vnd den drotter
95 Hett er sich vor dar zů gerůst [p.ij.ᵛ]
Er wer nit so stümpflyng erwůst
Dann manch groß narr ist yetz do hyn
Der sorg hatt vff die grebniß syn
Vnd leyt dar an so grosses gůt
100 Das es noch manchen wundern důt
Als Mausolum / das jrm man
Arthemysia hatt gemachen lan
Vnd so vil kosten dran geleyt
Mit grosser gzierd / vnd rylicheyt
105 Das es der syben wunder eyns
Jst / die man fyndt jm erden kreiß /
Ouch grȧber jnn Egypten lant
Die man Pyramides hat gnant /
Vor vß als Chemnis macht eyn grab
110 Dar an er henckt syn gůt vnd hab
Do dry mol hundert tusent man
Vnd sechtzig tusent werckten an
Dan er vmb krut gab also vil
(Der ander kost ich schwigen will)
115 Keyn fürsten ich so rich yetz halt
Der das alleyn mȯcht han bezalt /
Des glich ouch Amasis jm macht
Wie Rhodope / hatt eyns volbracht
Das was eyn groß dorheyt der welt
120 Das man leidt eyn so mȧhtig gelt
An grȧber / do man würffet hyen
Den ȧsch sack / vnd die schelmen beyn
Vnd gab so grossen kosten vß
Das man den würmen macht eyn huß
125 Vnd durch der selen willen nüt [p.iij.ʳ]

93 in der Tanzreihe   94 (zwei beliebte Tänze der damaligen Zeit)   96 über-
raschend zerstört   98 Begräbnis   104 und Herrlichkeit   113 Kraut (und
Gemüse)   122 Aschensack – Aasknochen

Důt / die doch leben můß all zyt /
Die sel hilfft nüt eyn kostlich grab
Oder das man groß marmel hab
Vnd vff henck schyltt / helm / banner groß
130 Hie lyt eyn herr / ist woppens gnoß
Howt man jm dann jnn eynen steyn /
Der recht schyltt / ist eyn dotten beyn /
Dar an würm / schlange / krotten nagen /
Das woppen / keyser / buren / tragen
135 Vnd wer hie züht eyn feyßten wangst
Der spißt / syn wåpner aller langst /
Do ist eyn våhten / ryssen / brechen /
Die fründ sich vmb das gůt erstechen /
Welcher es gantz behaltten well
140 Die tüfel / sint gewiß der sel
Vnd důnt mit der wůst tryumphieren
Von eym bad jnn das ander fůren /
Von yttel kelt / jnn ytel hytz /
Wir menschen leben gantz on wytz /
145 Das wir der sel / nit nåmen war
Des libs wir sorgen yemer dar /
All erd die ist geságnet gott
Wol lyt der / der do wol ist dott
Der hymel manchen dotten deckt
150 Der vnder keynen steyn sich streckt
Wie kund der han eyn schöner grab
Dem das gestyrn lücht oben ab /
Got fyndt die beyn zů syner zyt /
Wer wol styrbt / des grab ist das höhst /
155 Der sünder dot / der ist der bösst

128 Marmor 130 »Hier liegt ein (adliger) Herr / (er) ist ein Wappen tragen-
der Standesgenosse« 132 rechte (Wappen-)Schild 133 Kröten 135 wer
hier (auf Erden sich) einen Fettwanst zuzieht 136 Der nährt seine (erb-
schleichenden) Waffengesellen am längsten 137 fechten / reißen 141 Und
triumphieren mit der (Seele) in übler Weise 143 Von reiner Kälte
144 ohne Verstand 148 Wohl gebettet liegt der / der gut gestorben ist

86

Wer meynt gott well jnn stroffen nyt [p.iij.ᵛ]
Dar vmb / das er beyt lange zyt
Den schlecht der tunder dyck noch hüt

von verachtung gottes

Der ist eyn narr / der gott veracht
Vnd wider jn vieht / tag vnd nacht
Vnd meynt / er sy den menschen glich
Das er schwig / vnd loß fattzen sich
5   Dann mancher sich dar vff verlosßt   [p.iiij.ʳ]
So jm der tunder nit anstoßt
Sin huß so bald / vnd schlecht jnn dott
So er syn boßheit hatt volbrocht
Oder nit styrbet gåhelich
10 Das er nit me důrff vőrhten sich
Dann got hab syn vergessen doch
Das er so lang jor beittet noch
Er werd jm dar zů lonen ouch
Do mit versündt sich mancher gouch
15 Der erst jnn synen sünden verhart
Dar vmb / das jm gott ettwan spart
Meynt er jm griffen an den bart
Als ob er mit jm schimpfen wolt
Vnd gott vertragen sollches solt /
20 Hőr zů o dor / würd witzig narr
Verloß dich nit vff solche harr
Es ist worlich eyn grusam bandt
Welcher gott fallet in syn handt
Dann ob er joch lang zyt din schont
25 Dir würt des beittens wol gelont
Manchen loßt sünden gott der herr
Das er jn dar noch stroff dest mer
Vnd jm bezal das / vnd das eyn
Man spricht es mach den seckel reyn /

---

b weil er (oft) lange abwartet   c schlägt das Gewitter (s. Holzschnitt)
2 ficht   4 spotten   9 plötzlich   12 wartet   16 verschont   18 scherzen
(s. Holzschnitt)   21 Aufschub   22 grausame Gefangenschaft   29 putzt
den Geldbeutel sauber

30 Mancher der styrbt jnn sünden kleyn
Dem důt gott sollche gnad dar an
Das er jnn zyttlich nymbt von dan
Do mit er nit vil sünd vff lad /
35 Vnd grösser werd der selen schad
Gott hat all ruwern zů geseitt   [p.iiij.ᵛ]
Ablaß / vnd syn barmhertzikeit
Keym sünder er doch ye verhyeß
Das er jnn so lang leben ließ
Biß er rüwt / vnd nåm besserung an
40 Oder das er rüw würd entpfan /
Gott geb eym dyck syn gnad noch hüt
Vnd will jm doch morn geben nüt /
Ezechias von gott erwarb
Das vff syn gsatzt zyel er nit starb
45 Sunder lebt noch dann funfzehen jor /
Balthesar durch sünd sym ziel kam vor
Die handt / von aller freüd jnn treib
Die Mane / Phares / Thetel schreib
Er was zů lycht an dem gewyecht
50 Dar vmb wart jm entzuckt syn lyecht
Vnd merckt nit das syn vatter vor
Durch gott gstrofft / vor manchem jor
Zů besserung vnd bůß sich kert
Dar vmb wart er von gott erhört
55 Das er jn vyehes gstalt nit starb
Durch rüw / er gnad vnd zyel erwarb
Eym yeden ist gesetzt syn zit
Vnd zal der sünd / dar über nüt
Dar vmb zů sünden nyeman yl
60 Wer vil sündt der / ist bald zům zil
Vil syndt / dott yetz jn disem jor

---

32 zeitig   35 Reumütigen zugesagt   40 empfangen   46 beschleunigte aufgrund der Sünden sein Lebensende   48 »gezählt / gewogen / zerteilt«
50 sein Licht entzogen   55 Tiergestalt   56 Durch Reue erwarb er Vergebung und (ein rechtes) Ende   59 eile

Hetten sie sich gebessert vor
Vnd jr stundglaß vmb kôrt by zyt
Der santt wer vß geloffen nitt
65   Sie lebten noch on zwifel hüt

63 ihre Sanduhr rechtzeitig umgewendet

[87]

Wer låstert gott mitt flůchen / schweren   [p 5ʳ]
Der lebt mit schand / vnd styrbt on eren
We dem / der solichs ouch nit důt weren

411

Von gottes lestern

Die größsten narren ich ouch kenn
Die ich nit weiß wie man sie nenn
Die nit benůgt an aller sünd
Vnd das sie sint des tüfels kynd

5   Sie müssen öfflich zougen das   [p 5ᵛ]
Wie sie sygen jnn gottes haß
Vnd haben jm gantz widerseyt
Der hebt gott syn omâchtikeyt
Der ander / jm syn marter für

10   Syn myltz / syn hyrn / syn krôß / vnd nyer
Wer yetz kan vngewonlich schwůr
Die dann verbietten důnt all recht
Den haltt man / für eyn fryschen knecht
Der můß eyn spieß / eyn armbrust han

15   Der gtar alleyn / wol vier bestan
Vnd vß der flâschen freüdig syn
Môrtlich schwůr důt man by dem wyn
Vnd by dem spyel / vmb wenig gelt
Nit wunder wer / ob gott die weltt

20   Durch solche schwůr / ließ vnder gon
Oder der hymel brâch dar von
So lâstert / vnd geschmâcht man gott
All erberkeyt ist leyder dott
Vnd gatt mit recht / keyn straff dar noch

25   Des lyden wir vil plag / vnd roch
Dann es so öfflich yetz geschycht
Das es all weltt merckt / hôrt / vnd sicht
Nit wunder / ob gott selber rycht

---

a mit Fluchen / (und) Lästern   **Titel** Von Gotteslästerung   **3** Die nicht ihr
Genüge finden in jeder Art Sünde   **5** offen bezeugen   **6** in Hass gegen
Gott   **7** abgeschworen   **8** Ohnmacht   **9** (hält) ihm sein Leiden vor
10 Seine Milz / sein Hirn / seine Gedärme / und Nieren   **13** für einen ke-
cken Helden   **15** Der wagt allein / vier wohl anzugreifen   **16** kühn
17 Mörderische   **21** zerbräche davon   **23** alles ehrenhafte Verhalten
24 nach Recht (und Gesetz)   **25** Vergeltung   **28** richtet

Gott mags die leng vertragen nycht
30 Dann er entpfalh / das man solt důn
Versteynen / der Jsrahelyten sůn
Sennacherib / der flůchet gott
Vnd wart geplagt mit schand / vnd spot
Lycaon / vnd Mezencius
35 Entpfand das / vnd Antyochus

30 befahl

88

Wer meynt das vns gott strofft zů vil [p 6ʳ]
Das er vns plaget vnder wil
Des plag / ist nit eyn viertel myl

von plag vnd strof gots

Eyn narr ist / wer für wunder hellt
Das gott der herr / yetz strafft die weltt
Vnd eyn plag schickt / der andern noch
Die wile vil krysten sygen doch
5   Vnd vnder dån / vil geystlich lüt   [p 6ᵛ]
Von den vil vasten / gbet allzyt
Geschåhen ståts on vnderloß /
Doch hôr / es ist keyn wunder groß
Dann du nit fyndest eynen stadt
10 Jnn dem es yetz nit übel gat
Do nit abnåm syg / vnd gebruch /
Dar zů so ist des wisen spruch
Wan du zerbrychst / das ich dir buw
So würt vns beyden nüt dann ruw
15 Vnd das wir arbeit hant verlorn /
So spricht ouch sunst / der herr mit zorn
Wann jr nit haltten myn gebott
Will ich uch geben plag vnd dot
Kryeg / hunger / pestilentz / vnd dür
20 Hytz / ryff / keltt / hagel / tunders für
Vnd meren das / von tag zů tag
Vnd nit erhôren bått noch klag
Ob joch Moyses vnd Samuel
Mich bått / so bin ich doch der sel
25 So vyndt / die nit von sünden latt
Sie måß han plag / wile ich byn gott
Man såh alleyn an jüdisch landt
Was sie durch sünd verloren hant
Wie dyck sie gott vertriben hatt
30 Durch sünden / vß der heyligen statt

---

b zuweilen   **c** nicht einmal eine viertel Meile (entfernt)   **9** Stand   **11** Wo
nicht Verfall ist / und Mangel   **14** Reue   **15** (unser) Mühewalten   **20** Frost
– Gewitterfeuer (s. Holzschnitt)   **22** Gebet   **25** so feindlich   **26** dieweil

Die krysten hant das ouch verloren
Do sie verdienten gottes zorn
Myn sorg ist / wir verlyeren me
Vnd das es vns noch übler gee

89

Wer syn mul / vmb eyn sackpfiff gytt   [p 7ʳ]
Der selb / syns tuschens gnůsset nytt
Vnd můß offt gan / so er gern rytt

417

von dorechtem wechsel

Vil grôsser arbeit hatt eyn narr
Wie das syn sel zůr hellen far
Dann keyn Eynsydel vor ye hatt
Jn aller wůst / vnd heymlich statt
5 Do er dient vastend / bettend / gott /   [p 7ᵛ]
Man sicht was hochfart arbeit hat
Wie man sich muttz / schmyer / nestel / briß
Vnd herte drück lyd / jnn manche wise
Der gydt tribt manchen über see
10 Durch vngewitter / råg / vnd schne
Jn Norwegen / Pylappen landt /
Keyn rûw noch rast / die bůler handt /
Die spyeler haben übel zyt /
Vil mer / der schnapp han / der do ryt
15 Vff den halßacker wogend sich /
Des prassers will gschwigen ich
Der allzyt voll ist / vmb syn hertz
Was drück der lyd / vnd heimlich schmertz
Des yfers zyt / ist nit die best
20 Er vôrcht eyn andern gouch jm nest
Syn eygen glyder kocht der nydt
Nyemans durch gottes ere sich lydt
Der jn gedult ansåh syn sel
Als Noe / Job / vnd Daniel
25 Gar vil sint / den das bôß gefeltt
Gar selten der das gůt erwelt
Erwôlen gůts eyn wiser soll
Das bôß kunt all tag selbes wol

a Wer sein Maultier für einen Narren-Dudelsack gibt (s. Holzschnitt)   b hat
keinen Nutzen   **Titel** Von törichtem Tausch   1 Mühsal   4 In jeglicher
Wüste / und verborgenem Ort   6 Hoffart   7 putze / schminke / zubinde /
schnüre   8 erleide   9 Habgier   10 Regen   11 Lappland   12 Liebesdie-
ner   14 berittener Wegelagerer   15 Richtstätte   17 voll bis ans Herz
19 Eifersucht   21 Neid   22 um Gottes Ehre willen etwas erträgt   23 im
Erdulden   28 kommt durchaus alle Tag von selbst

Wer gybt das hymelrich vmb myst
30 Der ist eyn narr / so vil syn ist
Sin duschen der genüsset nitt
Wer ewigs / vmb zergenglichs gytt
Vnd das ichs kurtz mit wortten bgriff
Gybt er eyn esel / vmb eyn pfiff

29 für Mist   30 so viel sein (Eigen auch) ist   31 Tauschen   33 umgreife

Ere vatter und můtter allzyt [p 8ʳ]
Do mit dir gott lang leben gytt
Vnd würdst gesetzt jn schanden nytt

Ere vatter vnd mutter.

Der ist eyn narr der kynden gytt
Do er syn zyt solt leben mytt
Verlossend sich vff gůten won
Das jnn / syn kynd nit sollen lon
5   Vnd jm ouch helffen jnn der not /
Dem wünscht man allen tag den dot
Vnd wurt gar bald eyn über last
Den kynden syn / eyn vnwert gast
Doch jm geschicht wol halber recht
10 Worlich ist er an wyttzen schlächt
Das er mit wortten jm loßt klusen
Des soll man jm mit kolben lusen
Doch lebt der selb nit lang vff erdt
Wem vatter / můter synt vnwerdt /
15 Jnn mit der vinster / lescht des lyecht
Wer vatter / vnd můter ert nycht
An sym vatter bschuldt Absolon
Das jnn solt vnglück jung an gon
Des glichen wart verflůchet Cham
20 Do er entbloßt syns vatters scham /
Balthesar hatt nit vil glück
Das er syn vatter hůw jnn stück /
Sennacherib von syn sůnen starb
Jr keyner doch das rich erwarb
25 Thobias gab sym sůn die ler
Er solt syn můtter han jn ere
Dar vmb stund künig Salomon
Synr můtter vff / von synem tron
Als Corylaus ouch hat gthon

1 (seinen) Kindern   2 Wovon er zu eigenen Lebzeiten selbst leben müsste
3 auf den guten Glauben   4 nicht im Stich lassen dürfen   10 an Einsicht
schwach   11 im Haar kraulen   12 mit Knüppeln entlausen   15 Inmitten
der Finsternis / verlöscht dessen Licht   17 wurde schuldig   18 in jungen
Jahren angreifen   22 hieb

30   Die sůn Rechab / lobt selber gott
Das sie hieltten jrs vatters gbott /
Wer leben will spricht gott der herr
Der bůt vatter / vnd můtter ere
So würt er alt / vnd richen sere

33 entbiete   34 wohlhabend

422

91

Jm chor gar mancher nar ouch statt [q.i.ʳ]
Der vnnütz schwetzt / vnd hilfft / vnd ratt
Das schiff vnd wag / von land bald gat

Vil standt jnn kirchen / vnd jm chor
Die schwetzen / rotten durch das jor
Wie sye zůrichten schiff / vnd karr
Das man gon Narragonyen far
5   Do seyt man von dem welschen krieg   [q.i.ᵛ]
Do lůgt man / das man redlich lieg
Vnd ettwas nüws bring vff die ban
Als wurt die mettin gefangen an
Vnd wert dick zů der vesper zyt
10   Vil kåmen nit / tryb nit der gydt
Vnd das man gelt geb jn dem chor
Sunst weren sy on die kirch vil jor
Es wer besser vnd weger eym
Er blyb gantz über all do heym
15   Vnd richt das klapper benckly zů
Vnd synen genßmerckt anderßwo
Dann das er jnn der kyrchen will
Sich jrren / vnd sunst ander vil
Was mancher nit vßrichten kan
20   Das schlecht er jn der kyrchen an
Wie er vffrüst schyff vnd geschyr
Vnd bring vil nüwer mer har für
Vnd hat groß flyß / vnd ernstlich geberd
Do mit das schyff nit wendig werd
25   Er ging ee vß dem chor spatzieren

---

a im Kirchstuhl; im Altarraum der Kirche **b** und Hilfsangebote macht / und den Rat gibt **c** Wagen **1** Viele (Menschen) stehen **2** übers Jahr **3** bereit machen **4** nach Narragonien (zum Narrenland) **5** (Kämpfe zwischen Karl VIII. von Frankreich und Maximilian I. im Jahre 1493) **6** tüchtig lüge **8** Mette (vgl. Kap. 72.47–54) **9** dauert oft bis zur Vesper-Gebetszeit **10** triebe (sie) nicht die Habgier an **15** Schwätzbänkchen **16** Gänse(-Geschnatter)-Markt **18** stören **19** nicht (anderweitig im Gespräch) erledigen kann **20** schlägt er in der Kirche an (macht bekannt) **21** ausrüste – Fuhrwerk **22** Neuigkeiten; Geschichten **23** seriöses Auftreten **24** aufgehalten

Das er den wagen recht mócht schmiren
Aber von den dar ich nit drucken
Die jnn den chor alleyn dũnt gucken
Vnd zeygen sich mitt presentieren
30 Treffen doch bald wyder die tũren
Das ist andechtig gebett / vnd gũt
Do man sollich ding vßrichten thũt
Do werden pfrũnden wol verdient
So man dem roraffen zũ gyent

27 wage ich nichts zu drucken   28 bloß gucken   29 indem sie sich (kurz)
präsentieren   34 dem Plärr-Affen (Figur an der Orgel des Straßburger
Münsters, die zu bestimmten Gelegenheiten durch das Windwerk der Orgel
in Bewegung gesetzt wurde) zugähnt

92

Wer hochfart ist / vnd důt sich loben   [q.ij.ᵛ]
Vnd sytzen will alleyn vast oben
Den setzt der tüfel vff syn kloben

426

Vberhebung der hochfart

Der furet vff eym strowen dach
Der vff der welt rům / setzt syn sach
Vnd all ding důt / vff zyttlich ere
Dem würt zů letst nüt anders me
5   Dann das syn won / jnn hatt betrogen   [q.ij.ᵛ]
So er buwt vff eyn rågenbogen
Wer wôlbet vff eyn dånnyn sul
Dem wůrt ee zyt / syn anschlag ful
Wer rům vnd weltlich ere hie bgerdt
10   Der wart nit / das jm dort me werdt /
Manch narr halt sich gar hoch dar vmb
Das er vß welschen landen kum
Vnd sy zů schůlen worden wiß
Zů Bonony / zů Pauy / Pariß
15   Zůr hohen Syen jnn der Sapientz
Ouch jnn der schůl zů Orlyens
Vnd den roraffen gsåhen hett
Vnd Meter pyrr de Conniget /
Als ob nit ouch jnn tütscher art
20   Noch wer vernunfft / synn / houbter zart
Do mit man wißheyt kunst môcht leren
Nit not / so verr zů schůlen keren
Weller will leren jnn sym land
Der fyndt yetz bůcher aller hand
25   Das nyeman mag entschuldigen sich

a hoffårtig; eitel; stolz; überheblich   b ganz oben   c Kloben (gespaltener Holzstock zum Vogelfang, auf den man den Lockvogel setzte; s. Holzschnitt)   **Titel** Anmaßung der Hoffart   1 macht Feuer   3 zeitlich begrenztes (irdisches) Ansehen   5 Wahn   6 baut   7 über einer Säule von Tannholz baut   8 vorzeitig / sein Plan faul   10 erwarte   12 romanischen Ländern   13 an (hohen) Schulen; Universitäten   14 In Bologna / in Pavia   15 in der hohen (Schule von) Siena – Weisheit (lat. *sapientia*)   16 Orleans   17 Plärr-Affen (vgl. Kap. 91.34)   18 Meister (frz. *maître*) Pierre de Conniget   20 Vernunft / Besonnenheit / feinsinnige Köpfe   21 Wissenschaft (lat. *ars*)   22 sich hinwenden   23 Wer lernen will

Er well dann liegen låsterlich
Man meynt ettwan es wer keyn ler
Dann zů Athenas über mer
Dar noch man sy / byn walhen fandt
30 Jetz sicht mans ouch jn tütschem land
Vnd gbråst vns nüt / wer nit der wyn
Vnd das wir tütschen voll wennt syn
Vnd mögen keyn recht arbeit thůn
Wol dem / wer hat eyn wisen sůn
35 Jch acht nit / das man vil kunst künn   [q.iij.ʳ]
Vnd stell do mit noch hochfart gwynn
Vnd meynt dar durch syn stoltz / vnd klůg
Wer wis ist / der kan kunst genůg
Wer lert durch hochfart / vnd durch gelt
40 Der spiegelt sich alleyn der welt
Glich als eyn nårrin die sich mutzt
Vnd spieglen důt der welt zů tutz
So sie vff spannt des tüfels garn
Vnd macht vil selen zůr hellen farn
45 Das ist das kützlin / vnd der klob
Do durch der tüfel sůcht groß lob
Vnd hat gefüret manchen hyn
Der sich bedunckt vor witzig syn /
Balaam gab Balach eynen rott
50 Das Jsrahel erzürnet gott
Vnd nit möcht jn dem stritt beston
Das es durch frowen zů můst gon /
Hett Judith sich nit vff gezyrt
Holofernes wer nit verfůrt /
55 Jesabel streich sich varben voll
Do sie meynt jhehu gfallen wol
Der wis man spricht / ker dich geschwynd

26 lügen   29 bei den Romanen (Franzosen, Italienern)   31 fehlte   32 wollen   36 trachte nach   39 wegen   41 aufputzt   42 zum Verdutzen; zum (durchaus unangenehmen) Erstaunen (vgl. den Holzschnitt)   43 Teufelsnetz   45 Käuzchen (als Lockvogel) – gespaltener Stock (zum Vogelfangen; s. Holzschnitt)   48 dünkte   52 (Und) dass es wegen Frauen stattfinden sollte

Von frowen / sie reytzt dich zůr sünd
Dann nårrin vil sint also geil
60 Das sie jr gsiecht bald biettent feil
Vnd meynen / es sol schaden nüt
Ob eyn blick dem narren gytt
Worlich gesicht / bringt bőß gedanck
Vnd setzt eynen vff den narrenbanck
65 Der dar noch lychtlich nit abstat   [q.iij.ᵛ]
Biß er den håher gfangen hatt /
Hett Bersabe jrn lib bedeckt
Sie wer durch ee bruch nit befleckt /
Dyna wolt schowen frőmde man
70 Biß vmb jr jungfrowschafft sie kam /
Eyn demůtig frow ist eren wert
Vnd würdig / das sie werd geerd
Aber welch hochfart nymbt für hend
Deren hochfart ist ouch gantz on end
75 Die will ouch allzyt vornen dran
Das nyeman mit jr gstellen kan /
Die grősßt wißheyt vff aller erdt
Jst / künnen thůn das yeder bgerdt
Vnd wo man das für gůt nit nymbt
80 Doch künnen thůn / das yedem zymbt
Wer aber frowen thůn will recht
Der můß syn ettwann me dann knecht
Dann sie gar offt durch blődikeyt
Me thůn / dann durch jr lystigkeyt
85 Der hochfart die do hant gotts haß
Stigt ståtes vff / ye baß vnd baß
Vnd fellt zů letst zů boden doch
Zů Lucifer jnns hellenloch /
Hőr hochfart / es kumbt dir die stundt
90 Das du sprichst vß dym eygnen mundt

59 begierig   60 ihren Blick; Anblick   63 Wahrhaftig; In der Tat   65 auf-
steht   66 Håher   73 annimmt   76 auskommen   80 passt   82 bisweilen
mehr als ein Held sein   83 (Geistes-)Schwäche   84 Klugheit   85 Die Hoffart derjenigen

Was bringt myn hoher mŭt mir freüd
So ich hie sitz jnn trŭbsal / leid /
Was hilfft mich geltt / gŭt / vnd richtŭm
Was hilfft der welt ere / lob / vnd rŭm
95 Es ist nŭt dann eyn schått gesyn   [q.iiij.ʳ]
Ougenblicklich ist es do hyn
Wol dem der diß als hat veracht
Vnd hatt alleyn ewigs betracht /
Nüt dunckt eyn narren hie so hoch
100 Es felt mit jm zŭ letzsten doch
Vnd vor vß / die schåntlich hochfart
Die hat an jr natur / vnd art
Das sie den hôchsten Engel stieß
Vom hymel ab / vnd ouch nit ließ
105 Jm paradiß den ersten man
Sie mag noch nit vff erd bestan
Sie mŭß ye sŭchen jren stŭl
By Lucifer jn hellen pfŭl
Sŭcht sie den / der sie hat erdacht
110 Hochfart ist bald zŭr hellen bracht
Agar durch hochfart wart von huß
Mit jrem kynd getriben vß /
Durch hochfart Pharao verdarb
Chore mit syner gselschafft starb
115 Der herr gar grôßlich des erzürn
Do man jn hochfart macht den turn
Als Dauid det jn hochfart zelen
Das volck / mŭst er eyn plag erwelen
Herodes kleydt jn hochfart sich
120 Als ob syn wesen wer gôttlich
Vnd wolt ouch haben gôtlich ere
Vnd wart vom Engel gschlagen sere
Wer hochfart tribt / den nydert got
Demŭt er allzyt gehôheret hat

91 hochmütige Gesinnung   95 Schatten   98 die ewigen Dinge   101 vorneweg   106 vermag danach   116 Turm (von Babylon)   123 erniedrigt
124 erhöht

93

Die wůcherer fůren wild gewårb [q.iiij.ᵛ]
Den armen synt sie ruch / vnd hårb
Nitt achtens / das all weltt verdårb

Dem solt man griffen zů der huben
Vnd jm die zåcken wol ab kluben
Vnd ruppfen die fluckfåder vß
Der hynder sich koufft jnn syn huß
5   Alls wyn / vnd korn jm gantzen land   [q 5ʳ]
Vnd vôrchtet weder sünd noch schand
Do mit eyn arm man nützet fynd
Vnd hungers sterb mit wib / vnd kynd
Do durch so hat man yetz vil dür
10   Vnd ist / dann vårnyg / bôser hür
Nůn galt der wyn kum zehen pfundt
Jn eym monat es dar zů kundt
Das er yetz gyltet dryssig gern /
Alls gschicht / mit weyssen / rocken / kern /
15   Jch will vom übernütz nit schriben
Den man mit zynß / vnd gült důt triben
Mit lyhen / blåtschkouff / vnd mit borgen
Manchem eyn pfundt / gewynt eyn morgen
Me dann es thůn eyn jor lang sollt
20   Man lyhet eym yetz müntz vmb goltt /
Für zehen schribt man eylff jnns bůch
Gar lydlich wer der juden gesůch
Aber sie môgen nit me bliben
Die krysten juden / sie vertriben
25   Mit juden spieß die selben rennen
Jch kenn vil die ich nit will nennen

---

b råu / und herb **Titel** Zinswucher und Vorwegkauf (spekulative Warenter-
min- und Warenverknappungsgeschäfte; vgl. Kap. 102.77) **1** am Hut zugreifen; an den Hut gehen (vgl. Kap. 76.b) **2** die Zecken (auch Geldzechen) ab-
zwacken **3** Flügelfedern **4** auf Vorrat aufkauft **7** nichts **9** Verteue-
rung; Preisanstieg **10** Und ist / gegenüber früher / heuer (in diesem Jahr)
schlimmer dran **14** bei Weizen / Roggen / Dinkelkorn **15** Zinswucher
16 und Einkünfte tragenden Gütern **17** Darlehen / Wechselgeschäften
18 an einem Morgen **20** (Kupfer- und Silber-)Münzen für Gold **22** er-
träglich – Zinssatz **25** Wucherspieß der Juden (vgl. Kap. 76.11)

Die triben doch wild kouffmanschatz
Vnd schwygt dar zů all reht / vnd gsatz /
Jr vil sich gen dem hagel neygen
Die lachend / vff den ryffen zeygen
Doch gschicht dar gegen ouch gar dick
Das mancher henckt sich an eyn strick /
Wer rich will syn / mit schad der gmeyn
Der ist eyn narr / doch nit alleyn /

30

27 ungezügelte Geschäftspraktiken   29 Viele neigen sich (dankbar-freudig
dem erntevernichtenden) Hagel zu   30 Reif (als Weinvernichter)   33 Gemeinschaft

94

Mancher frôwt sich / vff frômbde hab [q 5ᵛ]
Wie er vil erb / vnd trag zů grab /
Die mit sym gbeyn nůsß werffen ab

von hoffnung vff erben

Eyn narr ist / wer sich dar vff spytzt
Das er eyns andern erb besytz
Oder für jn kum / jnn den rott
Syn gůt / pfründ / ampt / besytz noch dott
5　Mancher eyns andern dott sich fröwt　　　　　[q 6ʳ]
Des end / er nyemer me beschowt
Hofft eynen tragen hyn zů grab
Der mit sym gbeyn würfft byeren ab /
Wer hoffet vff eyns andern dott
10　Vnd weis nit / wann syn sel vß gat
Der selb den esel důt beschlagen
Der jn gôn narrenberg würt tragen /
Es sterben jung / starck / frôlich lüt
So fyndt man ouch vil kelber hüt
15　Es gat alleyn nit / über die kůg
Eym yeden syn armůt benůg
Vnd bgår nit / das es grôsser werd
Eyn wilder vmblouff ist vff erd
Bulgarus erbt ouch synen sůn
20　Des er nie hatt gehofft zů thůn
Pryamus sach syn kynd all sterben
Die er hofft / sie wurden syn erben
Absolon syns vatter tod noch schleych
Vnd reycht syn erbteyl an der eych
25　Manchem eyn erb würt übernacht
Vff das / er vor nie hatt gedacht
Mancher eyn erben überkunt
Dem lieber wer / jnn erbt eyn hunt /

---

b beerbe　c Diejenigen, die (dann entgegen seiner Erwartung später) mit seinen eigenen (viel früher zu Grabe gegangenen) Gebeinen Nüsse vom Baum herunterwerfen　**Titel** Von der Hoffnung aufs Erben　1 lauert　6 erblickt　8 Birnen herunter (s. Holzschnitt)　12 (vgl. Kap. 28.6)　14 Kälberhäute (vgl. Kap. 85.62)　15 die (alten) Kühe　16 genüge　18 ungezügelter Umschwung　23 folgte seines Vaters Tod nach　24 erreichte – Eiche　27 bekommt　28 Dem lieber wäre / ihn beerbte ein Hund

Nitt yedem gatt noch hoffens won
30   Als Abraham / vnd Symeon
Loß vöglin sorgen / wann gott will
So kumbt das glück / zytt / end / vnd zyl /
Das best erb ist jm vatterlandt
Do wir hyn hoffen allesandt
35   Gar wenig stoßt es doch zůr handt

29 Hoffnungswunsch   **31** Lass die Vögel Sorge tragen   **34** Worauf wir alle hoffen   **35** Nur wenigen stößt es jedoch zu (fällt es in die Hand)

436

95

Mancher soltt zů der kyrchen gan [q 6ᵛ]
Vnd an dem fyrtag můssig stan
Der sich doch vil geschefft nymbt an

von verfurung am fyrtag

Das synt burger zů Affenbergk
Die all jr sachen / vnd jr werck
Sparen alleyn vff gbannen tagen
Die mússen vff den affen wagen
5   Dem eynen / můß man roß beschlagen
Dem andern knópflin setzen an   [q 7ʳ]
Das man nůn langst soltt han gethan
Do man saß by dem spyl vnd wyn /
Dem füllet man die spitzen syn
10   Vil hudelen můß man dar jn stossen /
Dem můß man an důn róck / vnd hosen
Das mócht er sunst nit legen an
Hett ers nit vff eyn fyrtag gthan /
Die kóch zů richten für / vnd glůt
15   Ee man die kylch morgens vff důt
So fyndt man by jn schlemmen vnd brassen
Ee yemans recht kumbt / vff die gassen
So synt die wynhuser schier voll
Das tribt man on end yemerdol
20   Vor vß / vff den gebannen tagen /
So andere werck synt vnderschlagen
So důt man faren mit den karrhen /
Der fyrtag manchen macht zům narren
Der meynt der fyrtag sy erdacht
25   Das kleyner arbeit gott nit acht
Als das mans holtz jm spiel brătt schlag
Vnd kartten sytzt eyn gantzen tag /
Vil lont sunst wercken jr gesynd
Vnd hant keyn acht das dienst vnd kynd

---

b Feiertag   **Titel** Vom (beruflichen) Tätigsein am Feiertag   **3** Nur für die geheiligten Tage aufsparen   **9** (auszustopfende) Spitzen der Schnabelschuhe **10** Lumpen   **14** Feuer / und Glut   **15** Kirche   **19** heftig; immer toller **21** unterbrochen   **27** beim Kartenspielen sitzt   **28** Gesinde   **29** Bedienste-te und Kinder

30   Zů kyrchen / predig / gotz dienst gon
     Oder früg zů der meß vff ston
     Den mått went sie erst recht vß kochen
     Den sie gesotten hant die wochen /
     Keyn hantwerck ist dem nit gefůg
35   Das es am fyrtag ettwas důg
     Sie synt dem pfenning also gferd   [q 7ᵛ]
     Als ob keyn tag me wer vff erd
     Eyn teil stont schwåtzen vff der gassen
     Die andern sytzen spyelen / prassen
40   Manchem jm wyn do me zerrynt
     Dann er eyn woch mit arbeit gwynnt /
     Der můß ein schmürtzler / hümpeler sin
     Wer nit will sitzen by dem wyn
     Tag / vnd nacht / biß die katzen kreygt
45   Oder der morgen lufft har weygt /
     Die juden spotten vnser ser
     Das wir dem fyrtag důnt solch ere
     Den sie noch haltten also styff
     Das ich sie nit jnns narren schiff
50   Woltt setzen / wann sie nit all stunt
     Sunst jrrten / wie eyn douber hundt
     Eyn arm man holtz am fyrtag laß
     Vnd wart versteynt / alleyn vmb das /
     Die Machabeer woltten nitt
55   Am fyrtag wören sich zů strit
     Jr wurden vil erschlagen dott /
     Man samlet nytt das hymel brott
     Vff den fyrtag / als gott gebot /
     Aber wir arbeytten on nott
60   Vnd sparen vil vff den fyrtag
     Das wir nit thün went andere tag /

---

31 früh   32 Den Met   33 während der Woche   34 unterworfen   35 tauge   36 so versessen auf   42 Geizhals / Pfuscher   44 Laut gibt (miaut)   45 her weht   48 fest   51 stumpfsinniger   52 aufsammelte   55 sich im Kampf wehren   57 (das Manna beim Zug der Juden ins Gelobte Land)

O narr den fyrtag halt / vnd ere
Es sint noch wercktag vil vnd mere
Wann du schon fulest jn dem grunt
65 Vß gyttikeit als laster kunt

---

64 verfaulst   **65** Aus Habgier kommt alles Übel (Schmach)

96

Der ist eyn narr der trurt all tag [q 8ʳ]
Vmb das er nitt gewenden mag
Oder den ruwt / das er hat gethon
Eym gůtz / ders doch nit kan verston

Schencken vnd beruwen

Der ist eyn narr / der schencken důt
Vnd das nit gibt mit gůttem můt
Vnd dar zů sur / vnd übel sicht
Das eym nüt liebs dar von geschicht
5 Do mit er gab / vnd lon verlürt   [q 8ᵛ]
So jn syn schenck so fast bedürt
Als důt ouch der / der etwas gůt
Durch gottes ere / vnd willen důt
Vnd hat doch ruw / vnd leidt dor von
10 Wann gott jm nit glich gibt den lon
Dann wer mit eren schencken well
Der lach / vnd syg eyn gůt gesell
Vnd sprech nit / zwor ich thů es vngern
Will er nit / danck vnd lon entbern
15 Dan gott sicht ouch des gab nit an
Der nit mit freüden schencken kan
Jeder das syn behalttet wol
Zů schenck man nyeman zwyngen sol
Alleyn vß fryem hertzen gat
20 Die schenck / die yedem wol an stat
Selten verloren würt der danck
Wie wol er ettwan kumet langk
So würt es doch gewonlich schlächt
Dann zwen vmb eyn / ist faden recht
25 Ob eyner schon vndanckbar sy
Fyndt man dar gegen eren fry
Eyn danckbaren wysen man
Der es alles wyder gelten kan

---

a trauert   **b** nicht umkehren kann   **c** reut   **d** jemandem etwas Gutes / der jedoch kein Verständnis dafür hat   **Titel** Schenken und (es) Bedauern **3** zudem sauer / und böse aussieht   **6** Wenn ihn sein Geschenk so sehr dauert   **17** mit Recht   **22** bisweilen spät kommt   **23** gewöhnlich gerade gerückt; ausgeglichen   **24** denn ›zwei für eins‹, das ist im rechten Lot   **26** gegenüber (solch) einem Ehrlosen   **28** vergelten

Aber wer schenck verwissen důt
30　Der wyl den druck nit han für gůt
Vnd wil nitt warten wyder gob
Verwyssen schenck / ist gar zů grob
Man sicht den über die achslen an
Der syn gůttåt verwyssen kan
35　Vnd wurt jm sunst nit me dar von

29 abweisen   30 den Händedruck nicht akzeptieren   31 erwartet keine Ge-
gengabe   35 wird ihm sonst nichts mehr zuteil

97

Tragkeit fyndt man jn allen gschlechten [r.i.ʳ]
Vor vß jnn dienst mågten / vnd knechten
Den kan man nit genůgsam lonen
Sie künnen doch jr selbst wol schonen

von tragkeit vnd fulheit

Keyn besser narr jn aller sach
Jst / dann der allzyt kan thůn gmach
Vnd ist so trág / das jm verbrennt
Syn schyenbeyn / ee er sich verwennt
5   Wie rouch den ougen ist nit gůt   [r.i.ᵛ]
Was essich ouch den zenen důt
Des glich der trág / vnd ful důt schyn
Dånen / die hant gesendet jn /
Eyn tråger mensch ist nyemans nutz
10 Dann das er sie eyn wynterbutz
Vnd das man jn loß schloffen gnůg
Sytzen bym ofen ist syn fůg /
Sellig der werckt mit synem karst
Wer můssig gat / der ist der narrst
15 Die můssig gånden / strofft der her
Vnd gibt der arbeyt lon / vnd ere /
Der bőß vyndt / nymbt der tragkeyt war
Vnd sågt gar bald syn somen dar /
Tragkeit eyn vrsach aller sünd
20 Macht murmelen Jsrahel die kynd
Dauid dett eebruch / vnd dottschlag
Dar vmb das er trág / můssig lag /
Das Carthago was gantz vmbkert
Dar vmb wart Rom ouch gantz zerstőrt
25 Eyn grőssern schaden Rom entpfing
An dem das Carthago vnderging
Dann sie von stritt entpfing dar vor

---

a bei allen Arten von Menschen   **c** zur Genüge   **Titel** Von Trägheit und
Faulheit   **2** gemächlich   **4** Sein Schienbein / bevor er sich (rechtzeitig vom
Kaminfeuer) abwendet   **7** zeigt   **8** Denjenigen / die ihn (zu Besorgungen)
ausgeschickt haben   **10** Vogelscheuche (in den Reben)   **12** seine Geschick-
lichkeit   **13** Feldhacke   **14** Närrischste   **15** Müßiggänger   **17** Teufels-
feind   **18** sät sehr bald seinen Samen aus   **20** Ließ murren   **23** zerstört;
umgeworfen   **27** Krieg

Von jr / hundert vnd sehtzechen jor /
Der trâg / der nit gern gat her fûr
Der spricht / der lôw stat vor der thûr
Der dorecht hundt jn heym behalt
Fulkeyt erdenckt eyn wôrwort baldt
Fulkeyt sich wider went / vnd fûr
Glich wie der angel an der thûr

30

29 rausgeht   30 Löwe   31 zurückhält   32 eine Entschuldigung   33 dreht
und wendet sich

98

Hie hab ich gstelt noch vil zů samen [r.ij.ʳ]
Die narren sint / vnd hant den nammen
Dern ander narren sich doch schammen

von vslendigen narren

Noch sint sunst vil vnnützer lüt
Die wůst gantz jnn der narren hüt
Vnd sint dar jnn verharret gantz
Gebunden vff des tüfels schwantz
5 Vnd sint zů bringen nit dar von
Will ich still schwygend für sie gon
Vnd sie lon jnn jr narrheit bliben
Vnd von jr dorheyt wenig schriben
Als Saracenen / Türcken / Heyden
10 All die vom glouben sint gescheyden
Den glich ich ouch / die kåtzer schůl
Die hallt zů Prag / den narren stůl
Vnd hat gespreit vß jren standt
Das sie ouch hat yetz Mårrhern landt
15 Die wůst jnn die narren kappen tretten
Glich wie all die anders an betten
Dann dry person / eyn woren gott
Den vnser gloub ist wie eyn spott
Die ich nit für schlecht narren han
20 Sie můssen vff der kappen stan
Dann jr narrheyt so öfflich ist
Das yedem důch zůr kappen gbrist
Des glich all die verzwiffelt hant
Vnd sint verstrickt jnns tüfels bandt
25 Als doreht frowen / böse wiber
All kuppeleryn / pfowentriber
Vnd andere die jn sünden synt
Vnd jnn jr narrheyt gantz erblynt

---

c schämen   **Titel** Von fremdländischen Narren   **2** ganz ungefügig-zuchtlos
in der Narrenhaut   **5** nicht abzubringen   **6** an ihnen vorbeigehen   **10** getrennt   **11** Ketzer-Sekte (lat. *schola*)   **13** ausgebreitet   **14** Mähren   **15** ins
Narrengewand schlüpfen (vgl. Kap. 27.34)   **16** etwas Anderes anbeten
19 nicht für simple Narren halte   **21** offenbar   **23** am Zweifel festhalten
25 törichte   **26** Pfauentreiber (Zuhälter)

Do mit will ich ouch deren gedencken
30   Die sich selbs dŏten / oder hencken /
Vnd kynd vertŭnt / vnd die ertrencken
Die sint nit würdig der gesatz
Oder das man sie ler / vnd fatz
Doch ghŏren sie jnn narren zal
35   Jr narrheyt gibt jnn kappen all

31 abtreiben   **32** der Rechte   **33** ernst belehre / und mit Spott zurecht-
weise   **34** zur Zahl der Narren

99

Jch bitt üch herren groß / vnd kleyn [r.iij.ʳ]
Bedencken den nutz der gemeyn
Lont mir myn narrenkapp alleyn

von abgang des glouben.

Wann ich gedenck sümniß / vnd schand
So man yetz spůrt / jn allem land
Von fürsten / herren / landen / stett
Wer wunder nit / ob ich schon hett
5 Myn ougen gantz der zähern voll
Das man so schmåchlich sehen soll
Den krysten glouben nemen ab
Verzich man mir / ob ich schon hab
Die fürsten ouch gesetzet har
10 Wir nemen (leyder) gröblich war
Des krysten glouben nott / vnd klag
Der myndert sich von tag zů tag /
Zům ersten hant die kåtzer hert
Den halb zerrissen / vnd zerstört
15 Dar noch der schåntlich Machamet
Jnn mer / vnd mer verwůstet het
Vnd den mit sym jrrsal geschånt
Der vor was groß jnn Orient
Vnd was glöubig alles Asia
20 Der Mören landt / vnd Affrica
Jetz hant dar jnn / wir gantz nüt me
Es möcht eym hertten steyn thůn we /
Was wir alleyn verloren hant
Jn kleyn Asyen / vnd kriechen landt
25 Das man die groß Türcky yetz nennt
Das ist dem glouben abgetrennt
Do sint die syben kirchen gsin
Do hat Johannes gschriben hyn
Do ist eyn so gůt landt verlorn
30 Das es all weltt möht han verschworn

---

b Gemeinschaft   **Titel** Vom Verfall des Glaubens   **1** Versäumnis   **5** Trä-
nen   **10** reichlich   **12** vermindert   **13** hartnäckig   **17** mit seiner Irrlehre
in Schande gebracht   **21** dort gar nichts mehr   **22** harten   **27** sieben
christlichen Gemeinden (der Apokalypse)   **30** beschworen

On das man jnn Europa sytt
Verloren hat / jnn kurtzer zyt
Zwey keyserthům / vil künig rich
Vil mechtig land / vnd stett des glich
35 Constantinopel / Trapezunt
Die lant sint aller welt wol kunt
Achayam / Etholyam
Boeciam / Thessaliam
Thraciam / Macedoniam
40 Atticam / vnd beyd Mysiam
Ouch Tribulos / vnd Scordiscos
Bastarnas / sambt vnd Thauricos
Euboiam gnennet Nygrapont
Ouch Peram / Capham / vnd Jdrunt
45 On ander schaden / vnd verlust
Die wir erlitten haben sunst
Jn Morea / Dalmacia
Styer / Kernten / vnd Croacia
Jn Hungern / vnd der Wyndschen marck
50 Jetz sint die Türcken also starck
Das sie nit hant das mer alleyn
Sunder die Tůnow ist jr gemeyn
Vnd důnt eyn jnnbruch / wann sie went
Vil bystum / kyrchen sint geschent
55 Jetz grifft er an Apuliam
Dar noch gar bald Siciliam

31 seither 35 Trebsond (seit dem 13. Jh. Metropole des zweiten von Brant
genannten, bis 1461 bestehenden selbständigen griech. Kaiserreiches – neben
Konstantinopel – an der Südküste des Schwarzen Meeres; türk. *Trabzon*)
37 Achaia / Aitolien (Gebiete in Griechenland, wie auch die folgenden)
40 *Moesia inferior* und *superior* (zwei römische Balkanprovinzen) 41 Tribal-
ler / und Skordisken (s. das Personennamen-Verzeichnis) 42 Bastarner
(s. Personennamen-Verzeichnis) – Taurisken (s. Personennamen-Verzeichnis)
43 (griech. Insel) Euböa / (ital.) genannt Negreponte 44 Pera (Vorstadt Kon-
stantinopels) / Kaffa (Stadt am Schwarzen Meer) / und Idront (Küstenstadt in
Apulien) 47 Morea (anderer Name für die griech. Halbinsel Peloponnes)
49 In Ungarn / und in der Windischen Mark (Region in Krain) 52 die Do-
nau gehört zu ihrer Gemeinschaft 53 kriegerischen Einfall 54 entweiht

Jtalia die stoßt dar an
So würt es dann an Rom ouch gan
An Lombardy / vnd welsche landt
60 Den vyndt den hant wir an der handt
Vnd went doch schloffend / sterben all
Der wolff ist worlich jnn dem stall
Vnd roubt der heiligen kyrchen schoff
Die wile der hirtt lyt jnn dem schloff
65 Die Römsche kirch vier schwestern hat   [r.iiij.ᵛ]
Do man hielt Patriarchen stadt
Constantinopel / Alexandria
Jherusalem / Anthiochia
Die sindt yetz kumen gantz dar von
70 Es würt bald an das houbt ouch gon /
Das ist als vnser sünden schuldt
Keyns mit dem andern hatt gedult
Oder mittlyden syner schwår
Jedes wolt / das es grôsser wår /
75 Vnd gschicht vns / als den ochsen gschah
Do eyner dem andern zü sach
Biß das der wolff sie all zerreyß
Erst ging dem letsten vsß der schweiß /
Jeder der grifft yetz mit der hant
80 Ob noch kaltt sy syn mur / vnd want
Vnd gdenckt nit / das er vor lesch vß
Das für / ee es jm kum zü huß
So kumbt jm dann ruw / vnd leytt /
Zwytracht / vnd vngehorsamkeit
85 Den krysten gloub zerstören dût
On nott vergüßt man krysten blût
Nyeman gdenckt / wie nach es jm sy /
Vnd wånt doch allweg blyben fry
Biß jm vnglück kumbt für syn thür

60 Feind   61 im (ruhigen) Schlaf   64 liegt   69 (der Christenwelt) abhan-
den gekommen   73 Not   78 Erst (dann) brach beim Letzten hervor
81 vorher auslösche   83 Trauer   87 wie nahe

453

90 So stoßt er dann den kopff har für /
Die porten Europe offen syndt
Zů allen sitten ist der vyndt
Der nit schloffen noch růwen důt
Jn dürst allein / noch Christen blůt
95 O Rom / do du hatst künig vor
Do waßt du eygen / lange jor /
Dar noch jnn fryheit wardst gefůrt
Als dich eyn gmeyner rott regiertt
Aber do man noch hochfart stallt
100 Noch richtům / vnd noch grossem gwalt
Vnd burger wider burger vacht
Des gmeynen nutzes nyeman acht
Do wart der gwalt zům teil zergon
Zů letzst / eym keyser vnderthon
105 Vnd vnder solchem gwalt / vnd schyn
Bist funffzehen hundert jor gesyn
Vnd ståts genomen ab / vnd von
Glich wie sich myndern důt der mon
So er schwyndt / vnd jm schyn gebrist
110 Das yetz gar wenig an dir ist
Well gott / das du ouch grôssest dich
Do mit du sygst dem mon gantz glich /
Den dunckt nit / das er ettwas hab
Wer nit dem Rômschen rich bricht ab
115 Zům erst die Saracenen hant
Das heilig vnd gelobte landt
Dar noch die Turcken handt so vil
Das als zů zalen / nåm vil wile /
Vil stett sich brocht hant jnn gewer

---

90 dann erst steckt er den Kopf heraus   91 Pforten   92 Auf allen Seiten steht
der Feind   96 unfrei; abhängig; leibeigen   98 allgemeiner Rat (republikanischer Senat)   99 dem Hochmut nachhing   100 nach großer Macht; Herrschaft
101 kämpfte   102 (für lat. *res publica*)   103 zerfallen   105 Macht / und Herr-
schaftsform   107 ab- und weggenommen   108 der Mond abnimmt
109 Licht fehlt   111 zunimmst   114 es nicht vom Römischen Reich abbricht
118 Das alles aufzuzählen   119 in (unabhängige) Verteidigungsstellung

120	Vnd achten yetz keyns keysers mer /
	Eyn yeder fürst / der ganß bricht ab
	Das er dar von eyn fåder hab /
	Dar vmb ist es nit wunder groß
	Ob joch das rich sy blutt / vnd bloß
125	Man byndt eym yeden vor das jn
	Das er nit vordern soll das syn /
	Vnd lossen yeden jn sym stadt /
	Wie ers biß har gebruchet hadt
	Durch gott / jr fürsten sehen an
130	Was schad / zů letst dar vß werd gan /
	Wann joch hyn vnder kem das rich
	Jr blyben ouch nit ewigklich /
	Eyn yedes ding me sterckung hatt
	Wann es bynander gsamlet stat
135	Dann so es ist zerteilt von eyn /
	Eynhellikeyt jn der gemeyn
	Vffwachsen die bald all ding macht
	Aber durch mißhell / vnd zwytracht
	Werden ouch grosse ding zerstört /
140	Der tütschen lob was hochgeert
	Vnd hatt erworben durch solch rům
	Das man jnn gab das keyserthům /
	Aber die tütschen flissen sich
	Wie sie vernychten selbst jr rich
145	Do mit die stůdt zerstörung hab
	Bissen die pferd jr schwåntz selb ab /
	Worlich yetz vff den fůssen ist
	Der Cerastes / vnd Basylist /
	Mancher der würt vergyfften sich
150	Der gyfft dar schmeycht dem Römschen rich

121 Gans (Reichsadler)   124 nackt / und bloß   125 Man bindet zuförderst jedem auf (schärft ihm ein)   127 Rechtszustand   129 Um Gottes willen! / Ihr Fürsten, seht euch an   131 noch weiter herunterkäme   132 Ihr bleibt   135 voneinander getrennt   137 Die bringt bald alle Dinge zum Wachsen   138 Misshelligkeit   143 befleißigen sich   145 das Gestüt   150 schmeichelnd darreicht

Aber jr herren / künig / land /
Nit wellen gstatten solch schand
Wellent dem Rômschen rich zů stan
So mag das schiff noch vff recht gan
155 Jr haben zwor eyn künig milt [r 6ʳ]
Der üch wol fürt / mit ritters schiltt
Der zwyngen tůg all land gemeyn
Wann jr jm helffen wendt alleyn
Der edel fürst Maximilian
160 Wol würdig ist der Rômschen kron
Dem kumbt on zwifel jnn sin handt
Die heilig erd / vnd das globte landt
Vnd wůrt sin anfang thůn all tag
Wann er alleyn üch trüwen mag /
165 Werffen von üch solch schmoch / vnd spot
Dann kleynes heres / walttet gott /
Wie wol / wir vil verlorn handt
Sindt doch noch so vil kristen landt
Frům künig / fürsten / adel / gmeyn /
170 Das sie die gantze weltt alleyn /
Gewynnen / vnd vmbbringen baldt
Wann man alleyn sich zamen haldt
Truw / frid / vnd lieb sich bruchen důt
Jch hoff zů gott / es werd als gůt /
175 Jr sindt regyerer doch der land
Wachen / vnd důnt von üch all schand
Das man üch nit dem schiffman glich
Der vff dem mer flißt schloffes sich
So er das vngewitter sicht /
180 Oder eym hund der bôllet nicht /
Oder eym wâchter der nit wacht
Vnd vff syn hůtt hatt gantz keyn acht
Stont vff / vnd wachen von dem troum

153 beistehen 163 Anfang (dieses Vorhabens) 164 vertrauen kann
166 für ein kleines Heer sorgt 171 und bezwingen 172 zusammenhält
176 Erwacht 178 schläfrig dahinschwimmt 182 Wachdienst

Worlich / die axt stat an dem boum

185 Ach gott gib vnsern hóubtern jn [r 6ᵛ]

Das sie súchen die ere dyn

Vnd nit yeder syn nutz alleyn

So hab ich aller sorgen keyn

Du gebst vns sigk jn kurtzen tagen /

190 Des wir dir ewig lob thún sagen /

Jch mane all stådt der gantzen welt

Was würde / vnd tyttel die sint gezólt

Das sie nit dúnt / als die schifflüt

Die vneynß sint / vnd hant eyn stritt

195 Wann sie sint mitten vff dem mer

Jnn wynd / vnd vngewitter ser

Vnd ee sie werden eyns der für

So nymbt die Galee eyn gruntrúr /

Wer oren hab / der merck vnd hór

200 Das schifflin schwancket vff dem mer

Wann Christus yetz nit selber wacht

Es ist bald worden vmb vns nacht

Dar vmb ir die noch üwerm stadt

Dar zú gott vsserwelet hatt

205 Das ir sónt vornan an die spytz

Nit lont / das es an uch ersitz

Dúnt was üch zymbt noch üwerm grad

Do mit nit grósser werd der schad

Vnd gantz abnem die Sunn / vnd mon

210 Das houbt / vnd glyder vndergon /

Es loßt sich eben sórglich an

Leb ich / jch man noch manchen dran

Vnd wer nit an myn wort gedenck

Die narren kappen / ich jm schenck

---

189 Sieg   191 alle Stände   192 zugezählt sein mögen   197 sich einig über
ihre Reise werden   198 Strandung (läuft auf Grund)   199 merke auf
205 sollt   206 Lasst nicht zu / dass es bei euch festsitze   207 Rang (lat.
gradus)   211 Es lässt sich in ebendieser Weise Besorgnis erregend an
212 gemahne

457

100

Wer yetz kan strichen wol den hengst [r 7ʳ]
Vnd ist zü allem bschisß der gengst
Der meynt zü hoff syn aller lengst

von falben hengst strichen

Mir kem eyn verdeckt schiff yetz recht
Dar jn ich setzt der herren knecht
Vnd ander die zů hoff gont schlecken
Vnd heymlich by den herren stecken
5   Do mit sie sässen gar alleyn
Vnd vngetrengt von der gmeyn
Dann sie sich nit wol mögen lyden
Der eyn klubt fådern / der stricht kryden
Der liebkoßt / der runt jnn die oren
10 Das er vff kum jn kurtzen joren
Vnd sich mit deller schlecken ner /
Mancher durch lyegen würt eyn herr
Dann er den kutzen strichen kan
Vnd mit dem falben hengst vmb gan
15 Zů blosen mål / ist er geschwynd
Den mantel hencken gen dem wynd
Zůdüttlen hilfft yetz manchem für
Der sunst langzyt blib vor der tür
Wer schlagen kan / hor vnder woll
20 Der selb zů hoff gern bliben soll
Do ist er worlich lieb / vnd wert
Der erberkeyt man do nit bgert
Mit torheit důnt sie all vmb gon
Went mir die narrenkapp nit lon
25 Doch strigelt mancher offt so ruch
Das jnn der hengst schmytzt jn den buch

a den (unberechenbaren, wilden) Hengst recht zu striegeln versteht (offenbar
mit Federn, s. Holzschnitt; vgl. auch V. 25 f.)   b Behendeste   c sich am
längsten am Hof (Bauernhof; Adels- und Fürstenhof) zu halten   **Titel** Vom
Striegeln fahlgelber Hengste   **1** Schiff mit Verdeck   **4** zusammenstecken
6 ohne Druck der Gemeinschaft   **8** liest Federn (vom Gewand) ab – streicht
Kreide auf (schmeichelt)   **9** raunt   **10** aufsteige   **11** nähre   **12** lügen
13 den Kauz striegeln; streicheln (schmeicheln)   **15** Mit Mehl (im Mund) zu
blasen   **17** Zutragen; zuraunen – voran   **19** (wertlose) Haare unter Wolle
mischen kann   **22** Ehrbarkeit   **25** grob   **26** schlägt

Oder gytt jm eyn drytt jnn die ryppen
Das jm das deller fellt jn die krippen
Der selben wer gůt můssig gon
30 Wann man sust wißheit wolt verston /
Wann yeder wer / als er sich steltt
Den man für frumm / vnd redlich helt
Oder stelt sich als er dann wer
Vil narren kappen stünden lår

28 der Teller (s. Holzschnitt)   29 Auf die könnte man gut verzichten
32 für tüchtig; zuverlässig

101

Eyn zeichen der liechtferikeyt [r 8ʳ]
Jst / glouben was eyn yeder seit
Eyn klapperer bald vil lüt vertreit

Von oren blosen.

Der ist eyn narr / der vasßt jnns houbt
Vnd lichtlich yedes schwåtzen gloubt
Das ist eyn anzeig zů eym toren
Wann eyner dünn / vnd witt / hat oren
5 Man halt nit für eyn redlich man
Wer eynen will zů ruck an gan
Vnd schlagen ee dann ers jm sag
So er sich nit gewőren mag
Aber verlyegen hynder ruck
10 Das sol yetz syn eyn meyster stuck
Das man nit licht versetzen kan
Das důt yetz triben yederman
Mit hynder red / abschnyd der ere
Verrotten / vnd der glichen mer
15 Das kan man verben / vnd verklůgen
Do mit man mőg dest baß betriegen
Vnd schaffen / das mans gloubt dest ee
Den andern teil hőrt man nit me
Eyn vrteyl über manchen gat
20 Der sich noch nye verantwürt hat
Vnd syn vnschuld noch nit endeckt
Das schafft er ist jm sack ersteckt
Als Aman Mardocheo dett /
Syba der knecht Myphiboseth
25 Groß Alexander lob erholt
Das er nit lichtlich glouben wolt
Dån die verklagten jonatham
Bald glouben / keyn gůt end ye nam /
Adam wer nit der gnaden beroubt

---

a des Leichtsinns; der Leichtfertigkeit **c** Ein Klatschmaul verleumdet
schnell viele Leute **Titel** Vom Ohrenblasen (s. Holzschnitt) **1** seinen
Kopf voll stopft **4** empfindlich / und weit (geöffnet) **6** hinterrücks angreifen **8** wehren **9** hinterrücks verleumden **11** abwehren **14** Verraten
15 schönfärben / und bemänteln **18** Die andere Seite **20** (vor Gericht)
verantwortet **22** erstickt **23** antat

462

30   Hett er nit bald der frowen gloubt
       Vnd sie dem schlangen syner wort
       Wer bald gloubt der stifft dick eyn mort
       Nit yedem geist man glouben soll
       Die welt ist falsch / vnd liegens voll
35   Der rapp dreit dar durch schwartze wol

---

32 erzeugt oft   **34** voller Lügen   **35** Der Rabe trägt deswegen schwarzes
Gewöll (Gefieder)

Man spüert wol jn der alchemy   [s.i.ʳ]
Vnd jnn des wynes artzeny
Was falsch / vnd bschiss vff erden sy

von falsch vnd beschiss

Betrůger sint / vnd fålscher vil
Die tônen reht zům narren spiel
Falsch lieb / falsch rot / falsch frünt / falsch gelt
Voll vntruw ist yetz gantz die welt
5   Brůderlich lieb / ist blind vnd dott   [s.i.ᵛ]
Vff btrogenheyt eyn yeder gat
Do mit er nutz hab / on verlust
Ob hundert joch verderben sust
Keyn erberkeyt sicht man me an
10 Man loßt es über die selen gan
Echt man eyns dings môg kumen ab
Got geb ob tusent sturben drab /
Vor vß / loßt man den wyn nüm bliben
Groß falscheyt důt man mit jm triben
15 Salpeter / schwebel / dottenbeyn
Weydesch / senff / milch / vil krut vnreyn /
Stost man zům puncten jn das faß
Die schwangern frowen drincken das
Das sie vor zyt genesen dick
20 Vnd sehen eyn ellend anblick /
Vil kranckheyt springen ouch dar vß
Das mancher fert jns gernerhuß /
Man důt eyn lam roß yetz beschlagen
Das wol ghôrt vff den spittel wagen
25 Das můß leren vff fyltzen stan
Als solt es nachts zů metten gan
So es von armůt hinckt vnd zelt

---

a Alchimie **b** Weinverfälscherei **2** stimmen recht ein **3** Falsche Liebe
6 Betrug **9** Rechtschaffenheit **10** stellt es übers Seelenheil **11** Wenn man
nur ein Ding loswerden kann **12** Selbst im gottgegebenen Fall, dass Tau-
send daran stürben **13** nicht mehr bestehen **15** Totenknochen (s. Holzschnitt) **16** Pottasche – Kraut **17** durch das Spundloch **19** vorzeitig ge-
bären **20** zu sehen geben **22** Beinhaus (vgl. Kap. 30.14) **24** Schinder-
wagen **25** Hufumwicklungen mit Filz **26** Mette (nächtliches Stundengebet) **27** und lahmt

Můß es doch geltten yetzt sin gelt
Do mit beschissen werd die welt
30 Man hat kleyn mossen / vnd gewicht
Die elen sint kurtz zů gerycht
Der koufflad můß gantz vinster syn
Das man nit seh des tůches schyn
Die wile eyner důt sehen an
35 Was narren vff dem laden stan
Gent sie der wogen eynen druck
Das sie sich gen der erden buck /
Vnd frogen eyns / wie vil man heysch
Den tumen wigt man zů dem fleysch
40 Man ert den weg yetz zů der furch
Die alte müntz ist gantz hardurh
Vnd mȯcht nit lenger zyt beston
Hett man jr nit eyn zůsatz gethon
Die müntz die schwǎchert sich nit kleyn
45 Falsch geltt / ist worden yetz gemeyn
Vnd falscher ratt / falsch geystlicheyt
Münch / priester / bǎgin / blotzbrüder dreit
Vil wȯlff gont yetz jnn schǎffen kleidt
Do mit ich nit vergeß hie by
50 Den grossen bschiß der alchemy
Die macht das sylber / golt / vff gan
Das vor ist jnn das stǎcklin gtan
Sie goucklen / vnd verschlagen grob
Sie lont eyn sehen vor eyn prob

---

28 sein Geld einbringen   **30** Maße   **31** Die Ellen sind (als Längenmaße zu)
kurz eingerichtet   **33** Form; Aussehen   **34** Während   **35** Närrisches auf
dem Ladentisch   **36** Geben sie der Waagschale   **37** zur Erde neigt (tie-
fer herab sinkt)   **38** verlange   **39** Daumen   **40** pflügt   **41** abgegriffen
42 hätte nicht mehr länger Bestand (im Zahlungsverkehr)   **44** verschlechtert
ihren Wert nicht gerade wenig   **45** allgemein   **47** Trägt der Mönch / der
Weltpriester / die (in semiklösterlicher Frauengemeinschaft lebende) Begine /
der Laienbruder   **48** Schafskleid   **51** die bewirkt / dass Silber / Gold / (im
Schmelztiegel) aufquellen   **52** ins Rührstäbchen (s. Holzschnitt)   **53** betrügen

So würt dann bald eyn vncken druß
Der guckuß manchen tribt von huß
Der vor gar sanfft / vnd trucken saß
Der stoßt sin gůt jns affenglaß
Biß ers zů puluer so verbrent
60 Das er sich selber nit me kennt
Vil hant also verderbet sich
Gar wenig sint syn worden rich
Dann Aristoteles der gycht
Die gstalt der ding wandeln sich nicht
65 Vil fallen schwår jn dise sůht   [s.ij.ᵛ]
Den doch dar vß gat wenig frücht /
Für golt man kupfer yetz zů rüst
Müsdreck man vnder pfeffer myst
Man kan das beltzwerck alles verben
70 Vnd důt es vff das schlechtest gerben
Das es beheltt gar wenig hor
Wann mans kum treit eyn viertel jor /
Zysmůß die geben bysem vil
Des gstanck man schmeckt eyn halbe myl
75 Die fulen hering man vermyscht
Das man verkoufft sie gar für frysch
All gassen sint fürkouffer voll
Gremperwerck triben / schmeckt gar wol
Fyrn / vnd nüw / man vermånckeln kan
80 Mit btrügniß gat vmb yederman
Keyn kouffmanschatz stat jnn sym werdt
Jeder mit falsch vertriben bgert
Das er syns kroms mốg kumen ab

---

55 Unke; Froschlurch   56 das (leidenschaftlich auf alchimistische Sensationen konzentrierte) Ausschauhalten   57 weich / und trocken (unter sicherem Dach)   58 Affenglas (i. e. gläserne Retorten)   62 davon reich geworden   63 sagt   65 Seuche; Krankheit   67 zurichtet   68 mischt   69 (jetzt) alle Pelze färben   72 trägt   73 Zeismäuse geben viel Bisam (Duftstoff)   74 riecht   77 Vorwegkäufer (Nahrungsmittel- und Warenspekulanten; s. Kap. 93)   78 Trödelhandel treiben   79 Altes / und Neues – vermengen   81 Handelsgut besteht   83 Krames

Ob es Gall / vberbeyn / joch hab
85 Sellig on zwiffel ist der man
Der sich vor falsch yetz hůtten kan
Das kyndt sin elttern btrugt vnd mog
Der vatter hatt keynr syppschafft frog
Der wyrt den gast / der gast den würt
90 Falsch / vntruw / bschysß würt gantz gspürt
Das ist dem endkrist gůt fürlouff
Der würt jnn valsch důn / all syn kouff
Dann was er gdenckt / heyßt / důt / vnd lert
Würt nüt dann valsch / vntruw / verkert

84 Galle / Spatbein (i. e. Pferdekrankheiten)   87 Eltern betrügt und Verwandte   88 fragt (nicht mehr) nach der Familienzugehörigkeit   91 für den
Antichrist ein gutes Vorspiel   92 Der wird (am Ende der Zeiten) in Falschheit ausführen

der Endkrist

sant peters schifflin

[103]

Vom endkrist

Sidt ich den fürloß han gethon   [s.3ᵛ]
Von denen die mit falsch vmbgon
So fynd ich noch die rechten knaben
Die by dem narren schiff vmb traben
5 Wie sie sich / vnd sunst vil betriegen
X Die heilig gschrifft krümmen / vnd byegen
Die gent dem glouben erst eyn büff
Vnd netzen das bapyren schyff
Eyn yeder ettwas rysßt dar ab
10 Das es dest mynder bort me hab
Růder / vnd ryemen nymbt dar von
Das es dest ee mŏg vndergon /
Vil sint jn jrem synn so klůg
Die dunckent sich syn witzig gnůg
15 Das sie vß eygner vernunfft jnfall
Die heilig gschrifft vß legen all /
Dar an sie fålen doch gar offt
Vnd wyrt jr falsche ler gestrofft
Dann sie vß andern gschrifften wol
20 (Der allenthalb die welt ist vol)
Mŏhten sunst vnder richten sich
Wann sie nit woltten sunderlich
Gesehen syn / für ander lüt
Do mit verfart das schiff zů zyt /
25 Die selben man wol druncken nennt
Das sie die worheyt hant erkent
Vnd doch das selb vmbkeren gantz

Bild Holzschnitt-Inschriften: »der Endkrist«; »sant peters schifflin« **Titel** Vom Antichrist **1** Voraus-Schuss **2** Falschheit **4** herum **7** geben – Stoß **8** benetzen das Schiff des Papiers (der Glaubensüberlieferung) **9** reißt weg davon **10** desto weniger Bordwand (im Wasser) **11** Steuerruder / und Ruder **17** irregehen **18** kritisiert **22** in herausgehobener Weise **23** Vor anderen Leuten angesehen sein **24** verfährt sich **27** verdrehen

Do mit man såh jrn schyn / vnd glantz /
Das sint falscher propheten ler
[s.iiij.ʳ]

30 Vor den sich hůten heißt / der herr
Die anders die geschrifft vmb keren
Dann sie der heilg geist selb důt leren
Die hand eyn falsch wog jn der hend
Vnd legen druff / als das sie wendt
35 Machend eyns schwår / das ander lycht
Do mit der gloub yetz vast hyn zücht /
Jnn mitt wir der verkerten ston /
Jetz regt sich vast der scorpion
Durch sollch anreytzer / von denen hett
40 Geseyt Ezechiel der prophet
Die übertråtter des gesatz
Die sůchen dem endkrist syn schatz
Das er hab ettwas vil entvor /
Wann schyer verlouffen sint syn jor
45 Vnd er vil hab die by jm ston
Vnd mit jm jnn syn falscheyt gon /
Der würt er han vil jnn der weltt
Wann er vß teylen würt syn gelt
Vnd all syn schåtz würt fürhar bringen
50 Darff er nit vil mit streichen zwyngen
Das merteyl / würt selbs zů jnn louffen
Durch geltt würt er vil zů jm kouffen
Die helfen jm / das er dann mag
Die gůten bringen alle tag /
55 Doch werden sie die leng nit faren
Jnn würt bald brechen schiff / vnd karren
Wie wol sie faren vmb vnd vmb
Vnd würt die worheyt machen krumb
So würt zů letst doch worheyt bliben

---

28 (Geistes-)Licht   **30** befiehlt   **33** Waage   **34** alles was sie wollen
36 hin stirbt   **37** Inmitten   **39** Verführer   **43** im Voraus   **44** bald abgelau-
fen   **47** Von denen wird er   **49** hervor   **50** Braucht er nicht viele mit
Schlägen (seiner Geißel; s. Holzschnitt)   **54** herbeibringen

60 Vnd würt jr falscheyt gantz vertriben
    Die yetz vmbfert jnn allem standt
    Jch vorcht das schiff kum nym zů landt
    Sant Peters schyfflin ist jm schwangk
    Jch sorg gar vast den vndergangk
65 Die wållen schlagen all sytt dran
    Es würt vil sturm vnd plagen han
    Gar wenig worheyt man yetz hort
    Die heilig gschrifft würt vast verkört
    Vnd ander vil yetz vß geleitt
70 Dann sie der munt der worheit seyt
    Verzych mir recht wån ich hie triff
    Der endkrist sytzt jm grossen schiff
    Vnd hat sin bottschafft vß gesandt
    Falscheit verkundt er / durch all landt
75 Falsch glouben / vnd vil falscher ler
    Wachsen von tag zů tag ye mer
    Dar zů / důnt drucker yetz gůt stür
    Wann man vil bůcher würff jnns für
    Man brannt vil vnrecht / falsch dar jnn
80 Vil trachten alleyn vff gewynn
    Von aller erd sie bůcher sůchen
    Der correctur etlich wenig růchen
    Vff groß beschiß vil yetz studyeren
    Vil drucken / wenig corrigyeren
85 Sie lůgen übel zů den sachen
    So sie mennlin / vmb mennlin machen
    Sie důnt jnn selber schad / vnd schand
    Mancher der druckt sich vß dem land /
    Die mag das schiff dann nym getragen
90 Sie můssen an den narren wagen
    Das eyner tůg den andern jagen /

---

63 schwankt **64** befürchte **65** auf allen Seiten **68** sehr verdreht
69 jetzt viel anders ausgelegt **71** Verzeihe mir recht, wen ich hier (mit meinem Schuss) treffe **77** einen guten Beitrag **79** Man würde verbrennen
82 sich nur sehr wenige annehmen **86** Männchen **90** in

Die zyt die kumt / es kumt die zyt
Jch vorcht der endkrist sy nit wyt
Das man das merck / so näm man war
95 Vff dry ding / vnser gloub stat gar
Vff approß / bůcher / vnd der ler /
Der man yetz gantz keyns achtet mer /
Die vile der gschrifft / spůrt man do by
Wer merckt die vile der truckery
100 All bůcher synt yetz fürher bracht
Die vnser elttern ye hant gmacht
Der sint so vil yetz an der zal
Das sie nütz geltten überal
Vnd man jr schyer nüt achtet mer /
105 Des glichen ist es mit der ler /
So vil der schůlen man nie fand
Als man yetz hat jn allem land /
Es ist schyer nyenan statt vff erd
Do nit eyn hohe schůl ouch werd
110 Do werden ouch vil gelerter lüt
Der man doch yetz gantz achtet nüt
Die kunst verachtet yederman
Vnd sicht sie über die achseln an
Die gelerten můssen sich schier schammen
115 Jr ler / vnd kleyt / vnd jres namen
Man zücht die buren yetz har für
Die gelerten můssen hynder die thür
Man spricht schow / vmb den schluderaffen
Der tüfel beschißt vns wol mit pfaffen
120 Das ist eyn zeychen / das die kunst
Keyn ere me hat / keyn lieb / noch gunst

95 begründet sich unser Glaube ganz und gar   96 auf Ablass (priesterliche
Sündenvergebung) / die (heiligen) Bücher / und die (religiöse) Lehre
98 Masse an Schriften   100 hervorgebracht   108 keine Stadt   112 Wissenschaft (lat. *ars*)   114 beinahe schämen   115 (und ihrer) Gelehrtentracht
116 zieht die Bauern jetzt vor   118 »Schau an / den (faulen, nachlässigen)
Schluder-Affen!« (vgl. Kap. 108.b)   119 bescheißt   121 Ansehen

Do mit würt abgon bald die ler

Dann kunst gespyset würt durch ere /

Vnd wann man jr keyn ere dût an

125 So werden wenig dar noch stan /

Der abblas ist so gantz vnwârt

Das nyeman dar noch frogt noch gårdt

Nyeman will me den abbloß süchen

Jo mancher wolt jn jm nit flüchen

130 Mancher gåb nit eyn pfening vß

So jm der abbloß kumbt zů huß

Vnd würt jm dar zů kumen doch

Er reycht jnn verrer dann zů Och /

Dar vmb es vns glich allso gat

135 Als denen / mit dem hymel brot

Die woren des so gar vrtrütz

Sie sprochen / es wer jnn vnnütz

Jr sel / vnwillen dar ab hett

Vnd machten dar vß eyn gespôtt /

140 Als dût man mit dem apploß ouch

Der würt veracht / durch manchen gouch /

Dar vß nym ich mir eyn berycht

Jetz stünd der gloub glich wie eyn lyeht

Wann das will gantz verfaren hyn

145 So gibt es erst eyn glantz / vnd schyn /

Das ich es frylich sagen mag

Es nah sich vast / dem jungsten tag

Sidt man das lyeht der gnad veracht

So würt es bald gantz werden nacht

150 Des glichen vor nie wart gehôrt

Das schiff den boden vast vmbkôrt

122 schwinden 123 ernährt 125 danach trachten 127 verlangt 129 ihn
bei sich nicht (einmal) verfluchen 131 (direkt) ins Haus 132 wird doch
(einst) zu ihm kommen 133 Er erlangt ihn (den Ablass dann) weiter weg als
in Aachen 135 (mit dem biblischen Manna) 136 überdrüssig 138 Abneigung dagegen 143 Licht 144 vergehen; zu Ende gehen 146 frei heraus 151 Das Schiff den Kiel nach oben kehrt

Wer durch liebkosen vnd trouwort [s 6ʳ]
Die worheyt setzet an eyn ort
Der klopft dem endkrist an der port

worheyt verschwigen.

Der ist eyn narr / wer wyrt zerstört
Jnn sym gemüt / so man anfört
Vnd mit gewalt / jnn zwingen wöll
Das er die worheyt schwigen söll
5   Syn wißheyt vnder wågen lon   [s 6ᵛ]
Vnd soll den weg der torheyt gon
Den der on zwiffel anhyn fert
Der sich an solche trouwort kert
Die wile doch got / vff syner sytt
10   Jst / vnd beschyrmt den alle zyt
Der von der worheyt sich nit scheydt
Das er zů keyner zyt beleydt
Syn füß / wer vff der worhyt blibt
Bald / der all vygend von jm tribt /
15   Eyn wiß man statt der worheyt zů
Ob er joch såch Phalaridis ků /
Wer nit kan by der worheit ston
Der můß den wåg der torheyt gon
Hett jonas worheit gkundt by zyt
20   Der visch hett jn verschlucket nytt
Helyas hielt mit worheit priß
Dar vmb für er jnns Paradiß /
Johannes floch der narren louff
Dar vmb kam christus zů sym touff /
25   Wer eynen lieplich stroffen důt
Ob ers joch nit hat glich für gůt
So würt doch ettwan syn die stundt
Da es jm zů verdancken kundt
Vnd grösser danck nymbt vmb stroff wort

a wegen Schmeichelei und Drohung   b in einen Winkel setzt (zurücksetzt)
c Der klopft beim Antichrist an die Pforte   1 beschädigt   2 (ihn) angreift
4 verschweigen   5 von seinem Wissen ablasse   7 weitergeht   9 Seite
12 verletzt   14 Feinde   15 steht zu ihr   19 verkündet   21 Lobpreis
23 floh   25 milde tadelt   26 nicht hält   28 ans Danken kommt   29 für
tadelnde Worte

30 Dann ob er redt / das man gern hort
Daniel keyn liebdat nemen wolt
Als er Balthesar sagen soltt
Vnd jm die worheit legen vß
Dyn gelt blib (sprach er) jn dym huß
35 Der engel hyndert Balaam
Dar vmb das er die gaben nam
Vnd wolt důn wider die worheyt
Des wart verkôrt als das er seyt
Der esel strofft den / der jn reyt /
40 Zwey ding mag man verbergen nit
Zů ewig zyt sycht man das drytt /
Eyn statt gebuwen jnn der hôh /
Eyn narr / er stand / sitz / oder gee /
Sicht man doch bald / wesen vnd bscheit
45 Worheyt sicht man jnn ewigkeyt
Vnd würt sich nyemer me verlygen
Wann narren schon den hals ab schryen /
Worheyt ert man durch alle land
Der narren freüd ist / spott / vnd schand /
50 Jch bin gar offt gerennet an
Wile ich diß schiff gezymberet han
Jch soll es doch eyn wenig fårben
Vnd nit mit eychen rynden gårben
Sunder mit lynden safft ouch schmyeren
55 Vnd ettlich ding ettwas glosyeren
Aber ich ließ sie all erfryeren
Das ich anders dann worheyt seyt
Worheyt die blibt jnn ewikeyt
Vnd würt eym vnder die ougen ston
60 Wann nyemer wer diß büchlin schon /
Worheyt ist stercker dann all die

---

31 Geschenke   38 Deshalb wurde alles verdreht, was er sagte   41 Ewig
sieht man   42 gebaut   44 in Wesen und Beschaffenheit   46 verderben
50 angegriffen worden   54 Lindensaft   55 positiv umschreiben (mlat. *glossa*/>Kommentar‹)   59 vor Augen stehen   60 schön (und gut)

Mich hynder reden / oder sie
Wann ich mich hett gekórt dar an
Jch můst byn gróssten narren stan
65 Die ich jnn allen schiffen han

Wer wil der worheyt by gestan [s 7ᵛ]
Der můß gar vil durechter han
Die jnn abkeren vnderstan

Hyndernys des gutten.

Der ist eyn narr durch all syn blůt
Wer hyndern will eyns andern gůt
Vnd er zů wŏren vnder stat
Do von er doch entphoht keyn schad
5 Vnd sicht gern / das eyn ander sy   [s 8ʳ]
Jm glich / vnd ståck jm narren bry
Dann narren allzyt hassen dŭnt
Die / so mit gůtem ding vmb gont
Eyn dor / den andern nit gern sicht
10 Dem rechten doren doch geschicht
Das er jnn freüden sich nit spar
Das er alleyn nit sy eyn narr
Dar vmb er allzyt flisset sich
Wie yederman syg synen glich
15 Vnd ratt das er nit sy alleyn
Der narr / der trag den kolben heyn
Wann man sicht eynen der do will
Recht důn / vnd syn jnn wißheyt styll /
So spricht man / schow den duckelmuser
20 Er will alleyn syn eyn Carthuser
Vnd tribt eyn apostützer stodt
Er will verzwifflen gantz an gott
Wir went eben als wol erwerben
Das gott vns loßt jnn gnaden sterben
25 Als er / wann er schon tag / vnd nacht
Lyt vff den knuwen / båt / vnd wacht /
Er will vasten / vnd zållen buwen /

a beistehen   b Verfolger (s. Holzschnitt)   c sich erdreisten, ihn (davon) abzubringen   Titel Verhinderung des Guten   4 empfängt   6 Narrenbrei
(vgl. Kap. 13.2 und 13.10; 57.14; 60.a und 60.1; 73.78)   11 an Freude (darüber) nichts spare   13 befleißigt   15 steuert (etwas dazu) bei, dass er nicht
16 Narrenknüppel   19 sieh den Duckmäuser (Scheinheiligen)   21 Und
treibt ein Heuchler-Wesen (vgl. mlat. *apostatizare* / ›jemanden als abtrünnig
erklären‹)   23 Wir wollen in rechter Weise (für uns) als gut erwirken
26 Liegt auf den Knien   27 Mönchszellen bauen

Er gdar weder got noch der welt truwen
Gott hat vns nit dar vmb geschaffen
30 Das wir münch werden oder pfaffen
Vnd vor vß / das wir vnß entschlagen
Der welt / wir went keyn kutten tragen
Noch kapp / sie hab dann schellen ouch
Schow vmb den narren / vnd den gouch
35 Er möcht noch jnn der welt han gthon   [s 8ᵛ]
Vil gůtts / vnd hett noch grössern lon
Entpfangen / hett er vil gelert
Vnd vff den weg der sellikeyt kert
Dann das er do lyt wie eyn schwyn
40 Vnd mößst sich jn der zellen syn /
Oder bricht jm sunst so vil ab
Das er keyn freüd noch kurtzwil hab /
Solt / wie er důt / důn yederman
Jn der Chartuß die kutten an
45 Wer woltt die weltt dann fürbas meren /
Wer wolt die lüt wysen / vnd leren /
Es ist gotts will / noch meynnung nit
Das man der welt sich so abschütt
Vnd vff sich selb alleyn hab acht /
50 Solch red důnt narren tag / vnd nacht /
Die jnn der welt hant als jr teil
Des sůchen sie nit selen heyl /
Hör zů / wårst du joch wiß vnd klůg
Es weren dennaht narren genůg
55 Wann du schon hettest münchesch gberd
Es weren narren me vff erd /
Wer yederman gesyn din glich
Es wer keyn mensch jm hymelrich /

28 Er wagt   31 uns losmachen   33 Kapuze   34 Schaut an   38 sich hinge-
wendet   40 mästet   41 tut sich an so vielem Abbruch   44 In der Kartause
(im Kartäuserkloster)   45 weiter   46 Leute unterweisen   48 (den Rest der)
Welt so von sich abschüttelt   51 all ihr Eigentum   54 dennoch   55 mön-
chisches Auftreten

Wann du joch werst eyn witzig gsell
60 Es fúren dannaht vil zúr hell /
Wann ich zwo selen hett jnn mir
Setzt ich lycht eyne den gsellen für
Aber so ich hab eyn alleyn
So múß ich sorg han vmb die eyn
65 Got hat mit Belyal nüt gemeyn

60 dennoch 62 Setzte ich vielleicht eine für diese Gesellen als Pfand ein

482

Wer hie anzündt syn ampel wol   [t.i.ͬ]
Vnd brennen loßt syn liecht / vnd ol
Der selb sich ewig fröwen sol

483

Ablossung gutter werck

Der ist eyn narr / der zů der zytt
So gott syn letzstes vrteyl gyt
Sich vrteyln můß vß eygenem mundt
Das er verschlagen hat syn pfundt
5   Das jm entpfolhen hat syn her   [t.i.ᵛ]
Das er do mit soltt gwynnen mer
Dem wyrt das selb genomen hyn
Vnd er geworffen jnn die pyn /
Des glich ouch die jr ampell hant
10 Verschüt / vnd nit mit öl gebrant /
Vnd went erst sůchen ander öl
So yetz vß farend ist die sel /
Vier kleyne ding sint vff der erd
Sint wyser doch dann menschlich gberd /
15 Die omeyß die keynr arbeyt schont /
Eyn håslin das jm velsen wont /
Die hew ståff / die keyn künig hant
Vnd ziehen doch zů veld allsant /
Eyn aydes gat vff syn henden vß
20 Vnd wont doch jn der kunig huß /
Wer hunig fyndt vnd wafen scharff
Der åß nit me dann er bedarf
Vnd hůt vor füllung sich der sůß
Das ers nit wider spüwen můß
25 Ob joch eyn wyser gåhling stirbt
Sin sel doch nyemer me verdyrbt /
Aber der narr / vnd vnwis man
Verdyrbt / vnd můß syn husung han

---

a Ölleuchte (wie bei den biblischen fünf klugen Jungfrauen, im Gegensatz zu
den fünf törichten; s. Holzschnitt) **b** und Lampenöl **c** freuen **Titel** Un-
terlassung guter Werke 3 verurteilen 4 unterschlagen 5 anvertraut
8 Höllenpein 12 Wenn die Seele gerade aus dem Körper fährt 14 Verhalten 15 Ameise – sich schont 17 Heuschrecken 18 allesamt 19 Ei-
dechse 21 (wilde) raue Waben 22 esse 23 Überfütterung mit Süßem
24 speien 25 jählings; plötzlich 28 Behausung

484

Jnn ewigkeit jn synem grab
30 Den frõmden loßt er sel / vnd hab /
Keyn grõsser dor wart nie gemacht
Dann der das kunfftig nit betracht
Vnd zytlichs für das ewig acht
Es brennt manch boum jnn hellen glũt
35 Der nit wolt tragen gũte frũcht

107

Zůr rechten handt fyndt man die kron [t.ij.ʳ]
Zůr lyncken hant / die kappen ston
Den selben weg / all narren gon
Vnd fynden entlich / bôsen lon

Von lon der wisheit

Noch grosser kunst stellt mancher thor
Wie er bald werd meyster / doctor /
Vnd man jnn haltt / der weltt eyn liecht
Der kan doch das betrachten nicht
5   Wie er die rechte kunst erler   [t.ij.ᵛ]
Mit der er zů dem hymel ker
Vnd das all wißheyt diser welt
Jst gegen got eyn dorheyt gzelt
Vil meynen syn vff rechtem weg
10   Die doch verjrren an dem ståg
Der zů dem woren leben fůrt
Wol dem / der vff dem weg nit jrrt
Wann er jn schon ergriffen hat
Dann offt der neben weg ab gat
15   Das eyner bald kumbt ab der stroß
Es sy dann / das jnn got nit loß
Hercles jn syner jugent gdacht
Wes wegs er doch woltt haben acht
Ob er der wollust noch wolt gan
20   Oder alleyn noch tugend stan /
Jn dem gedånck / komen zů jm
Zwo frowen / die er bald on stym
Erkant / an jrem wesen wol /
Die eyn / was aller wollust vol
25   Vnd hübsch geziert / mit reden sůß
Groß lust vnd freüd sie jm verhieß
Der end doch wer der dot mit we
Dar noch keyn freüd / noch wollust me
Die ander sach bleich / sur / vnd hert

---

1 strebt   2 Magister   3 für ein Licht der Welt halte   4 bedenken   8 bei
Gott als Torheit angerechnet   10 (schmalen) Pfad   14 der Nebenweg wegführt   17 bedachte   20 streben   21 Bei dieser Überlegung   22 ohne dass
sie ihre Stimme erhoben   27 Deren Ziel   29 sah bleich / sauer / und streng
aus

30 Vnd hatt on freüd eyn ernstlich gfert
   Die sprach / keyn wollust ich verheiß
   Kein rûw / dann arbeit jn dim schweiß
   Von tugent zů der tugent gon
   Dar vmb würt dir dann ewig lon
35 Der selben ging do Hercles noch
   Wollust / rûw / freüd er allzyt floch /
   Wolt gott / als wir begeren all
   Leben noch unserm wol gefall
   Das wir begerten ouch des glich
40 Zů han / eyn leben dugentrich /
   Worlich / wir flühen manchen ståg
   Der vns fûrt vff den narren weg /
   Die wile aber / wir all nit wend
   Gedencken / wo eyn yeder lend
45 Vnd leben blyntzend jn der nacht
   Hant wir keyns rechten wågeß acht
   Das wir gar offt selbs wissen nitt
   Wo vns hyen fûren vnser dritt
   Dar vß entspringt / das vns alltag
50 Berüwen all vnser anschlag
   So wirs erfolgen / nit on we
   Begeren wir nit mynders me /
   Das kumbt alleyn dar vß / das wir
   All hant eyn angeborne bgir
55 Wie vns das recht gůt hie vff erd
   Bekum on vål / vnd entlich werd /
   Die wile aber das nit mag syn
   Vnd wir jrren jn vinsterm schyn
   So hat got geben vns das liecht
60 Der wißheyt / dar von man gesicht

---

30 ernstes Betragen   32 Ruhe; Bequemlichkeit – deinem   33 gute Eigenschaft; Tüchtigkeit   36 floh   41 wir flöhen   44 anlande   45 mühsam bli-
ckend; blinzelnd   48 unsere Tritte hinfüren   50 Reuen   51 erreichen
52 Begehren wir (doch) nichts Geringeres mehr   54 Streben   56 Zuteil werde ohne Mangel / und Entstellung   58 dunklem Licht   60 man einsichtig wird

Die macht der vinsterniß eyn end
Wann wir sie nemen recht für hend
Vnd zeigt vns bald den vnderscheit
Der doren weg / von der wißheit /
65 Der selben wißheyt steltten noch
Pythagoras / Plato der hoch
Socrates / vnd all die durch jr ler
Hant ewig rům erholt / vnd ere
Vnd kunden doch ergründen nie
70 Die rechte wißheyt funden hie
Dar vmb von jn spricht got der her
Jch will verwerffen kunst vnd ler
Vnd wißheyt der / die hie wis sindt
Leren die selb / die kleynen kindt /
75 Das sint all die / so wißheyt handt
Eruolget dort jm vatter landt /
Die solche wißheyt hant gelert
Werden jn ewigkeyt geert
Vnd schynen wie das firmament
80 Welch hant gerehtikeyt erkent
Vnd dar jnn vnder wysen sich
Vnd ander me / die lüchten glych
Als Lucifer von orient
Vnd Hesperus gen occident /
85 Bion der meister spricht / das glich
Wie zů den megten gselten sich
Die vmb Penelope langzyt
Bůlten / vnd möcht jn werden nit /
Als dünt die hie nit künnen gantz
90 Bgriffen / der rechten wißheyt glantz

---

61 Die (Einsicht) macht   **62** in die Hände   **63** Unterschied
68 erworben   **70** hier (auf Erden zu) finden   **74** (ich will) sie lehren
76 Erlangt   **79** leuchten   **81** unterrichtet   **82** ebenso   **83** Luzifer (Planet
Venus; Morgenstern; lat. *Lucifer*/›Lichtbringer‹) von Osten   **84** Hesperus
(Abendstern) nach Westen   **88** und konnte ihnen nicht zuteil werden
89 So verhalten sich diejenigen   **90** Begreifen

489

Die nahend durch vil tugent zier /
(Die jr megd sint) doch vast zů jr /
All freüd der welt nymbt trurig end
Eyn yeder lůg / wo er hyn lend

91 Die nähern sich aufgrund dessen, dass viele Fähigkeiten (Tugenden) ja eine Zierde sind   **92** ihr (der Weisheit) doch ziemlich stark an

Jr gesellen / kumen har noch ze hant [t.iiij.ʳ]
Wir faren jnn schluraffen landt
Vnd gstecken doch jm mǔr / vnd sandt

Das schluraffen schiff

Nit meyn / vns narren syn alleyn
Wir hant noch brüder groß / vnd kleyn
Jnn allen landen über al
On end / ist vnser narren zal
5 Wir faren vmb durch alle landt   [t.iiij.ᵛ]
Von Narbon jnn Schluraffen landt
Dar nach went wir gen Montflascun
Vnd jnn das landt gen Narragun
All port durch sůchen wir / vnd gstad
10 Wir faren vmb mit grossem schad
Vnd künnent doch nit treffen wol
Den staden do man lenden sol
Vnser vmbfaren ist on end
Dann keyner weiß / wo er zů lend
15 Vnd hant doch keyn růw tag / noch naht
Vff wißheyt vnser keyner acht
Dar zů hant wir noch vil gespanen
Trabanten vil / vnd Curtisanen
Die vnserm hoff ståts ziehen noch
20 Kumen jnns schiff zům letzsten doch
Vnd faren mit vns vff gewynn
On sorg / vernunfft / wißheyt / vnd synn
Důnt wir für wor eyn sörglich fart
Dann keyner sorgt / lůgt / merckt vnd wart

---

a kommt her sogleich   **b** ins Schluder-Affen Land (vgl. Kap. 103.118)
c stecken jedoch im Schlamm   **Bild** Holzschnitt-Inschriften: »Ad Narragoniam« [Nach Narragonien!]; »Gaudeamus omnes« [Lasst uns alle fröhlich
sein!]; »doctor griff« [Doktor Greif]   **1** Glaub nicht / wir Narren seien
allein (vgl. Kap. 54.12)   **5** umher   **6** »Narrengut« (Narr-bon; frz. Stadt
Narbonne)   **7** »Flaschenberg« (Monte-Flaschen; ital. Stadt *Montefiascone*)
8 »Narragonien« (N-aragon; span. Landschaft *Aragon*)   **9** Häfen – Gestade;
Ufer   **10** Schaden   **12** anlanden   **14** wohin er anlandet   **15** Ruhe
17 Kumpane   **18** Viele Landsknechte (tschech. *Drabant* / ›Krieger zu Fuß‹) /
und Höflinge (frz. *courtisan*/›Höfling‹)   **19** unserer Hofhaltung   **21** Beute
23 Besorgnis erregende   **24** und gibt Obacht

25 Vff Tablemaryn / vnd den compasß
Oder den vßlouff des stundglaß
Noch mynder des gestyrnes zwang
Wo hyn bootes / vrsa gang
Arcturus oder Hyades
30 Des treffen wir Sympleyades
Das vns die felsen an das schiff
Zů beyden sytten gent eyn büff
Vnd knützschen das so gar zů trymmen
Das wenig vß dem schiffbruch schwymmen
35 Wir wogen vns durch malfortun   [t 5ʳ]
Des kumen wir zů land gar kum
Durch Scyllam / Syrtim / vnd Charibd
Vnd sint gantz vß dem rechten trib
Des ist nit wunder / ob ouch wir
40 Jm mer sehen vil wunder thier
Als Delphynen vnd Syrenen
Die syngen vns süß Cantylenen
Vnd machen vns als vast entschloffen
Das vnsers zů lend ist keyn hoffen
45 Vnd můssen såhen vmb vnd vmb
Cyclopem mit dem ougen krumb
Dem doch Vlysses das vß stach
Das er vor wißheyt jnn nit sach
Vnd jm keyn schaden zů möcht fügen
50 Dann das er bröllen dett vnd lůgen

25 Auf die Seekarte (frz. *table marin*)   26 das Auslaufen (des oberen Glases) der Sanduhr   27 Noch weniger des Sterne Zwang (was das Sternbild nautisch erfordert)   28 Wohin Bootes / Ursa gehen (vgl. Personennamen-Verzeichnis)   30 Sympleiaden (nach der antiken Sage zwei bewegliche Felsen, die hindurch fahrende Schiffe zerdrückten)   32 einen Knuff geben   33 zerknautschen – zu Trümmern   35 Unglück (lat. *mala fortuna*)   37 Syrte (griech./lat. *Syrtis*; zwei aufgrund ihrer unberechenbaren Strömungen in der griechischen Seefahrt gefürchtete Buchten an der nordafrikanischen Küste)   38 Trift   41 Sirenen (vgl. Personennamen-Verzeichnis)   42 getragene Lieder (mlat. *cantilena*/›Liedchen‹)   44 kein Hoffen auf Landung   46 schief   48 Dass dieser ihn mit Gewissheit nicht sah   50 brüllte und schrie

493

Glich wie eyn ochs / dem würt ein streich
Nit mynder der wise von jm weich
Vnd ließ jnn schrygen / grynen / weynen /
Doch warff er noch mit grossen steynen
55   Das selb oug wechßt jm wider ser
Wann er ansiht der narren her
So spert ers vff / gen jnn so witt
Das man sunst sicht jm antlytt nüt
Sin mül spatzyert zů beyden oren
60   Do mit verschluckt er manchen doren
Die andern die jm schon entrynnen
Der würt Antyphates doch ynnen
Mit sym volck der låstrygonum
Die gont erst mit den narren vmb
65   Dann sie sunst anders essen nüt   [t 5ᵛ]
Dann narren fleisch zů aller zyt
Vnd drincken blůt für jrn wyn
Do würt der narren herberg syn /
Homerus hatt diß als erdacht
70   Do mit man hett vff wißheyt acht
Vnd sich nit wogt lycht vff das mer
Hie mit lobt er Vlyssem ser
Der wise rått gab / vnd gůt anschlag
Die wile man streit vnd vor Troy lag /
75   Vnd wie der zehen jor dar noch
Mit grossem glück durch all mer zoch /
Do Cyrce mit jrr dranckes gwalt
Syn gsellen kert jnn thieres gstalt
Do was Vlysses also wiß
80   Das er nit nam dranck oder spiß
Biß er das falsch wib über bößt
Vnd syn gesellen all erlößt

51 dem ein Hieb zuteil wird   52 der Schlaue   58 Antlitz   59 sein Maul
geht   62 habhaft   71 nicht leichtfertig wagt   74 Troja   81 überböst (Böses mit Bösem überbietet)

494

Mit eym krut das man moly heißt
Also halff jm vsß mancher nott
85 Sin wißheyt / vnd vernünfftig rott
Die wile er aber ye wolt faren
Mócht er die leng sich nit bewaren
Jm kem zů letst eyn wyder wynd
Der jm syn schiff zerfůrt geschwynd
90 Das jm syn gesellen all erdryncken
All růder / schiff / sågel / versyncken
Syn wißheyt jm zů hülff doch kam
Das er alleyn / vß nacket schwamm
Vnd wust von vil vnglück zů sagen
95 Wart doch von sym sůn dot geschlagen
Als er klöppfft an synr eygnen tůr   [t 6ʳ]
Do künd wißheit nit helffen für
Nyemans was der jn kennen künd
Jm gantzen hoff / alleyn die hund /
100 Vnd starb dar vmb / das man nit wolt
Jn kennen / als man billich solt /
Do mit kum ich vff vnser für
Wir sůchen gwynn jn dieffen můr
Des würt vns bald eyn böse růr
105 Dann vns bricht mastboum / sågel / schnůr /
Vnd künnen doch jm mer nit schwymmen
Die wållen sint böß vff zů klymmen
Wann eyner wånt er sitz gar hoch
So stossent sye jn zů boden doch
110 Der wyndt der tribt sie vff / vnd nyder
Das narren schiff kumbt nym har wider
Wann es recht vnder gangen ist
Dann wir hant weder synn noch lyst

83 Molikraut (erwähnt in Homers *Odyssee* unter dem griech. Namen *moly*;
vgl. im Personennamen-Verzeichnis unter »Circe«)   **86** Dieweil   **87** auf
Dauer   **88** Gegenwind   **89** zerstört   **101** von Rechts wegen   **102** Fahrt
104 ein böses Auf-Grund-Laufen (Stranden des Schiffes)   **107** schwer zu er-
klimmen   **113** weder Sinn noch Verstand

495

Das wir vß schwymmen zů dem stad
115 Als det Vlysses noch sym schad
Der me brocht nacket mit jm vß
Dann er verlor / vnd hatt zů huß /
Wir faren vff vnfalles schlyff
Die wállen schlagent úbers schyff
120 Vnd nåmen vns vil Galeoten
Es würt an die schyfflüt ouch geroten
Vnd ouch zů letst / an die patron
Das schyff důt wůst jnn schwåncken gon
Vnd mócht gar licht eyn wyrbel fynden
125 Der schyff / vnd schyfflüt würd verslynden
All hülff / vnd rott hat vns verlon   [t 6ᵛ]
Wir werden jnn die harr vndergon
Der wynd verfürt vns mit gewalt
Eyn wis man / sich do heym behalt
130 Vnd nåm by vns eyn wißlich ler
Wog sich nit lichtlich vff das mer
Er künn dann mit den wynden stritten
Alls Vlisses det / zů synen zytten
Vnd ob das schiff gang vnder joch
135 Das er zů land künn schwymmen doch
Dar vmb erdryncken narren vil /
Zům stad der wißheyt yeder yl
Vnd nåm den růder jnn die hend
Do mit er wiss / wo er hyn lend
140 Wer wis ist / kumbt zů land mit fůg
Es sint doch on das narren gnůg
Der ist der best / der selber wol
Weiß / was man důn vnd lossen sol
Vnd den man nit darff vnder wisen

---

118 auf des Unglücks schlüpfriger Oberfläche   120 Schiffsleute (ital. *galeot-
to*/›Galeere‹)   121 auch auf die Schiffsleute zukommen   122 Herren des
Schiffs (frz. *patron*)   125 verschlingen   126 verlassen   127 auf die Länge
(im Lauf der Zeit)   128 führt uns weg   129 daheim bleibt   130 kluge Lehre   131 Wagt   132 kämpfen   137 eile   140 in der rechten Art   141 oh-
nedies   144 nicht braucht

Sunder die wißheyt selb důt prysen
Der ist ouch gůt / wer andere hôrt
Vnd von jnn zücht / vnd wißheyt lert
Wer aber der keyns über al
Kan / der ist jnn der narren zal
Ob der diß schiffs sich hat versumbt
So wart er biß eyn anders kumbt
Er würt gselschafft fynden geryng
Mit den er Gaudeamus sing
Oder das lied jm narren don
Wir hant vil brůder dussen gelon
Das schiff ouch würt zů boden gon

147 Bildung   **150** versäumt   **152** mit Leichtigkeit   **154** im Narrenton
155 draußen

Der ist eyn narr / der nit verstot   [t 7ʳ]
So jm vnfall zů handen gat
Das er sich wißlich schyck dar jn
Vnglück will nit verachtet syn

Verachtung vngfelles

Manchem jst nit mit vnglück wol
Vnd ryngt dar noch doch yemer tol
Dar vmb soll er nit wunder han
Ob jm das schiff würt vndergan
5   Ob vngluck ettwan joch ist kleyn   [t 7ᵛ]
So kumbt es seltten doch alleyn
Dann noch der altten spruch / vnd sag
Vnglück / vnd hor / das wechßt all tag
Dar vmb den anfang man abwend
10   Man weißt nit / wo der vßgang lend
Wer vff das mer sich wogen důt
Der darff wol glück / vnd wetter gůt
Dann hynder sich fert der geschwynd
Wer schiffen will mit widerwynd
15   Der wis mit noch wynd såglen lert
Eyn narr / hat bald eyn schiff vmb kert
Der wis / der halt jnn syner handt
Den růder / vnd fart lycht zů landt
Eyn narr verstat sich nit vff fůr
20   Dar vmb er offt nymbt eyn grunt růr /
Eyn wis man / sich vnd andere fůrt
Eyn narr / verdyrbt ee dann ers spůrt
Hett nit sich gschickt noch wiser ler
Allexander / jn hohem mer
25   Das jm syne schiff warff an eyn sytt
Vnd hett sich gerichtet noch der zytt
Er wer jm mer ertruncken gsin
Vnd nit dot an vergyfftem wyn
Pompeius hatt groß rům vnd ere

---

b Unheil widerfährt   c einsichtig   **Titel** Missachtung des Unheils
2 drängt doch danach immerfort und heftig   8 Haar   10 hingeht; anlandet   12 bedarf   13 zurück fährt   15 Rückenwind   16 umgekippt
18 Steuerruder   19 aufs Fahren   20 auf Grund laufen (Strandung)   25 auf
eine Seite   26 aufgerichtet

30   Das er gereyniget hett das mere
       Vnd die mer rŏuber vertriben all
       Hat jnn Egypten doch vnfall /
       Welch wißheyt / tugent / an jn handt
       Die schwymmen nackent wol zŭ landt /
35   Als spricht Sebastianus Brant

33 in sich haben   **35** (Schlussformel mit Namensnennung des Dichters als –
bei zeitgenössischen Spruchdichtern durchaus übliche – Autorsignatur; ebenso zu Beginn der Vorrede; in Kap. 111.86; 112.57; Ende des *Narrenschiffs* und
Verwahrung.40)

110

Manch narr der richt vß yederman [t 8ʳ]
Vnd henckt der katzen die schellen an
Vnd will sin doch keyn wort nit han

Hynderred des guten

Vil mancher der hat freůd dar ab
Das ich vil narren gsamlet hab
Vnd nymbt dar by eyn nützlich ler
Wie er sich / von der narrheyt ker
5 Dar gegen ist es manchem leyt [t 8ᵛ]
Der meynt ich hab jm war geseyt
Vnd gtar doch öfflich reden nicht
Dann das er schyltet das gedicht
Vnd henckt der katzen die schellen an
10 Die jm vff beyden oren stan /
Eyn rüdig roß / das lydt nit lang
Das man mit strygelen vmb es gang
Wyrfft man vnder vil hund eyn beyn
So schrygt der troffen würt alleyn /
15 Dann wißlich / ich mich des versich
Das narren werden scheltten mich
Vnd meynen es stand mir nit zů
Das ich die narren stroffen dů
Vnd yedem zeyg / was jm gebryst
20 Jeder redt / was jm eben ist
Vnd klagt sich / do jn druckt der schůch
Wem nit gefált diß narrenbůch
Der mag wol lossen / das es louff
Jch bitt keynen / das er es kouff
25 Er well dann witzig werden dar ab
Vnd ziehen selb die kappe ab /
Jch hab langzit gezogen dar an

---

a hechelt durch b (s. Holzschnitt) c will sich davon kein Wort zurech-
nen Titel Verleumdung des guten Menschen 4 abwende 5 ist es für
manchen ein Leid 6 die Wahrheit 7 traut sich jedoch nicht offen zu reden 8 den Text schilt 11 räudiges – duldet 12 mit Striegeln um es herum-
umgeht 13 einen Knochen (s. Holzschnitt) 14 So jault allein der, der ge-
troffen wird 15 wohlweislich / rechne ich damit 20 in seinem Horizont
liegt 23 Der kann es sehr wohl loslassen / dass es (weiter) umläuft

Vnd will mir doch nit gantz ab gan /
Wer stroffet das er nit verstot
Der kouff diß bůch / es důt jm not /
Eyn yeder / was er sich verstat
Zů dem er lieb / vnd neygung hat /
Wer worheit wider sprechen gtar
Vnd wis will syn / der ist eyn narr

30

28 Und sie (die Kappe) will (s. Holzschnitt)   29 tadelt   31 was er bei sich
versteht

111

Licht wer es / narren vohen an [v.i.ʳ]
Wann man ouch kündt von narrheit lan
Welcher das schon wolt vnderstan
Der wurd doch vil gehyndert dran

entschuldigung des dichters

Der ist eyn narr / vnd grosser dor
Wer eym werckman den lon gibt vor
Der macht nit werschafft vff dem merckt
Wer nit vff kunfftig blonung werckt /
5   Gar selten würt verdient der lon   [v.i.ᵛ]
Der vor verzert ist / vnd verthon
Das werck gar langsam naher got
Das man macht vff vorgessen brott /
Dar vmb hett man mir vor gelont
10   Das ich der narren hett geschont
Jch hett mich wenig dar an kòrt
Dar zů wer es doch yetz verzòrt /
Vnd hett die leng mich nit gewerdt
Alls alles das do ist vff erdt
15   Das ist vnnütz dorheit geacht /
Wann ich ouch diß vmb gelt het gmaht
Sorg ich mir würd nit glicher lon
Jch hetts worlich langs lossen ston /
Aber die wile ichs hab gethon
20   Durch gottes ere / vnd nutz der welt
So hab ich weder gunst noch geltt
Noch anders zytlichs gsehen an
Des will ich gott zů zügen han
Vnd weiß doch das ich nit mag bliben
25   Gantz vngestrofft jn mynem schriben
Den gůten will ichs lossen noch
Jr stroff / jnred / vff nåmen ouch

---

a mit der Narrheit anzufangen   b von Narrheit ablassen könnte   c unternehmen; versuchen   **Titel** Rechtfertigung des Verfassers   2 Handwerker – im Voraus   3 Derjenige gibt keine Garantie (erweckt kein Vertrauen) auf dem Markt   4 auf künftige Entlohnung hin   6 vertan   7 geht langsam vonstatten   8 vorab gegessenes   11 daran gekehrt   12 Im Übrigen wäre es jetzt schon verzehrt   13 auf lange Sicht nicht (wirklich) entlohnt   14 Weil alles   17 mir würde kein entsprechender Lohn zuteil   18 längst auf sich beruhen lassen   20 Um Gottes Ehre   21 Begünstigung   23 als Zeugen   25 ungetadelt   26 nachsehen   27 Ihren Tadel / Einwände

Dann ich mich des gen gott bezüg
Jst ettwas hye dar an ich lüg
30 Oder das syg wider gotts lere
Der selen heil / vernunfft / vnd ere
Des stroff nym ich vff mit gedult
Jch will am glouben nit han schuldt
Vnd bitten hye mit / yederman
35 Das man von mir für gůt well han
Vnd nit zů argem messen vß   [v.ij.ʳ]
Noch årgerniß / schand / nemen druß
Dann ich habs dar vmb nit gedicht
Aber ich weis das mir geschicht
40 Glich wie der blůmen die wol rücht
Dar vß das byenlin hunig zücht /
Aber wann dar vff kumbt eyn spynn
So sůcht sie gyfft noch jrem gwynn
Das wurt har jnn ouch nit gespart
45 Eyn yedes důt noch syner art
Wo nüt ist gůttes jn eym huß
Do kan man nüt gůts tragen vß
Wer nit gern hórt von wißheit sagen
Der würt dest dicker von mir klagen
50 Dem hórt man an syn worten an
Was er sy für eyn gouckelman /
Jch hab gesehen manchen dor
Der vff erhebt was hoch entbor
Glich als der Câder Lybani
55 Der bduht sich syner narrheyt fry
Jch wart eyn wile / vnd hort syn nym
Jch sůcht jn / er gab mir keyn stym
Man kund ouch fynden nit die stat
Do der selb narr gewonet hat

28 vor Gott bekenne 33 nicht schuldig werden 36 nicht zum Argen aus-
legen 40 gut riecht 43 zu ihrem Vorteil 44 wird hier auch nicht unterlassen 49 umso öfter 51 Gaukler 53 Der hoch empor aufgerichtet
war 54 die Zeder des Libanon (aus den Psalmen) 55 dünkte sich seiner
Narrheit entledigt 56 hörte von ihm nicht mehr 58 die Stätte

60 Wer oren hab / der mörck / vnd hör /
  Jch schwig / der wolff ist mir nit verr
  Eyn narr strofft manchen vor der zyt
  Das er nit weißt was jm an lyt
  Můst yeder syn des andern ruck
65 Er würt bald jnnen was jn druckt
  Wer well / der láß diß narrenbůch   [v.ij.ᵛ]
  Jch weiß wol / wo mich druckt der schůch
  Dar vmb ob man wolt scheltten mich
  Vnd sprechen / artzt heyl selber dich
70 Dann du ouch bist jnn vnser rott /
  Jch kenn das / vnd vergych es gott
  Das ich vil dorheit hab gethon
  Vnd noch jm narren orden gon
  Wie vast ich an der kappen schütt
75 Will sie mich doch gantz lossen nytt
  Doch han ich fliß / vnd ernst an kört
  Do mit (als du sichst) han gelert
  Das ich yetz kenn / der narren vil
  Hab můt ouch fürter ob gott wil
80 Mit witz mich bessern / mit der zyt
  Ob mir so vil / gott gnaden gytt
  Eyn yeder lůg / das er nit fål
  Das jm nit blib der narren strål
  Der kolb veralt jn syner hant
85 Des sy eyn yeder narr gemant
  Als bschlüßt Sebastianus Brant
  Der yedem zů der wißheyt ratt
  Er sy was wåsens / oder statt
  Keyn gůt werckman / kam nye zů spatt

---

61 nicht fern   63 was ihn (wirklich) bedrückt   64 Rücken   65 gewahr
70 in unserer Gesellschaft   71 Ich bekenne – sage es   73 und noch im Narrenorden mitgehe   74 an der Narrenkappe schüttele; rüttele   75 nicht ganz
verlassen   79 weiter   80 Einsicht   82 fehle   83 Narrenkamm (s. Holzschnitt)   84 (Und) die Narrenkeule alt werde   86 So schließt   88 welcher
Daseinsform oder welchen Standes auch immer   89 kam jemals zu spät

Von narren hab ich vß geseyt [v.iij.ʳ]
Do mit man doch wiß recht bescheydt
Wer witzig sy / gantz vmb / vnd vmb
Der láß myn fründ Virgilium /

Der wis man

Eyn gůt vernunfftig / witzig / man
Deß glich man nit mócht eynen han
Jn aller welt / als Socrates
Appollo gab jm kuntschafft des /
5   Der selb syn eygen richter ist   [v.iij.ᵛ]
Wo jm abgang / vnd wißheit gbrist
Versůcht er vff eym någlin sich
Er acht nit / was der adel spricht
Oder des gemeynen volcks geschrey /
10   Er ist rotund / gantz wie eyn ey
Do mit keyn frómbder mackel blib
Der sich vff glattem weg anryb
Wie lang der tag jm krebs sich streckt
Wie lang die naht den Steynbock deckt
15   So gdenckt er / vnd wigt eben vß
Das jn keyn wynckel jnn sym huß
Betrůb / oder er red eyn wort
Das nit glich wåg vff alle ort /
Do mit nit fål das winckel måß
20   Jo våst syg / wes er sich vermåß /
Sunder all anlouff mit der handt
Versetz / vnd bald hab abgewandt /
So ist jm nit so lieb dheyn schloff
Das er nit gdenck ver / vnd sich stroff
25   Was er den langen tag hab gthon
Wo übersehen er sich mag han /

---

a zu Ende geredet   **c** Wer rundherum klug und weise sein will   **2** Von der Art   **4** davon Kunde   **6** Darüber, wo ihm (etwas) abgeht (fehlt)   **7** Prüft er sich (auch) auf kleinstem Nägelchen (lat. *ad unguem* / ›aufs Genaueste‹; Nagelprobe)   **10** rund (mlat. *rotundus*)   **11** keine unzugehörige Verunreinigung hängen bleibe   **12** Und er auf glattem Weg (gut) vorantreibe (sich vorandrehe)   **13** im Sternbild des Krebses (im Hochsommer)   **14** das Sternbild des Steinbocks (im Winter) bedeckt   **15** wägt genau ab   **18** wiege; passe   **19** etwas verfehle   **20** fest und sicher sei / was er in Angriff nehme   **21** Insbesondere alle Angriffe   **22** Pariere; abwehre   **23** irgendein   **24** weiterhin bedenke / und sich (fragend) tadele

Was er by zyt solt han betraht /
Vnd das zů vnzyt hab volbracht /
War vmb vollendt er hab diß sach
30 On zymlicheit / vnd all vrsach /
Vnd er vil zyt vnnütz vertrib /
War vmb er vff dem anschlag blib
Den er wol möcht verbessert han /
Vnd nit den armen gsehen an
35 War vmb er jn sym gmůt hatt vil   [v 4ʳ]
Entpfunden schmertz / vnd wider will /
Vnd war vmb er diß hab gethon
Vnd hab jhens vnderwegen gelon /
War vmb er syg so offt geletzt
40 Vnd hab den nutz für ere gesetzt
Vnd sich verschuldt mit wort / vnd gsicht
Der erberkeyt geachtet nycht /
War vmb er der natur noch heng
Sin hertz zů zůcht nit zych / vnd zweng /
45 Also bewårt er wårck / vnd wort
Vom morgen / biß zů tages ort /
Gdenckendt / all sachen die er důt
Verwürfft das böß / vnd lobt das gůt
Das ist eyns rechten wisen můt
50 Den jnn sym gdicht / vns zeychet vß
Der hochgelobt Virgilius
Wer also lebet hie vff erd /
Der wer by gott on zwifel werdt
Das er recht wißheit hett erkannt
55 Die jnn fůrt jnn das vatterlant
Das vns gott geben well zů hannt
Wünsch ich Sebastianus Brant

Deo gratias.

30 Schicklichkeit   38 unterlassen zu unternehmen   39 beeinträchtigt   40 an
die Stelle des Ehrenhaften   41 und Blicken   42 auf Anstand   43 den natürli-
chen Trieben nachhänge   44 zu guten Sitten nicht hinziehe   45 prüft
46 Ende   49 Gesinnung   50 nachzeichnet; skizziert   58 Dank sei Gott

Hie endet sich / das Narrenschiff / So zů nutz heilsamer
ler / ermanung / vnd eruolgung / der wißheit / vernunfft /
vnd gůter sytten / Ouch zů verachtung / vnd stroff der
narrheyt / blintheit Jrrsal / vnd dorheit / aller stådt / vnd
geschlecht der menschen / mit besunderm fliß / müg /
vnd arbeit / gesamlet ist / durch Sebastianum Brant Jn
beiden rechten doctorem / Gedruckt zů Basel vff die Va-
senaht / die man der narren kirchwich nennet / Jm jor
noch Christi geburt Tusent vierhundert vier vnd nüntzig.

1494

Nůt on vrsach

Jo. B. von Olpe

b Erlangung   c–d zu Ächtung / und Tadel   d Irrung   e alle Stände und
Arten   f Mühe   g Doktor beider Rechte (lat. *doctor utriusque iuris;* i. e.
Doktor des geistlichen und weltlichen Rechts)   i Kirchweih (vgl. Kap.
110b.31)   l Nichts ohne Ursache (lat. *nihil sine causa*)

511

End des narrenschiffs.

Hie endet sich/das Narrenschiff/So zů nutz
heilsamer ler/ermanung/vnd eruolgůg/der
wißheit/vernunfft/vñ gůter sytten/Ouch zů
verachtung/vnd stroff der narrheyt/blintheit
Jrrsal/vnd dorheit/aller stådt/vñ geschlecht
der menschen/mit besunderm fliß/můg/vnd
arbeit/gesamlet ist/durch Sebastianū Brant
In beiden rechten doctorem/Gedruckt zů
Basel vff die Vasenaßt/die man der narren
kirch wich nēnet/Im jor noch Christi geburt
Tusent vierhundert vier vnd nüntzig

·j·e·g·e·

Jo. B. von Olpe

Register des Narrenschiffs[1]

---

1 Das Register teilt die 112 Kapitel des *Narrenschiffs* nach den Bogensignaturen »A« bis »V« in 20 Gruppen ein.

Anhang

Ob disch begat man grobheyt vil   [u.i.ʳ]
Die man heyßt narrheyt vnder wil
Von den zů letzst ich sagen will

Von disches vnzucht.

So ich all narrheyt gantz durch sůch
Setz ich billich zů end diß bůch
Ettlich die man für narren acht
Der ich doch vor nit hab gedacht
5   Dann ob sie schon eyn mißbruch hant   [u.i.ᵛ]
Do mit die hofzucht wurt geschant
Ouch grob vnd vngezogen sint
Sint sie doch nit so gántzlich blindt
Das erberkeyt von jn werd geletzt
10   Als die důnt / die ich vor hab gesetzt /
Oder sie gotts dar vmb vergessen
Sunder mit drincken vnd mit essen
Sint sie vast grob / vnd vnerfaren
Das man sie heißt vnhoflich narren
15   Als die nit weschen důnt jr hend
Wann sie zů disch sich setzen wend /
Oder die sich zů disch důnt setzen
Vnd andere an dem sytzen letzen
Die vor jn solten syn gesessen
20   Vernunfft / hofzucht also vergessen
Das man zů jn můß sprechen / ho /
Woluff gůt fründ / sitz abhar do
Loß den dar sytzen an din statt /
Oder der vor nit gbettet hat /
25   Den segen über wyn vnd brott
Ee dann das er zům disch hyn got /
Der ouch zům erst gryfft jn die schüssel
Vnd stoßt das essen jn den drüssel
Vor erbern lüten / frowen / herren

---

a am Tisch begeht man (vgl. Kap. 72) b inzwischen **Titel** Von Unsitten
bei Tisch **2** mit Recht ans Ende dieses Buches **6** Damit wird die Höflich-
keit (die guten Manieren) geschmäht **7** schlecht erzogen **9** Dass der Anstand von ihnen (in gleicher Weise) verletzt würde **10** voran **13** sehr
grobschlächtig / und ungebildet **18** hindern **22** sitz weiter weg da
24 gebetet **27** als Erster **28** ins Maul **29** angesehenen

Die er doch solt vernünfftlich eren
Das sie zům ersten griffen an
Vnd [er] nit wer zů vorderst dran /
Dem ouch so nott zů essen sy
Das er bloßt jn das můß vnd bry
35 Vnd důt syn backen zerblosen   [u.ii.ʳ]
Als wolt er eym eyn schür an stossen
Mancher betreifft dischlach vnd kleidt
Ouch jn die blatt er wider leit
Was jm so gröplich ist entfallen
40 Das vnlust bringt den gesten allen
Ouch ettlich die sint also ful
Wann sie den löffel zů dem mul
Důnt / hencken sie den offnen trüssel /
Vber die blatten můß vnd schüssel
45 Was jnn entfallet dann dar nyder
Das selb kumbt jn die schissel wider
Ettlich die sint also naßwiß
Die vor hyn schmecken an die spiß
Vnd machen mit jn ander lüt
50 Vnlustig / vnd schandbar zů zyt
Ettlich die küwen jn dem mundt
Vnd werffen das von jn zů stund
Vff dischlach / schüssel oder erd
Das mancher dar ab nymbt böß werd
55 Wer von eym mundtfoll gessen hat
Vnd leit den wider jn die blatt
Oder sich leitt vff den disch
Vnd lůgt wo syg gůt fleisch vnd fisch
Ob das schon vor eym andern lytt

---

30 vernünftig   **31** als Erste zugreifen   **34** in Mus und Brei bläst   **35** aufblasen   **36** eine Scheune anzünden (blasend ein Scheunenfeuer anfachen)   **37** bekleckert Tischlaken   **38** auf die Platte legt er wieder zurück   **41** bequem   **47** vorwitzig   **48** riechen vorweg   **49 f.** Und machen mit sich andere Leute lustlos und beleidigt gleichzeitig   **51** kauen   **54** davon einen üblen Gegenwert bekommt (ihm Ansehensverlust einträgt)   **55** Bissen   **59** liegt

Grifft er / vnd nymbt das doch zů zyt
Vnd loßt das vor jm bliben eyn
Das es keym andern werd gemeyn
Den selben man eyn schlyndtrapp nennt
Der über disch alleyn sich kennt
65 Vnd dar vff legt arbeyt vnd flyß   [u.ii.ᵛ]
Das er alleyn esß alle spyß
Vnd er alleyn mǒg füllen sich
Vnd andern nit gǒndt ouch des glich
Die selben heiß ich / rumm den hag
70 Lårß kårly / schmirwanst / füll den mag
Das ist eyn bǒser masß genoß
Vnd würt geheissen wol eyn froß
Der sich nit solcher vnzücht moß
So jm gůt essen / beschǒrt das heyl
75 Das er es mit eym andern teyl /
Ouch der syn backen fült also
Als ob sie stackten jm vol stro /
Vnd mit dem essen vmb sich gaff
Jn alle winckel wie eyn aff
80 Vnd sicht eym yeden zů mit bger
Ob der villicht me esß / dann er
Vnd ee diser eyn mundt voll zuckt
Hat er vier oder fünff verschluckt /
Vnd das jm nit villicht gebråst
85 Dreit er vff teller hyn zů nåst
Das er sich villicht nit versumm
Lůgt er / wie er die blatten rumm
Ee er die spiß důt abhyn schlucken
Důt er eyn stych jnn becher gucken
90 Vnd macht eyn suppen mit dem wyn

---

61 vor sich allein (stehen) bleiben   **62** zugehörig   **63** Schlingrabe   **64** bei
Tisch nur sich kennt   **69** »Räumsgehege«   **70** »Leersnäpfli« / »Schmiernwanst« / »Fülldenmagen«   **71** Tischgenosse   **72** Fresser; Vielfraß   **73** mä-
ßigte   **78** beim Essen   **80** Gier   **82** einen Bissen aufnimmt   **84** ja nichts
fehle   **85** Trägt er die Teller nach Hause   **86** verpasse   **87** abräume
88 Speise   **89** einen Stich lang (kurz)

Dar mit schwenckt er die backen syn /
Vnd ist jm offt dar zů als nott
Das es jm halb zůr naß vß got
Oder sprytzt es eym andern licht
95 Jnns drinckgschyrr oder angesiecht /
Nůn duben züg / vnd eyn blapphart   [u.iij.ʳ]
Das ist mit drincken yetz die art
Syn schmutzigen mundt wüscht keyner jm
Do mit das veißt jm becher schwym /
100 Schmatzen am drincken lob ich nit
Man tŏubt ander lüt dar mit
Wann man so sürfflet durch die zen
Solch drincken gibt eyn bŏß getŏn
Mancher drinckt mit solchem geschrey
105 Als ob eyn ků kem von dem hew
Eyn ere was ettwan drincken noch
Jetz ist den wynschlüch also goch
Do mit sie drincken mŏgen vor
Das drinckgschyrr heben sie entbor
110 Vnd bringent eym eyn früntlich drunck
Do mit der becher macht glunck glunck /
Vnd meynen do mit andere eren
Das sie den becher vor vmb keren /
Jch darff der selben hoffzucht nit /
115 Das man mir vor das glaß vmb schüt
Oder man mich zů drincken bitt
Jch drinck mir selbs / keym andern zů /
Wer sich gern fült / der ist eyn ků
Der ouch schwåtzt über disch alleyn

91 spült   92 so ein (rasendes) Bedürfnis   93 Nase   96 Neun Taubenzüge
(bestimmtes Maß beim Trinken) / und (dafür nur) einen Blaphart (kleine
Münze; mlat. *blaffardus*/›Groschen‹)   99 Fett   101 betäubt   102 durch die
Zähne schlürft   105 eine Kuh gerade vom Heu käme   106 nachtrinken (zu-
prosten und warten, bis andere getrunken haben)   107 Jetzt haben es die
Weinschläuche so eilig   108 vortrinken können   109 empor   113 zuerst
(nach dem Trinken) umstülpen   114 bedarf   119 am Tisch ganz allein
schwadroniert

<pre>
120   Vnd nit loßt reden / syn gemeyn
       Sunder můß hören yederman
       Jm zů / das er vil schwätzen kan /
       Keyn andern er vß reden loßt
       Eyn yeden er mit worten stoßt
125   Vnd hynder redet alle frist
       Manchen / der nit zů gegen ist
       Ouch der sich kratzet jn dem grind   [u.iij.ᵛ]
       Vnd lůgt ob er keyn wiltpret fynd
       Mit sechs fůß / vnd eym vlmer schilt
130   Das er dann vff dem tåller knylt
       Vnd jn die blatt die fynger tůg
       Do mit er mach eyn någlyß brůg
       Ob er jm selb syn nasen wisch
       Vnd stricht die finger an die disch /
135   Die ouch so höflich sint erzogen
       Die vff jr arm vnd elenbogen
       Sich lånen vnd den disch bewegen
       Dar vff mit allen vieren legen
       Als die brut dett von Geyspitzheyn
140   Die vff den teller legt jr beyn
       Do sie sich bucket nach dem sturtz
       Entfůr jr ob dem disch eyn furtz
       Vnd ließ eyn röubtzen jr entwischen
       Wo man nit kumen wer dar zwischen
145   Mit kůblen / vnd sie vff hett gthan
       Das mul / keyn zan hett sie behan /
       Ettlich die důnt also hofieren
       Das sie das brot vast wol beschmieren /
       Mit schmutzgen henden / pfeffer bry
</pre>

124 beleidigt   **125** stets verleumdet   **127** am Kopf   **129** (das Ulmer Schild-
wappen zeigt ein Kreuz wie die Läuse)   **130** zerdrückt   **132** Nelkenbrühe;
Nägleinbrühe (von Fingernägeln)   **139** Wie es tat die Braut von Geispitz-
heim (Dorf in der Nähe von Straßburg, aus dem wohl die folgende Anekdote
stammt)   **140** ihre Knöchelchen (vom Fleisch)   **141** nach dem (entfallenen)
Kopftuch   **143** Rülpsen   **145** Kübeln   **146** behalten   **147** feine Sitten zeigen   **149** Pfeffersoße

150 Do mit es wol gesalbet sy /
Es ist eyn vorteil vff fürlegen
Das aller best důt man an regen
Vnd was nit wol gefellet mir
Das leg ich gern eym andern für
155 Dar durch würt dann eyn weg gemacht
Do mit ich nach dem besten tracht
Eym andern würt was ich nit will   [u.iiij.ʳ]
Das best würt mir / des schwig ich still
Mancher hat mit mir offt hofiert
160 Jch wolt er hets nye angerůrt
Do mit / so wer mir bliben das
Das vor mir lag / vnd mir schmeckt baß /
Mancher den schlenttrianum tribt
Die blat er vff dem disch vmb schibt
165 Do mit das best für jn kum dar
Jch hab des vil genomen war
Das mancher treib sölch ofentür
Die zů sym anschlag jm gab stür
Do mit jm wart gefült syn buch
170 Des hat der disch manch seltzen gbruch
Wan ich die all erzelen solt
Eyn gantz legend ich schriben wolt
Wie man dett jn den becher pfiffen
Mit fynger jn das saltzfasß griffen
175 Das mancher acht es sy vast grob
Worlich / das selb ich vil mer lob
Dann das man saltz nem mit dem messer
Eyn gweschne hant ist vil besser
Vnd süferer / dann eyn messer lycht
180 Das man erst vß der scheyden zücht
Vnd man nit weißt zů manchen stunden

151 (anderen die Speisen) vorzulegen   152 Man rührt das Beste (für sich selbst) an   163 Schlendrian   164 umher   167 solch ein Unternehmen (Abenteuer)   168 Stützung   170 Gebräuche   179 sauberer   180 aus der Scheide zieht

Ob man eyn katz mit hab geschunden /
Des glich für vnuernunfft man halt
Wann man die eyger schlecht vnd spalt
185 Vnd ander des glich gouckelspil
Dar von ich yetz nit schriben wil
Dann es syn sol eyn hoflicheyt
Jch schrib alleyn hie / von grobheyt   [u.iiij.ᵛ]
Vnd nit subtil höflich sachen
190 Jch wolt sunst wol eyn bibel machen
Solt ich all mißbruch hie bschriben
Die man důt ob dem essen triben
Des glichen so acht ich ouch nit
Wann ettwas jn dem drinckgschyrr lyt
195 Ob man das mit dem mund abbloß
Oder dar jn das messer stoß
Oder eyn schnytten von dem brott
Wie wol das selb hoflicher stott
So halt ich das doch also nůn
200 Das man eyn yedes wol mög thůn
Wo man es aber hat so vergůt
Das mans als vß dem drinckgschyrr důt
Vnd man eyn frisches dar jn nymbt
Als sich by eren des wol zymbt
205 Das mag man scheltten nit mit glympff
Für arm lüt / ist nit sölcher schympff
Eyn arm man sich benügen lot
Was jm gott gibt / vnd jn berott
Der darff nit aller hofzucht pflegen
210 Zům letsten sprech man doch den segen
So man genomen hat das maß
So sag man deo gratias

182 damit eine Katze gehäutet hat   184 Eier schlägt und spaltet   192 beim
Essen   195 abbläst   198 höflicher steht (gesitteter erscheint)   201 für gut
hält   202 alles heraustut   203 dann ein frisches nimmt / und (womit er) ihn
ausstattet   204 ziemt   205 nicht mit Recht   206 Spaß   208 ihm an die
Hand gibt / und (womit er) ihn ausstattet   209 braucht nicht   211 Mahl-
zeit   212 »Dank sei Gott«

Wer sich jn disem über siecht
Den acht ich für keyn wisen nicht
215 Sunder ich billich sprechen mag
Das er die narren kapp ouch trag

213 darauf nicht achtet   215 zu Recht

[110b aus dem Druck B von 1495]

Von fasnacht narren.

Jch weiß noch ettlich faßnacht narren
Die jnn der dorenkapp beharren
Wann man heilig zyt sol vohen an
So hyndern sie erst yederman
5   Eyn teyl / die dūnt sich vast berutzen
Antlitt / vnd lib sie gantz verbutzen
Vnd louffen so jn bôucken wiß
Jr anschlag stat vff hâlem yß
Mancher will nit / das man jn kennt
10 Der sich doch selbst zů letsten nennt
So jm der kopff schon ist vermacht
Will er doch / das man vff jn acht
Dz man sprech / schow min herr von Runckel
Der kumbt vnd bringt am arm eyn kunckel
15 Es můß jo ettwas groß bedütten
Das er doch kumbt zů armen lüten
Durch syn demůt vnß důt besehen /
Syn meynung ist / er wolt gern schmehen
Vnd eym zů faßnacht eyger legen
20 Die guckguck syngend jn dem meygen /
Kůcheln reicht man jn manchem huß
Do wâger wer man blib dar vß
Vrsach zů zelen / ist so vil
Das ich vil lieber schwigen will /
25 Aber die narrheyt hat erdacht

---

1 Fastnacht (Übergangszeit zur mehrwöchigen Fastenzeit; im engeren Sinn die Nacht vor Beginn der Fastenzeit am Aschermittwoch) 2 beharrlich im Narrenkleid bleiben 3 die geheiligte Zeit anfangen soll 4 (schon) zu Beginn 5 mit Ruß beschmieren 6 Antlitz – vermummen 7 als Popanz 8 auf glattem Eis 10 schließlich selber nennt 11 verhüllt 13 schau, mein Herr von Runzel 14 Spinnrocken (i. e. übles Weib) 17 Aufgrund seiner Leutseligkeit 18 Seine wahre Absicht ist / er wollte gern schmähen 19 Eier 20 Mai 21 Küchlein; Fastnachtskrapfen 23 Die Ursachen aufzuzählen

Das man sůch freüden zů faßnacht
So man der selen heyl solt pflegen
So gónt die narren erst den segen [u 5ᵛ]
Vnd sůchent dann jr fåst har für
30 Das es vast nacht sy vor jr tür
Der narren / kyrchwych man wol kennt
Jo wol vast nacht würt es genennt
Man loufft dar affter vff den gassen
Jm moß / als solt man ymen fassen
35 Welcher dann mag syn schóllig gantz
Der meynt er hab billich den krantz
Von eym huß zů dem andern loufft
Groß füllen er on bar gelt koufft
Das selb dick wårt noch mitter nacht
40 Der tüfel hat das spiel erdacht
So man solt sůchen selen heyl
Das man erst dantz am narren seyl
Mancher der füll důt so vergessen
Als solt er jn eym jor nit essen
45 Vnd loßt sich nit benůgen mit
Das er sich füll biß metten zytt
Verbottne spiß schadt dann nitt
Man ißt die selb biß gegen tag
Worlich ich das sprich / red / vnd sag
50 Das weder Juden / Heyden / Datten
Jrn glouben als schentlich bestatten
Als wir die kristen wellen syn
Vnd důnt mit wercken kleynen schyn
So wir jm anfang vnser andacht
55 Zů rüsten erst dryg / vier / vaßnacht

28 geben – zuerst   29 kramen dann ihren (eigenen) Festtag hervor   30 kräftig Nacht (»vast-Nacht«)   31 Kirchweihfest   33 Man läuft da herum   34 Dreck – Bienen   35 toll   36 ihm gehöre mit Recht der Ehrenkranz   38 Völlerei   39 dauert an   43 vergisst sich so in Völlerei   45 begnügen   46 sich abfüllt bis zur Zeit der Mette (der nächtlichen Gebetszeit)   51 auf ebenso schändliche Weise bestätigen   53 nur einen geringen Beweis   55 Ausrichten; Zubereiten – Fastnächte

Vnd werden erst on synnen gar
Das selb das wert dann durch das jar
Brechen das houbt der vasten ab   [u 6ʳ]
Do mitt sie mynder krefften hab /
60   Wenig sich zů der åschen nahen
Das sie mit andacht die entpfahen
Förchten die åsch die werd sie bissen
Lieber wendt sie jr antlitt bschissen
Vnd sich berőmen / wie eyn kol
65   Des tüfels zeychen gfelt jn wol /
Das zeichen gots / went sie nit han
Mit Christo went sie nit erstan
Die frowen gont dann gern zů strossen
Das man sie dest baß künn bemossen
70   Der kyrchen schonen ettlich nitt
Sie louffen dryn / vnd durch die mitt
Vnd dünt die frowen drynn beschmieren
Das halt man für eyn groß hofieren
Die wůst rott / důt den esel tragen
75   Der sie die gantz statt macht vmb jagen
So ladt man dann zů dantz vnd stechen
Do můß man erst die sper brechen
Vnd bringen narren recht zů samen
Buren / hantwerck / dünt sich nit schamen
80   Vnd nemen sich ouch stechens an
Der mancher doch nit ryten kan
Des würt mancher gestochen dick
Das jm der hals bricht oder rück /
Das soll eyn hübscher schympff dann syn
85   Dar noch füllt man sich dann mit wyn

58 Tun dem Anfang der Fasten Abbruch (Aschermittwoch als Kopf der Fastenzeit = lat. *caput Quinquagesimae*) 59 weniger Kräfte 60 Asche der
Büßer 61 (am Aschermittwoch als Aschenkreuz) empfangen 64 berußen /
wie eine Kohle 67 (am jüngsten Tag) auferstehen 69 desto besser
kann beflecken 73 besonders feines Benehmen 74 Die wilde Gesellschaft 76 Turnieren 79 Bauern, Handwerker 81 reiten 83 Rückgrat
84 Spaß

Von keyner vasten weiß man sagen
Das wesen wårt ob vierzehen tagen
Die fast gantz vß / an ettlich enden
Die karwůch důt sie kum abwenden
90 So kumbt man zů der bicht zů zyt /
Wann man die hültzen tafflen lüt
So vacht man dann den ruwen an
Das man well morndes wider dran
Dem narren seil me hengen noch
95 Gon Emaus ist vnß allen goch
Die gwychten fladen vnß nit schmecken
Das houbt das důt man bald entdecken
Es mag gar licht eyn wynd har fegen
Er důt den frowen die sturtz ab wegen
100 Die hangen an den nåchsten hecken
Die frowen went sich vngern decken
Reytzen do mitt die mann vnd knaben
Die narrenkapp sie lieber haben
Das man die oren dar vß streck
105 Dann das man sich mit stürtzen deck
Do mit so mag ich wol beschliessen
Wie wol ettlich hant drab verdriessen
Das / wo man sůcht alleyn fastnacht
Das nyemer druß wurt recht andacht
110 Vnd wie wir schicken vnß zů gott
Loßt er vnß dick biß jn den dott
Die narrenkapp hat angst vnd nott
Vnd mag nit so vil růwen han
Das sie doch blib die fasten stan
115 Man streifft sie jn der karrwoch an

---

87 über 88 Die ganze Fastenzeit über an einigen Orten 90 zur Beichte
erst in dem Moment 91 die Holzklappern (in der Karwoche statt Glocken)
läutet 92 beginnt man die Buße 93 Morgen 95 Nach dem Emmaus (des
Ostermontags-Evangeliums) drängt es uns alle sehr 96 geweihten 97 ent-
blößen 99 Schleier herunterwehen 101 (züchtig) bedecken 107 sind
darüber verdrossen 110 gegenüber Gott verhalten

[Verwahrung aus dem Druck C von 1499]

Uor hab ichs narren schiff gedieht
Mit grosser arbeyt vff gerieht
Vnd das mit doren also geladen
Das man sie nit durfft anders baden
5   Ein yeder het sich selbs geriben
Aber es ist dar by nit bliben
Vil mancher hat noch sym geduncken
Noch dem villicht er hatt getruncken
Nuw rymen wellen dar an hencken
10 Die selben soltten wol gedencken
Das sie vor såssen jn dem schiff
Dar jnn ich sie vnd ander triff
Hetten jr arbeyt wol erspart
Diß schiff mit altem segel fart
15 Vnd důt glich wie das erst vß fliegen
Loßt sich mit slechtem wynd benůgen
Wor ist / Jch wolt es han gemert
Aber myn arbeyt ist verkert
Vnd ander rymen dryn gemischt
20 Denen / kunst / art vnd moß gebryst
Myn rymen sint vil abgeschnitten
Den synn verlürt man jn der mitten
Jeder rym hat sich můssen schmucken
Noch dem man jn hatt wellen drucken
25 Vnd sich die form geschicket hat
Dar vmb manch rym so übel stat
Das es mir jn mym hertzen we
Geton hat tusent mol / vnd me /
Das ich myn groß můgsam arbeyt

---

1 Zuerst – geschrieben; gedichtet   2 Mit großer Mühe aufgerichtet (aufgebaut)   4 waschen (schrubben)   5 eine Abreibung gegeben   6 nicht geblieben   7 Gutdünken   9 Neue Verse   11 vorn sitzen   12 (mit meinem Tadel) treffe   16 einfachem   17 erweitert; verbessert   18 verfälscht   20 Versmaß   23 ducken   24 drucken; bedrücken; (zusammen)pressen   25 wie sich die Druckform gerade so ergeben hat   29 mühsame

30 On schuld hab übel angeleyt
    Vnd ich sol öfflich sehen an
    Das ich nit hab gelon vß gan
    Vnd mir nie kam für mund noch kålen
    Aber ich will es gott befålen
35 Dann diß schiff fôrt jn synem nammen
    Sins diechters darff es sich nit schammen
    Glich wie das alt jn allen sachen
    Es kan nit yeder narren machen
    Er heiß dann wie ich bin genant
40 Der narr Sebastianus Brant

---

30 angelegt (aufgewandt)   31 offen   32 Was ich (selbst) nicht herausgegeben habe   33 vor den Mund oder die Kehle   35 fährt   36 braucht

Lesehilfen

Diese Ausgabe ist für literarisch interessierte Leser gedacht, die keine philologischen Experten sind. Der Originaltext des *Narrenschiffs* bietet für sie eine Reihe sprachlicher und inhaltlicher Verständnisschwierigkeiten. Den sprachlichen Schwierigkeiten soll auf dreierlei Weise abgeholfen werden: 1. durch die in jedem Kapitel angebrachten Fußnoten, 2. durch die folgenden knappen Hinweise zu ungewohnten Schreibweisen und 3. durch die folgende Liste häufig vorkommender Wortformen. Den inhaltlichen Schwierigkeiten lässt sich aufgrund des begrenzten Umfangs dieser Ausgabe nur teilweise begegnen. Das wichtigste Hilfsmittel ist das am Schluss folgende kommentierte Personennamen-Verzeichnis, auf dessen Bedeutung schon in der Einleitung hingewiesen wurde. Die zahlreichen, über das Personal hinausgehenden Bilder, Vergleiche, Anspielungen, Zitate und impliziten Verweise könnte nur ein umfangreicher Stellenkommentar erfassen. Dafür war hier kein Raum. Der interessierte Leser muss in solchen Fällen auf die Kommentare bei Zarncke, Lemmer und Vredeveld zurückgreifen.[1]

1
Ungewohnte Schreibweisen

Dem Wunsch nach ausführlichen sprachlichen Lesehilfen war nicht ganz leicht zu entsprechen, weil bei den Fußnoten in jedem Einzelfall zu entscheiden war, wie weit die Erklärungen gehen sollten. In jedem Fall muss sich der ungeschulte Benutzer zunächst einmal in die frühneuhochdeutschen Laut- und Schreibgewohnheiten des Textes »einlesen«. Dabei kann lautes (!) Lesen viele Wahrnehmungs- und Verständnisprobleme bereinigen. Für eine Darstellung der sprachlichen Verhältnisse zu Brants Zeit ist hier kein Raum. Dem interessierten Brant-Freund sei die kompakte Einführung (»Sprachliche Bemerkungen«) Friedrich Zarnckes nahe gelegt.[2] Hier seien nur ein paar ungewohnte Möglichkeiten der Schreibungen von Lauten zusammengestellt, auf die es zu achten gilt:

---

1 Zarncke (Hrsg., 1854); Lemmer (Hrsg., 2004); Vredeveld (1997; 2000); die bis 1985 entstandene Forschung zu Einzelkapiteln ist dokumentiert bei Knape/Wuttke, *Bibliographie* (1990), Kap. 10.8.
2 Zarncke (Hrsg., 1854), S. 267–287.

			für *spät*; *stroß* für
å = ä			
å = e	(z. B. *wån* für *wen*,		*Straße*)
	kåtzer für *Ketzer*)	u = au	(z. B. *huß* für *Haus*)
e = ä	(z. B. *wer* für *wäre*	ü/û = eu	(z. B. *fûr* für *Feuer*)
	oder *wert* für	v = u	(z. B. *vnd* für *und*)
	währt)	y = i	(z. B. *wylt* für *Wild*)
i/y = ei	(z. B. *wißheyt* für	y/i = ei	(z. B. *zyt* für *Zeit*)
	Weisheit)	ß = s	(z. B. *laß* für *las*)
j = i	(z. B. *jm* für *ihm*)	tt = t	(z. B. *rott* für *Rat*
o = a/ä	(z. B. *worent* für		oder *betten* für
	waren oder *spot*		*beten*)

Häufig tauchen etwa auch Auslassungen bei Vorsilben auf (z. B. *bhusung* für *Behausung*; *gsant* für *gesandt*; *gbet* für *Gebet*).

Ungewohnt ist auch, dass Namen häufig nicht groß geschrieben sind.

2
Häufig vorkommende Wortformen

als alles; also; so; wie
anschlag, anslac Vorhaben; Absicht; Plan; Entwurf

bas, baß besser
bôs schlecht

dann dann; denn; als (bei Vergleichen)
des das; des; dessen; deshalb
dick, dyck oft
dor(en) Tor(en)
dreit, dreyt trägt
dunckt glaubt; hält für
dût tut

e(e) eher; Bündnis; Ehe
ettwan bisweilen; manchmal;

dann und wann; früher manchmal; vorzeiten
fast sehr
frowe(n) Dame(n); Frau(en)

gan(dt) gehen
gat(t) geht
g(e)brist, gebrüst, gebryst mangelt; fehlt
gelan, gelon gelassen
gelert gelernt (gelehrt)
g(e)lich gleich
g(e)schicht geschieht
geseit, geseyt gesagt; gesprochen
g(e)sin, gesyn, gsin gewesen
gon(t), gônt gehen
got(t) geht; Gott
gouch Kuckuck; Narr; Tor

g(e)tar wagt(e)
gyt(t) gibt
han(t) haben; halten
har hier; her
hell(en) Hölle
hert hart
heyn heim
hie, hye hier
huß Haus
hüt heute; Hütte

jer ihr; sich
jm ihm; sich
jn, jnn in; ihn(en); sich; hinein
joch auch; sogar; doch; noch; führwahr; jedoch

kum kaum
kumbt, kunt kommt

lan lassen
lat(t) lässt
leit(t), leytt legt
die leng auf Dauer; auf lange Sicht
ler das Lernen; die Lehre; jemanden lehren
leren lernen
ler(t) lernt; lehrt
lib Leib
licht, lycht leicht
loß lass
lon(t) lassen; lasst
lo(ß)t lässt
lůg(en) schau(en)
lůgt schaut
lüt Leute

me mehr
mym meinem

myn mein(e)

narrecht(er) närrisch(er)
noch nach; noch
nüt nicht(s)
nütz nichts
nym nimmer

ob wenn; auch wenn
on ohne

pin, pyn Pein; Qual

ro(d)t, rott Rat; Beratung

sach, såch sah; sähe
das schafft das ruft hervor; das wird davon bewirkt
schmiren, schmyeren fetten; ölen; salben; schmieren
seit(t), seyt sagt; spricht
sicht sieht
si(g) sei
stat steht
ståt beständig
ston; stan stehen
sůn Sohn
su(n)st sonst; ansonsten
sy = si sei; sie
sych(t) sehe; sieht
syg(en) sei(en)
sym = sim seinem
syn sein(er)
sytt Seite

treit, treyt trägt
tůg tue
tüfel Teufel

uch, üch euch
üt (irgend)etwas

539

vast sehr; ganz; schnell	**weißt** weiß
vbersicht übersieht	**wellen** wollen
verr fern; weit	**went, wend(t)** wollen; wollt
versycht versieht	**wis, wiß** klug; weise
vohen fangen	**witzig** klug; weise
vohet, vocht fängt	**wor** wahr
vor für; vor; vorher; zuerst	**wurt, würt** wird
vß aus; heraus	**wyn** Wein
was war	**ye** zu aller Zeit;
wåger besser	irgendeinmal
wån wen	**yemer** je
we Weh(e)	
weger besser	**zyt** Zeit

3

Kommentiertes Personennamen-Verzeichnis

In diesem Verzeichnis sind alle Personen und Völkernamen des *Narrenschiffs* aufgeführt. Sämtliche originalen, teils flektierten Namensformen tauchen in den Lemmata auf. Die heute in der Wissenschaft eingeführten Namensformen sowie bekannte Lebensdaten stehen dahinter in runden Klammern. Die Querverweise mit Pfeil (→) beziehen sich auf diese Lemmata in Originalschreibweise. Die *Narrenschiff*-Stellen, in denen die Namen auftauchen, stehen in eckigen Klammern [Kapitel.Zeile]. Die Quellenangaben am Schluss nennen Werke, aus denen Brant mit einer gewissen Wahrscheinlichkeit geschöpft haben könnte. Ob Brant jedoch Werke wie Homers *Odyssee* im Wortlaut kannte, ist ungewiss. Man muss in vielen Fällen mit stofflichen Sekundäroder Tertiärüberlieferungen rechnen (z. B. Anspielungen in der Rechtsliteratur). Ortsnamen und geographische Bezeichnungen, wie z. B. die Symplegaden [108.30], werden nicht aufgenommen. Von Brant erfundene Figuren werden als »Fiktive Figur« gekennzeichnet.

A

Aaron

Biblische Figur (AT). A. erscheint in der Bibel als Begleiter und Unterstützer Moses'. Durch die Errichtung des Goldenen Kalbs [61.9] stiftete er das Volk Israel aber auch zu Götzendienst und Unzucht an. Später verbot Gott ihm, seinen Söhnen und allen Nachkommen unter Todesstrafe den Genuss von Wein und starken Getränken beim Gang in die geweihte Stiftshütte, damit sie zwischen Heiligem und Unheiligem zu unterscheiden lernten [16.31] (Lv / 3. Mose 10,9).

Abel

[10.30] → Cayn

Abner

Biblische Figur (AT). Der Feldherr und Verwandte des israelitischen Königs → Saul nahm am Bruderkrieg Israels gegen Juda teil. Dabei tötete er den schnellen Asahel mit einem Speer, nachdem dieser ihn zuvor lange verfolgt und alle seine Warnungen ausgeschlagen hatte. Seine Schnelligkeit bei der Verfolgung A.s wurde Asahel damit zum Verhängnis. [12.34] (2. Sm 2,17–23)

Abraham

Biblische Figur (AT). A., der als Stammvater des Volkes Israel gilt, zog auf Befehl Gottes vom Eufrat nach Palästina, wo Gott ihm und seinem Volk einen Bund gewährte. Während dieser Reise gab A. in Gerare seine Frau Sara als seine Schwester aus. Lediglich durch das Einschreiten Gottes wurde verhindert, dass sie ihm daraufhin von dem dortigen König → Abymelech genommen wurde [33.85] (Gn / 1. Mose 20,2). In Kapitel [65.83] verweist Brant auf eine Zusage Gottes an A., nachdem er A. aus Chaldäa geführt hatte. Gott forderte A. auf, seinen Blick gen Himmel zu wenden, und verspricht ihm daraufhin eine Nachkommenschaft, die so zahlreich sein werde wie die Sterne (Gn / 1. Mose 15,5). Nach der biblischen Überlieferung wird Abraham anschließend von Schrecken und Finsternis befallen [65.85]. Gott prophezeit ihm nämlich auch den künftigen Frondienst seines Volkes in Ägypten, bevor er ihm die Bundeszusage gibt (Gn / 1. Mose 15,12–21). Kapitel [94.30] bezieht sich auf eine weitere Zusage Gottes an A., in der er dem bereits Neunundneunzigjährigen noch einen Sohn, Isaak, verspricht (Gn / 1. Mose 17,15–22).

Absolon (Absalom)

Biblische Figur (AT). Der Sohn König Davids (→ Dauid) betrieb den Tod seines Vaters, begann einen Aufstand gegen ihn und konnte ihn zunächst aus Jerusalem vertreiben. Er fiel aber in einer Schlacht gegen die Truppen Davids, da er auf der Flucht zu Pferde an einer Eiche hängen blieb und daraufhin getötet wurde. [7.19; 90.17; 94.23] (2. Sm 15–18)

Abygayl (Abigajil)

[64.12] → Dauid

Abymelech (Abimelech)

Biblische Figur (AT). Der König von Gerare wollte Sara, → Abrahams Frau, den Hof machen und damit Ehebruch begehen. Gott aber griff ein, drohte Abimelech mit dem Tod und machte sämtliche Frauen am Hofe unfruchtbar. Daraufhin gab A. Sara an Abraham zurück und entging so der Strafe. [33.32] (Gn / 1. Mose 20)

Abyron (Abiron)

[73.70] → Chore

Achab (Ahab, 871–852 v. Chr.)

Biblische Figur (AT). Der König des Nordreiches Israel wollte von Naboth einen Weinberg kaufen. Als Naboth den Handel jedoch ausschlug, erzählte A. seiner Frau Isebel (→ Jezabel) davon. Diese ließ Naboth im Namen ihres Mannes zu Unrecht der Gotteslästerung anklagen und steinigen, während A. sich den Weinberg zu Eigen machte. Daraufhin sandte Gott Eliah und beauftragte ihn, zu verkünden, er werde A. vernichten und Unheil über seine Nachkommen bringen. Als A. Reue zeigte, verschonte Gott ihn schließlich. Isebel hingegen wurde getötet und auch den Söhnen A.s wurde für die Zukunft Unheil verheißen. [51.25; 56.58; 83.25] (3 Rg / 1. Kön 21; 4 Rg / 2. Kön 9) Kapitel [52.27] verweist auf die Heirat von A.s Tochter Athalja mit Joram, dem Kronprinzen des bislang Israel gegenüber feindseligen Juda. Auch Joram erregte – darauf bezieht sich Brants Anspielung – durch sein Verhalten bei Gott Missfallen (4 Rg / 2. Kön 8,18).

Achill, Achilles (Achilleus)

Mythologische Figur. Der Protagonist der homerischen *Ilias* und tapferste Krieger der Griechen im Trojanischen Krieg wurde, wie

Plutarch in *De educatione* (7) berichtet, von seinem Vater Peleus dem Phoinix zur Erziehung übergeben [6.33–34]. Mit diesem zog er in den Krieg um Troja. Kapitel [10.11] bezieht sich auf die tiefe Freundschaft des A. zu Patroklus, der vor Troja von Hektor und Euphorbos getötet wurde. Homers *Ilias* berichtet, Achill habe leidenschaftlich um Patroklus getrauert (18,89). Später erweist er seinem Freund die Treue, indem er ihn rächt. A.s alter Vater Peleus musste ihn schließlich selbst als Toten, im Kampf vor den Toren Trojas Gefallenen, beklagen [26.33]. Brants Quelle für diese Stelle ist wohl Juvenals zehnte Satire (256).

Achitofel, Achytofel (Ahitofel)
Biblische Figur (AT). Der Ratgeber im Ministerrat König Davids (→ Dauid) wendete sich gegen David, als dessen Sohn Absalom (→ Absolon) einen Aufstand begann [2.6] (2. Sm 15–17). Nachdem er Absalom (nicht Saul, wie es bei Brant heißt) einen Rat gegeben hatte, der nicht befolgt wurde, da man Huschais (→ Cusy) Rat vorzog, erhängte er sich [8.33] (2. Sm 17).

Achor (Achan)
Biblische Figur (AT). Der Judäer wurde mit seiner Familie in dem gleichnamigen Tale Achan gesteinigt, da er sich nach der Eroberung Jerichos unrechtmäßig bereichert hatte. [20.23] (Ios 7)

Adam
Biblische Figur (AT). Der erste von Gott geschaffene Mensch. Seine Frau Eva, vom Teufel in Schlangengestalt mit raffinierten Worten verführt, brachte ihn dazu, eine Frucht (Apfel) vom Baum der Erkenntnis zu kosten. Beide wurden daraufhin von Gott aus dem Paradies vertrieben. [12.11; 101.29] (Gn / 1. Mose 1,26)

Adonis
[13.58] → Myrrha

Adonisedech (Adoni-Zedek)
Biblische Figur (AT). Der König von Kanaan pflegte seine Feinde zu verstümmeln. Nachdem er selbst von den Judäern besiegt worden war, ereilte ihn dasselbe Schicksal; ihm wurden die Finger und die Zehen abgeschlagen. [69.11] (Idc/Ri 1,5–7)

Affenbergk
[95.1] → Burger zů affenbergk

Agamennon (Agamemnon)
[33.67] → Atrydes

Agar (Hagar)
Biblische Figur (AT). H. erscheint in der Bibel als die ägyptische
Magd der kinderlosen Sara. Sie gebar deren Ehemann → Abraham
einen Sohn, Ismael. Da sie im Gegensatz zu ihrer Herrin Sara Kinder bekommen konnte, verhielt sie sich Sara gegenüber verächtlich
und geringschätzig. Nachdem Sara ihrem 99-jährigen Mann Abraham aber schließlich doch noch einen Sohn namens Isaak gebar,
sollte dieser der alleinige Erbe Abrahams werden. H. und Ismael
wurden verstoßen. [92.111] (Gn / 1. Mose 16; 21)

Aglauros
Mythologische Figur. Die habgierige A. wurde nach Ovids *Metamorphosen* (2,739) wegen ihrer Eifersucht auf ihre Schwester Her-
se durch Invidia, die Göttin der Missgunst, bestraft und später von
Merkur in einen dunklen Stein verwandelt. [53.26]

Agrippina (Iulia Agrippina, 15–59 n. Chr.)
Historische Figur. Die Mutter des römischen Kaisers Nero vergifte-
te, wie in den *Annalen* des Tacitus (12,66 f.) und in den *Satiren* des
Juvenal (6,620) überliefert ist, ihren dritten Gatten Claudius und
brachte so ihren Sohn auf den Thron, der sie später töten ließ. [64.87]

Albinus
Literarische Figur. Brant verweist hier auf eine Geschichte, die im
Mittelalter oft erzählt wurde und die vielleicht auf eine Varian-
te der Aesopschen Fabel *Fur et mater* zurückgeht, in der ein Dieb
seiner Mutter ein Ohr abbeißt. In der von Brant genannten Episode beißt A., der gehängt werden soll, seinem Vater die Nase ab,
weil dieser ihn nicht anständig erzogen hat. Vgl. auch den Namen
A. in Boethius' *De disciplina scholarum* (PL 64, col. 1227 C–D)
und das *Speculum morale* des Vinzenz von Beauvais (3,2,7). [9.34]

Alchymus (Alkimus, Hohepriester, um 163–159 v. Chr.)
Biblische Figur (AT). Der Hohepriester und Führer der griechen-
freundlichen Partei wurde von Judas Makkabäus (→ Machabeus)

wegen seines Verrates an Israel aus dem Amt getrieben. Er verleumdete Judas deshalb später bei Demetrius I. Sein schmerzvoller Tod am Kreuz galt als Strafe Gottes. [7.22] (1. Mcc 7; 9)

Alexander₁, Allexander (Alexander der Große, 356–323 v. Chr.)
Historische Figur. Makedonischer König und Eroberer des persischen Weltreichs. Als wichtige Quelle gelten Plutarchs *Vitae* (*Alexander*). Um die Figur des A. ranken sich schon seit der Antike zahlreiche Heldensagen. So war er offenbar der Trunksucht zugeneigt und soll im Rausch Kleitos, den Bruder seiner Amme, getötet haben [16.42] (Seneca, *Epistolae* 83,19). In Kapitel [24] verweist Brant zweimal auf Alexander: Einmal führt er sein Streben nach mehr Macht und Ländereien als Beispiel für zu viel Fürsorge und Verantwortung an, die unnötig seien, da man sich nach dem Tod in jedem Falle mit *sibenschühigem erterich* begnügen müsse [24.7]. Dieses Maß wird schon im Alexanderlied des Pfaffen Lamprecht (um 1150) als gebräuchliche Grablänge angeführt. Zum anderen bezieht sich Brant in Kapitel [24.19] auf eine bekannte Anekdote: Der Philosoph Diogenes äußerte angeblich auf eine Frage A.s nur den Wunsch, dieser solle ihm aus der Sonne gehen (Valerius Maximus 4,3, ext. 4). Bei Plutarch (*Moralia* 179d) liest man, dass A. äußerst ehrgeizig und stolz war. So soll er schon als Knabe auf die Bitte, bei einem Wettlauf mitzumachen, geantwortet haben, dass er nur einwillige, wenn er gegen Könige antreten könne [77.41]. Auch sein früher Tod bot vielfach Stoff für Erzählungen, denn es heißt, A. sei während eines Zuges gegen Arabien von seinem Diener mit Wein vergiftet worden. Diese Episode, die bei Orosius (3,20,4) überliefert ist, war zu Brants Zeiten gut bekannt [56.66]. In Kapitel [109.24–28] dient A. als Muster für umsichtiges Verhalten. Brant bezieht sich auf eine der zahlreichen zu seiner Zeit kursierenden Anekdoten, in denen A. als Exempel für vorbildliches Verhalten genannt wird. Er hebt A.s kluges Verhalten bei einem Schiffsunglück hervor und bringt es gleichzeitig mit seinem Vergiftungstod in Verbindung: Wäre A. auf See umgekommen, hätte man ihn nicht vergiften können.

Alexander₂ († 146 v. Chr.)
Biblische Figur (AT). Syrischer König. In Kapitel [101.25] meint Brant wohl nicht Alexander den Großen, sondern den Emporkömmling Alexander Balas aus Smyrna, der Demetrius I. Soter im Kampf um die syrische Krone besiegte. Nach der Machtübernah-

me lud er gemäß der biblischen Überlieferung seinen Verbündeten Jonathan (→ Jonathas₁) zu sich ein, um ihn zu ehren. Er hörte dabei nicht auf einige Abtrünnige, die Jonathan bei ihm verklagten, sondern hielt zu ihm und beschenkte ihn reich. (1. Mcc 10,59–66)

Aman (Haman)

Biblische Figur (AT). Von König Ahasveros (→ Xerxes) zum höchsten Würdenträger am persischen Hof erhoben, wurde H. auch von allen anderen anerkannt und geehrt. Nur der Jude Mardochai, Vormund von Ester, der Gemahlin des Königs, versagte ihm die Ehrerbietung [68.27] (Est 3,2). H. beschwerte sich deshalb bei seinen Freunden und seiner Frau über Mardochai und ließ vor seinem Haus einen Galgen aufstellen, um Mardochai daran zu hängen. Zudem bat er den König, das gesamte jüdische Volk vernichten zu lassen (Est 3,8). Brant nennt H.s Verhalten in [101.23] als Beispiel für ungerechtfertigte Ehrabschneidung und Verleumdung (*Eyn urteyl über manchen gat* [...] *Als Aman Mardocheo dett*). Mardochai besaß allerdings die Gunst des Königs, da er einst eine Verschwörung gegen ihn aufgedeckt hatte und auch Ester für ihn sprach. Als H. erkannte, dass er beim König in Ungnade fallen würde, da er es gewagt hatte, Mardochai, den Wohltäter des Königs, zu bedrohen, flehte er bei Ester um Gnade. Vor ihr kniend wurde er von König Ahasveros entdeckt, der diese Geste fälschlicherweise als versuchte Schändung seiner Frau deutete. Daher wurde schließlich nicht Mardochai, sondern H. selbst an dem von ihm aufgestellten Galgen gehängt [33.83; 69.19] (Est 6). Nach seinem Tode flehte Ester den König an, die Schreiben zurückzuziehen, welche H. hatte anfertigen lassen, um damit im gesamten Königreich zum Töten von Juden aufzurufen. Vermutlich bezieht sich Brant in Kapitel [64.10] hierauf, denn Ahasveros hat Haman zuvor seinen Ring gegeben, um die Schreiben in seinem Namen zu siegeln, und sie damit eigentlich unwiderruflich gemacht (*Assverus hatt eyn eyd geschworn*) (Est 3). Er lässt sich dann später von Esters Bitten milde stimmen und gibt ihr seinen Ring als Siegel für neue Schreiben (Est 8). Vielleicht meint Brant mit dem Eidschwur aber auch Ahasverus' früheres Versprechen gegenüber Ester, ihr alles zu geben, was sie begehre (Est 5; 6).

Amasis (570–526 v. Chr.)

Historische Figur. Der ägyptische König ließ sich nach Herodot (2,162–182), den Brant als Vorlage benutzte, eine Pyramide als

Grabmal erbauen [85.117]. Ähnliches berichtet auch Lucan (*Pharsalia* 9,155–165).

Amon₁ (Amnon)
Biblische Figur (AT). Der älteste Sohn König Davids (→ Dauid) vergewaltigte seine Halbschwester und wurde daher von Absalom (→ Absolon), seinem Bruder und Konkurrenten in der Thronfolge, getötet. [13.70] (2. Sm 13)

Amon₂ (Haman)
[33.83] → Aman

Amor
[13.36] → Cupido

Amorreen (Amoriter)
Biblisches Volk (AT). Gemeint ist meist in einem allgemeinen Sinne die vor dem Volk Israel in Kanaan ansässige Bevölkerungsgruppe. Im Prophetenbuch Ezechiel (Ez/Hes 16) werden die A. zwar neben den Sodomiten genannt, bei Brant liegt aber wahrscheinlich eine Verwechslung mit den Bewohnern der Stadt Gomorrha vor, die wie die Sodomiten, die Bewohner der Stadt Sodom, aufgrund ihrer Unzucht und Sündhaftigkeit von Gott vernichtet wurden (Gn / 1. Mose 19). Außerdem spielt Brant mit der Erwähnung Jerusalems auf das babylonische Exil, die Wegführung und Umsiedlung von Judäern durch die Babylonier, an (vgl. 4 Reg / 2. Kön 16). Diese Maßnahme diente dazu, Aufstände zu verhindern, weil sich durch die Umsiedlung die Mitglieder der unterworfenen judäischen Oberschicht mit denen der babylonischen vermischten. [25.12]

Amphyaraus (Amphiaraos)
Mythologische Figur. Im griechischen Mythos erscheint A. als frommer und weiser Held und begnadeter Seher. Einer mehrfach überlieferten Anekdote nach wurde er von seiner Frau Eriphyle verraten, als er sich versteckt hatte, um nicht am Zug der Sieben gegen Theben teilnehmen zu müssen [51.6]. Durch den Verrat zur Kriegsteilnahme gezwungen, fand er das von ihm selbst vorausgesehene Ende: Er wurde von der Erde verschlungen, nachdem der Blitz des Zeus den Boden gespalten hatte. Brant verweist in Lochers lateinischer Übersetzung auf die *Thebais* des Statius (4,190–

213) als Quelle. Als weitere Fundstellen kommen u.a. Hieronymus (*Adversus Jovinianum* 1,48) und der Vergil-Kommentar des Servius in Betracht (6,445).

Amphyon (Amphion)

Mythologische Figur. Der Sohn des Zeus und Zwillingsbruder des Zethos, mit dem er die Mauer Thebens gebaut hatte, verlor aufgrund des Hochmutes seiner Gattin Niobe alle seine Kinder. Nach Ovids *Metamorphosen* (6,146–312) hatte sich Niobe wegen ihres Kinderreichtums über die Göttin Latona gestellt. Apollo und Artemis töteten daraufhin sämtliche Kinder des Paares [64.39]. Dieselbe Geschichte ist (wie bei Brant mit misogyner Konnotation) auch in Juvenals sechster Satire (172–177) überliefert.

Andronicus (Andronikus)

Biblische Figur (AT). Der Würdenträger und Statthalter des Königs Antiochus IV. wurde um 170 v. Chr. von Menelaos (→ Atrydes) mit gestohlenen goldenen Gefäßen bestochen und tötete dafür den gegnerischen Hohepriester Onias. [46.87] (2. Mcc 4,30)

Ann (Anna)

[32.33] → Didoni

Antigonus (Antigonos)

[19.90] → Theocrytus

Antyochus (Antiochus IV. Epiphanes, 175–164 v. Chr.)

Biblische Figur (AT). Der König des syrisch-vorderasiatischen Großreiches der Seleukiden war um religiöse Gleichschaltung und darum um das Abschaffen der jüdischen Religion bemüht. Als er in Jerusalem und später in Persien Tempel entweihte und schändete, kam es zum Aufstand der jüdischen Bevölkerung, der mit der Niederlage A.s endete. Voller Hass schwor er, aus Jerusalem einen Totenacker für Juden zu machen. Bevor es jedoch dazu kommen konnte, wurde er von Gott mit den schlimmsten Leiden und Qualen bestraft und starb trotz später Reue jämmerlich. [87.35] (2. Mcc 9)

Antyphates (Antiphates)

Mythologische Figur. Der König der Menschen fressenden Laistrygonen versenkte mit seinem Volk elf der zwölf Schiffe des

Odysseus (→ Vlisses) und verspeiste die Besatzung. [108.62] (Homer, *Odyssee* 10,106–124; Ovid, *Metamorphosen* 14,234)

Apelli (Apelles)

Historische Figur. Der Zeitgenosse Alexanders des Großen (→ Alexander₁) galt als größter Maler des griechischen Altertums. In Kapitel [48.41] bezieht sich Brant beinahe wörtlich auf eine Episode aus Plutarchs *De educatione* (7a): Demnach empfing Apelles einmal einen schlechten Künstler bei sich, der ihm ein Bild mit den Worten vorlegte, dies habe er gerade eben gemalt. Apelles erwiderte, er hätte auch ohne diese Information sofort gesehen, dass das Bild in großer Hast angefertigt wurde, und er wundere sich nur, dass der Maler nicht noch mehr Bilder dieser Art gemalt habe.

Appollo (Apollon)

Mythologische Figur. Der griechische Gott der Mantik und der Musik gilt als eine der mächtigsten Götterfiguren. Sein Einfluss erstreckte sich auf nahezu alle Lebensbereiche. Brant spielt auf das Orakel des A. in Delphi an: Pythia, die prophetische Priesterin des A., nannte dort den Namen des → Socrates als Antwort auf die Frage nach dem weisesten Mann. Seine Erkenntnis habe darin bestanden, nur zu wissen, dass er nichts weiß [112.4]. Überliefert ist diese Anekdote in der Apologie des Sokrates (21a) und bei Diogenes Laertius (2,37).

Appollonius (Apollonios von Tyana, 1. Jh. v. Chr.)

Historische Figur. Der griechische Wanderlehrer und Prediger lehrte die pythagoreische Gesetzlichkeit und galt als frommer Wundertäter. Sein Leben wurde von Philostrat in idealisierender und verherrlichender Weise aufgezeichnet. Die Stelle [66.143] basiert, gemeinsam mit den vorausgehenden und den folgenden Zeilen, in denen von → Plato und → Pythagoras die Rede ist, auf dem Prolog der Vulgata des Hieronymus (53,1).

Archymenides (Archimedes, 287–212 v. Chr.)

Historische Figur. Dem berühmten Mathematiker und Physiker aus Syrakus wurde sein leidenschaftlicher Forscherdrang zum Verhängnis: Als ihn ein römischer Soldat, der nach der Eroberung von Syrakus (212 v. Chr.) in A.s Haus eingedrungen war, nach seinem Namen fragte, wollte er ihn nicht nennen. Stattdessen hielt er nur schützend die Hände über den Sand, in den er seine geometrischen

Formen gezeichnet hatte, und entgegnete lapidar: »Stör' mir meine Kreise nicht«. Wegen Befehlsverweigerung wurde er daraufhin von dem Soldaten getötet [66.19]. Bei Brant schweigt A. beharrlich. Dies ist bei Valerius Maximus überliefert (8,7, ext. 7). Allerdings heißt es dort zur Begründung seines Schweigens nur, A. sei leidenschaftlich in seine Berechnungen vertieft gewesen. Dass er fürchtete, sein Atem könne die Kreise im Sand verwehen (wie Brant schreibt), wird nicht explizit gesagt [66.23–24].

Archytas (Archytas von Tarent, 1. Hälfte des 4. Jh. v. Chr.)
Historische Figur. Der griechische Philosoph, Staatsmann, Mathematiker und Mechaniker war hoch berühmt und galt als äußerst milde, selbstbeherrscht und tugendhaft [35.15]. Die von Brant zitierte Äußerung, die Affektbeherrschung ausdrückt, ist bei Valerius Maximus überliefert (4,1, ext. 1 und 2).

Arcturus
[108.29] → Bootes

Arfaxat (Arphaxat)
[56.29] → Nabuchodonosor

Aristides (Aristeides, † 467 v. Chr.)
Historische Figur. Der athenische Staatsmann und Feldherr wurde nach Plutarch (*Vitae: Themistokles* 21) schon zu Lebzeiten aufgrund seiner Ehrenhaftigkeit und Bescheidenheit gerühmt. Er erhielt den Beinamen »der Gerechte« und wird in diesem Sinne in mehreren antiken Texten, so etwa in Ciceros *Tusculanae Disputationes* (5,36,105) und bei Johann von Salisbury (*Policraticus* 5,7) genannt. [83.76]

Aristoteles (384–322 v. Chr.)
Historische Figur. Der griechische Philosoph aus Stageira war zunächst als Schüler, später als Lehrer Mitglied in der Akademie → Platos [6.39]. Im Jahre 343/342 v. Chr. wurde er von König Philipp von Makedonien dazu berufen, dessen Sohn Alexander den Großen (→ Alexander₁) zu erziehen [6.38]. Der in Kapitel [102.63] von Brant erwähnte Satz, den Lochers lateinische Übersetzung mit der Alchimie in Verbindung bringt, verweist wohl auf das *Decretum Gratiani* (2,26,5,12, § 2). In Decretumsdrucken findet sich der Verweis auf materielle Dinge (*gstalt der ding*) erst im 16. Jahrhundert.

Arthemysia (Artemisia II., 4. Jh. v. Chr.)
Historische Figur. Die Gattin des Königs Mausolos († 352 v. Chr.) berief Künstler aus ganz Hellas, um ihrem Gemahl ein großartiges und monumentales Grabmal, das »Mausol(e)um« [85.101], errichten zu lassen. [85.102] (*Hieronymus Adversus Jovinianum* 1,44)

Asahel (Asaël)
[12.33] → Abner

Asmodeus (Aschmodai)
Biblische Figur (AT). Der böse Geist, der zu Brants Zeiten als Eheteufel galt, tötete nacheinander sieben Männer, die allesamt Sara, die spätere Frau des Tobit (→ Thobias), zur Braut nehmen wollten. [52.29] (Tb 3,8)

Assuerus, Aswerus (Ahasveros)
[56.19] → Xerxes. Für die Stellen [33.83] und [64.10] → Aman

Athalanta (Atalante)
Mythologische Figur. Die arkadische Heroin entheiligte einen dem Zeus geweihten Hain, weil sie dort ihr Liebeslager aufschlug. Zur Strafe wurde sie in eine Löwin verwandelt. [13.64] (Ovid, *Metamorphosen* 10,560–709)

Atrydes (Atriden)
Mythologische Figuren. Die Söhne des Atreus werden unter dem Namen Atriden zusammengefasst. Zu ihnen gehören Menelaos, der König von Sparta, und der ältere Agamemnon, der König von Mykene. Menelaos konnte den Raub seiner Frau, der schönen → Helena, an den Trojanern rächen. Agamemnon soll Homer zufolge von seiner untreuen Frau Klytaimnestra und deren Geliebten Aigisthos nach seiner Rückkehr aus dem Trojanischen Krieg getötet worden sein. Dieser Mord wurde durch Agamemnons Sohn Orest (→ Horestes) gerächt. [33.21; 33,65; 33,67; 33,68] (Ovid, *Metamorphosen* 15,855; 12,623 und 13; Homer, *Odyssee* 3,262–310; 4,519–537)

Ayoht (Ehud)
Biblische Figur (AT). E. gilt als einer der Großen Richter Israels, weil er neben dem juristischen gleichzeitig auch das militärische Amt des charismatischen Heerführers vertrat. Als Eglon, der Kö-

nig der Moabiter, ihm Geschenke bringen wollte, tötete er ihn mit einem Messer, das er unter seinem Gewand verborgen hatte, und befreite die Israeliten damit von Eglons Herrschaft. [46.85; 64.88] (Idc/Ri 3,12–30)

B

Bacchus

Mythologische Figur. B. ist der römische Name für den griechischen Gott Dionysos. Als sein Vater wird meistens Zeus beziehungsweise → Jupiter genannt. Der römische B. gilt als Erfinder und Gott des Weines und des Rausches. [66.77–90] Er zieht mit großem Gefolge, zu dem auch der stets betrunkene Satyr Silen gehört, durch das Land. So erscheint er bei Ovid (*Metamorphosen* 11,85–99). Ovid erzählt auch von B. als Seefahrer (*Metamorphosen* 3,629–639; Hyginus, *Fabulae* 1,3,4). Über den Tod des B. [66.95] gibt es verschiedene Überlieferungen, die oft mit dem Titanenkampf in Verbindung gebracht werden. Mythographus Vaticanus III (p. 246,6) berichtet von der Tötung des B. durch die Giganten und seiner Wiederauferstehung. Die ekstatischen Dionysos- bzw. B.-Feste der Antike werden bei Brant zum Ursprung der ausgelassenen Berchta-Feste (*ba͞chten*), an denen man herumzog, um Geld für ein Festgelage zu sammeln. Später wurde das Fest von der Kirche zum Feiertag der Heiligen Drei Könige umgewandelt [66.102].

Balaam, Balam (Bileam)

Biblische Figur (AT). B. wird in der Bibel als vertrauter Gesprächspartner Gottes dargestellt. Boten des Moabiterkönigs Balak bitten ihn, gegen ein Entgelt das gefürchtete Israel zu verfluchen, damit es geschwächt werde und vertrieben werden könne [104.35]. B. lehnt die Bitte mit dem Hinweis ab, er könne nur tun, was Gott ihm gebiete. Auf eine erneute Anfrage der Moabiter hin lässt Gott ihn dann auf seinem Esel zu den Moabitern ziehen. Dort angekommen kann er Israel aber wegen Gottes Eingreifen nicht verfluchen, sondern muss es mit vier Sprüchen segnen. Aus der biblischen Überlieferung geht nicht ohne weiteres hervor, dass B. gegen Gottes Willen handeln wollte. Kapitel [63.18] bezieht sich auf die besondere Rolle von B.s Eselin: Auf dem Weg zu Balak weicht sie dreimal einem Engel mit feurigem Schwert aus, der

B. begleitet. B. kann diesen jedoch nicht sehen und schlägt die Eselin, da er meint, sie treibe Mutwillen mit ihm. Als die Eselin schließlich zu ihm spricht und der Engel sich ihm zeigt, bereut B. sein Verhalten jedoch (Nm / 4. Mose 22–24). Brants Nennung B.s in [92.49] hat offenbar folgenden Hintergrund: Nach der Segnung Israels und der Rückkehr B.s wird das Volk in Schittim von den Frauen der Moabiter und Midianiter verführt und zum Götzendienst angestiftet. Später befiehlt Gott Moses, Rache an den Midianitern zu nehmen. In diesem Zusammenhang ist davon die Rede, die Israeliten seien wegen eines Rates B.s an den Moabiterkönig Balak der Verführung durch die medianitischen Frauen verfallen (Nm / 4. Mose 31,16). Vorher ist von einem solchen Rat aber nicht die Rede.

Balach (Balak)
[92.49] → Balam

Balthesar (Belsazar)
Biblische Figur (AT). Im Buch des Propheten → Daniel erscheint der sündhafte letzte König von Babylon als Sohn des an seinem Lebensende Gott ergebenen Nebukadnezar (→ Nabuchodonosor). Während eines rauschenden, gotteslästerlichen Gelages am Hofe B.s zeigte sich plötzlich eine Hand, die den Schriftzug »mene tekel u-parsin« an die Wand malte (bei Brant *Mane / Phares / Thetel* [86.48], nach der lat. Vulgata *mane fares thecel*). Der erschrockene König konnte die Worte nicht verstehen und schickte daher nach Gelehrten, die sie ihm übersetzen sollten. Diese zeigten sich allesamt ratlos und nur Daniel, ein Gefangener aus Juda, wusste die Schrift zu deuten. Die Geschenke, die ihm zur Belohnung angeboten wurden, lehnte er jedoch ab. [104.32] Daniel las die Worte als Warnung Gottes an B. und übersetzte sie wie folgt: Mene: Gott hat das Königtum B.s gezählt und beendet. Tekel: Der König wurde auf der Waage gewogen und für zu leicht befunden. U-parsin: Sein Reich wurde zerteilt und den Medern und Persern gegeben [86.46] (Dn 5,25). Die rätselhafte Allusion in Kapitel [90.21], in der davon die Rede ist, B. habe seinen Vater in Stücke gehauen, passt nicht zur biblischen Überlieferung. Sie geht auf ein mittelalterliches Exemplum zurück, das zuerst bei Petrus Comestor überliefert ist. Demnach hatte B. Angst, sein Vater Nebukadnezar könne von den Toten auferstehen und ihn heimsuchen. Um dies zu verhindern, ließ er ihn angeblich in 300 Stücke

schneiden und an 300 Füchse verfüttern (*Historia scholastica* PL 198, col. 1453 A–C).

Basiliscus, Basylist (Basilist)
Mythologische Figur. Wie der Cerastes ist auch der B. ein Schlangenwesen, das durch sein Gift, seinen Atem und seinen starren Blick töten konnte. Erwähnt ist er unter anderem in der Naturkunde des Plinius (8,78). [16.94; 99.148]

Bastarnas (Bastarnae)
Historische Volksgruppe. Die germanischen Bastarner siedelten ab dem 3. Jahrhundert v. Chr. am Schwarzen Meer und östlich von Makedonien. [99.42]

Belides (Beliden)
Mythologische Figuren. Diese 50 Töchter des Danaus erstachen alle bis auf eine ihre jeweiligen Verlobten in der Hochzeitsnacht und mussten zur Strafe in der Unterwelt endlos Wasser in ein durchlöchertes Fass füllen. Brant entlehnt diese Stelle wohl den *Satiren* des Juvenal (6,655). Auch bei Ovid (*Metamorphosen* 4,463; 10,44) ist die Geschichte überliefert. [64.88]

Bellerophon
Mythologische Figur. Der korinthische Sagenheld wurde, wie auch Hippolytos, fälschlicherweise angeklagt: Er erwiderte die Liebesbezeugungen der Gattin seines Gastgebers Proitos nicht, worauf die Zurückgewiesene ihn der sexuellen Belästigung bezichtigte. B. kam durch die ungerechtfertigten Verleumdungen jedoch nicht zu Schaden. Hippolytos dagegen, der seine Stiefmutter Phaidra (→ Phedra), abgewiesen hatte, erging es anders. Er wurde von Phaidra bei ihrem Mann, dem athenischen König Theseus, angeklagt und von diesem getötet. [13.72] (Servius, *Aeneis* 5,118; Homer, *Ilias* 6,155)

Belyal (Belial)
Biblische Figur (NT). Das Wort bedeutete ursprünglich Bosheit und Verderben. Im Spätjudentum bezeichnete es eine gottesfeindliche Macht oder den Satan. Brant zitiert hier aus dem zweiten Brief des Paulus an die Korinther, wo es heißt, man solle nicht mit Ungläubigen Gemeinschaft pflegen, denn auch Christus habe nichts mit B. gemein. [105.65] (2 Cor 6,15)

Benedab, Bennedab (Ben-Hadad, † um 875 v. Chr.)
Biblische Figur (AT). Der aramäische König B. hatte einen Bund mit Bascha, dem König Israels. Er brach das Bündnis aber, nachdem er von Asa, dem König von Juda, Silber und Gold angeboten bekommen hatte, und stand nun Asa im Krieg gegen Israel bei [46.89] (3 Rg / 1. Kön 15,18). Bei der Belagerung Ahabs (→ Achab), dem Nachfolger Baschas, und dessen Königreichs Israel wurde B. während eines Trinkgelages von Ahab und seinem ausziehenden Heer überrascht und in die Flucht geschlagen [16.39] (3 Rg / 1 Kön 20,16).

sûn Benyamyn (Benjaminiter)
Biblisches Volk (AT). Gemeint sind die Nachfahren Benjamins, des Sohnes Jakobs und Rahels. Die B. bezeichnen einen der Stämme Israels, der in folgender Episode hervortritt: Die Nebenfrau eines Landpriesters, der auf einer Reise über Nacht in einem Dorf der B. rastete, wurde von den Männern des Dorfes geschändet und getötet. Nach dem Gericht über diese Schandtat zogen die Israeliten aus und übten mit Gottes Hilfe schwere Rache an den Nachfahren Benjamins [33.33]. In Kapitel [21.32] kritisiert Brant die Israeliten wegen ihrer ungerechtfertigten Rachsucht – schließlich hätten sie sich selbst ebenfalls der Sünde schuldig gemacht (Idc/Ri 19,22–30).

Bersabe, Bersabee (Batseba)
[13.67; 33.35; 92.67] → Dauid

Beryllus (Berillos)
[69.13] → Phalaris

Bessus
[56.69] → Darius

Bion (3. Jh. v. Chr.)
Historische Figur. Der Wanderprediger und Philosoph galt als einer der sieben Weisen Griechenlands. Die von Brant genannte Aussage B.s findet sich in Plutarchs *De educatione* (7d). Darin vergleicht B. diejenigen, die nicht in der Lage sind, die Inhalte der Philosophie zu verstehen, mit den Männern, die um Penelope warben, aber nicht zu ihr vordringen konnten. So wie sich die Ungelehrten vergeblich in anderen Formen der Erziehung versuchen, so konnten sich auch die Buhler Penelopes nur an deren Mägde halten. [107.85]

bôhem (Böhme)

Mitglied einer Volksgruppe (ansässig im heutigen Tschechien). Brants negative Attribuierung Gottes als kein Böhme und Tartar (→ Datt) ist exemplarisch. Ein allgemeiner Sachverhalt, nämlich dass Gott alle Sprachen versteht, wird anhand zweier konkreter Völker veranschaulicht. [14.19]

Boos (Boas)

Biblische Figur (AT). Der angesehene und reiche B. aus Bethlehem heiratete seine ehemalige Dienerin, die arme und verwitwete Ruth, obwohl diese seinem Stand und Status nicht angemessen war. [52.31] (Rt 2–4)

Bootes

Mythologische Figur. Personifikation eines Sternbildes in der Nähe des Großen Wagens (Ovid, *Metamorphosen* 8,211). Es hieß auch Arcturus, wenn die Bären als mit Ochsen bespannte Wagen angesehen wurden. Zu Boótes (dreisilbig zu sprechen; wörtlich: »Der mit Stieren pflügt«) gehören auch Ursa (»Bärin«) und die Hyaden (»Sterne im Kopf des Stieres«). [108.28] (Ovid, *Metamorphosen* 3,595)

Brutus

[49.21] → Catho

Btriegolf (Betrügolf)

Fiktive Figur. Personifikation des Betrugs. [67.64]

Bulgarus (12. Jh.)

Historische Figur. Dieser bekannte italienische Rechtsgelehrte des 12. Jahrhunderts verlor angeblich alle seine Kinder und heiratete daraufhin eine andere Frau. Brant spielt in Kapitel [94.19] wohl einfach darauf an, dass B. länger lebte als sein Sohn. Vielleicht bezieht er sich aber auch auf eine andere, bekanntere Anekdote, die u. a. in Guido Pancirolis *De claris legum interpretibus* (1,90; 2,15) erzählt wird. Danach stellte B. das Gesetz auf, dass der Ehemann die erhaltene Mitgift an den Vater der Braut zurückzugeben habe, wenn diese vor ihrem Vater stirbt. Als er selbst davon betroffen wurde, weil die Frau seines Sohnes starb, gab er die Mitgift zwar ungern, aber sehr schnell an dessen Schwiegervater zurück, um nicht als falscher Gelehrter in Verruf zu kommen. Im Kontext der

Narrenschiff-Stelle ergäbe ein Bezug auf diese Begebenheit allerdings keinen Sinn.

Burger zů affenbergk (Bürger von Affenberg)
Fiktive Figuren. Affenbergk hat hier einen ähnlichen Sinn wie Narrenberg (→ Henn von narrenberg). Die Burger zů affenbergk sind demnach eine fingierte Personengruppe, die all jene in Kapitel [95.1] von Brant kritisierten Personen einschließt.

Busyris (Busiris)
Historische Figur. Nach Brant wurde der ägyptische König Opfer eines Planes, den er für andere vorgesehen hatte: In einer griechischen Sage, die in Ovids *Ars amatoria* (1,645–654) überliefert ist, tötete er alle Fremden, die in sein Land kamen, um die Gottheit Osiris zu beschwichtigen. Später wurde er allerdings selbst von Herkules getötet. In ähnlicher Form findet sich die Episode auch bei Servius (*In georgica* 3,5) und in *De consolatione* von Boethius (2,6,9–10). [69.15]

Byblis
Mythologische Figur. Die leidenschaftliche Liebe zu ihrem Bruder trieb B. in den Tod, der in verschiedenen Varianten erzählt wird. [13.59] (Ovid, *Metamorphosen* 9,453–665)

C

Calphurnia (Calpurnia)
Historische Figur. Angeblich wurde aufgrund von C.s ungebührlichem Betragen vor Gericht im alten deutschen Recht die Bestimmung eingeführt, dass Frauen nicht ohne einen Fürsprecher vor Gericht erscheinen dürfen. Brant bezieht sich vielleicht auf den *Sachsenspiegel* (2,63,1). Lochers lateinische Übersetzung des *Narrenschiffs* verweist in einer Marginalie auf die römisch-rechtlichen Digesten (3,1,5), wo der Name Calphurnia ebenfalls bezeugt ist. [64.42]

Calypso
Mythologische Figur. Die Nymphe hielt Odysseus (→ Vlisses) aus Liebe sieben Jahre lang gegen seinen Willen auf ihrer Insel fest. [13.7] (Homer, *Odyssee* 5,1–15)

Candaules (Kandaules)
Historische Figur. Der letzte König der lydischen Herakleidendynastie wurde von dem reichen Gyges betrogen und vom Thron verdrängt. K. hatte dem Gyges zuvor seine Frau präsentiert, woraufhin dieser mit ihr schlief und K. stürzte, später sogar tötete [33.71]. Die Geschichte ist bei Herodot (1,8–13) und Justin (1,7,14–19) überliefert und geht auf das platonische Märchen vom sagenhaften Ring des Gyges zurück (Platon, *Politeia* 2,359b).

Carthuser (Karthäuser)
Der Mönchsorden der K. zeichnete sich durch besonders strenge Regeln aus. Beispielsweise galt für seine Mitglieder außerhalb des Gottesdienstes ein striktes Schweigegebot. [105.20]

Cathelynen (L. Sergius Catilina, um 108–62 v. Chr.)
Historische Figur. Der römische Politiker C. machte immer wieder durch Skrupellosigkeit und ein verbrecherisches Wesen auf sich aufmerksam. Er scharte aufwieglerische und gewalttätige junge Leute um sich [49.22]. Nachdem ihm der Zugang zum Amt des Konsuls mehrfach verwehrt geblieben war, versuchte er schließlich mittels eines verschwörerischen Staatsstreichs die Macht an sich zu reißen. Nach der Aufdeckung der Umsturzpläne wurde C. im Jahre 62 gestellt und fiel im Kampf. Vor allem durch Ciceros *Catilinarische Reden* und die *Coniuratio Catilinae* des Sallust gelangte die Figur des C. später zu viel zitierter, wenn auch zweifelhafter Berühmtheit als Negativbeispiel. Als solches wird C. auch von Brant angeführt, der sich auf eine Satire des Juvenal (14,41) bezieht [6.30].

Catho, Cathonis porcia (M. Porcius Cato der Jüngere, 95–46 v. Chr.)
Historische Figur. Der römische Staatsmann C. galt als überzeugter Republikaner und Feind Caesars (→ Julius der keiser) und wurde, u. a. bei Cicero, oft als Musterbeispiel für altrömische Charakter- und Sittenstrenge angeführt. In [49.21] wird das Auftreten von Kriminellen wie Catilina (→ Cathelynen) und Brutus mit dem Fehlen von aufrechten Männern wie Cato erklärt. Brants Quelle sind hier wohl die *Satiren* des Juvenal (14,41). C.s Gattin Marcia, die ihm drei Kinder gebar, wurde um 56 v. Chr. – mit Zustimmung ihres seitherigen Ehemannes C. – mit dem Politiker Hortensius verheira-

tet [33.17]. Nach dessen Tod sechs Jahre später kehrte sie aber wieder zu C. zurück und wird deshalb, etwa bei Valerius Maximus (4,6,5), als Beispiel für eine treue, liebende Ehegattin genannt [64.92].

Cayn (Kain)
Biblische Figur (AT). Brant nimmt Bezug auf den Mord K.s an seinem Bruder Abel. K. erschlug Abel aus Neid, weil nur dessen Opfergabe und nicht seine eigene bei Gott Gnade fand. [53.29] In Kapitel [10.29] dient K. als Exemplum für den Typus des nur auf Eigennutz bedachten Egoisten, der es aus Neid nicht ertragen kann, wenn andere Erfolg haben. (Gn / 1. Mose 4)

Cerastes
[99.148] → Basiliscus

Chaldeen (Chaldäer)
Biblisches Volk (AT). Der Volksstamm der C. drang um 900 v. Chr. in Babylonien ein und riss vorübergehend die Herrschaft an sich. Später wurde die Bezeichnung C. gleichbedeutend mit ›Babylonier‹ verwendet. [34.29]

Cham (Ham)
[9.28; 90.19] → Noe

Charibd (Charybdis)
[108.37] → Scyllam

Chemnis (Chemmis; Cheops, um 2553–2530 v. Chr.)
Historische Figur. Der zweite König der vierten ägyptischen Dynastie ließ sich die größte Pyramide von Gizeh als Grabmal erbauen. Plinius (36,17,78–79) berichtet, ohne den Namen des Königs zu nennen, an dem Bau seien 360 000 Arbeiter beteiligt gewesen, weshalb allein für Rettiche, Zwiebeln und Knoblauch (*krut*) zur Verköstigung der Arbeiter 1600 Silbertalente ausgegeben worden seien. Bei Diodorus Siculus (1,63,2–9) wird der Name des Erbauers mit C. angegeben. Allerdings sagt Diodor nichts über die Alimentation der Arbeiter. Da Brant sowohl den Namen C.s als auch die genaue Zahl der beteiligten Arbeiter nennt, waren ihm offensichtlich beide Überlieferungen bekannt. [85.109]

Chore (Korach)

Biblische Figur (AT). K. erscheint als Anführer eines Aufstandes gegen Moses (→ Moysen) und → Aaron. Gemeinsam mit Datan und Abiron und einer großen Anhängerschaft trat er trotz der Warnungen Moses' als Priester auf und vollführte gegen den Willen Gottes heilige Handlungen mit Weihrauch [73.69]. Zur Strafe wurden K. und seine »Rotte« lebendig von der Erde verschlungen [36.23; 92.114]. K. gilt damit gleichzeitig als Ahnherr und Repräsentant der Korachiten, einer Gilde aus Sängern und Bediensteten am Jerusalemer Tempel. In der Revolte K.s gegen Moses und Aaron spiegeln sich sowohl die späteren Auseinandersetzungen zwischen den Priestern und den Korachiten wie auch die frühen Kämpfe um die Führerschaft zwischen den verschiedenen Stämmen wider [7.19]. (Nm / 4. Mose 16f.)

Christus (Jesus Christus)

Biblische Figur (NT). Christus ist der griechische Ausdruck für Messias. Die christliche Urgemeinde gab Jesus nach der Auferstehung diesen Titel. Jesus lebte als Wanderprediger und Wunderheiler nach Aussage der Bibel ohne Besitz [83.119]. Er trat mit dem Bußprediger → Johannes[1] dem Täufer in Beziehung und wurde von ihm am Jordan getauft [104.24] (Mc/Mk 1,9). In Jerusalem trieb J. nach Mt 21,12 die Verkäufer, Wechsler und Taubenhändler aus dem Tempel, damit das Bethaus nicht länger zum Handelsplatz verkomme [44.25]. Das Bild des über die Bootsfahrer wachenden Jesus taucht häufig in der Bibel auf: So beruhigte Jesus etwa den Sturm und die Wellen auf dem See Genezareth, damit das Boot sicher an Land fahren kann [99.201] (Mt 14,22 f.; Mc/Mk 6,45 f.; Joh 6,16 f. u. ö.). Nach dem Neuen Testament fand drei Tage nach Jesu Tod seine Auferstehung statt [110b.67].

Circe, Cyrce (Kirke)

Mythologische Figur. Die Zauberin hielt Odysseus (→ Vlisses) auf ihrer Insel Aiaia fest, verwandelte mittels eines Zaubertranks einen Teil seiner Männer in Tiere und versuchte, Odysseus zur Liebe zu verführen. Dieser bedrohte sie jedoch mit dem Zauberkraut Moly, das er von Hermes erhalten hatte, und brachte sie dazu, ihn und seine Leute ziehen zu lassen sowie die verwunschene Mannschaft wieder zurückzuverwandeln. [13.6; 13.55; 108.77] (Homer, *Odyssee* 10 und 11; Ovid, *Metamorphosen* 14,286)

sant Claren (Sankt Klara von Assisi)
Heilige. Die franziskanische Ordensfrau wurde vielfach zum Gegenstand ikonographischer Darstellungen gemacht. Der Bundschuh (gebundener Schuh), ein klassisches Requisit ärmerer Leute, wurde später zum Symbol der Bauernaufstände. Die *buntschuoh*, die hier Klara zugeschrieben werden, haben mit dem symbolischen Bundschuh aber nichts zu tun. Vielleicht bezieht sich Brant auf ein bestimmtes Bild der Heiligen, auf dem sie dieses Kleidungsstück trägt. [63.21]

Clodius
Historische Figur. C. war nach den *Satiren* des Juvenal (2,27; 6,345) als berüchtigter römischer Ehebrecher bekannt. [33.26]

Clotho (Klotho)
Mythologische Figur. Sie ist eine der drei griechischen Schicksalsgöttinnen. Dem homerischen Mythos nach spinnt sie gemeinsam mit ihren Schwestern den menschlichen Lebensfaden. Bei Brant dreht sie das Glücksrad; er bezieht sich deshalb wohl auf die Überlieferung bei Seneca (*Thyestes*, 615–620). [37.10]

Clytymnestra (Klytaimnestra)
[64.88] → Atrydes

Collatinus
[33.23] → Lucrecia

Conniget
[92.18] → Pyrr de Conniget

Corylaus (Marcius Coriolanus)
Historische Figur. C. ist die Hauptfigur einer der großen römischen Legenden. Der Sage nach wurde er aus seiner Heimatstadt Rom verbannt und begann daraufhin eine Belagerung der Stadt. Erst auf Bitten einer Frauengesandtschaft, die von seiner Mutter und seiner Ehefrau angeführt wurde, gab er die Belagerung auf. Kapitel [90.29] nennt C. als Beispiel für einen Sohn, der seiner Mutter gegenüber Ehre und Respekt aufbringt. Brant bezieht sich hier wohl auf Plutarchs Lebensbeschreibung des Coriolanus (34,2), wo berichtet wird, C. sei bei der Ankunft seiner Mutter zutiefst bewegt von seinem Stuhl aufgestanden und habe sie umarmt. Die Geschichte ist auch bei Livius (2,40,5) überliefert.

Crassus (Marcus Licinius Crassus Dives, 115–53 v. Chr.)
Historische Figur. Der machthungrige und ehrgeizige Staatsmann, der mit Caesar (→ Julius der keiser) und → Pompeius das so genannte Triumvirat bildete, wurde bei einem Feldzug in der Nähe von Karrhä von den Parthern getötet. Diese sollen ihm zur Strafe flüssiges Gold in den Mund gegossen haben [3.29]. Brant kannte die Geschichte vielleicht aus dem *Decretum Gratiani* (1,1,1,97) oder aus Johanns von Salisbury *Policraticus* (3,11).

Crates₁ (Krates von Theben, 4. Jh. v. Chr.)
Historische Figur. Der thebanische Wanderphilosoph und Schüler des → Diogenes entledigte sich auf seinem Weg nach Athen jeglichen Reichtums. Brant zitiert hier wohl das *Decretum Gratiani* (2,12,2,71, § 3), das sich wiederum auf die *Epistolae* (58,2) des Hieronymus bezieht. [3.31]

Crates₂
Historische Figur. In Kapitel [6.49] ist der Philosoph Socrates gemeint, der in scholastischen Lehrsätzen oft missverständlich verkürzend (So)crates genannt wird. Brants Referenz ist hier vielleicht Plutarchs *De educatione* (7).

Cresus (Kroisos, 6. Jh. v. Chr.)
Historische Figur. K. gilt als der letzte König Lydiens. Er war vor allem aufgrund seines enormen Reichtums berühmt. Obwohl er in der antiken Literatur, z. B. bei Herodot (1,32), mehrfach erwähnt wird, sind über K. nur wenige historisch gesicherte Daten bekannt. Brant spielt in [83.92] wohl auf seinen missglückten Krieg gegen die Perser an, den K. auf Anraten des Orakels von Delphi begann. K. starb vermutlich im Jahre 547 v. Chr., als er nach einem fehlgeschlagenen Feldzug in die Gefangenschaft Kyros II., des Großen (→ Cyrum), Begründer des persischen Weltreiches, geriet. In Kapitel [26.42] folgt Brant wohl den *Satiren* des Juvenal (10,273–288).

Cupido
Mythologische Figur. Römischer Gott der Liebe. C. und Amor besitzen in der Gestalt des griechischen Liebesgottes Eros ursprünglich die gleichen Wurzeln. In der Ikonographie des Mittelalters und der Renaissance wird C. fast immer als nacktes, blindes Kind dargestellt, das mit Pfeil und Bogen bewehrt ist. In dieser Weise ist der Liebesgott auch auf dem Holzschnitt zu Kapitel 13 abgebildet.

Quellen für Brants ausführliche Erläuterung von C.s Erscheinung in [13.13–34] sind eventuell der Vergil-Kommentar des Servius (1,667), Mythographus Vaticanus (3) und die *Metamorphosen* des Ovid (1,452 u. ö.). Seine allegorische Deutung stimmt weitgehend mit dem gängigen mit der Liebe assoziierten System von Wert- und Verhaltensnormen überein, das vielfach in sprichwörtlichen Wendungen und Gemeinplätzen verdichtet wurde. Demnach soll die Blindheit C.s die Blindheit der Liebe symbolisieren. Brant wendet diese Interpretation ins Moralisierende. Die kindliche Gestalt des Gottes wurde mit dem oft kindlichen Verhalten von Verliebten assoziiert. Nackt ist C., weil Liebe und Buhlschaft nicht zu verbergen sind, und seine Flügel wurden als Metapher für die Wandelbarkeit und Unsicherheit der Liebe gesehen. Auch die Bewaffnung C.s mit Pfeil und Bogen kommentiert Brant in gängiger Weise: Amor besitzt zwei Arten von Pfeilen, mit denen er die Menschen beschießt. Die einen sind golden und hakig. Die damit Getroffenen entbrennen in Liebe und verlieren den Verstand. Die anderen sind stumpf, mit Blei beschwert und vertreiben die Liebe. In dieser Art sind die Geschütze auch etwa bei Ovid beschrieben (*Metamorphosen* 1,468–477). In der Überlieferung wurden die ursprünglich für eine identische Gestalt stehenden Bezeichnungen C. und Amor oft auf zwei verschiedene Götter bezogen, die unterschiedliche Aufgaben in der Liebesvermittlung verrichten. So leistet C. wie bei Brant bisweilen die Vorarbeit mit Pfeil und Bogen [13.25, 13.35], und Amor lässt die Getroffenen endgültig entflammen [13.36].

Cusy (Huschai)
Biblische Figur (AT). Der Diener und Vertraute König Davids (→ Dauid) blieb seinem König auch in der Zeit des Aufstandes Absaloms (→ Absolon) treu. Damit stand er im Gegensatz zu dem abtrünnigen Ratgeber Ahitofel (→ Achitofel). Als Spion Davids trug H. wesentlich dazu bei, den Aufstand zu zerschlagen, indem er sich als falscher Ratgeber Absaloms ausgab. Warum Brant allerdings schreibt, H. sei tot, ist unklar, denn es war Ahitofel, der sich umbrachte [2.5.] (2. Sm 15,32–37; 16,16–17,22).

Cyclops, Cyclopem (der Kyklop Polyphemos)
Mythologische Figur. Der homerische Kyklop Polyphem, ein wilder Riese und Menschenfresser, lebte mit Herden von Ziegen und Schafen in einer Höhle. Ovid erzählt in den *Metamorphosen* (8,785), wie P. um seiner vergeblichen Liebe zu der zarten und

lieblichen Meernymphe Galatea willen kläglich auf seiner Hirtenflöte pfeift [13.56]. Brant bezieht sich in Kapitel [108.46] auf Vergils *Aeneis* (3,613–647), wo berichtet wird, wie P. sechs der Begleiter des Odysseus (→ Vlisses) in seiner Höhle verspeist. Odysseus
rettet sich und den Rest seiner Männer, indem er P. betrunken
macht und ihm sein einziges Auge ausbrennt. P. wirft dem Schiff
des Odysseus daraufhin große Steine nach. Weitere von Brant auf-
geführte Details, etwa dass das Auge des P. nachwächst, sind nicht
homerisch. Brant bezieht sie aus anderen lateinischen Quellen.

Cyrce (Kirke)
[108.77] → Circe

Cyrum (Kyros II., der Große, 558–529 v. Chr.)
Historische Figur. Großkönig und Begründer des persischen Welt-
reiches. In Kapitel [16.38] wird erwähnt, K. sei von der Königin
Thamyris und ihrem Heer durch einen Trick, nämlich mittels Spei-
sen und Getränken, besiegt worden. Der historischen Überliefe-
rung nach war jedoch Thamyris selbst das Opfer einer List K.s:
Der König gab vor zu fliehen und hinterließ eine große Menge an
Speisen und Getränken. Schon bald war Thamyris' Heer wegen
Trunkenheit kampfunfähig und der zurückgekehrte K. konnte alle
Soldaten töten. Kapitel [56.71] bezieht sich auf eine Stelle bei Herodot, nach der Thamyris später auch eine List anwandte. Indem
sie ihre Flucht vortäuschte, lockte sie K. mit seinem Heer in einen
Hinterhalt. Nachdem der Herrscher gefangen war, schlug Thamy-
ris ihm den Kopf ab und füllte ihn mit seinem eigenen Blut. (Justi-
nus 1,8; Orosius 2,7,2–6)

D

Dalida, Dalide (Delila)
[13.68; 46.86] → Samson

Danae
Mythologische Figur. Obwohl D., wie Homers *Ilias* berichtet, von
ihrem Vater in einen ehernen Turm eingeschlossen wurde, empfing
sie von Zeus, der sie in Form eines goldenen Regens besuchte, einen Sohn, den Perseus. [13.60; 32.11] (Homer, *Ilias* 14,329; Ovid,
Metamorphosen 4,611)

Daniel

Biblische Figur (AT). Der Held des gleichnamigen alttestamentlichen Buches wurde zu Beginn der Exilzeit deportiert und in Chaldäa am babylonischen Hofe König Nebukadnezars (→ Nabuchodonosor) erzogen [34.28], wo er als kluger Mann und begabter Traumdeuter bald in den Dienst des Herrschers trat (Dn 1). Dass Brant D.s Lehrjahre gemeinsam mit denen des → Moses nennt, verweist auf das *Decretum Gratiani* (1,37,8). Einen Traum Nebukadnezars deutete Daniel später, indem er diesem ein Leben unter Tieren vorhersagte, das solange währen sollte, bis er den wahren Gott anerkennen würde. D. riet Nebukadnezar zur Reue, dieser hörte jedoch nicht auf ihn und wurde daraufhin tatsächlich in ein Tier verwandelt. Erst als er Gott die nötige Ehre erwies, wurde Nebukadnezar wieder in sein Königreich eingesetzt [8.21] (Dn/Dan 4). Kapitel [89.24] bezieht sich dem Wortlaut nach wahrscheinlich auf zwei Stellen im Buch des Propheten Hesekiel, wo D. wie bei Brant jeweils in einer Reihe mit Noah und Hiob als Beispiel für einen gerechten und weisen Mann genannt wird (Ez/Hes 14,14 und 20). Allerdings führt Brant die drei Männer speziell als Beispiele für das Erdulden eines von Gott geschickten Leids an. Das passt nicht ganz zum Kontext der Hesekiel-Stelle, denn dort ist weder von Geduld die Rede noch ist der genannte D. mit dem oben gemeinten Propheten identisch (es handelt sich vielleicht um den weisen König aus der syrischen Aqhat-Legende). Der Sinn von Brants asyndetischer Reihe ist demnach wohl eher ein allgemeiner: Alle drei Männer sind aus der Bibel dafür bekannt, dass sie stets geduldig und treu den Befehlen Gottes gehorchen und sich bereit finden, Leid zu ertragen (s. auch → Job). Kapitel [65.72] spielt auf D.s Status als weiser Prophet, Seher und Traumdeuter an: Brant setzt diese Art der prophetischen Kunst – nämlich auf das Wort Gottes zu hören und es zu verkünden – in Opposition zu den von ihm verurteilten Praktiken der heidnischen Weissager und Sternendeuter. Auch hier wird D. wieder gemeinsam mit Moses genannt, ebenfalls ein Vertrauter Gottes (*Decretum Gratiani* 1,37,8). Zu Kapitel [104.31] s. → Balthesar.

Darius (Dareios)

Historische Figur. Brant meint hier den persischen König Dareios III., der zur Zeit des Regierungsantritts Alexanders des Großen (→ Alexander₁) den Thron bestieg und im Krieg von Alexander getötet wurde, nachdem er zunächst entkommen war. Brants Bemerkung in [56.13] ist allerdings ungenau: Es war nicht D. III., sondern

Dareios I., Sohn des Hystaspes, der sein bereits großes Reich immer mehr ausweiten wollte. Er begann den Krieg mit Makedonien, der nach seinem Tod weiterging. In [56.68] allerdings ist der von Alexander getötete D. III. gemeint. Nach Curtius Rufus (5,13) war D.s treuloser Feldherr Bessus an seiner Ermordung beteiligt.

Dathan (Datan)
[73.70] → Chore

Datt (Tartar)
Mitglied einer Völkerschaft, ansässig im ostasiatischen Raum. [14.19; 110b.50] Vgl. auch die Ausführungen zu → bôhme.

Dauid (David)
Biblische Figur (AT). Der jüdische König D. vereinte zum ersten Mal das Nordreich Israel und das Südreich Juda zu einem Königreich mit der Hauptstadt Jerusalem. Seine Erziehung genoss er in jungen Jahren am Hofe → Sauls, des ersten Königs von Israel. Dort wurde er aufgrund seiner Erfolge im Kampf gegen die Philister bald zu einem Vertrauten Sauls und schloss enge Freundschaft mit dessen ältestem Sohn Jonathan (→ Jonathas₂). Nachdem D.s Beliebtheit und seine Erfolge immer größer wurden, nahm ihn Saul zunehmend als Bedrohung wahr, entwickelte einen erbitterten Hass auf ihn, versuchte ihn zu töten und verfolgte ihn schließlich. Nur mit der treuen Hilfe Jonathans gelang es D., Sauls Nachstellungen zu entrinnen und vor ihm zu fliehen. [10.9; 53.19] (1. Sm 18–19) In der Zeit seiner Verfolgung begegnete D. in der judäischen Wüste dem vermögenden Nabal, der die Männer D.s verspottete und ihnen Speise und Trank versagte [19.19]. Durch die kluge Besonnenheit Abigajils, der Frau Nabals, konnte D. davon abgehalten werden, das Schandmaul Nabal mitsamt seinen Männern zu töten [42.27]. Durch Gott bestraft, starb der geizige Nabal aber schon bald, und D. konnte Abigajil rechtmäßig zur Frau nehmen. [64.12] (1. Sm 25) Nach dem Tode Sauls wurde D. zum König ausgerufen. Die Kapitel [13.67], [33.35] und [97.21] beziehen sich auf D.s Ehebruch mit der verheirateten Batseba, die er beim Baden beobachtet und an deren Gestalt er Gefallen gefunden hatte. Nachdem Batseba D. daraufhin offenbart hatte, dass sie schwanger sei, schickte er Batsebas Mann Uria in den Krieg und sorgte dafür, dass er fiel. Durch diesen Mord an Uria konnte David Batseba zu seiner zweiten Frau nehmen. Sie gebar ihm einen Sohn, Salomon (→ Salmon),

der später D.s Thronfolger wurde (2. Sm 11). Gott bestrafte D. für den Ehebruch und den Mord [33.34]. Die Bibel berichtet, dass Gott D. befahl, das gesamte Kriegsvolk Judas und Israels zählen zu lassen. Hintergrund dieser symbolischen Vorwarnung war der gro-ße Zorn Gottes. Nachdem D. seine Sünde erkannt hatte, ließ Gott ihn zwischen drei Strafen wählen, von denen D. sich für die letzte entschied: drei Tage Pest in seinem Land [92.117] (2. Sm 24).

Demades (Damon)

Historische Figur. Die Geschichte der Freundschaft der beiden Syrakuser D. und Phintias (Pythias) ist aus Schillers Gedicht *Die Bürgschaft* bekannt: Phintias war unter dem Tyrannen Dionysos II. als angeblicher Attentäter zum Tode verurteilt. Um seine Freundschaft zu D. auf die Probe zu stellen, soll der Herrscher ihn für eine bestimmte Zeit aus der Gefangenschaft freigelassen haben. Als Bürge für seine Rückkehr wurde D. gefangen gehalten und sollte an Phintias Stelle sterben, falls dieser nicht rechtzeitig zurückkehrte. Da Phintias vor Ablauf der Zeit aber tatsächlich wiederkam, ließ Dionysos beide frei und bat überdies um die Aufnahme in ihren Freundschaftsbund. Dies lehnten Phintias und D. jedoch ab [10.13]. Brant könnte hier Valerius Maximus (4,7, ext. 1) herangezogen haben.

Demosthenes (384–322 v. Chr.)

Historische Figur. Der athenische Rhetor und Politiker gilt als bedeutendster griechischer Redner [19.59]. Er konnte sich nach Athens Niederlage nur durch Selbstmord der drohenden Hinrichtung durch politische Gegner entziehen [19.92]. Brant erwähnt hier D. gemeinsam mit Cicero (→ Tullius) in Zusammenhang mit dem unterschiedlichen Status von Reden und Schweigen. Dafür kommt als Quelle Juvenals zehnte Satire (118–119) oder Senecas *De remediis fortuitorum* (12,4) in Frage.

Didoni, Dydo (Dido)

Mythologische Figur. Die Königin von Karthago umwarb den trojanischen Flüchtling Aeneas, als er in Karthago landete. Dazu bediente sie sich ihrer Schwester Anna als Liebesbotin (Ovid, *Heroides epistolae* 16–17 und 7) [32.33]. Sie tötete sich, nachdem sie von ihrem Geliebten Aeneas verlassen wurde, weil sie die Liebesflamme nicht löschen, d. h. ihre unglückliche Liebe nicht ertragen konnte [13.38] (Ovid, *Remedia amoris* 57–68; Vergil, *Aeneis* 4,642–666).

Diogenes (um 5./4. Jh. v. Chr.)

Historische Figur. Der kynische Philosoph versuchte in seinem Leben das Prinzip der Unabhängigkeit und absoluten Bedürfnislosigkeit zu verwirklichen und verzichtete auf alle äußeren Güter, auf eine richtige Unterkunft, Ehe, sogar Nahrung und Kleidung, sofern sie das Existenzminimum überschritten. Für die Begebenheit in [24.15] s. → Alexander₁. Die überlieferte Äußerung in [49.25] findet sich in Plutarchs *De educatione* (3). Dort werden Eltern davor gewarnt, zu viel zu trinken oder gar in betrunkenem Zustand Kinder zu zeugen, weil dies auch die Kinder zu Säufern werden lasse. In diesem Sinne ermahnt Brant alle Eltern, sich selbst *tugentrich* zu benehmen, damit ihre Kinder es ihnen nachtun und sich anständig entwickeln.

Diomedi (Diomedes)

Mythologische Figur. Nach Brant wurde der thrakische König Opfer eines Plans, den er selbst für andere vorgesehen hatte: D. fütterte seine Pferde mit Menschenfleisch, worauf er nach Ovid (*Metamorphosen* 9,194 f.) von Herakles (→ Hercles) getötet wurde, nachdem die Pferde auch dessen Freund Abderos zerrissen hatten. Brant kannte die Information wohl aus dem Vergil-Kommentar des Servius (8,300; 1,756), wo D. seinen eigenen Pferden vorgesetzt wird. [69.16]

doctor griff, doctor Gryff (Doktor Greif)

[Titelholzschnitt; Holzschnitt zu Kap.76; 76.72 und 108] → griff

Dycearchus (Dikaiarchos, um 320 v. Chr.)

Historische Figur. Der griechische Philosoph und Schüler des → Aristoteles vermaß auf einer ausgedehnten Studienreise etliche Berge, unter anderem den Olymp und das lang gestreckte Gebirge Pelion im Osten Thessaliens. Brant bezieht sich vermutlich auf eine Information bei Plinius (2,65,162). [66.29]

Dydo (Dido)

[32.33] → Didoni

Dyna (Dina)

Biblische Figur (AT). Die Tochter → Jacobs wurde durch Sichem, den Sohn des Fürsten von Sichem im Gebiet Israels, geschändet. Dies hatte die blutige Rache an allen männlichen Bewohnern Sichems durch D.s Brüder zur Folge [26.51]. Brants Lesart in [92.69] weicht

von der biblischen Überlieferung ab. Er unterstellt D., sie habe Aus-
schau nach Männern gehalten, in der Bibel heißt es aber, sie sei nur
ausgegangen, um die Töchter des Landes zu sehen (Gn / 1. Mose 34).

E

Echo
Mythologische Figur. Die Nymphe E. war, wie in den *Metamorphosen* des Ovid (3,356–401) berichtet wird, in den Jüngling Narkissos (→ Narcissus) verliebt. Als dieser sie verschmähte, löste sie
sich in Luft auf, übrig blieb nur ihre körperlose Stimme. [13.62]

Eglon
[46.85] → Ayoht

Egyptier (Ägypter)
Historische Volksgruppe. Brant bezieht sich in [65.41] auf die alten
Ägypter als Kenner der Astronomie/Astrologie.

Egysthus (Aigisthos)
[33.68] → Atrydes

Ellerkůntz (Jedergrob)
Fiktive Figur. Personifikation von Grobheit und Rücksichtslosig-
keit. [72.33]

Empedocles (Empedokles von Agrigent, um 490–430 v. Chr.)
Historische Figur. Der griechische Naturphilosoph E. soll im
Wahnsinnsrausch in den Krater des Ätna gesprungen sein und sich
so das Leben genommen haben. Brant bezieht sich hier wohl auf
die *Ars poetica* des Horaz (5,458–469). [45.15]

Endkrist
Biblische Figur (NT). Nach der biblischen Apokalypse sollen den
Gotteskindern in der Endphase der Welt dämonische Widersacher
entgegentreten, unter denen sich auch der Antichrist befindet. Oft
wurde dessen Gestalt mit historischen Persönlichkeiten assoziiert
und so auf Anzeichen des vermeintlich nahenden Weltgerichts geschlossen. Die Vorstellung vom Ende der Welt ist auch in der um-
gelauteten Sprachform »Endkrist« enthalten. [102.91;103.Über-
schrift; 103.42; 103.72; 103.93]

Epamynundas (Epameinondas, † 362 v. Chr.)

Historische Figur. Der thebanische Feldherr galt als Vorbild für ein Leben in Bedürfnislosigkeit und Strenge gegen sich selbst. In den peloponnesischen Kriegen machte er mehrfach durch sein taktisches Geschick und seine Fähigkeiten in der Kriegsführung auf sich aufmerksam. Schließlich fiel er aber in einer Schlacht gegen Sparta. [83.77]

Epycurus (Epikur, um 342 – um 271/270 v. Chr.)

Historische Figur. In der Wertelehre dieses griechischen Philosophen steht das Freimachen von Schmerz und Unruhe an höchster Stelle, das durch ein ruhiges und ausgeglichenes Leben im Kreise der Freunde verwirklicht werden soll. Oft als Philosophie der bloßen Sinnenfreude und des Vergnügens missverstanden, galt die epikureische Lehre zu Brants Zeiten als die Philosophie der genusssüchtigen und dem Diesseits verhafteten Menschen. [50.33]

Esau

Biblische Figur (AT). Der Zwillingsbruder des → Jacob, der im Gegensatz zu dem gesitteten Hirten Jakob eher den Typ des Jägers verkörpert (Gn / 1. Mose 25,27), wurde von diesem mehrmals überlistet: Zum einen nahm ihm Jakob, der stärker in der Gunst Gottes stand, das Recht des Erstgeborenen ab, das E. ihm leichtfertig für ein Linsengericht überlassen hatte [53.29; 57.44]. Dann brachte er ihn um den Segen des Vaters Isaak. Zuletzt überlistete Jakob E. durch Geschenke, so dass dieser von seiner Rache abließ und Jakob in Frieden ziehen konnte. In Kapitel [74.29] führt Brant E. gemeinsam mit Nimrod (→ Nembroht) als Negativbeispiel für einen sündhaften Jäger auf. Als Quelle kommt Johanns von Salisbury *Policraticus* (1,4) in Frage, wo das Beispiel E.s ebenfalls direkt auf das Nimrods folgt. Das Exempel eines positiv gesehenen Jägers wäre etwa Hubertus (→ Humpertus).

Eschynes (Aischines, um 390–315 v. Chr.)

Historische Figur. Der athenische Politiker stand in schärfster Opposition zu → Demosthenes, erlangte aber als Redner eine ähnlich große Berühmtheit wie dieser. [19.60]

Ethyocles (Eteokles)

Mythologische Figur. Über den thebanischen Helden und seinen Bruder Polyneikes war von ihrem Vater Ödipus ein Doppelfluch verhängt worden, da sie ihn missachtet und ihm Ehrenrechte vorenthalten hatten. Später starben sie beide im Zweikampf um das Erbe des thebanischen Reiches [53.30]. Brant bezieht sich hier auf die *Thebais* (2–3) des Statius. Zusätzlich ist die Geschichte in den *Fabulae* des Hyginus (67–70) überliefert.

Eustachius (1. Jh. n. Chr.)

Heiliger. Nach der in den *Acta Sanctorum* (Sept. 6) überlieferten Legende war E. ein römischer Heerführer, der auf der Jagd durch eine Vision (Kreuz zwischen Hirschgeweih) bekehrt wurde und seinen Namen Placidus in E. änderte. Er wurde – wie Hubertus (→ Humpertus), über den Ähnliches berichtet wird – zum Patron der Schützen und Jäger [74.32]. Der Bekehrungsgeschichte des Eustachius ist in der *Legenda Aurea* des Jacobus de Voragine ein eigenes Kapitel gewidmet (157). In der christlichen Ikonographie ist er vielfach als Jäger vor einem Hirschgeweih und einem Kreuz abgebildet.

münch Eylsan (Mönch Ilsan)

Literarische Figur. Der meist als alter, bärtiger Mann dargestellte Mönch Eilsam, Held deutscher Sagen, steht für zahlreiche burleske Späße. Er taucht literarisch im Umkreis Dietrichs von Bern auf. Im Heldengedicht *Großer Rosengarten* (4,165–191) zieht der streitbare Mönch Ilsan mit seinem Bruder Hildebrand in den Kampf. [72.25]

Ezechias (Hiskija, 725–697 v. Chr.)

Biblische Figur (AT). Der judäische König galt zunächst als treuer Vasall der Assyrer, erhob sich dann aber gegen deren Herrschaft und beseitigte ihre Kultsymbole. Das brachte ihm nicht nur das Lob des biblischen Berichterstatters ein, sondern führte auch dazu, dass Gott ihn am Ende seines Lebens von einer tödlichen Krankheit heilte, worauf er weitere fünfzehn Jahre lebte. [38.79; 86.43] (4 Reg / 2. Kön 20,1–7)

Ezechiel (Hesekiel, 6. Jh. v. Chr.)

Biblische Figur (AT). Der judäische Prophet wirkte in der Zeit des Exils in Babylonien, seine Worte sind im Hesekiel-Buch gesammelt. Brant bezieht sich wahrscheinlich auf die Kapitel 13 und 14, in denen von der kommenden Strafe Gottes gegen die falschen Propheten und Götzendiener berichtet wird. Der vorausgehende Verweis Brants auf den sich regenden Skorpion geht auf eine Metapher aus dem 2. Kapitel zurück, in der Gott die abtrünnigen Israeliten, zu denen H. geschickt wurde, mit stacheligen Skorpionen assoziiert. In der zeitgenössischen Astrologie bezog sich der Skorpion auf die Bereiche von Scham und Unzucht. [103.40] (Ez/Hes 2; 13; 14)

F

Fabricius (C. Fabricius Luscinus, 3. Jh. v. Chr.)
Historische Figur. Der für seine Rechtschaffenheit und Unbestechlichkeit berühmte römische Konsul wird in der antiken Literatur mehrfach als Exempel für Tugend und Sittenstrenge aufgeführt. Charakteristisch für ihn ist sein Armutsideal. Er wies nicht nur Geschenke des Königs Pyrrhos zurück, sondern lehnte auch das Angebot eines Verräters ab, den Pyrrhos zu vergiften, und warnte selbst den Bedrohten. Wie bei Brant wird F. oft gemeinsam mit Manius (Quintus) Curius Dentatus (→ Quintus Curius) genannt, so etwa in Ciceros Rede *Pro M. Caelio* (17,39). [83.63]

fatuus (Dummling)
Fiktive Figur. Gevatter des Narren, Personifikation der Dummheit (von lat. *fatuus*). Als Gegenfigur zu dem, der wirklich »witzig« (klug) ist. [Vorrede.44]

Füll den mag (Fülldenmagen)
Fiktive Figur. Personifikation eines ironischen Imperativs (Vielesserei). [85.27]

G

Gentilis (Gentile Gentili da Foligno, † 1348)
Historische Figur. Der berühmte italienische Arzt schrieb wie sein christlich-arabischer Kollege Johannes Mesue († 857) vor allem über Fieber und Seuchen. Brants Nennung der beiden Mediziner in Kapitel [21.21] lässt sich wohl damit erklären, dass G. einen Kommentar zu Mesue verfasst hat. Die Quelle für Brants Bemerkung, beide seien an derselben Krankheit gestorben, für die sie Heilmittel empfohlen hatten, ist allerdings unklar, zumal es noch einen zweiten arabischen Arzt mit Namen Mesue († 1028) gegeben hat.

Glympfyus (Herr Anstand)

Fiktive Figur. Personifikation von Tugend und Anstand. [72.7]

Gorgias (Gorgias von Leontinoi, um 480–380 v. Chr.)

Historische Figur. Der berühmte Sophist und Rhetor erscheint im gleichnamigen Dialog → Platos als Gesprächspartner des → Socrates. Der kurze Wortwechsel, auf den sich Brant bezieht, ist in Plutarchs *De educatione* (5) überliefert. Dort fragt G. den Sokrates, was er von dem großen König Persiens halte und ob er glaube, dieser sei ein glücklicher Mann. Sokrates antwortet darauf, er wisse nicht, wie es um Tugend und Bildung des Königs stehe, und deutet damit an, dies seien die maßgeblichen Dinge im Leben. Genau darum geht es auch Brant. [6.89]

griff, Gryiff (Doktor Greif)

Fiktive Figur. Personifikation des ›gelehrten‹ (*doctor*) Tadels in Form eines spöttischen An-»griffs«, bei dem der *gelert und witzig man* anderen die Ohren lang zieht (*er grifft eym yeden die oren an*) [76.72]. Brant bezieht die Figur vielleicht auch auf sich. Sie ist die Wappenfigur der über den Narren schwebenden *Narrenschiff*-Fahne. [Titelholzschnitt zu Kap. 76 und 108]

Grobian

Fiktive Figur. Personifikation von wüstem Benehmen. Brant erfindet in ironischer Manier einen neuen »Heiligen«, der für wüstes Benehmen steht. Dieses Kapitel ist der Anstoß für eine ganze Welle grobianischer Literatur, den Grobianismus. In den Werken dieser Gattung wird schlechtes Verhalten zur Zielscheibe satirischen Spotts gemacht. [72.1; 72.49]

H

Haintz Nar

Fiktive Figur. Personifikation des uneinsichtigen alten Narren [5. Holzschnitt]. Das Wappen unter dem Namen ist freigelassen, was vielleicht suggerieren soll, dass hier jeder seinen eigenen Namen eintragen kann. Offenbar ist die Bezeichnung generalisierend gemeint und soll sich an jedermann wenden. Auch der in [5.18] genannte Sohn des Narren, ebenfalls mit dem Allerweltsnamen *heyntz*, ist eine fiktive Figur.

Hans acht syn nit (Hans-nimm-keine-Rücksicht)
Fiktive Figur. Diese Namensbezeichnung dient der Personifikation des Todes. Sie soll andeuten, dass der Tod keine Rücksicht zu nehmen hat und jeden überwältigt. [85.27]

Hans esels or (Hans Eselsohr)
Fiktive Figur. Denunzierend gemeinte Namensbezeichnung, die für närrische Selbstüberschätzung und ungehemmten Affektgebrauch steht [35.12]. Sie ist möglicherweise von einem älteren Sprichwort abgeleitet, das im selben Kapitel einige Zeilen zuvor explizit aufgerufen wird [35.1]. Überliefert ist die Redewendung unter anderem in Freidanks *Bescheidenheit*, einem mittelalterlichen didaktischen Werk. Dort heißt es: *Swem gâch ist z' allen zîten, / der sol den esel rîten* (116,25).

Hans Myst (Hans Mist)
Literarische Figur. Sie erscheint innerhalb einer Reihe ähnlicher Namen im *Fastnachtspiel von siebzehn Bauern* (hrsg. von A. v. Keller, *Fastnachtspiele aus dem 15. Jahrhundert*, Bd. 1,342,15) und wird später auch in Thomas Murners *Von dem großen Lutherischen Narren* erwähnt. Ob die Stelle in Kapitel [76.83] sich auf eine bestimmte Person bezieht, ist unklar.

Helena
Mythologische Figur. Die Tochter der Nemesis und des Zeus wird in der antiken Literatur mehrfach wegen ihrer Schönheit gerühmt. Da Paris in seinem sprichwörtlichen Urteil Aphrodite noch vor Athene und Hera zur schönsten Göttin erklärte, gewann er H. als Preis. Diese war aber bereits mit dem spartanischen Herrscher Menelaus (→ Atrydes) verheiratet. Paris reiste nach Sparta und wurde dort freundlich von Menelaus bewirtet [33.66]. In Homers *Ilias* gewinnt Paris H.s Liebe und entführt sie nach Troja, was zur Ursache des zehnjährigen Trojanischen Krieges wurde [26.47]. In der Überlieferung wird H. oftmals die Schuld an der Entführung gegeben. Brant bezieht sich in [32.31] auf die fingierten Briefe 16 und 17 in Ovids *Heroides epistolae*, denn er wertet einen Briefwechsel als Zeichen für H.s Schuld, von dem bei Homer nicht die Rede ist.

Hely (Eli)
Biblische Figur (AT). Der Priester E. starb bei der Nachricht, dass seine missratenen Söhne zusammen mit der Bundeslade in die

Hände der Philister gefallen und getötet worden seien. Dies wurde als Strafe dafür gedeutet, dass seine Söhne das Priesteramt missbraucht hatten. Auch bei Brant dient E. als Negativbeispiel für einen nachlässigen Vater, der dafür bestraft wird, dass er seine Kinder nicht ordentlich erzieht. [6.25] (1 Sm 2,12–4,18)

Helyas (Elias)

Biblische Figur (AT). Der Prophet E. kündigte König Ahab (→ Achab) wegen des Justizmordes an Naboth den Tod an. Er galt als entschlossener und ehrlicher Verfechter des reinen Jahwe-Glaubens und konnte darum in hohem Alter in den Himmel auffahren. [104.21] (4 Rg / 2. Kön 2)

Henn von narrenberg

Fiktive Figur. Brant bezieht sich mit dem Namen in [28.6] möglicherweise auf Freidanks *Bescheidenheit*, wo von den Leuten »von Gouchesberc« die Rede ist (82,9). Die Ortsbezeichnung »narrenberg« taucht auch in [94.12] auf.

Hercles, Hercules (Herakles)

Mythologische Figur. Der griechische Held und Sohn des Zeus galt nicht nur als Herr der unfehlbaren Pfeile, sondern wird schon in der antiken Literatur (z. B. in Ciceros *De officiis* 1,32,118) vielfach als herausragendes Vorbild für Weisheit und Tugend genannt. Am bekanntesten ist der Bericht über die zwölf Abenteuer, die H. von Kindheit an bestehen musste. In Kapitel [26.88] dient H. Brant als Maßstab für eine sinnvolle Lebensgestaltung: Wer sich allerdings in Bescheidenheit übt und vor Begierde schützt, der legt seine Tage sogar noch besser an. Der Verweis auf H. in Kapitel [75.54] geht auf die Geschichte zurück, H. habe nach der Bewältigung seiner zweiten Aufgabe, dem Sieg über das Ungeheuer Hydra, seine Pfeile unfehlbar gemacht, indem er sie in das Blut der Hydra tauchte (*Metamorphosen* 13,51 f.). Seitdem seien sie stets tödlich gewesen. Brant verweist auf H., um dazu aufzurufen, beim Versuch *wißheit* zu treffen, stets *moß vnd zyl* zu halten, denn nur dann seien die Pfeile (d. h. die Mittel zur Erlangung von Wissen) unfehlbar. In ihrem Wortlaut basiert diese Stelle offenbar auf Senecas *Hercules Oetaeus* (5,1650–59). Die Geschichte vom jungen H. am moralischen Scheideweg [107.17–36] findet sich bei Xenophon (*Memorabilien* 2,1,21). Brant kannte sie vielleicht aus der Version, die in Basilius Magnus' *Ad adolescentes* (5) überliefert ist. Demnach hatte

H. schon als Kind zu entscheiden, ob er der Lust oder der Tugend nachfolgen wollte, denen er in Gestalt zweier Frauen begegnete. Er entschied sich für die Tugend, der er zeit seines Lebens die Treue gehalten habe. Eine weitere Erzählung berichtet, H. habe, nachdem er seine neunte Aufgabe bestanden hatte, an der Straße nach Gibraltar auf jeder Seite eine Säule ins Meer gebaut [66.69–72] (Plinius, *Historia naturalis* 2,67,108; Diodorus Siculus 1c,17–18). Seiner großen Stärke zum Trotz fiel H. schließlich einer *frowen list* zum Opfer: Von seiner eifersüchtigen Gattin Deianeira (H. hatte sich in Iole verliebt) bekam er ein Hemd geschickt, das mit dem Blut des Kentauren → Nessus vergiftet war. Dianeira glaubte, sie könne dadurch H.s Liebe zurückgewinnen. Sie war allerdings von Nessus getäuscht worden, der ihr noch vor seinem Tod einen falschen Rat gegeben hatte. Als H. das Hemd anlegte, brannte es ihm das Fleisch von den Knochen, und er starb [66. 76] (Ovid, *Metamorphosen* 9,134–272).

Herodes (Herodes Agrippa I., 10 v. Chr. – 44 n. Chr.)

Biblische Figur (NT). H. war seit 37 n. Chr. König in Palästina. Nachdem er in Rom ein lasterhaftes Leben geführt hatte, bemühte er sich während seiner politischen Karriere um die Gunst der Juden und veranlasste eine Christenverfolgung. Die Apostelgeschichte (12,18–23) berichtet, H. habe sich angemaßt, sich wie einen Gott verehren zu lassen, und sei daraufhin von Gott mit einem grausamen Tod bestraft worden. [92.119]

Herodias

Biblische Figur (NT). H. erscheint als Gemahlin des Tetrarchen von Galiläa und Peräa, Herodes Antipas (4 v. Chr. – 39 n. Chr.). Nachdem ihre Tochter Salome für ihren Stiefvater Herodes Antipas getanzt hatte, versprach dieser, ihr jeden Wunsch zu erfüllen. Auf Geheiß der Mutter H.s verlangte sie, den Kopf des gefangenen → Johannes₁ des Täufers auf einem Silbertablett präsentiert zu bekommen. [64.15] (Mt 14)

Hester (Ester)

[33.84; 64.11] → Aman

Heyden

Sammelbezeichnung für all jene, die keine Christen sind bzw. an mehrere Götter glauben. [98.9; 110b.50]

Heyntz
[5.18] → Haintz Nar

Hißboseth (Eschbaal)
[7.28] → Saul

Holofernes (Holophernes)
Biblische Figur (AT). Der König der Assyrer belagerte die israeli-
sche Stadt Betulia. Um die Eroberung abzuwenden, legte die schöne Hebräerin Judith ihr Bußgewand ab, schmückte und salbte sich
(*vff gezyrt*) und ging in das gegnerische Feldlager [92.54]. H. erlag
ihrer Erscheinung und lud sie zu einem Gelage ein. Als H. betrunken war und schlief, enthauptete sie ihn, woraufhin sein Heer die
Flucht ergriff [16.35] (Jdt 10f.).

Homerus (Homer)
Historische Figur. Dem griechischen Dichter wurden die zwei
wichtigsten griechischen Versepen zugewiesen: die *Ilias* und die
Odyssee. Sie galten in der Antike als fundamentales Bildungsgut und
Quelle der Weisheit [108.69]. Man erachtete H. als einen Philosophen. Oft wurde er als bedürfnisloser und blinder Sänger dargestellt
[83.78].

Horestes (Orestes)
Mythologische Figur. Der Sohn des Agamemnon (→ Atrydes) war
eng mit Pylades befreundet [10.12]. Die unverbrüchliche Freundschaft der beiden war zu Brants Zeiten sprichwörtlich, sie ist unter
anderem in Ovids *Tristia* (1,5,21) und in Ciceros *De finibus*
(2,26,84) als beispielhaft genannt. Die Freunde rächten die Ermordung des Vaters Agamemnon durch O.s Mutter Klytaimnestra, indem sie sie zusammen mit ihrem Geliebten Aigisthos (→ Atrydes)
töteten. Der Fall hatte schon in der Antike einen hohen Bekannt-
heitsgrad und diente unter anderem als Modell für die rhetorische
Statuslehre in der *Rhetorica ad Herennium* (1,17–18). Durch seine
Bluttat wahnsinnig geworden, fand O. erst sehr spät Heilung und
Entsühnung. Kapitel [72.28] spielt wohl auf den mit O.s Wahnsinn
einhergehenden Verlust seiner Sinne an.

Hortensio (Hortensius)
[33.18] → Catho

Humpertus (Hubertus, 656–727 n. Chr.)
Heiliger. Der 31. Bischof von Maastricht und erste Bischof von Lüttich wurde im Mittelalter als Schutzpatron der Jäger verehrt. Der Legende nach soll ihm wie → Eustachius auf der Jagd ein Hirsch mit einem Kruzifix zwischen dem Geweih erschienen sein. [74.31] (*Acta Sanctorum*, Nov. 1)

Hyacinthus
Mythologische Figur. Der schöne Knabe und Liebling des Apollon wurde von diesem versehentlich durch einen Diskuswurf getötet und daraufhin in die gleichnamige Blume verwandelt [13.48]. Brant könnte diese Version dem Vergil-Kommentar des Servius entnommen haben (*In Vergilii carmina* 3,63).

Hyades (Hyaden)
[108.29] → Bootes

Hyeroboam (Jerobeam, 926–907 v. Chr.)
Biblische Figur (AT). Der erste König des Nordreiches Israel erhob, in Konkurrenz zum Jerusalemer Tempel als zentraler Kultstätte, weitere Gedenkstätten zu Staatsheiligtümern und stattete sie in heidnischer Manier mit einem goldenen Stierbild aus. Zur Strafe wurden er und sein Sohn von Gott getötet. [40.25] (3 Rg / 1 Kön 14)

Hyesy (Gehasi)
Biblische Figur (AT). Der Diener des Propheten Elisa wurde vom Aussatz befallen, weil er mit den Wundertaten seines Herrn geprahlt und dafür sogar Belohnungen angenommen hatte, die Elisa selbst stets ablehnte. Brant führt G. und → Symon an dieser Stelle als Personifizierungen der Simonie auf, des geistlichen Ämterhandels und gierigen Strebens nach geistlichen Pfründen. [30.30] (4 Rg / 2 Kön 5)

Hyppolitus (Hippolytos)
[13.72] → Bellerophon

Hyppomenes (Hippomenes)
Mythologische Figur. Nach den *Metamorphosen* des Ovid (10,561–680) konnte der Sohn des Ares (lat. Mars) nur mit glücklicher Hilfe der Göttin Aphrodite (lat. Venus) als Erster die im

Wettlauf bis dahin unbezwingliche Atalante besiegen und so zur Frau gewinnen. Zuvor hatte Atalante alle ihr unterlegenen Freier getötet. [40.9]

J

Jacob (Jakob)
Biblische Figur (AT). Der Sohn Isaaks und Rebekkas, der als einer der Erzväter Israels gilt, zog seinen Sohn → Joseph den anderen elf Söhnen vor. Die eifersüchtigen Brüder Josephs verkauften diesen daher als Sklaven nach Ägypten und tränkten sein Kleid mit Ziegenblut, um vorzutäuschen, er sei von einem wilden Tier getötet worden [33.81; 53.30] (Gn / 1. Mose 37,31). J. selbst hatte die ungleiche Behandlung von Geschwistern ebenfalls erfahren: Gott zog ihn seinem Zwillingsbruder → Esau vor [57.43] (Rm 9,11–18).

Sant Jacob (Jakobus der Ältere)
Biblische Figur (NT). J. ist einer der zwölf Jünger Jesu. In Kapitel [63.72] spielt Brant auf den im 8. Jahrhundert in Galizien entdeckten vermeintlichen Grabesort des Apostels J. an, der seit dem 9. Jahrhundert Zielort von Pilgerfahrten war. Einen Höhepunkt erlebten die Pilgerfahrten nach Santiago de Compostela im 15. Jahrhundert.

Jcarus (Ikaros)
Mythologische Figur. Der Sohn des Daidalos floh aus der kretischen Gefangenschaft mit Hilfe eines Flügelpaares, das mit Wachs an seinen Armen befestigt war. In der Überlieferung des Ovid (*Metamorphosen* 8,188–240) wird berichtet, er sei nicht in angemessener Höhe seinem Vater gefolgt, sondern so hoch geflogen, dass das Wachs seiner Flügel aufgrund der nahen Sonne zu schmelzen begann. Daraufhin sei er ins Meer gestürzt und habe dort den Tod gefunden. [40.22]

Jezabel (Isebel)
Biblische Figur (AT). I. ist die Frau des Königs Ahab (→ Achab). Er erzählte ihr vom Widerstand Naboths, der sein begehrtes Grundstück nicht verkaufen wolle. Daraufhin veranlasste I. einen Justizmord an Naboth [51.26]. Jehu, der siegreiche König des Nordreichs Israel, wollte diese Tat rächen. Als er bei I. ankam,

schminkte und putzte sie sich eigens heraus und schaute ihm aus dem Fenster entgegen. Doch Jehu ließ sie aus dem Fenster stürzen. [56.58; 92.55] (3 Rg / 1. Kön 21; 4 Rg / 2. Kön 9,21–37)

Jhehu (Jehu)
[92.56] → Jezabel

Jheremias (Jeremias)
Biblische Figur (AT). Der judäische Prophet klagte die sittliche und religiöse Verderbtheit seines Volkes an und sagte ihm voraus, zur Strafe werde großes Unheil über es kommen. Brant verweist darauf, dass das Volk trotz allem nicht auf ihn hörte, was schließlich zur Zerstörung Jerusalems und zur babylonischen Gefangenschaft führte. [11.31]

Job (Hiob)
Biblische Figur (AT). Der Protagonist des Hiob-Buches erscheint als frommer und gerechter Mann, der von Gott einer harten Prüfung unterzogen wird, sich aber dennoch nicht von ihm abwendet und am Ende seines Lebens von Gott für seine Zuversicht belohnt wird. [89.24] (Iob/Hiob)

Sant Joergen (St. Georg)
Heiligenfigur. In der mittelalterlichen Ikonographie wird St. G. der Drachentöter (d. h. Teufelsbezwinger) auf einem immer mit Zügeln versehenen Pferd dargestellt. [63.20]

Johannes₁
Biblische Figur (NT). In Kapitel [104.23] ist Johannes der Täufer gemeint. Er trat als Endzeitprophet und Bußprediger auf, von dem sich Jesus am Jordan taufen ließ (Mc/Mk 1,9). Derselbe J. wurde später von Herodes Antipas gefangen genommen und am Tage des von Herodes gegebenen Geburtstagsbanketts auf Wunsch der → Herodias und ihrer Tochter Salome enthauptet. Brant führt die Enthauptung des J. in Kapitel [16.24] auf die weinseligen Umstände des Banketts zurück, obwohl von einem solchen Zusammenhang in der biblischen Überlieferung nicht explizit die Rede ist (Mc/Mk 6,17f.).

Johannes₂
Biblische Figur (NT). Der Lieblingsjünger Jesu galt zu Brants Zeit auch als Verfasser der Apokalypse (Offenbarung). In Kapitel [99.28]

bezieht sich Brant auf den Anfang der Apokalypse, wo sich J. selbst namentlich einführt und dabei die sieben christlichen Gemeinden in Vorderasien als Adressaten seiner Schrift nennt (Apc/Offb 2,3).

Jonas
Biblische Figur (AT). Der Prophet J. sollte in der als verderbt geltenden Metropole Ninive nach Gottes Weisung predigen und der Stadt den Untergang ankündigen. J. versuchte zunächst, auf einem Schiff vor seiner Berufung zu fliehen, wurde jedoch bei einem Sturm über Bord geworfen und von einem Walfisch verschlungen. Aus dem Bauch des Fisches kam er erst nach drei Tagen wieder heraus. [104.19] Mittlerweile einsichtig geworden, brach J. doch noch nach Ninive auf, um Gottes Auftrag zu erfüllen. Nachdem J. dort den Untergang prophezeit hatte, taten die Niniviten Buße und wurden so zunächst von Gott verschont. Später fielen sie jedoch wieder in ihr altes, lasterhaftes Leben zurück [25.16–20]. (Ion 1–3; Na 1–3)

Jonathas₁, Jonatham (Jonathan₁)

Biblische Figur (AT). Der israelitische Feldherr J. wurde im Kampf um die Krone Syriens sowohl von Demetrius I. Soter als auch von Alexander Balas (†146 v. Chr.) umworben und schließlich von Alexander in das Amt des Hohepriesters eingesetzt (1 Mcc 10,20). Nach seinem Sieg über Demetrius wird J. von Alexander eingeladen. Brant verweist in [101.27] auf den biblischen Bericht, wonach einige Abtrünnige aus Israel J. daraufhin bei Alexander verklagen. Dieser hört aber nicht auf sie, sondern lässt J. große Ehren zukommen und öffentlich ausrufen, künftig solle sich niemand mehr gegen J. wenden (1. Mcc 10,61–66). Die Kapitel [12.15] und [46.92] verweisen auf die List des Usurpators Tryphon, der unter dem König Antiochus VI. Epiphanes nach Herrschaft strebte. Weil er aber fürchtete, J. würde sich gegen ihn wenden, brachte er ihn durch Geschenke und freundliches Zureden dazu, seine Streitmacht nach Hause zu schicken und mit ihm nach Ptolemais zu ziehen. Der wehrlose J. wurde daraufhin von Tryphon gefangen genommen und später (wie auch Antiochus) von ihm getötet (1. Mcc 12,39–54).

Jonathas₂ (Jonathan₂)
Biblische Figur (AT). Der älteste Sohn König → Sauls war der beste Freund Davids (→ Dauid) (1 Sam 19,1; 20,17) [10.10]. Als Saul David töten wollte, informierte J. David über seines Vaters Pläne und verhalf ihm zur Flucht. Kapitel [75.50] bezieht sich auf einen Plan

J.s, wonach er mit David verabredete, ihm mit Hilfe eines abge-
schossenen Pfeils zu signalisieren, wie ernst es Saul sei und ob er
bleiben könne oder fliehen müsse (1. Sam 20,20 und 36). Brant spielt
in Zusammenhang mit den *bosen schutzen* wohl darauf an, dass der
Schuss J.s lediglich ein Warnschuss ins Leere ist, also kein Ziel trifft.

Jorams (Joram)
[8.25] → Machabeus und → Achab

Joseph
Biblische Figur (AT). Der Lieblingssohn → Jacobs, Ahnherr einer
Gruppe israelitischer Stämme, wurde von seinen Brüdern, die ihn
um des Vaters Gunst beneideten, als Sklave nach Ägypten verkauft
[53.20]. Als angesehener Diener des Ägypters Potiphar wurde er
von der Frau seines Herrn bedrängt. Nachdem er ihre erotische
Angebote mehrmals abgelehnt hatte, bezichtigte sie ihn verärgert
der versuchten Vergewaltigung, woraufhin er ins Gefängnis geworfen wurde [13.71; 64.44] (Gn / 1. Mose 39). Brants Anspielung auf
J. im Zusammenhang mit dem *fürst der.köch* in Kapitel [81.62] erscheint zunächst rätselhaft. Denn laut der biblischen Überlieferung
war es ja Potiphar, der J. zu sich nahm, und nicht der oberste Bä-
cker (in der Vulgata heißt er *pistorum princeps* / »Fürst der Bä-
cker«), dessen Traum J. später im Gefängnis auslegte. Brants Interpretation bezieht sich möglicherweise auf die *Antiquitates* des Flavius Josephus (2,39). Dort wird Potiphar als *super cocos Pharaonis
regis* (»über die Köche des Pharaos gestellt«) bezeichnet. Dies erklärt auch Brants Assoziation Potiphars mit → Nabursadam.

Jsrahel, Jsraheliten (Israel, Israeliten)
Biblisches Volk. Nach dem Alten Testament sind die I. das auser-
wählte jüdische Volk Gottes vom Stamme Israel. Brant verweist
mehrfach auf die Wanderungen des Volkes I. nach seiner Flucht aus
Ägypten. Auf dem beschwerlichen Zug nach Kanaan begehrten die
I. gegen ihre Anführer Moses (→ Moysien) und → Aaron auf, murr-
ten und äußerten Sehnsucht nach dem geordneten und bequemen
Leben in Ägypten (Ex / 2. Mose 16,20; 17,3; Num / 4. Mose 14,20)
[97.20; 28.29]. Kapitel [16.27] bezieht sich auf den späteren Aufenthalt am Berge Sinai: Als Moses dort verschollen schien, sagten sich
die I. von Gott los und verlangten von Aaron, ihnen ein goldenes
Kalb als Götterstatue zu errichten. Außerdem verfielen sie in heidni-
sche Tänze, gaben sich der Völlerei und der Unzucht hin (Ex / 2.

Mose 32). Nachdem das Volk sich wiederholt gegen Gott gewendet hatte, prophezeite Gott, bis auf zwei Männer, Josua und Kaleb, werde keiner das Gelobte Land erreichen. Das Volk müsse stattdessen in der Wüste bleiben und dort sterben (Num / 4. Mose 22–45) [31.26]. Kapitel [87.31] bezieht sich auf eine Vorschrift Gottes: Jedes Mitglied des Volkes, das den Namen Gottes nicht heilige, soll von der ganzen Gemeinde gesteinigt werden (Lv / 3. Mose 24,16). In Kapitel [88.27] spielt Brant auf die Eroberung Jerusalems durch die Römer und die Zerstörung des Tempels im Jahre 70 n. Chr. an. Er führt den Verlust des *jüdisch landt* auf die Sünden des Volkes Israel zurück.

Judas
[39.11] → Machabeus

juden, judisch volck, jüdisch
Brant verwendet diese Bezeichnungen in den Kapiteln [28.29], [31.26] und [88.27] jeweils als Synonyme für die Angehörigen des biblischen Volkes → Jsrahel. In Kapitel [110b.50] ist hingegen eine zeitgenössische Bevölkerungsgruppe gemeint: die Anhänger des jüdischen Glaubens.

Judith
[92.53] → Holofernes

Jugurtha († 104 v. Chr.)
Historische Figur. Der Sohn des Mastanabal wurde 120 v. Chr. von seinem Onkel Micipsa adoptiert und gleichberechtigt mit dessen Söhnen Hiempsal und Adherbal zum Erbe des numidischen Reiches eingesetzt. Nach Micipsas Tod strebte er nach Alleinherrschaft und ließ Hiempsal töten, woraufhin ihm der römische Senat den Krieg erklärte. Er schaffte es dabei immer wieder, sich durch Bestechung der römischen Gesandten und Feldherren einen Vorteil zu verschaffen. Beim Verlassen der Stadt Rom soll er deshalb einmal gesagt haben, wenn sich nur ein Käufer fände, dann ginge Rom bald zugrunde (*o urbem venalem et mature perituram, si emptorem invenerit*). Diese bekannte Äußerung zieht auch Brant heran [46.52]. Brants Quelle ist Sallust (*Bellum Jugurthinum* 35,10); Orosius (5,15,5) berichtet dasselbe.

Julius der keiser (Caius Julius Caesar, 100–44 v. Chr.)
Historische Figur. Caesar galt zu Brants Zeiten als Begründer des

Principats bzw. des römischen Kaisertums. Er machte sich die republikanisch gesonnenen Römer zu Gegnern, als er die Alleinherrschaft als Monarch anstrebte. Der in republikanischer Zeit maßgebliche Senat spielte für ihn als politisches Beratungsgremium am Ende keine Rolle mehr [56.5]. Kurz vor seiner Ermordung wurden Caesar noch Briefe und Petitionen gereicht, denen er sich aber nicht widmen wollte, so dass die Mörder sofort zur Tat schreiten konnten [12.20] (Sueton, *Julius* 81,4). In Kapitel [33.4] nimmt Brant Bezug auf ein Caesar zugeschriebenes Ehebruchsgesetz (*Lex Iulia de adulterio*).

Juncker Vincentz
Fiktive Figur. Wie auch die anderen Figuren in diesem Kapitel von Brant erfunden. [76.16]

Jupiter
Mythologische Figur. In der römischen Antike galt J. sowohl als der Gott des himmlischen Lichtes wie auch als oberster Staatsgott. Brant bezieht sich hier auf das gleichnamige Sternbild, das zu seiner Zeit eine positive Konnotation trug und den Kindern Glück bringen sollte, die in seinem Zeichen geboren wurden. [65.19]

Jxion (Ixion)
Mythologische Figur. Der König der Lapithen in Thessalien verliebte sich in die Göttin Hera und prahlte, nachdem er ein von Zeus geschaffenes Trugbild der Göttin umarmt hatte, mit seinem angeblichen Triumph. In Vergils *Georgica* (4,484) wird berichtet, er sei zur Strafe in der Unterwelt an ein sich ewig drehendes, feuriges Rad geschmiedet worden. Mittelalterliche Kommentatoren assoziieren das Rad des I. oftmals mit dem Rad der Fortuna und der kurzfristigen Gier nach Macht. [56.48]

K

Kalenbergk
[72.24] → Pfaff vom Kalenbergk

Kryemhild (Kriemhild)
Literarische Figur. In der Literatur der Brant-Zeit steht der Name verschiedentlich für leichtfertige und eitle Frauen. [44.12]

Kûntz
Fiktive Figur. Der Name steht, ebenso wie → Mâtzen, für verachtenswertes Verhalten. [61.27]

L

Laertes
Mythologische Figur. Der Vater des Odysseus (→ Vlisses) trauerte während dessen zehnjähriger Irrfahrt um seinen verschollenen Sohn, weil er ihn tot glaubte [26.33]. Brants Vorlage für diese Stelle ist die zehnte Satire des Juvenal (257).

Lârß kârly (Leersnäpfli)
Fiktive Figur. Personifikation eines ironischen Imperativs mit Bezug auf Vieltrinkerei. [110a.70]

Lâstrygonum (Laistrygonen)
[108.63] → Antyphates

Leander (Leandros)
Mythologische Figur. L. durchschwamm jeden Abend den Hellespont, um zu seiner Geliebten, der Aphrodite-Priesterin Hero, zu gelangen, da die Eltern einer Ehe im Wege standen. Als die Fackel, die ihm dabei den Weg wies, in einer stürmischen Nacht erlosch, ertrank L.; Hero stürzte sich nach der Entdeckung des Leichnams in die Fluten, um mit ihm vereint zu sterben. In späteren Erzählungen wurden die beiden zu einem der berühmtesten Liebespaare stilisiert. Brant folgt hier wohl der Überlieferung in Ovids *Heroidenbriefen* 17 und 18. [13.49]

Lelius (Caius Laelius, um 235–160 v. Chr.)
[10.15] → Scipio

Leucothoe (Leukothoe)
Mythologische Figur. Die Geliebte des Sonnengottes → Appollo wurde aus Neid von einer Nebenbuhlerin an den Vater verraten, der sie lebendig begraben ließ. Apollon verwandelte sie aber in eine Weihrauchstaude, um die Strafe zu mildern. [13.57] (Ovid, *Metamorphosen* 4,190–273)

Lienhart (Leonhard, † 569)

Heiliger. Der Legende nach lebte L. im Frankenreich König Chlodwigs. Dem Schutzpatron der Gefangenen brachten die Befreiten zum Dank ihre Ketten dar. Entsprechend ist L. auf mehreren Abbildungen des 15. Jahrhunderts mit einer oder mehreren Ketten am Arm zu sehen. [4.8] (Vinzenz von Beauvais, *Speculum historiale* 21,82; Hartmann Schedel, *Liber Chronicarum*, 1493, Bl. 146)

Loth, Lotth (Lot)

Biblische Figur (AT). Der Brudersohn → Abrahams ließ sich in der mit Sünde beladenen Stadt Sodom nieder. Er entkam der strafenden Vernichtung der Stadt, weil er rechtschaffen war. Seine Frau (*husfrow*) hingegen wandte auf der Flucht entgegen göttlicher Anweisung ihren Blick zurück zur Stadt und erstarrte daraufhin zur Salzsäule [8.14; 84.29]. Nach der geglückten Flucht wurde L. von seinen beiden Töchtern betrunken gemacht und merkte so nicht, wie sich beide zu ihm legten und schwanger wurden [16.23] (Gn / 1. Mose 19).

Lucifer

Biblische Figur (AT). Lat. »Lichtbringer«. Der Name taucht im Buch Jesaja (Is 14,12) als Name des verwerflichen Königs von Babel auf. In christlicher Tradition wird er mit dem Satan (Lc 10,18) gleichgesetzt. [92.88; 92.108]

Lucrecia, Lucretz (Lucretia)

Historische Figur. Die Gattin des Collatinus wurde von dem Königssohn Sextus Tarquinius entehrt. Nachdem sie ihren Mann und zwei Freunde zur Rache verpflichtet hatte, erdolchte sie sich selbst. Die Historizität Lucretias ist fragwürdig. Die Episode ist mehrfach überliefert, so etwa bei Livius (1,57–59) oder im *Decretum Gratiani* (2,32,5,4). [26.49; 33.24; 64.91]

Lucullus (117–56 v. Chr.)

Historische Figur. Der nach → Crassus reichste Mann Roms, der sich seinen Wohlstand als Feldherr auf etlichen Feldzügen erwarb, war bekannt als Besitzer und Erbauer prachtvoller Villen mit Gärten, Teichen und großen Bibliotheken. Er hatte einen Namen als Förderer der Künste und der Wissenschaft. Brants Quelle ist vermutlich Plutarch (*Lucullus*). [15.18]

Lycaon (Lykaon)
Mythologische Figur. Um den ältesten König von Arkadien und seine Söhne ranken sich verschiedene Sagen. In älteren Überlieferungen galt er noch als frommer und tugendhafter Herrscher, später wandelte sich dieses Bild jedoch stark: Nach den *Metamorphosen* des Ovid (1,165–239) zweifelte er an der Göttlichkeit des Zeus, der ihm in dürftiger Gestalt erschienen war. Nach einem gescheiterten Mordversuch setzte L. dem Zeus eine Speise vor, die aus den Eingeweiden eines geschlachteten Knaben, vermischt mit dessen Opferfleisch, bestand. Er wurde daraufhin von Zeus getötet. [87.34]

M

Machabeer (Makkabäer)
Biblischer Familienname (AT). Die Familie des Judas Makkabäus (→ Machabeus) war ein priesterliches Geschlecht in der letzten Phase jüdischer Eigenstaatlichkeit vor der römischen Fremdherrschaft. Die M. hielten während des Kampfes gegen die Seleukiden an ihren Glaubensregeln fest und setzten sich deshalb am Sabbat nicht zur Wehr. [95.54] (1. Mcc 2,34)

Machabeus (Judas Makkabäus, 2. Jh. v. Chr.)
Biblische Figur (AT). Der Freiheitskämpfer und Anführer des jüdischen Volkes im Kampf gegen den seleukidischen Herrscher Antiochus IV. Epiphanes (→ Antyochus) besiegte dessen listigen Feldherrn Nikanor, der zuvor durch ein überbetont freundliches Auftreten versucht hatte, J. Makkabäus in Sicherheit zu wiegen und ihn zur Annahme eines Friedensangebotes zu bewegen. Die Täuschung war jedoch so offensichtlich, dass J. nicht darauf hereinfiel. [39.9–11] (1. Mcc 7,26) Erst gegen ein größeres Heer unterlag J., nachdem er den Rat seiner Männer zum Rückzug ausgeschlagen hatte und die militärische Unterstützung der Römer, mit denen er kurz zuvor ein Bündnis geschlossen hatte, ausblieb. Brant assoziiert J. Makkabäus in diesem Zusammenhang [8.23–25] anachronistisch mit Joram, einer zeitlich viel älteren alttestamentlichen Gestalt. In [38.75] wird J.s Tod in Verbindung mit seinem Bündnis mit den Römern gebracht. Auch davon ist in der Bibel nicht die Rede (1. Mcc 9,9).

Machamet (Mohammed, um 570–632)
Historische Figur. Prophet und Stifter des Islam. Der Name steht in [99.15] für seine Religion, die sich ab 622 über weite Teile des Mittelmeerraums verbreitete, insbesondere auch im Heiligen Land, und dabei das vorher in Nordafrika und in Vorderasien herrschende Christentum fast vollständig zurückdrängte.

Manasses (696–642 v. Chr.)
Biblische Figur (AT). Der judäische König führte nach der Niederlage gegen die Assyrer als deren Vasall zahlreiche Fremdkulte in Juda ein. Erst als er in Gefangenschaft geriet und große Angst litt, kehrte er zu seinem Glauben an den jüdischen Gott zurück und wurde erhört. [38.83] (2 Par / 2. Chr 33)

Mardocheo, Mardocheus (Mardochai)
[68.30; 101.24] → Aman

Marinus (Marionos von Tyros, um 1. Jh. v. Chr.)
Historische Figur. Der griechische Geograph vermaß die Erde und das Meer, seine Ergebnisse wurden aber von seinem Nachfolger, dem Geographen → Ptolemeus$_2$, korrigiert und verbessert [66.57]. M.s Werk *Diorthosis Tabulae Geographicae* geriet in Vergessenheit und ist nur noch aus der ptolemaischen Schrift bekannt. M.s Ortsbestimmungen beruhten offenbar vorwiegend auf Marsch- oder Schifffahrtstagen (*noch dem mer*), nicht auf astronomischen Beobachtungen.

Marius (Caius Marius, um 158–86 v. Chr.)
Historische Figur. Der römische Feldherr und Politiker aus der Zeit der Republik wurde nach einer langen Periode politischer Erfolge aufgrund einer militärischen Auseinandersetzung mit Sulla in hohem Alter geächtet und musste nach Afrika fliehen [26.41]. Brant entlehnt diese Stelle, wie auch viele andere dieses Kapitels, aus der zehnten Satire des Juvenal (273–288).

Mars
Mythologische Figur. Der römische Gott des Krieges und Liebhaber der → Venus wurde von Hephaistos auf dem Liebeslager mit Venus überrascht. Gefangen in erzenen Ketten und Netzen wurde er dem Gespött der herbeigeeilten Götter ausgeliefert. [13.51] (Ovid, *Amores* 1,9,39; *Ars amatoria* 2,561–588; *Metamorphosen* 4,169–189)

Marsyas

Mythologische Figur. Nach den *Metamorphosen* des Ovid (6,382–400), auf die sich Brant bezieht, forderte der flötende Satyr M. → Appollo zu einem musikalischen Wettstreit heraus. Die Bedingung dabei war, dass der Sieger nach Ende des Wettkampfes mit seinem Gegner verfahren dürfe, wie er wolle. M. verlor und wurde schließlich an einem Baum aufgehängt und gehäutet. Brants moralistische Interpretation des M.-Mythos folgt der Tradition mittelalterlicher Deutungen, in denen diese Figur als eingebildeter Angeber, Heuchler und geschwätziger Trunkenbold dargestellt wird, der mittels der Bestrafung durch Häutung von seinem falschen Stolz und seinen oberflächlichen Eitelkeiten gereinigt wird. Deutungen dieser Art finden sich etwa im *Policraticus* des Johann von Salisbury (6,27) oder in den *Genealogie deorum* Boccaccios (5,25). [67.a; 67.4]

Mâtz, Mâtzen, Metzen

Fiktive Figur. Koseform von Mechthild. Der Name wurde zu Brants Zeiten oft appellativ zur Bezeichnung von Mädchen niederen Standes, auch für Dirnen, gebraucht. Er sollte, wie → Kûntz [61.27], verachtenswertes und leichtfertiges Verhalten suggerieren. [Vorrede.114; 62.8]

Maximilian (Maximilian I.)

Historische Figur. Der Sohn Kaiser Friedrichs des III., der »letzte Ritter«, wurde 1486 zum deutschen König gewählt. Der Papst enthielt ihm viele Jahre den Kaisertitel vor. M. beanspruchte ihn nach dem Tode seines Vaters, verzichtete schließlich aber auf den üblichen Romzug zur Kaiserkrönung und trug damit erstmals aus eigener Machtvollkommenheit den Titel eines römischen Kaisers. Der Papst stimmte diesem Anspruch später schriftlich zu. [99.159]

Medea

Mythologische Figur. Die Königstochter aus Kolchis wurde nach Euripides von ihrem Gemahl Iason um einer anderen willen verstoßen. Sie rächte sich daraufhin, indem sie ihre Nebenbuhlerin sowie deren und ihre eigenen Kinder tötete [64.50]. In Kapitel [13.39] gibt Brant die Geschichte wohl ungenau wieder, da M. ihre Kinder in allen Überlieferungen mit dem Messer umbringt, während es die Residenz ihrer Rivalin ist, die sie in Brand setzt. (Ovid, *Metamorphosen* 7,1–452)

Menelaus (Menelaos)
[33.65] → Atrydes

Messalina (1. Jh. n. Chr.)
Historische Figur. Die dritte Gattin des 30 Jahre älteren Kaisers
Claudius hatte während ihrer Ehe zahlreiche Geliebte. Teils aufgrund dieser Liebschaften, teils aufgrund ihrer großen Habsucht
fanden viele durch sie den Tod. Berichte über M.s Promiskuität
finden sich in der *Historia naturalis* des Plinius (10,83), bei Juvenal
(6,115–132), in den *Annalen* des Tacitus (11,12; 11,26–38) sowie in
Suetons Kaiserviten (*Claudius* 26,2). [13.50]

Mesue (Johannes Mesue)
[21.21] → Gentilis

Meter pyrr de Conniget (Maître Pierre de Conniget)
[92.18] → Pyrr de Conniget

Metzen
[Vorrede.114] → Mâtz

Mezencius (Mezentius)
Mythologische Figur. Der König von Caere erscheint in der *Aeneis*
des Vergil (7,648) als Inbegriff des Gottesverächters. [87.34]

sant Michel (St. Michael)
Heiligenfigur. Der Erzengel M. taucht bereits in der Bibel auf
(erstmals Dan 10,13 u. ö.). Wie alle Engel wird M. in der mittelalterlichen Ikonographie mit Flügeln nach Art der Vögel dargestellt.
[63.19]

Môren (Mauren)
Volksgruppe. Sammelbezeichnung insbesondere für die nordafrikanischen Araber. [99.20]

Moringer
Fiktive Figur. Der Name dieser erfundenen Figur ist mehrdeutig:
Eher unwahrscheinlich ist, dass er auf das im 15. Jahrhundert viel
gesungene Lied vom edlen Moringer verweist. In erster Linie ruft
der Name das frühneuhochdeutsche Wort *môr* (Sau, Schwein) auf,
was durch den Kontext der Stelle unterstrichen wird. [72.10]

Moysen, Moyses, Moysi (Moses)

Biblische Figur (AT). M. erscheint in den ersten Büchern des Alten Testaments als Führer des Volkes Israel bei dessen Auszug aus Ägypten. Zuvor erhielt er als angenommenes Findelkind am Hof des ägyptischen Pharao eine vorbildliche Ausbildung. Er wird bei Basilius Magnus (*Ad adolescentes* 3) und im *Decretum Gratiani* (1,37,7, § 2) in einem Zuge mit dem Propheten → Daniel genannt [34.27]. Nach dem Auszug aus Ägypten schließt er am Berge Sinai mit Gott den alten Bund für das Volk Israel. Das von Brant in Kapitel [73.63] zitierte Gebot Gottes, keiner solle den *heyligen Berg* anrühren, ist eine der ersten Weisungen, die M. auf dem Sinai von Gott erhält (Ex / 2. Mose 19,12). Ein weiteres Gesetz, das M. von Gott verkündet wird, ist das der Nächstenliebe, auf das sich Brant in Kapitel [10.21] vermutlich bezieht: Du sollst deinen Nächsten lieben wie dich selbst (Lv / 3. Mose 19,18). Doch schon bevor M. den Berg Sinai erreichte, vertrat er vor Gott die verschiedenen Anliegen des Volkes und übermittelte ihm als prophetischer Seher Gottes Wort [65.72]. Brant kann sich auch hier wörtlich auf das *Decretum Gratiani* (1,37,8) beziehen. Kapitel [46.60] verweist auf einen Rat von M.s Schwiegervater Jethro. Dieser empfahl ihm die Einsetzung einiger weiser und gottesfürchtiger Männer als Richter, die ihm zur Hand gehen sollten, damit er nicht alle rechtlichen Angelegenheiten selbst regeln müsse. Brant will dies offenbar als schlechtes Beispiel für die zunehmend an die Stelle von Kompetenz und Qualifikation (*recht brief vnd kunst*) tretende Günstlingswirtschaft (*Pfenig / nyd / früntschaft / gwalt vnd gunst*) verstanden wissen. In der Bibel ist von einem solchen Zusammenhang nicht die Rede (Ex / 2. Mose 18,17). Brants exemplarischer Hinweis auf Moses und Samuel in Kapitel [88.23] stammt offenbar aus dem Buch Jeremias (15,1). Dort heißt es: *si steterit Moses et Samuhel coram me non est anima mea ad populum istum.*

Mydas (Midas)

Mythologische Figur. König M. wurde die Gier nach Gold zum Verhängnis: Nach den *Metamorphosen* des Ovid (11,85–145) und den *Satiren* des Persius (1,119–121) musste er großen Hunger und Durst leiden, weil er sich gewünscht hatte, dass alles zu Gold werde, was er berühre. Als er sein unüberlegtes Begehren schließlich bereute, wurde er von den Göttern zur Quelle eines von Schilfrohr umwachsenen Flusses geschickt, wo er Erlösung finden sollte. Dort wurde er Zeuge eines Sängerwettstreits zwischen Pan und → Apollo und machte sich erneut schuldig, weil er die Entscheidung des Gottes Tmolus kritisierte, der zugunsten von Apollo geurteilt hatte. Zur Strafe wuchsen ihm Eselsohren, die er voller Scham zu verbergen suchte. [26.5]

Myphiboseth (Mefi-Boschet)
[101.24] → Syba

Myrrha
Mythologische Figur. Da sie ihren Vater liebte und diesen ohne sein Wissen zur Blutschande verleitete, wurde M. mit Adonis schwanger. Als ihr Vater den Betrug bemerkte, floh M. vor ihm und wurde von Zeus oder Aphrodite in den Myrrhebaum verwandelt. Am ausführlichsten ist die Geschichte bei Ovid (*Metamorphosen* 10,298–502) überliefert, sie liegt aber auch noch in anderen Varianten vor. [13.58]

Mythridates (Mithradates IV. Eupator, um 132–66 v. Chr.)
Historische Figur. Der grausame und verschlagene König von Pontos musste sich im Alter beim Selbstmord von einem keltischen Söldner erstechen lassen (Gift konnte ihm nichts mehr anhaben), weil sich auch sein Sohn gegen ihn erhoben hatte. [26.41] (Plutarch, *Vitae: Pompeius* 41–42)

N

Nabal
[19.19; 42.28] → Dauid

Nabuchodonosor (Nebukadnezar, 605–562 v. Chr.)
Biblische Figur (AT). Der mächtigste König des neubabylonischen Reiches, Vater des Belsazar (→ Balthesar [86.51]), Eroberer Jerusalems, war vor allem als Bauherr berühmt: Er erweiterte die Stadt Babylon und stattete sie auf das Prachtvollste aus, um seiner eigenen Herrlichkeit ein Denkmal zu setzen. Kapitel [15.7] bezieht sich fast wörtlich auf eine Stelle im Buch → Daniel (4,26–30), wo berichtet wird, wie N. sich mit dem Bau Babels brüstet, um im selben Moment von Gott in ein Tier verwandelt zu werden [15.12], ein Schicksal, das ihm bereits zuvor von Daniel prophezeit worden war [8.21]. Brant nimmt auch in Kapitel [56.27] nochmals Bezug hierauf. Er erwähnt dabei den medischen König Arphaxat [56.29], dessen großes

Heer N. zunächst besiegt hatte. Als N. nach seiner Verwandlung in ein Tier Reue zeigte und sich nun Gott zuwandte, wurde er von diesem wieder in sein Amt eingesetzt und überdies sogar mit noch mehr Macht ausgestattet [57.45; 86.51–56] (Dn 3,31–5).

Nabuht (Naboth)
[83.27] → Achab

Nabursadam (Nebusaradan)
Biblische Figur (AT). Als Feldherr Nebukadnezars (→ Nabuchodonosor) eroberte N. Jerusalem und deportierte die Bevölkerung. Brants Nennung N.s in Kapitel [81.64] steht in engem Zusammenhang mit dem Ägypter Potiphar, → Josephs Herrn, der in der vorangehenden Zeile als *fürst der köch* apostrophiert wird. Die unklare Verbindung zu N. ist darauf zurückzuführen, dass dessen Titel »Oberster der Leibwache« in der Vulgata wiederholt durch *magister coquorum* ersetzt wurde. Dieses Attribut wurde später verschiedentlich zum Anknüpfungspunkt moralisierender Bewertungen: In Gregors des Großen *Moralia in Job* (30,18,59) und in seiner *Regula pastoralis* (3,19) wird hervorgehoben, es sei der *princeps coquorum* / »König der Köche« gewesen, der die Mauern Jerusalems zerstört habe. In zahlreichen späteren Traktaten – darauf bezieht sich auch die Stelle im *Narrenschiff* – wurde es daher zu einem gängigen Topos, N. mit Völlerei zu assoziieren: So etwa in Bernards von Cluny *De contemptu mundi* (640–642), in Johanns von Salisbury *Policraticus* (8,6) oder im enzyklopädischen *Speculum morale* des Vincenz von Beauvais (3,8,1). (4 Reg / 2. Kön 25)

Narcissus (Narkissos)
Mythologische Figur. Der schöne Jüngling verschmähte nach den *Metamorphosen* des Ovid (3,339–510) die Liebe der Nymphe → Echo. Er musste sich daraufhin zur Strafe in sein eigenes Spiegelbild im Wasser verlieben, schwand vor Sehnsucht dahin und verwandelte sich in die gleichnamige Blume der Unterwelt und der Gräber. [60.27]

Neemias (Nehemia, 5. Jh. v. Chr.)
Biblische Figur (AT). Der Judäer machte sich um das Volk → Jsrahel verdient. Er wurde im Jahre 445 v. Chr. von König Artaxerxes beauftragt, die zerstörten Mauern Jerusalems wieder aufzubauen.

Neben dem Wiederaufbau beseitigte er die Missstände im Tempel und stärkte die wirtschaftlich Schwachen durch Steuererlass. [10.23] (Neh 2–5)

Nembroht, Nemroth (Nimrod)

Biblische Figur (AT). Sagenhafter Urzeitkönig von Babylon. Brants Bemerkung, N. sei der Erbauer eines großen Turms (zu Babel) [15.13], geht nicht direkt auf die Bibel zurück. In diesem Sinne ist er erstmalig in den *Antiquitates* des Flavius Josephus erwähnt (1,113–117). Dort findet sich die Deutung, der Turmbau habe dem Schutz vor Überschwemmungen gedient. Kapitel [74.27] bezieht sich vielleicht auf eine Stelle im ersten Buch Moses. Dort wird erwähnt, N. sei der Erste gewesen, der Macht auf Erden gewann. Im nächsten Vers wird N. als gewaltiger Jäger vor dem Herrn bezeichnet (Gn / 1. Mose 10,8–9). Brant kombiniert diese beiden Aussagen offenbar. Davon, dass N. von Gott verlassen worden sei, ist in der Vulgata aber nicht die Rede, Brant könnte dies aus dem *Policraticus* des Johann von Salisbury (1,4; 8,20) entnommen haben. Dort wird N. gemeinsam mit → Esau als Negativbeispiel für einen sündigen Jäger genannt. Quelle hierfür ist die altlateinische Bibelübersetzung, in der N. als großer Jäger *gegen* Gott erscheint.

Nessus (Nessos)

Mythologische Figur. Der Kentaur wurde von Herakles (→ Hercles) getötet, da er sich an dessen Gattin Deianeira vergriffen hatte. [13.45] (Ovid, *Metamorphosen* 9,98–273)

Nestor

Mythologische Figur. Der alte König von Pylos klagte um seinen Sohn Antilochos, mit dem er in den Trojanischen Krieg gezogen war und den er im Kampf verloren hatte. [26.33] (Homer, *Ilias* 16,317)

Niniuiten (Niniviten)

[25.16] → Jonas

Noe (Noah)

Biblische Figur (AT). Der erste Weinbauer [16.21] predigte in einer gottesfernen Gesellschaft geduldig das Wort Gottes. Er musste wie Hiob (→ Job) und → Daniel trotz seiner Treue zu Gott großes Leid ertragen. In seinem Fall war das Leid die Vernichtung

der Welt durch die Sintflut, der Strafe Gottes für die Menschheit
[89.24]. N. wurde wegen seiner Frömmigkeit mit seiner Familie
letztlich aber bewahrt und nach der Katastrophe zum Ahnherrn
der Menschheit. Kapitel [36.21] bezieht sich wohl auf die *Antiquitates* des Flavius Josephus (1,74), wo auf die Predigten des N.
vor der Sintflut hingewiesen wird (Gn / 1. Mose 6). Die Kapitel
[9.27; 90.19] nehmen auf eine spezifische Episode in der biblischen Überlieferung Bezug: Nachdem N., von seinem eigenen
Wein betrunken, ohne Kleidung eingeschlafen war, verdeckte
Ham, als er dies sah, N.s Blöße nicht, sondern berichtete stattdessen seinen Brüdern davon. Erst diese verhüllten N.s Leib, allerdings ohne selbst hinzusehen. Hams Verhalten galt als Frevel und
Sittenlosigkeit, da Nacktheit eine Schande war (Gn / 1. Mose
9,18–29).

Nycanor (Nikanor)
Biblische Figur (AT). Der Feldherr des seleukidischen Herrschers
Antiochus IV. Epiphanes verkalkulierte sich: Im Krieg gegen Judas
Makkabäus (→ Machabeus) plante er schon vor Beginn der Kämpfe, die gefangenen Juden als Sklaven einzusetzen und damit den
Betrag einzunehmen, den der König jährlich an die Römer zahlen
musste (2 Mcc 8,9–11). Mit Gottes Hilfe gelang es dem Heer des
Judas Makkabäus aber, N. zu besiegen. Zur Strafe wurden er und
viele Mitglieder seines Heeres verstümmelt oder getötet (2 Mcc
8,24–27). Brants Formulierung (*Verkoufft das wiltpret / ee ers fyng*
[12.25]) nimmt zusätzlich Bezug auf ein gängiges Sprichwort, das
in ähnlicher Form auch in Thomas Murners *Von dem Großen Lutherischen Narren* (E4) auftaucht. Zur Erklärung von Kapitel
[39.9] s. → Machabeus.

Nyctimine
Mythologische Figur. Die von ihrem Vater entehrte Königstochter
verbarg sich in den Wäldern und wurde von Athena in eine nur
nachts ausfliegende Eule verwandelt. Nach den *Metamorphosen*
des Ovid (2,590f.) war allerdings der Vater Opfer der Verführung
durch seine Tochter. [13.61]

Ny(d)thart
Fiktive Figur. Personifizierung des Neids und der Missgunst. [53.c;
77.59]

O

Ochosyas (Ahasja)
Biblische Figur (AT). Der Sohn des Joram regierte ein Jahr lang in Jerusalem, wurde dann aber von Jehu umgebracht (4 Reg / 2. Kön 8–9). Brant bezieht sich in [64.14] auf seine Mutter Atalja. In der Bibel tritt sie nicht als schlechte Ratgeberin ihres Sohnes auf, sondern als gewalttätige Usurpatorin der Macht nach dem Tod ihres Sohnes A. (4 Reg / 2. Kön 11).

Onyas (Onias)
[46.88] → Andronicus

Origenes (um 185–253 n. Chr.)
Historische Figur. Der frühchristliche Kirchenvater verglich in seinen Homilien (4 ad cap. 7 Exodi) die Dialektiker aufgrund ihrer inhaltsleeren Geschwätzigkeit mit Hundsmücken, die Poeten mit Fröschen. Brant entnahm diesen Verweis aber wohl dem *Decretum Gratiani* (1,37,7), wo sowohl die Hundsmücken als auch die Frösche mit den Dialektikern in Verbindung gebracht werden. [27.21]

Otto, der keyser (Marcus Salvius Otho, † 69 n. Chr.)
Historische Figur. Der römische Kaiser O., dessen Regierung vor allem durch Eigensinn und Verschwendungssucht gekennzeichnet war, wird in der Literatur mehrfach als eitel und egozentrisch dargestellt. Bei Juvenal (*Satiren* 2, 99–103) ist überliefert, er habe selbst im Krieg einen Spiegel bei sich getragen [60.15]. Auch die Anekdote, O. habe sein Gesicht zweimal täglich mit Eselsmilch gewaschen, geht wohl auf Juvenal zurück. Allerdings wird dies dort nur von seiner Gattin Poppea und nicht, wie bei Brant, von O. berichtet (4,468). Die Verwechslung beruht möglicherweise darauf, dass sowohl von Poppea als auch von O. bei Juvenal erzählt wird, sie hätten ihr Gesicht mit zerdrücktem Brot behandelt (2,107; 6,465). Ein Hinweis auf eine solche Gesichtsbehandlung findet sich auch in Suetons Kaiserviten (*Otho* 12,1).

Ouidius (Ovid, 43–18/17 v. Chr.)
Historische Figur. Der römische Dichter und Sohn eines wohlhabenden römischen Ritters wurde aus politischen Gründen unter dem Vorwand, seine schon länger zurückliegende erotische Schrift

Ars amatoria (Brant: *der bûler kunst*) errege Anstoß, vom Kaiser nach Tomi am Schwarzen Meer verbannt. [13.75]

Oza (Usa)
Biblische Figur (AT). Der Begleiter der Bundeslade (*arch*) hielt sich, um nicht zu stürzen, an diesem heiligen Kultgegenstand fest. Die Rinder, die die Bundeslade zogen, waren ausgeglitten und hatten U. aus der Balance gebracht. Voller Zorn über diese Berührung tötete ihn Gott. [73.67] (2. Sm 6,7)

P

Pann (Pan)
Mythologische Figur. Der ziegenbeinige und gehörnte Sohn des Hermes war ein Liebling der Götter, konnte aber, wie in den *Metamorphosen* des Ovid berichtet wird, die Nymphe Syrinx nicht für sich gewinnen (1,707–712). Um vor ihm fliehen zu können, ließ sich diese von ihren Schwestern in Schilfröhricht verwandeln. P. schnitt einige Rohre ab, band sie zusammen und erfand so die nach ihm benannte Hirtenflöte. [13.56] (Ovid, *Metamorphosen* 1,688–711)

Pariß (Paris)
[26.48; 33.66] → Helena

Pasyphae (Pasiphae)
Mythologische Figur. Die Tochter des Sonnengottes, Gattin des Minos, ließ sich in einer extra angefertigten hölzernen Kuh von einem von Poseidon gesandten Stier begatten und gebar den Minotauros [13.42] (Diodorus Siculus 4,77). Ein kurzer Verweis auf P. und den Stier findet sich unter anderem auch in Ovids *Metamorphosen* (8,136).

Patroclus (Patroklos)
[10.11] → Achill

Peleus
[6.33; 26.33] → Achill

Penelope
Mythologische Figur. Die Gemahlin des Odysseus (→ Vlisses) galt als ein Vorbild ehelicher Treue, da sie, wie Homer berichtet, zwan-

zig Jahre lang auf die Wiederkehr ihres Gatten wartete und ihre unzähligen Freier mit einer List abwehrte (*Odyssee* 2 und 19): Sie gab vor, erst heiraten zu können, wenn sie das Totengewand für ihren Schwiegervater Laertes fertig gestellt hätte, trennte dieses aber in der Nacht immer wieder von neuem auf [32.13]. Die Lehre, die Brant in Kapitel [107.87] aus diesem Mythos ableitet, ist die Übertragung einer Stelle in Plutarchs *De educatione* (10).

Peter von altten joren (Peter von Altenjahren)
Fiktive Figur. Ritter Peter trägt den sprechenden Namen »von Altenjahren«. Auf dem Holzschnitt steht er entsprechend auf einen Stock gestützt mit seinem Familienwappen um den Hals. Er ist eine der Symbolfiguren für närrischen Selbstruhm des Menschen, egal ob er von Adel oder bereits in hohem Alter ist [76a]. Dementsprechend zieht ihn der kluge »doctor griff« (→ griff) an den Narrenohren, wie ebenfalls auf dem Holzschnitt zu sehen ist.

Peter von Brunndrut
Fiktive Figur. Mit dieser erfundenen Persönlichkeit spielt Brant vielleicht auf die Bewohner von Pruntrut (frz. Porrentruy) an, denen man seit dem burgundischen Krieg, in dem sie auf der Seite Karls des Kühnen gekämpft hatten, in Basel nicht besonders gewogen war. Ob sich Brants abwertende Schilderung auf eine konkrete Person bezieht, ist unklar, denn vor der Schlacht bei Murten 1476 (*jn dem gstech*) wurden auf beiden Seiten viele Soldaten zu Rittern geschlagen. [76.20]

Sant Peter (Petrus)
Biblische Figur (NT). P. war die führende Gestalt unter den Jüngern Jesu und gilt als der erste Papst. P. war von Beruf Fischer. So erklärt sich, dass »Sankt Peters Schiff« zum Sinnbild der gesamten Kirche werden konnte. [103.63]

Pfaff vom Kalenbergk
Literarische Figur. Namengebender Protagonist einer Schwanksammlung von Philipp Frankfurter, die erstmals 1473 gedruckt wurde. Darin geht es um das eulenspiegelartige Leben, das Treiben und die Streiche eines möglicherweise historischen Pfarrers von Kalenbergerdorf bei Wien. [72.24]

Herr Pfenning (Herr Pfennig)
Fiktive Figur. Personifikation des Geldes. [17.9]

Phaeton

Mythologische Figur. Der Sohn des Sonnengottes Helios lieh sich einen Tag lang den Sonnenwagen seines Vaters, stürzte mit diesem aber vom Himmel herab, weil er die Pferde nicht halten konnte. [40.21] (Ovid, *Metamorphosen* 1,750–2,400; Cicero, *De officiis* 3,94)

Phalaris, Phalaridis (Phalaris, 6. Jh. v. Chr.)

Historische Figur. Nach Brant wurde der griechische Tyrann Opfer eines Plans, den er selbst für andere vorgesehen hatte: Er soll seine zum Feuertode verurteilten Feinde in einem ehernen Stier (*kû*), den er von dem Künstler Berillos (→ Beryllus) geschenkt bekommen hatte, geröstet haben. Die Schreie der grausam Verbrennenden schallten wie Rindergebrüll. Nach der Legende, die u. a. in Ovids *Ibis* (435–438) und bei Silius Italicus (14,216–217) überliefert ist, kamen sowohl Berillos als auch der im Jahre 554 gestürzte Tyrann selbst in dem gleichen Stier zu Tode [69.16]. Kapitel [104.16] bezieht sich inhaltlich auf dieselbe Geschichte, rekurriert im Wortlaut aber möglicherweise auf eine Stelle bei Juvenal (8,80–84).

Pharao

Biblische Figur (AT). P. war Königstitel der ägyptischen Herrscher. Der in den Moses-Büchern genannte P. wollte den Auszug des Volkes Israel aus Ägypten verhindern. Aufgrund seines Hochmuts gegenüber dem jüdischen Gott wurde er von dessen Plagen heimgesucht, verhielt sich aber immer verstockter. Erst nach der zehnten Plage ließ er die Israeliten ziehen [92.113]. Die hierauf bezogene Erwähnung des P. in Kapitel [57.49] geht in ihrer Formulierung auf das *Decretum Gratiani* (2,23; 4,22) zurück. (Ex / 2. Mose 5 f.)

Phedra (Phaidra)

Mythologische Figur. P. war die zweite Ehefrau des attischen Königs und Heros Theseus. Brants Quelle könnte der Vergil-Kommentar des Servius gewesen sein (6,445). Bei anderen Schriftstellern wird erwähnt, dass P. dem Theseus nachgefahren sei, um ihn für sich zu gewinnen und ihn dazu zu bewegen, seine erste Frau Ariadne zu verstoßen. [13.43] In [13.44] wird darauf angespielt, dass sich P. in Theseus Sohn Hippolytus (→ Bellerophon) verliebte und ihn umwarb. Von ihm zurückgewiesen, beschuldigte sie Hippolytos beim Vater der Zudringlichkeit. Im Zorn ließ Theseus seinen Sohn töten. (Plutarch, *Theseus* 28)

Phenix (Phoinix)
[6.33] → Achill

Phereo (Alexandros von Pherai, 369–335 v. Chr.)
Historische Figur. Der Tyrann herrschte in der Stadt Pherai im Osten Thessaliens und wurde nach Ovids *Ibis* (5,321f.) im Jahre 358 v. Chr. von seiner Frau mit dem Schwert in seinem Zimmer (bei Brant *an dem bett*) ermordet. [64.90]

Phillipus (Philippos II., 359–336 v. Chr.)
Historische Figur. Der König von Makedonien hatte mehrere Besatzungen in Mittelgriechenland, im Herbst 340 erklärte Athen ihm den Krieg (Iustinus, *Historiae* 9,1). In Quintilians *Institutio oratoria* (1,1,23) ist überliefert, dass er den griechischen Philosophen → Aristoteles als Lehrer für seinen noch berühmteren Sohn Alexander den Großen (→ Alexander₁) gewann [6.35].

Phocyon (Phokion, um 401–318 v. Chr.)
Historische Figur. Der athenische Stratege und Politiker, ein Schüler → Platos, besaß aufgrund seines liebenswürdigen Charakters den Beinamen »der Gute« und wird, etwa bei Valerius Maximus (5,3, ext. 3), wegen seiner Milde gerühmt. [83.80]

Pilades (Pylades)
[10.12] → Horestes

Plato, Platonem (Platon, 428/427–349/348 v. Chr.)
Historische Figur. Der athenische Philosoph war ein Schüler und Anhänger des → Socrates, dessen Philosophie nur in den platonischen Dialogen überliefert ist [6.40]. Nach Sokrates' Tod reiste P. in einer ersten Studienreise nach Sizilien, vielleicht auch bis nach Ägypten [66.139] (Hieronymus, Vulgata-Prolog 53,1). Wieder zurückgekehrt gründete er in Athen als Stätte philosophischer Erziehung und Auseinandersetzung eine eigene Schule, die Akadamie, der auch → Aristoteles als Schüler, später als Lehrer angehörte [6.39; 107.66]. Kapitel [35.19] verweist auf Plutarchs *De educatione* (14), wo von einem Zornesausbruch P.s gegenüber seinem Diener die Rede ist. In Kapitel [27.15] geht Brant hingegen nicht direkt auf P. selbst ein, sondern kritisiert die scholastische Universitätslehre, deren Gegenstand unter anderem langwierige Disputationen über den Wahrheitsgehalt einzelner Sätze waren, in denen

So(c)r(a)tes oder P. öfter genannt wurden. So taucht etwa der Satz *Sortes currit vel Plato disputat*, der von Brant übernommen wird, in mehreren scholastischen Lehrbüchern der Zeit auf. 1502 wurde er auch von Conrad Celtis in seinen *Amores* (3,10,103–106) wieder als Beispiel für die törichte scholastische Erziehung herangezogen.

Plinius, Plynius (Plinius der Ältere, 23–79 n. Chr.)

Historische Figur. Der Offizier, Staatsbeamte, Fachschriftsteller und Historiker verfasste unter anderem eine enzyklopädische Naturkunde in 37 Bänden, die *Historia naturalis*. In diesem Werk behandelt er die unterschiedlichsten Themen, von der Eigenschaft des Weltalls bis hin zur Geographie einzelner Länder. Brant bezieht sich in Kapitel [66.47] auf das in dem Werk verwendete Maß: P. berechnet die Breite und die Länge der Erde im Gegensatz zu Strabon (→ Strobo) nach Schritten und führt detaillierte Entfernungsangaben zwischen verschiedenen Orten auf (2,112,242–248). Kapitel [66.59] bezieht sich ebenfalls auf die *Historia Naturalis* (2,1,3–4). P. kritisiert dort all jene, die glauben, sie könnten die Größe der Welt völlig objektiv erfassen, sie also gewissermaßen von außen betrachten (*usser der by wilen gon*).

Pompeius, Pompeyus (Cn. Pompeius Magnus, 106–48 v. Chr.)

Historische Figur. Der römische Staatsmann und Feldherr konnte zunächst das westliche, wenig später auch das östliche Mittelmeer von der großen Bedrohung durch die Seeräuber befreien [109.29]. Nachdem er sich aber mit Caesar (→Julius der keiser) überworfen hatte, obwohl er einige Jahre zuvor noch Mitglied des Triumvirats gewesen war, musste er nach einer Niederlage seines Heeres nach Ägypten fliehen, wo er durch Gefolgsleute des Ptolemaios XIII. ermordet wurde. [26.42; 109.32] (Juvenal, *Satiren* 10,273–288)

Poncia (Pontia)

Historische Figur. P. ist eine berühmte Giftmischerin des römischen Altertums. Nach der sechsten Satire des Juvenal (620 und 638) ermordete sie ihren Mann. [64.87]

Priamus, Pryamus (Priamos)

Mythologische Figur. P. ist der letzte König von Troja. Von ihm wird in Homers *Ilias* (22) berichtet. Auf der Mauer seiner Stadt stehend, musste er zusehen, wie sein Sohn Hektor im Trojanischen Krieg von → Achill getötet wurde [94.21]. In Kapitel [26.37] wird die Tatsache, dass P. seinen Sohn überlebt hat, mit dem Untergang Trojas und der Einnahme von P.s großem Reich durch die Griechen in Verbindung gebracht. Brant greift hier sinngemäß auf Juvenals zehnte Satire zurück (258–266).

Procris (Prokris)
Mythologische Figur. Die attische Sage um die Königstochter erzählt, diese sei aus Eifersucht ihrem Gatten in den Wald gefolgt und habe sich dort hinter einer Hecke versteckt. Sie wurde daraufhin von ihrem jagenden Gatten versehentlich erschossen, weil er sie für ein Wild hielt. [13.52] (Ovid, *Metamorphosen* 7,670–865)

Progne (Prokne)
Mythologische Figur. Die attische Königstochter P. rächte ihre Schwester Philomele, die von P.s Gatten, dem thrakischen König, brutal vergewaltigt und zudem durch das Abschneiden ihrer Zunge zum Schweigen gebracht wurde. P. vergalt Tereus diese Tat, indem sie ihm ihren gemeinsamen Sohn zur Speise vorsetzte [64.50] (vgl. Juvenal *Satiren* 6,643; Ovid, *Metamorphosen* 6,426–670). Tereus bemerkte erst, was er gegessen hatte, als P. es ihm nach dem Essen offenbarte. In Ovids *Metamorphosen* (6,671–674) wird berichtet, Tereus habe sich daraufhin aus Wut und Scham in einen Wiedehopf verwandelt [13.41].

Prophet
Biblische Figur (AT). Bezeichnung für die jüdischen Weisen, Seher und Gottesvertrauten. In Kapitel [51.33] ist der Prophet Jesaja gemeint, von dem in der Vulgata die Äußerung *secretum meum mihi, secretum meum mihi* überliefert ist. (Is 24,16)

Ptolomeus$_1$ (Ptolemaios II. Philadelphos, † 246)
Historische Figur. In Kapitel [1.13] verweist Brant auf P. als Förderer der Wissenschaften. In den *Antiquitates* des Flavius Josephus ist erwähnt, dass P. alle Bücher auf der Welt sammeln wollte (12,2). Gemäß Josephus ließ er die Gesetze der Juden voller Hochachtung ins Griechische übertragen und seiner Bibliothek einverleiben. Brants kritische Sicht hat dort keine Entsprechung.

Ptolomeus₂ (Klaudios Ptolemaios, um 85–160 n. Chr.)
Historische Figur. Der berühmteste Mathematiker, Astronom und
Geograph der Antike berechnete die Grade der Erdkrümmungen
systematisch nach den Prinzipien einer mathematischen Geome-
trie. Das geozentrische Weltsystem, das er in seinem dreizehnbän-
digen Hauptwerk (heute unter dem Namen *Almagest* bekannt)
entwickelte, war bis ins 16. Jahrhundert anerkannt. [66.37]

Pyeris (Pieros)
Mythologische Figur. Der Stammheros der makedonischen Landschaft Pierien benannte seine neun Töchter nach den neun Musen.
In einem Wettstreit mit den echten Musen wurden sie aber von
diesen besiegt und in Elstern verwandelt, nachdem sie aufgrund
ihrer Niederlage in Schmähreden ausgebrochen waren. [64.22]
(Ovid, *Metamorphosen* 5,294–317)

Pygmalion
Mythologische Figur. Der von den Frauen enttäuschte Künstler
schuf sich eine ideale weibliche Statue, in die er sich verliebte, die
er zu umarmen und zu küssen pflegte und lange Zeit wie einen lebenden Menschen kleidete und behandelte. Brants harsche Kritik
an diesem Verhalten entspricht den zu dieser Zeit gängigen Deutungen des Mythos, in denen P. oft als Beispiel für eingebildete
Selbstverliebtheit und Idolatrie genannt wird. [60.25] (Ovid, *Metamorphosen* 10,243 f.)

Pyrr de Conniget (Maître Pierre de Conniget)
Fiktive Figur. Diese Figur eines Gelehrten wird mit einem grotes-
ken Standbild in der Kathedrale von Notre Dame identifiziert.
Der Name taucht später in ähnlicher Form (*meister piero von qui-
net*) auch einmal in Thomas Murners *Narrenbeschwörung* (x7a)
auf. [92.18]

Pythagoras (um 580–496 v. Chr.)
Historische Figur. Der berühmte griechische Philosoph und Mathematiker [107.66] stammt aus Samos und nicht, wie Brant behauptet, aus Memphis [66.137]. Er hat zu den Weisen von Memphis allerdings einige Reisen unternommen, wie Hieronymus im
Vulgata-Prolog berichtet (53,1). Brants Verwechslung beruht auf
einem Übertragungsfehler: In mehreren zu seiner Zeit kursierenden Handschriften des Prologs wurde der Akkusativ Plural *Mem-*

phiticos vates zu einem Nominativ Singular verändert (*Memphiticus vates*). Dies erklärt, warum Brant den Geburtsort des P. nach Memphis verlegt.

Pythias (Phintias)
[10.13] → Demades

Q

Quintus Curius (Manius Curius Dentatus, † 270 v. Chr.)
Historische Figur. Um den erfolgreichen Feldherrn und Politiker ranken sich unzählige Anekdoten, in denen er immer als der Idealtyp des schlichten, tugendhaften Römers erscheint, der in selbst gewählter Armut lebt. Q. C. wird dabei, wie auch bei Brant, oft gemeinsam mit Gaius Fabricius Luscinus (→ Fabricius) genannt. [83.62]

R

sú,n Rechab (Rechabiter)
Biblisches Volk (AT). Die Nachfahren Rechabs, des Stammvaters der Gemeinschaft der R., tranken keinen Wein, bauten keine Häuser und betrieben keinen Ackerbau, wie es ihr Vater geboten hatte. Für dieses strikte Befolgen der Gebote wurden sie von Gott gelobt und werden in der Bibel als Beispiel für große Gottesfurcht genannt. [90.30] (Ier 35)

Rhodope (Rhodopis)
Historische Figur. Die thrakische Sklavin wurde von dem Samier Xanthos nach Ägypten mitgenommen und machte dort zur Zeit des Königs → Amasis als Hetäre Karriere. Brant bezieht sich wohl auf Herodot (2,134 f.), wo berichtet wird, R. habe sich wie Amasis eine Pyramide bauen lassen. Herodot selbst allerdings bestreitet den Wahrheitsgehalt dieser Geschichte und steht damit im Widerspruch zu Plinius (36,17,82), der ebenfalls von dem Grabmal der R. erzählt. [85.118]

Ritter Peter
[76a] → Peter von altten joren

Roboam (Rehabeam, 926–910 v. Chr.)

Biblische Figur (AT). Der Sohn König Salomons lehnte es ab, den Rat der Ältesten zu befolgen und dem Volk Israel die Lasten zu erleichtern, die sein Vater den Israeliten auferlegt hatte. Daraufhin sagten sich die zehn Stämme des Nordreichs von R. los, ihm blieb nur noch die Herrschaft über die Städte Judas. [8.17] (3 Rg / 1. Kön 12)

Rumm den hag (Räumsgehege)

Fiktive Figur. Personifikation eines ironischen Imperativs, bezogen auf die Völlerei. [110a.69]

Herr von Runkel (Herr von Runzel)

Fiktive Figur. Spöttisch gemeinte Namensbezeichnung [110b.14], mit der das wichtigtuerische Verhalten der *faßnacht narren* [110b.1] denunziert werden soll.

Ruth

[52.32] → Boos

S

Sackpfiffer von Nickelshusen

Historische Figur. Gemeint ist hier die zu Brants Zeit außerordentlich bekannte Figur des Hirten und religiösen Aufrührers Hans Böhme, genannt der »Sackpfeifer« oder »Pauker«, der 1476 in dem Dorf Niklashausen an der Tauber in der Nähe von Wertheim auftrat und mit der Behauptung von sich reden machte, ihm sei die Jungfrau Maria erschienen. Er hatte großen Zulauf unter der Landbevölkerung, predigte vom Zorn Gottes sowie von der besonderen Auserwähltheit der Bewohner des Taubertals. Zudem prophezeite er eine Umwälzung der sozialen Ordnung. Als er schließlich zu einer bewaffneten Versammlung aufrief, wurde er auf Anordnung des Bischofs von Würzburg, Rudolph von Scherenberg, festgenommen und zusammen mit einigen seiner Anhänger verbrannt. [11.18]

Salmon, Salomon

Biblische Figur (AT). Der Sohn König Davids übernahm nach dessen Tod die Herrschaft über das gesamte Königreich Israel. Seine Haupttätigkeit entfaltete er auf wirtschaftlichem, religiösem und

kulturellem Gebiet. S. ließ einen prächtigen Tempel und Paläste in
Jerusalem bauen und war deshalb vor allem wegen seines sagenhaften Reichtums [17.10] (3 Rg / 1. Kön. 10,14–29) und seiner
sprichwörtlichen Weisheit (3 Rg / 1. Kön 5,1–14) berühmt. Kurz
nach seiner Thronbesteigung trat S.s Mutter Batseba mit der Bitte
vor ihn, seinem älteren Halbbruder, dem eigentlichen Thronfolger
Adonija, dem S. vorgezogen worden war, eine junge israelitische
Schönheit zur Frau zu geben. Brant bezieht sich in [90.27] darauf,
dass S. seiner Mutter die Ehre erwies, indem er von seinem Kö-
nigsthron aufstand, sich vor ihr verneigte und ihr einen Platz auf
einem eigenen Thron zuwies (3 Rg / 1. Kön 2,13–19). In späteren
Jahren verging sich S. gegen Gott, da er seinen unzähligen Frauen
zuliebe, die zum Teil einem fremden Glauben angehörten, falschen
Göttern opferte [13.69; 64.17] (3 Rg / 1. Kön 11).

Salustio (Caius Sallustius Crispus, 86–34 v. Chr.)
Historische Figur. Der römische Politiker und Geschichtsschreiber
wurde beim Ehebruch ergriffen und zur Strafe ausgepeitscht.
[33.29] (Gellius, *Noctes Atticae* 17,18)

Samson (Simson)
Biblische Figur (AT). Der Held aus dem Stamme Dan, von dessen
Taten und Streichen gegen die Philister im Buch der Richter erzählt wird, offenbarte Delila aus Liebe leichtfertig das Geheimnis
seiner großen Kraft [46.86]. Durch seine Liebe [13.68] und seine
Vertrauensseligkeit verlor S. seine Haare und sein Augenlicht
[51.4], denn seine Kraft konnte ihm nur geraubt werden, indem
man seine sieben Locken zusammenflocht und sie ausriss. Nachdem S. dies Delila verraten hatte, beraubte sie S. seiner Haare und
damit seiner Kraft und verriet ihn an die Philister. (Idc/Ri 16,4–22)

Samuel (11. Jh. v. Chr.)
Biblische Figur (AT). Nach der Darstellung im Buch S. wurde dieser
von Gott zum Propheten berufen und erhielt später das Amt eines
Priesters und Richters über Israel. Kapitel [88.23], wo S. gemeinsam
mit Moses (→ Moysen) als Exempel der Gottesfürchtigkeit genannt
wird, bezieht sich wohl auf die Überlieferung in Jer 15,1.

Sannaballat (Sanballat, 4. Jh. v. Chr.)
Biblische Figur (AT). Persischer Statthalter der Provinz Samaria.
S. spottete über die Pläne zum Wiederaufbau Jerusalems. Er wurde

zornig, als er später feststellen musste, dass die Mauer Jerusalems tatsächlich ausgebessert und erneuert worden war. [42.29] (Neh 3,33; 4,1–5)

Sappho (um 630 v. Chr.)
Historische Figur. Die griechische Dichterin war unglücklich verliebt und stürzte sich von den leukadischen Felsen in den Tod. [13.53] (Ovid, *Heroides epistolae* 15,172)

Saracenen (Sarazenen)
Orientalisches Reitervolk nichtchristlichen Glaubens. [98.9]

Sardanapalus (Sardanapal)
Mythologische Figur. Der legendäre letzte König Assyriens galt als Typus des verweichlichten Wollüstlings, der sich zeit seines Lebens ausschließlich der Prasserei und dem Vergnügen widmete. Nach der Eroberung der Stadt Ninive starb er von eigener Hand auf einem Scheiterhaufen, der aus all seinen Reichtümern bestanden haben soll. Die Nennung in [26.89] ist wie vieles andere in diesem Kapitel der zehnten Satire Juvenals entlehnt (360–362). In Kapitel [50.20] dient S. erneut als typischer Repräsentant der Wollust. Das Diktum, nach dem Tod gebe es keine Freuden mehr, ist die Grabinschrift des S., die ursprünglich von Strabo (14,5,9) überliefert wurde. Eine für beide Stellen wichtige Quelle Brants sind auch die *Historiae* des Iustinus (1,3).

Saul, Saulis
Biblische Figur (AT). Der erste König Israels wurde zum erbitterten Feind seines ehemaligen Gefolgsmannes, des späteren israelitischen Königs David, da dieser durch militärische Erfolge immer mächtiger wurde [53.19]. Als S. gegen das Heer der Philister zu verlieren drohte, die er während seines ganzen Lebens bekämpft hatte, geriet er in Furcht und wandte sich an Gott. Dieser antwortete ihm aber nicht. S. wandte sich daraufhin an eine Totenbeschwörerin [65.93] (1 Sm 28). Nachdem S.s Heer von den Philistern tatsächlich in die Flucht geschlagen worden war, gab er sich selbst den Tod. Kapitel [10.14] verweist auf S.s treuen Schildknecht, der sich geweigert hatte, Hand an ihn zu legen, und sich nach S.s Freitod ebenfalls tötete. Da die Nachricht vom Tode S.s König David erfreuen musste, brüstete sich ein Gefolgsmann S.s vor David mit der Behauptung, er hätte S. erschlagen. Der Ge-

folgsmann hoffte, David würde ihn dafür belohnen, dieser ließ den Untreuen aber töten. Ebenso ließ er später auch die Mörder Eschbaals (»Hißboseth«), des Sohnes von S., hinrichten. [7.27] In Kapitel [8.34] ist wohl Absalom (→ Absolon) gemeint und nicht S. Vgl. auch → Achitofel.

Schamperyon (Schamperjan)
Fiktive Figur. Personifikation der Unzucht. [72.55]

Schmirwanst (Schmiernwanst)
Fiktive Figur. Personifikation eines ironischen Imperativs (»Mäste den Bauch«). [110a.70]

Scipio (Cornelius Scipio Africanus, † 183 v. Chr.)
Historische Figur. Die unverbrüchliche Freundschaft zwischen dem römischen Staatsmann und Feldherrn S. und seinem jüngeren Landsmann Caius Laelius (um 235–160 v. Chr.) wird in der Literatur der Antike als Beispiel ehrbarer Treue genannt, etwa bei Valerius Maximus (8,8,1) oder in Ciceros *De Amicitia* (1,4). [10.15]

Scordiscos (Scordisci)
Volk keltischer Abstammung, das im 2. Jahrhundert v. Chr. den nördlichen Balkan (das Gebiet des heutigen Dalmatien) besetzt hielt. Nach mehreren Kämpfen mit den Römern wurden die S. im Jahr 15 n. Chr. von Kaiser Tiberius unterworfen. [99.41] (Strabo 7,313)

Scylla (Skylla₁)
Mythologische Figur. Die Tochter des Königs Nisos von Megara verliebte sich in Minos, der die Stadt ihres Vaters belagerte. Minos zuliebe tötete sie ihren Vater, indem sie ihm im Schlaf ein goldenes Lebenshaar abschnitt. Die Geschichte ist mehrfach überliefert, u. a. in Ovids *Tristia* (2,393). [13.47]

Scyllam (Skylla₂)
Mythologische Figur. Nach einem Schiffermärchen der *Odyssee* (12,73–222) versperrte das sechsköpfige Ungetüm S. eine Meerenge und schnappte, auf einem Felsen sitzend, nach den vorbeiziehenden Schiffen. Auf der anderen Seite der Meerenge hauste die Charybdis, ein nicht minder gefräßiges Weib mit zwei Rachen. Kapitel [108.37], wo S. gemeinsam mit der Charybdis und der für

ihre Strömung bekannten Bucht Syrtis genannt ist, verweist auf Vergils *Aeneis* (7,302) und Senecas Briefe (31,9).

Selten satt
Fiktive Figur. Personifikation des ungezügelten Appetits. [72.34]

Semey (Simei, Schimi)
Biblische Figur (AT). S. schmähte König → Dauid und wurde später von → Salomon getötet. [42.33] (2. Sm 16,5f.; 19,24)

Seneca (Lucius Annaeus Seneca, 1–65 n. Chr.)
Historische Figur. Der Politiker, Dichter und Erzieher Neros versuchte in seinem Leben das Prinzip der stoischen Philosophie zu verwirklichen: Bescheidenheit und Gelassenheit gegenüber den nicht zu ändernden Äußerlichkeiten. Brant spielt in Kapitel [16.77] auf S.s neunten Dialog (*De tranquilitate animi* 17,8–10) an, in dem argumentiert wird, dass Ruhe, Erholung und ein gelegentlicher Schwips die seelische Ausgeglichenheit beförderten, gewohnheitsmäßiges Trinken aber verurteilenswert sei.

Sennacherib (Sanherib, 705–681 v. Chr.)
Biblische Figur (AT). Der grausame König von Assyrien, dessen Regierungszeit von Kriegen und Aufständen gekennzeichnet war, verschmähte und verhöhnte Gott, woraufhin sein Heer vom Engel des Herrn vernichtet wurde [87.32] (4 Rg / 2. Kön 19). S. selbst wurde bestraft, indem er von seinen beiden ältesten Söhnen um der Thronfolge willen ermordet wurde. Die Herrschaft fiel letztlich aber keinem von ihnen, sondern dem jüngsten Sohn S.s zu. [90.23] (2 Par / 2. Chr 32; 4 Rg / 2. Kön 19)

Sirenen, Syrenen
Mythologische Figuren. Diese mythischen Meeresungeheuer, bekannt aus dem Schiffermärchen der *Odyssee* (12,39–200), lockten vorüberfahrende Schiffer durch ihren bezaubernden Gesang auf Riffe, wodurch sie zu Tode kamen. Odysseus und seine Männer konnten ihnen entkommen, da sie ihre Ohren mit Wachs verstopften und Odysseus sich an einen Mast binden ließ [13.54]. Brant lässt Odysseus in [36.32] ein ganzes *Syrenen her* erblicken, obwohl bei Homer nur von zwei Sirenen die Rede ist. Im Vergil-Kommentar des Servius (5,864) sind drei Sirenen erwähnt, aber auch die Überlieferung, es habe sich um ein ganzes Heer gehandelt, war

weit verbreitet. Sie geht auf Benoit de Sainte-Maures *Le Roman de Troie* (28 858–68) zurück und findet sich im Folgenden auch in anderen Quellen. Dass die Sirenen *vns* mit ihren *süß Cantylenen* […] *vast entschloffen* lassen, wie Brant in [108.41–43] schreibt, ist ebenfalls nicht homerisch, wird aber – mit Bezug auf Odysseus' Matrosen – bei Plinius (*Historia Naturalis* 10,136) erwähnt. Die Formulierung *der Syrenen joch* in Kapitel [13.7] ist entweder Ovid (*Metamorphosen* 14,88) oder Vergil (*Aeneis* 5,64) entlehnt.

Sisyphus (Sisyphos)

Mythologische Figur. Der Begründer und König Korinths musste der griechischen Sage zufolge nach seinem Tod im Hades in ewiger Qual einen Felsblock auf einen Berggipfel wälzen, von dessen Gipfel er immer wieder herabrollte. [56.53] (Homer, *Odyssee* 11,593–601)

Socrates (Sokrates, um 470–399 v. Chr.)

Historische Figur. Der Athener gilt als Begründer der attischen Philosophie. Da von ihm selbst keine Schriften erhalten sind, finden sich seine Gedanken vor allem in den Dialogen seines Schülers → Plato [6.40]. Der Ausspruch in Kapitel [6.91] ist in Plutarchs *De educatione* (8) überliefert. Dort antwortet S. auf eine Frage des → Gorgias, er wisse nicht, wie es um die Tugend und die Bildung des Königs von Persien stehe, und deutet damit an, dies seien die maßgeblichen Dinge im Leben. Berühmt war S. für seine Weisheit [83.79; 107.67; 112.3] und seine seelische Ausgeglichenheit, auf die Brant in Kapitel [35.20] verweist und von der etwa in Senecas drittem Dialog *De ira* (15,3) die Rede ist. Brants direkte Vorlage für diese Stelle war wohl Plutarchs *De educatione* (14), wo im selben Zusammenhang auch Plato und → Archytas erwähnt werden. Von großer Bedeutung für den spätmittelalterlichen Lehrbetrieb der Zeit waren die oft heftigen und langwierigen Disputationen über den Wahrheitsgehalt einzelner Sätze, in denen zumindest der Name des S. oft als Autorität auftaucht. In Kapitel [27.15] kritisiert Brant die spitzfindige Methodik der scholastischen Erkenntnissuche, bei der man sich nur oberflächlich auf antike Philosophen wie So(c)r(a)tes berufe. Brants Kritik wendet sich vor allem gegen die scholastische Disputationslehre, wie sie etwa in der schon vor 1490 erstmals gedruckten *Ars insolubilis docens de omni scibili indifferenter disputare* des Karmeliters Stephanus de Monte vermittelt wird. Zu der epistemologischen Spitzfindigkeit tritt in den Disputationen die gezielte Täuschung des Streitpartners hinzu. Das Buch des Stephanus erschien in einer Bearbeitung von Laurentius Bernsprunck Zwicauiensis 1496 unter dem Titel *Campus sophistarum* 1496 in Leipzig. Es könnte Brant als Quelle gedient haben, denn es findet sich 'dort unter anderem ein Satz, in dem es heißt: *Sortes currit vel Plato disputat*. Vgl. auch → Crates₂.

Sodomiten
[25.13] → Amorreen

Solon
Historische Figur. Der athenische Dichter und Staatsmann erließ etliche Gesetze, die sowohl die wirtschaftlichen und politischen als auch die sozialen Verhältnisse reformierten. Aufgrund dieser Gesetze, die später die Grundlage für die römischen Zwölftafelgesetze bildeten, wurde er in Volkssagen in den Kreis der sieben Weisen gestellt. Die von Brant zitierte Äußerung geht auf Herodot (1,32) zurück und ist in Ciceros *De finibus* (3,22,76) erwähnt. [83.94–101]

Sortes
[27.15] → Socrates

Sotades (3. Jh. v. Chr.)
Historische Figur. Der Dichter griff in seinen Werken Könige und Privatpersonen gleichermaßen an. Aufgrund seines Angriffs auf Ptolemaios II., der mit seiner eigenen Schwester verheiratet war, soll er nach Plutarchs *De educatione* (14) etliche Jahre in Haft verbracht haben. [19.87]

Strobo (Strabon, um 64–23 v. Chr.)
Historische Figur. Der griechische Historiker und Geograph verfasste mit seinen *Geographica* eine mit historischen und archäologischen Exkursen durchsetzte Natur- und Länderkunde. Im Gegensatz zu → Plinius verwendete er aber nicht Schritte, sondern Meilen als Längenmaß zur Beschreibung der Entfernungen zwischen verschiedenen Orten in Europa und Asien. [66.48]

Sufer ins dorff (Sauberinsdorf)
Fiktive Figur. Bei Brant dient diese Bezeichnung wohl als Personifikation von Ordnung und Anstand. Der Sinn ist demnach: Weil S.

ist worden blyndt, herrschen nun Trunksucht und schlechtes Benehmen [72.31]. Der Name S. geht auf eine Redensart zurück. Damit wollte man allerdings eigentlich vor den betrunkenen Bauern warnen und dazu aufrufen, sanft ins Dorf zu fahren, um keinen Streit mit ihnen zu provozieren.

sůn Rechab
[90.30] → Rechab

sůn(en) Benyamyn (Benjaminiten)
[21.32; 33.33] → Benyamin

Susannen (Susanna)
Biblische Figur (AT). Um die schöne und tugendhafte S. buhlten zwei alte Richter. Von ihr abgewiesen, verurteilten sie die Frau auf Grund falscher Anschuldigungen zum Tode. [5.31; 46.44] (Dn 13)

Syba (Ziba)
Biblische Figur (AT). Z. war der Knecht von Mefi-Boschet. Er schwärzte seinen Herrn bei König → Dauid an, weil jener im Krieg Davids gegen → Absolon nicht auf Davids Seite stand. David begnadigte Mefi-Boschet, veranlasste aber, dass er sein Land mit dem Knecht Z. teilen musste. [101.24] (2. Sm 16,1–4; 19,25)

Sychem (Sichem)
[26.52] → Dyna

Sylenus (Silen)
[66.83] → Bacchus

Symeon (Simeon)
Biblische Figur (NT). Dem gottesfürchtigen und frommen Propheten wurde vorhergesagt, dass er trotz seines hohen Alters erst sterben werde, nachdem er das Christuskind gesehen hatte. [94.30] (Lc 2,25)

Symon (Simon)
Biblische Figur (NT). Der hellenistische Zauberer und Wundertäter bot den Aposteln Geld an und hoffte, dass sie ihm dafür durch Handauflegen die Macht geben würden, den Heiligen Geist zu empfangen. Von dieser Handlung leitet sich das Wort »Simonie«

ab, welches das Schachern mit geistlichen Ämtern bezeichnet. [30.30] (Act/Apg 8,9–24)

Syrån, Syrenen
[13.7; 13.54; 36.32; 108.41] → Sirenen

T

Tantalus (Tantalos)
Mythologische Figur. Der König wünschte sich ein göttergleiches Leben und stellte die Allwissenheit der Götter im Olymp immer wieder auf die Probe. Zur Strafe musste er im Hades im Wasser unter einem Apfelbaum stehend Hunger und Durst leiden, da Äpfel und Wasser immer wieder vor ihm zurückwichen (lat. Überlieferung etwa in den Fabeln des Hyginus, 82; vgl. Homer, *Odyssee* 11,582–592). Brant vergleicht T. in Kapitel [67.90] mit dem geizigen Narren, von dem in den Zeilen zuvor die Rede war. Dies erklärt sich damit, dass T. traditionellerweise mit geizigem Verhalten assoziiert wurde. So heißt es etwa in Johanns von Salisbury *Entheticus maior* (1665–66), T. sei der Begründer der Gier und des Geizes.

Terencius (Terenz, † 159 v. Chr.)
Historische Figur. Der Komödiendichter stammte wahrscheinlich aus Libyen und wurde in einer Senatorenfamilie in Rom als Sklave erzogen und dann freigelassen. Der Satz *Wer worheyt sag / verdienet hass* [Vorrede.73] ist eine freie Übersetzung des Diktums *veritas odium parit* aus T.s Komödie *Andria* (1,1,41). In Kapitel [58.11] ruft Brant mit dem Satz *Jch bin mir aller nåhst verwant* erneut die Autorität T.s an, um hervorzuheben, jeder solle zuvorderst auf seine eigenen Angelegenheiten achten (*Andria* 4,1,2).

Tereus
[13.41] → Progne

Thamyris
[16.37] → Cyrum

Thauricos (Taurisci)
Historische Volksgruppe. Sammelbezeichnung für eine heterogene Gruppe ursprünglich keltischer Völkerschaften, die auf dem Balkan siedelten. [99.42] (Plinius, *Historia naturalis* 3,133,148)

Thays (Thais)
Historische Figur. T. ist eine athenische Hetäre und die spätere
Geliebte des Ptolemaios I. Soter (367–283 v. Chr.). In [64.94] fun-
giert sie als Typus der untreuen Buhlerin, was auf eine Stelle in
Ovids *Remedia Amoris* (5,383–386) verweist.

Theocrytus (Theokrit, 4. Jh. v. Chr.)
Historische Figur. Der griechische Sophist und Rhetor war zeitle-
bens ein aufgrund seiner Scharfzüngigkeit gefürchteter Gegner seiner politischen Widersacher. Nach Plutarchs *De educatione* (14)
wurde er durch Antigonos, einen makedonischen Feldherren mit
Beinamen Kyklops, hingerichtet, weil er ihn durch bissige Bemerkungen verspottet hatte. [19.89]

Theseo (Theseus)
[13.43] → Phedra

Thobias (Tobit)
Biblische Figur (AT). Der fromme Jude im Exil von Ninive ist die
Hauptfigur des Tobit-Buches, in welchem seine wechselvolle Geschichte erzählt wird. Als T., der als sehr fromm galt, seinen Tod
nahen glaubte, empfahl er seinem Sohn einige Verhaltensregeln. So
sollte sich dieser unter anderem immer an den Rat der Weisen halten und seine Mutter ehren. [8.11; 90.25] Kapitel [10.24] bezieht
sich wohl besonders auf T.s Hilfeleistungen für die Verbannten sowie seine Treue gegenüber dem alten Glauben.

Thyestes
Mythologische Figur. T. pflegte einen erbitterten Hass auf seinen
Bruder Atreus [53.29]. Die Feindschaft kulminierte, als Atreus sei-
nem Bruder T. aus Rache die eigenen Kinder zur Speise vorsetzte
(Hyginus, *Fabulae* 258; Seneca, *Thyestes* u. a.).

toüffer
[16.24] → Johannes₁

Tribulos (griech. Triballoi)
Großer Stammesverband, der in der griechischen Antike auf dem
Gebiet des heutigen Ostserbien bzw. Bulgarien siedelte. Sie galten
als grausam und primitiv. [99.41] (Plinius, *Historia naturalis* 3,149)

Tryphon
[12.17; 46.91] → Jonathas₁

Türcken (Türken)
Dieses Volk muslimischen Glaubens stand zu Brants Zeit auf der Höhe seiner Macht und drang zunehmend nach Zentraleuropa vor. Die T. stellten damit aus Brants Sicht eine ernsthafte Bedrohung für die Vorherrschaft des christlichen Glaubens dar. [98.9]

Tullius (Marcus Tullius Cicero, 106–43 v. Chr.)
Historische Figur. Größter römischen Redner, der auch als Staatsmann, Philosoph und Rhetoriktheoretiker hervortrat [19.60]. Seine rednerischen Fähigkeiten brachten ihm aber, wie auch schon → Demosthenes, den Tod [19.92]: Als Verfechter des freien Staates verlieh er seiner Abneigung gegen den Tyrannen Antonius in den vierzehn philippischen Reden Ausdruck und wurde daraufhin von den Häschern des Antonius ermordet. Die gemeinsame Erwähnung von C. und Demosthenes in Kapitel [19.92] verweist auf Juvenals zehnte Satire (118–119) oder auf Senecas *De remediis fortuitorum* (12,4).

Tysbe (Thisbe)
Mythologische Figur. Die Babylonierin wurde von ihren Eltern an der Heirat mit ihrem Geliebten Pyramos gehindert. In der Nacht, als sie sich unter einem Maulbeerbaum verabredet hatten, kam Pyramos zu spät, T. musste vor einer Löwin in eine nahe gelegene Höhle fliehen und verlor auf der Flucht ihren Schleier. Pyramos entdeckte den Schleier und die Spuren des Raubtieres. Er nahm an, T. sei getötet worden, und erstach sich selbst. T., die ihn sterbend fand, folgte ihm in den Tod und färbte mit ihrem Blut die Beeren des Maulbeerbaumes, die seither – so die Legende – eine rote Farbe haben. [13.63] (Ovid, *Metamorphosen* 4,43–170)

V

Vaschy (Vasthi)
Biblische Figur (AT). Die Frau des Perserkönigs Ahasveros (→ Xerxes) weigerte sich, vor den Gästen des Königs zu erscheinen, und wurde daraufhin verstoßen, damit sie nicht als schlechtes Vorbild für andere Frauen dienen konnte [64.83] (Est 1). Brant spielt auf ihre Nachkommen unter den gegenwärtigen Frauen an.

Venus

Mythologische Figur. Römische Göttin der Liebe, im Mittelalter
negativ als Symbolfigur der Sexualität gesehen [61.15]. V. werden
unzählige Liebhaber sowie eheliche und uneheliche Kinder zugeschrieben. Die Erwähnung ihres *ströwen ars* [13.1] ist eine derbe
Anspielung auf die leicht entflammbare Lust, deren Ursprung oftmals vermeintlich im Gesäß lokalisiert wurde. Bekannt ist V. auch
als Mutter des knabenhaften, blinden Liebesgottes → Cupido, dessen Erscheinung und Funktion Brant die V. in [13.13–36] ausführlich beschreiben lässt.

Virgilius, Virgilium (Vergil, 70–19 v. Chr.)

Historische Figur. Der römische Autor wurde vor allem durch
sein Hauptwerk, die *Aeneis*, berühmt. Brant bezieht sich in Kapitel [77.69] auf das zu seiner Zeit Vergil zugeschriebene Gedicht
über das Spiel, *De ludo*, und in den Kapiteln [112.d und 112.51]
auf das ebenfalls pseudovergilische Gedicht über den guten Menschen, *Vir bonus*.

In Kapitel [13.74] meint Brant den Zauberer V., der aus mehreren im Mittelalter verbreiteten Legenden bekannt ist. (Jansen Eni-
kel, *Weltchronik*, V. 23695–24224; von der Hagen, *Gesamtabenteu-
er*, Bd. 2, 1850, S. 513–527.) Die Entstehung der Zaubererfigur ist
das Ergebnis einer fabulösen Wandlung des Dichters V. Die historische Person des Dichters, der aufgrund seiner sprachlichen
Kunstfertigkeit und seines umfassenden Weltwissens verehrt wurde, wandelte sich ab der zweiten Hälfte des 12. Jahrhunderts in
den mit geheimen Kräften und magischen Fähigkeiten ausgestatte-
ten Zauberer. Das früheste Zeugnis hierfür findet sich im *Policraticus* Johanns von Salisbury (1,4). Spätestens ab 1200 kann der Zauberer als eigenständige literarische Figur gelten, die sich von ihrem
ursprünglichen Namensgeber gelöst hat. Brant bezieht sich auf
eine Anekdote, in der der Magier von einer Frau verspottet wird:
Diese hatte ihm zum Schein versprochen, ihn in einem Korb zu ihrem Fenster emporzuziehen. Zu seiner Schmach zog sie ihn jedoch
nicht ganz herauf, sondern ließ ihn bis zum nächsten Morgen unterhalb ihres Fensters hängen.

Vli von stouffen (Uli von Stauffen)

Fiktive Figur. Der historische Hintergrund dieser von Brant erfundenen Figur ist unklar, ebenso wie ein möglicher Bezug zum The-

ma des Kapitels. Der Name scheint bei Brant erstmalig belegt zu sein. [4. Kap., Holzschnitt]

Vlisses, Vlysses, Vlyssem (Odysseus)
Mythologische Figur. Der mythische Fürst von Ithaka ist der Held der *Odyssee* Homers. Brants Anspielungen auf O. beziehen sich auf die zahlreichen Abenteuer, die O. nach dem Sieg der Griechen über Troja, während seiner zehn Jahre dauernden Heimfahrt erlebt [66.133]. Bereits bei der Einnahme Trojas hat sich O. durch kluges Verhalten ausgezeichnet [108.72–74]. Zu seinen unterschiedlichen Bewährungsproben zu Wasser und zu Land gehört dann etwa die Begegnung mit den → Sirenen [36.31], deren todbringendem Gesang O. entkommt, indem er sich die Ohren mit Wachs verstopft und sich an den Schiffsmast binden lässt. In Kapitel [108] dient O. mehrfach als Exempel. Brants Deutungen sind aus verschiedenen lateinischen Quellen zusammengetragen. Die griechische *Odyssee* war ihm wohl nicht bekannt. Die Begegnung des O. mit dem Zyklopen (→ Cyclops) [108.46] basiert vermutlich auf Vergils *Aeneis* (3,613–674); das bei Homer nicht überlieferte Detail, Polyphem sei sein Auge nachgewachsen, geht auf den Vergil-Kommentar des Servius zurück (3,636). Die Geschichte, wie O. der → Circe entkommt, wird in Ovids *Metamorphosen* berichtet (14,271–307) [108.77–83]. Die ebenfalls nicht bei Homer überlieferte Sage, O. sei, nachdem er kurz vor seiner Heimat Schiffbruch erlitten und an Land geschwommen war, von seinem mit Circe gezeugten Sohn Telegonus getötet worden [108.93–95], findet sich ebenfalls bei Servius (2,44), aber auch in Boccaccios *Genealogie deorum* (11,42).

Vnflot (Unflat)
Fiktive Figur. Personifikation von unflätigem, rüpelhaftem Benehmen. [72.55]

Vrsa (Ursa)
[108.28] → Bootes

W

Walhen (Welsche, Romanen)
Sammelbezeichnung für die Bewohner des Welschlandes, heute das Gebiet der französischen Schweiz. [92.24]

Wol truwen (Trauwohl)

Fiktive Figur. Personifikation von Vertrauensseligkeit und Leichtsinnigkeit. Der Sinn von Kapitel [69.24] ist wohl, dass derjenige, der allzu vertrauensselig ist, selbst Schuld trägt, wenn ihm sein Pferd gestohlen wird oder ausreißt. Diese Sichtweise, verbunden mit dem personifizierten *Wol truwen*, geht auf eine gängige Redeweise zurück, die mehrfach überliefert ist.

Wonolff (Wähnolf)

Fiktive Figur. Personifikation der Einbildung (Wahn). Brants Feststellung *Das wonolff / btriegolfs brůder ist* [67.64] (→ B(e)triegolf) geht wohl auf ein Sprichwort zurück, das sich auch in Ulrich Boners *Edelstein* (80,23) findet.

X

Xerxes (486–465 v. Chr.)

Historische Figur (AT). Der persische Großkönig Xerxes, in der Bibel und auf griechisch Ahasveros, versuchte sein Weltreich mittels einer Invasion bis nach Griechenland auszuweiten. Er stellte dazu eine riesige Armee zusammen, mit der er Athen niederwarf und dabei die Akropolis plünderte. Nach zwei Niederlagen, bei Salamis (480 v. Chr.) und Mykale (479 v. Chr.), musste er seine Pläne jedoch aufgeben. Laut einer Marginalie in Lochers lateinischer Übersetzung des *Narrenschiffs* bezieht Brant seine Informationen über das große Heer des Ahasveros aus Herodot (5; 7,19). Der Vergleich seiner Flucht mit der eines Hasen könnte zudem auf Valerius Maximus zurückgehen (III,2, ext. 3; I,6, ext. 1). [56.19–26]

Z

Zambry (Simri)

Biblische Figur (AT). Der jüdische Kommandeur eines Streitwagenkorps war machtgierig und kam durch die Ermordung seines Königs Ela auf den Thron des Nordreichs Israel (882/881 v. Chr.). Er konnte sich aber nur sieben Tage halten und beging Selbstmord in den Flammen seines Palastes. [56. 63] (3 Reg / 1. Kön 16,8–20)

Zühsta

Historische Figur. Vielleicht ist ein zeitgenössischer Arzt gemeint, der als unfähig galt, weil er Allheilmittel benutzte [55.25]. Bei Plinius ist eine in ähnliche Richtung gehende Äußerung eines Arztes namens Sosimenes zitiert (*Historia naturalis* 20,192). Bei Strabo (14,650) ist ein Arzt namens Sostratus erwähnt. In Jakob Lochers lateinischer Version des *Narrenschiffs* steht dazu auch die Bemerkung: *qualem forte sibi Thessala saga dedit*.

Nichts ohne Ursache

Deutsche Literatur des Mittelalters

IN RECLAMS UNIVERSAL-BIBLIOTHEK

Philipp Reclam jun. Stuttgart